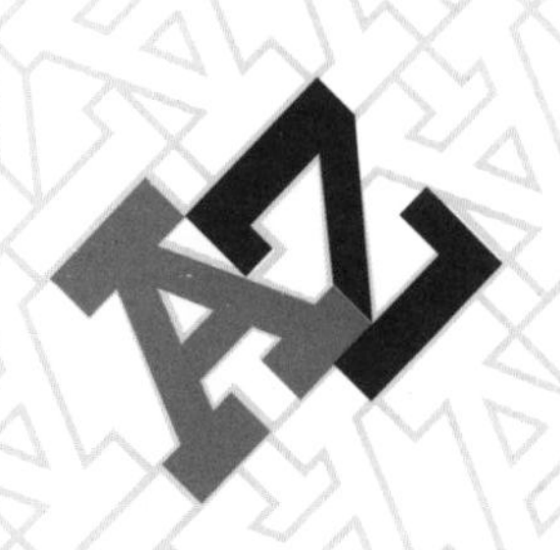

A-Z BRISTOL & BATH DELUXE

CONTENTS

Key to Map Pages	2-3
Large Scale Bristol City Centre	4-5
Large Scale Bath City Centre	6-7
Map Pages	8-159
Postcode Map	160-161
Index to Streets, Towns, Villages, Stations & selected Places of Interest	162-207
Index to Hospitals & Hospices	208

REFERENCE

Motorway	M5
A Road	A36
B Road	B4055
Dual Carriageway	
One-way Street Traffic flow on A Roads is also indicated by a heavy line on the driver's left.	→
Restricted Access	
Pedestrianized Road	
City Centre Loop	
Track / Footpath	
Residential Walkway	
Railway	Station, Tunnel, Level Crossing, Heritage Station
Built-up Area	MILL ST.
Local Authority Boundary	
Posttown Boundary	
Postcode Boundary within Posttown	
Map Continuation	86
Large Scale City Centre	4
Car Park (selected)	P
Church or Chapel	†

Cycleway	
Bristol Ferry Waterbus Stop	F
Fire Station	■
Hospital	H
House Numbers Selected roads	13 8 25
Information Centre	i
National Grid Reference	³60
Park & Ride	Portway P+R
Police Station	▲
Post Office	★
Toilet with facilities for the Disabled	▽
Viewpoint	
Educational Establishment	
Hospital or Hospice	
Industrial Building	
Leisure or Recreational Facility	
Place of Interest	
Public Building	
Shopping Centre or Market	
Other Selected Buildings	

SCALE

Map Pages 8-159 1:14908

0 ¼ ½ Mile

0 250 500 750 Metres

4¼ inches (10.8 cm) to 1 mile 6.71 cm to 1 km

Map Pages 4-7 1:7454

0 ⅛ ¼ Mile

0 100 200 300 400 Metres

8½ inches (21.6) to 1 mile 13.42 cm to 1 km

Head Office:
Fairfield Road, Borough Green, Sevenoaks, Kent TN15 8PP
Telephone: 01732 781000 (Enquiries & Trade Sales)
01732 783422 (Retail Sales)
www.a-zmaps.co.uk

EDITION 2 2003 EDITION 2A 2004 (Part revision)

KEY TO MAP PAGES

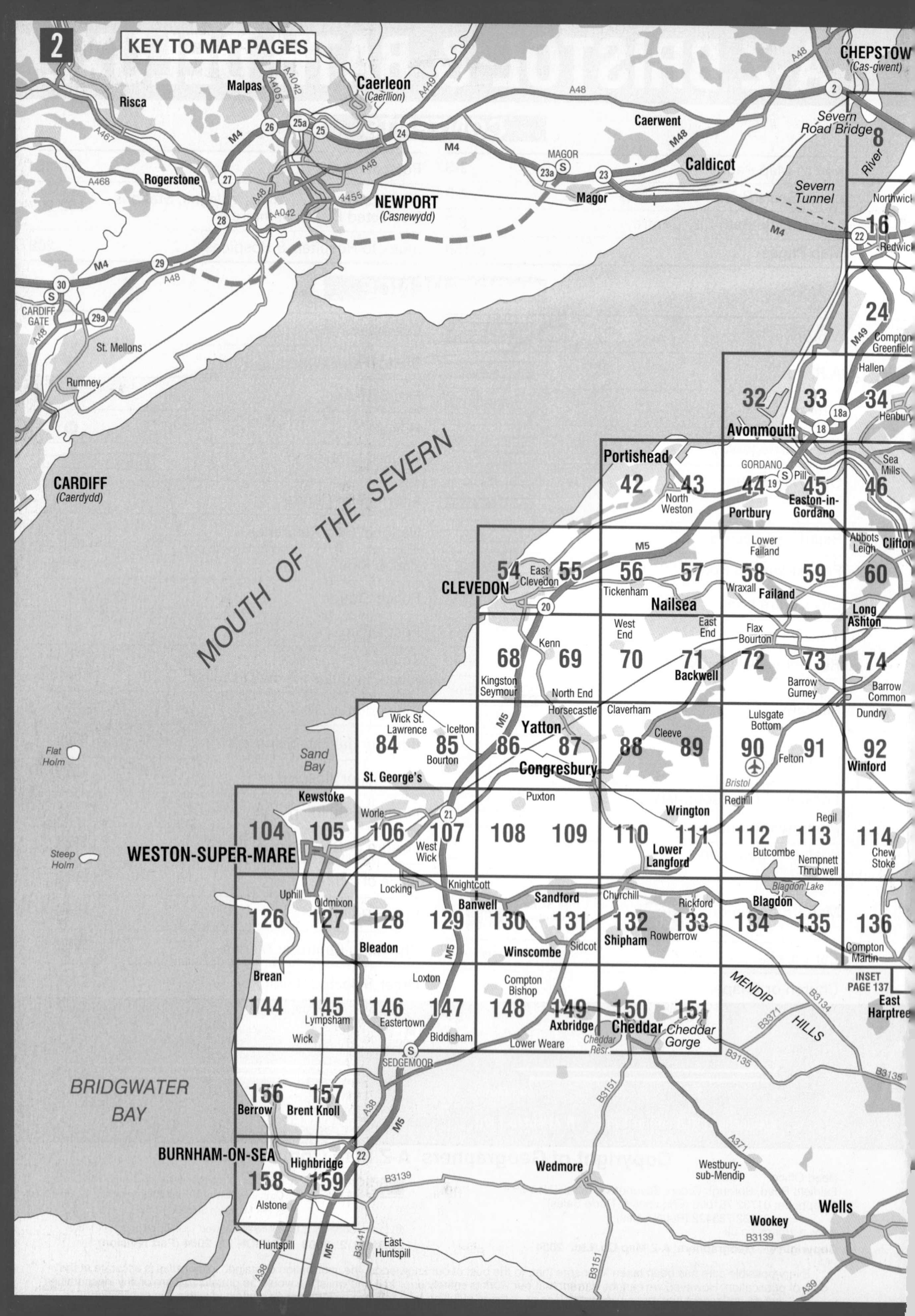
CHEPSTOW
(Cas-gwent)
Caerleon
(Caerllion)
Malpas
Risca
Caerwent
Caldicot
MAGOR
Magor
Severn Road Bridge
Severn Tunnel
Rogerstone
NEWPORT
(Casnewydd)
CARDIFF GATE
St. Mellons
Rumney
CARDIFF
(Caerdydd)
MOUTH OF THE SEVERN
Flat Holm
Steep Holm
Sand Bay
BRIDGWATER BAY
Avonmouth
Hallen
Henbury
Northwick
Redwick
Compton Greenfield
Portishead
North Weston
GORDANO
Pill
Portbury
Easton-in-Gordano
Sea Mills
Abbots Leigh
Clifton
CLEVEDON
East Clevedon
Tickenham
Nailsea
Lower Failand
Wraxall
Failand
Long Ashton
Kenn
West End
East End
Flax Bourton
Backwell
Kingston Seymour
North End
Barrow Gurney
Barrow Common
Wick St. Lawrence
Icelton
Bourton
Yatton
Horsecastle
Claverham
Cleeve
Lulsgate Bottom
Felton
Bristol
Dundry
Winford
St. George's
Congresbury
Kewstoke
Worle
West Wick
Puxton
Wrington
Redhill
Regil
Lower Langford
Butcombe
Nempnett Thrubwell
Chew Stoke
WESTON-SUPER-MARE
Uphill
Oldmixon
Locking
Knightcott
Banwell
Sandford
Churchill
Rickford
Blagdon Lake
Blagdon
Bleadon
Winscombe
Sidcot
Shipham
Rowberrow
Compton Martin
INSET PAGE 137
Brean
Loxton
Compton Bishop
MENDIP HILLS
East Harptree
Lympsham
Wick
Eastertown
Biddisham
Lower Weare
Axbridge
Cheddar
Cheddar Resr.
Cheddar Gorge
SEDGEMOOR
Berrow
Brent Knoll
BURNHAM-ON-SEA
Highbridge
Alstone
Wedmore
Westbury-sub-Mendip
Wells
Wookey
Huntspill
East Huntspill
River
8 16 24 32 33 34 42 43 44 45 46 54 55 56 57 58 59 60 68 69 70 71 72 73 74 84 85 86 87 88 89 90 91 92 104 105 106 107 108 109 110 111 112 113 114 126 127 128 129 130 131 132 133 134 135 136 144 145 146 147 148 149 150 151 156 157 158 159
M4 M48 M49 M5 A48 A4042 A4051 A449 A455 A467 A468 A4055 A38 A39 A371 B3139 B3141 B3151 B3134 B3135 B3371

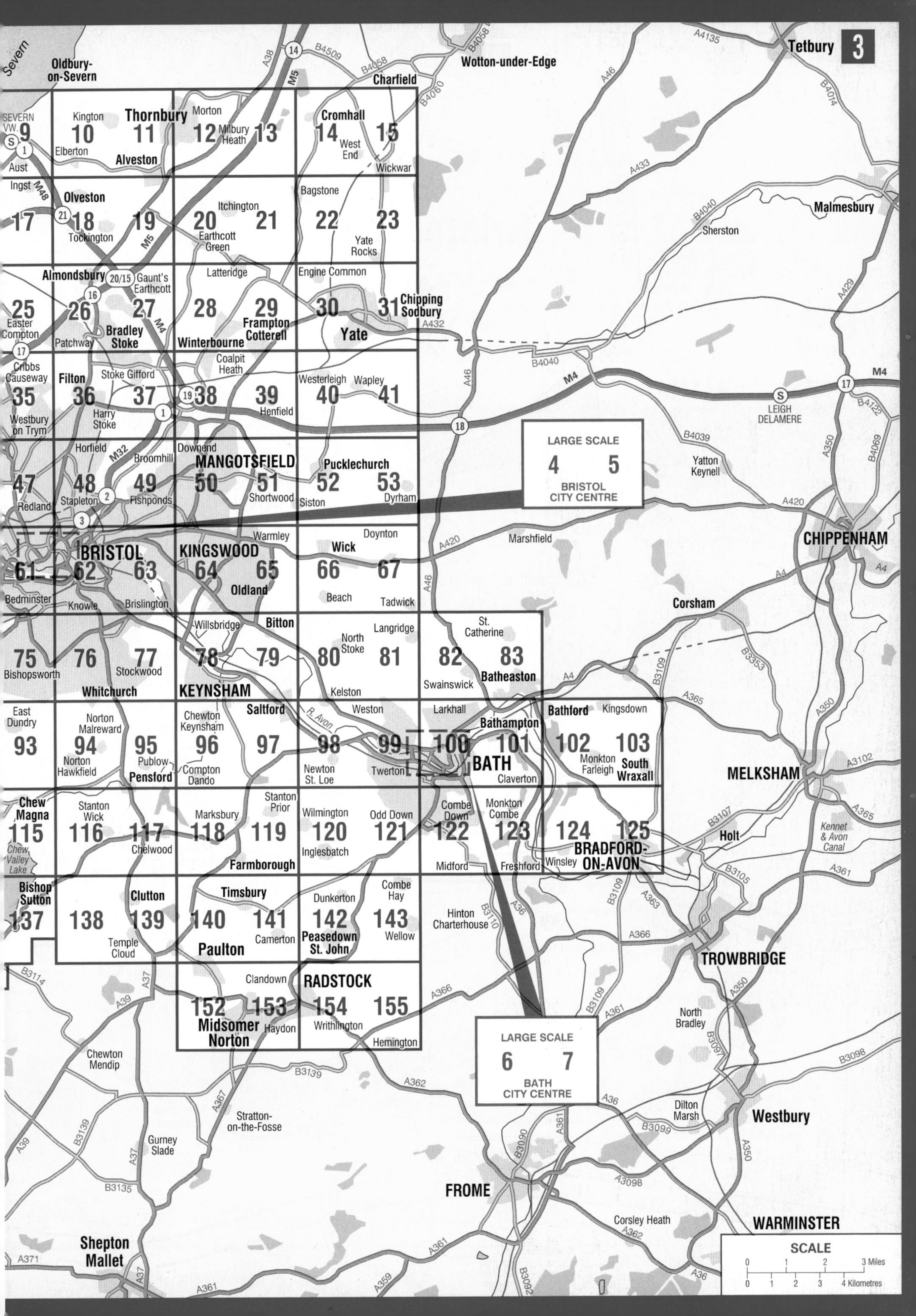
Severn
Oldbury-on-Severn
Tetbury
Wotton-under-Edge
Charfield
SEVERN VW.
9
Kington
10
Elberton
Aust
Thornbury
11
Alveston
Morton
12
Milbury Heath
13
Cromhall
14
West End
15
Wickwar
Ingst
Olveston
17
18
Tockington
19
20
Itchington
Earthcott Green
21
Bagstone
22
23
Yate Rocks
Malmesbury
Sherston
Almondsbury
Gaunt's Earthcott
25
Easter Compton
26
Patchway
Bradley Stoke
27
Latteridge
28
Winterbourne
29
Frampton Cotterell
Engine Common
30
Yate
31
Chipping Sodbury
Cribbs Causeway
35
Westbury on Trym
Filton
36
Stoke Gifford
37
Harry Stoke
38
Coalpit Heath
39
Henfield
Westerleigh
40
Wapley
41
LEIGH DELAMERE
LARGE SCALE
4
5
BRISTOL CITY CENTRE
Yatton Keynell
47
Redland
Horfield
48
Stapleton
Broomhill
49
Fishponds
Downend
MANGOTSFIELD
50
51
Shortwood
Pucklechurch
52
Siston
53
Dyrham
BRISTOL
61
62
63
Bedminster
Knowle
Brislington
KINGSWOOD
64
Warmley
65
Oldland
Wick
66
Doynton
67
Beach
Tadwick
Marshfield
CHIPPENHAM
Corsham
Willsbridge
Bitton
75
Bishopsworth
76
Whitchurch
77
Stockwood
78
KEYNSHAM
79
North Stoke
80
Langridge
81
Kelston
82
St. Catherine
83
Swainswick
Batheaston
East Dundry
93
Norton Malreward
94
Norton Hawkfield
95
Publow
Pensford
Chewton Keynsham
96
Compton Dando
Saltford
97
R. Avon
98
Newton St. Loe
Weston
99
Twerton
Larkhall
100
BATH
Bathampton
101
Claverton
Bathford
102
Kingsdown
103
Monkton Farleigh
South Wraxall
MELKSHAM
Chew Magna
115
Chew Valley Lake
Stanton Wick
116
117
Chelwood
Marksbury
118
Stanton Prior
119
Farmborough
Wilmington
120
Inglesbatch
Odd Down
121
Combe Down
122
Midford
Monkton Combe
123
Freshford
124
Winsley
125
BRADFORD-ON-AVON
Holt
Kennet & Avon Canal
Bishop Sutton
137
138
Clutton
139
Temple Cloud
Timsbury
140
Paulton
141
Camerton
Dunkerton
142
Peasedown St. John
Combe Hay
143
Wellow
Hinton Charterhouse
TROWBRIDGE
Clandown
152
153
Midsomer Norton
Haydon
RADSTOCK
154
Writhlington
155
Hemington
LARGE SCALE
6
7
BATH CITY CENTRE
North Bradley
Chewton Mendip
Stratton-on-the-Fosse
Gurney Slade
Dilton Marsh
Westbury
FROME
Corsley Heath
WARMINSTER
Shepton Mallet
SCALE
0
1
2
3 Miles
0
1
2
3
4 Kilometres

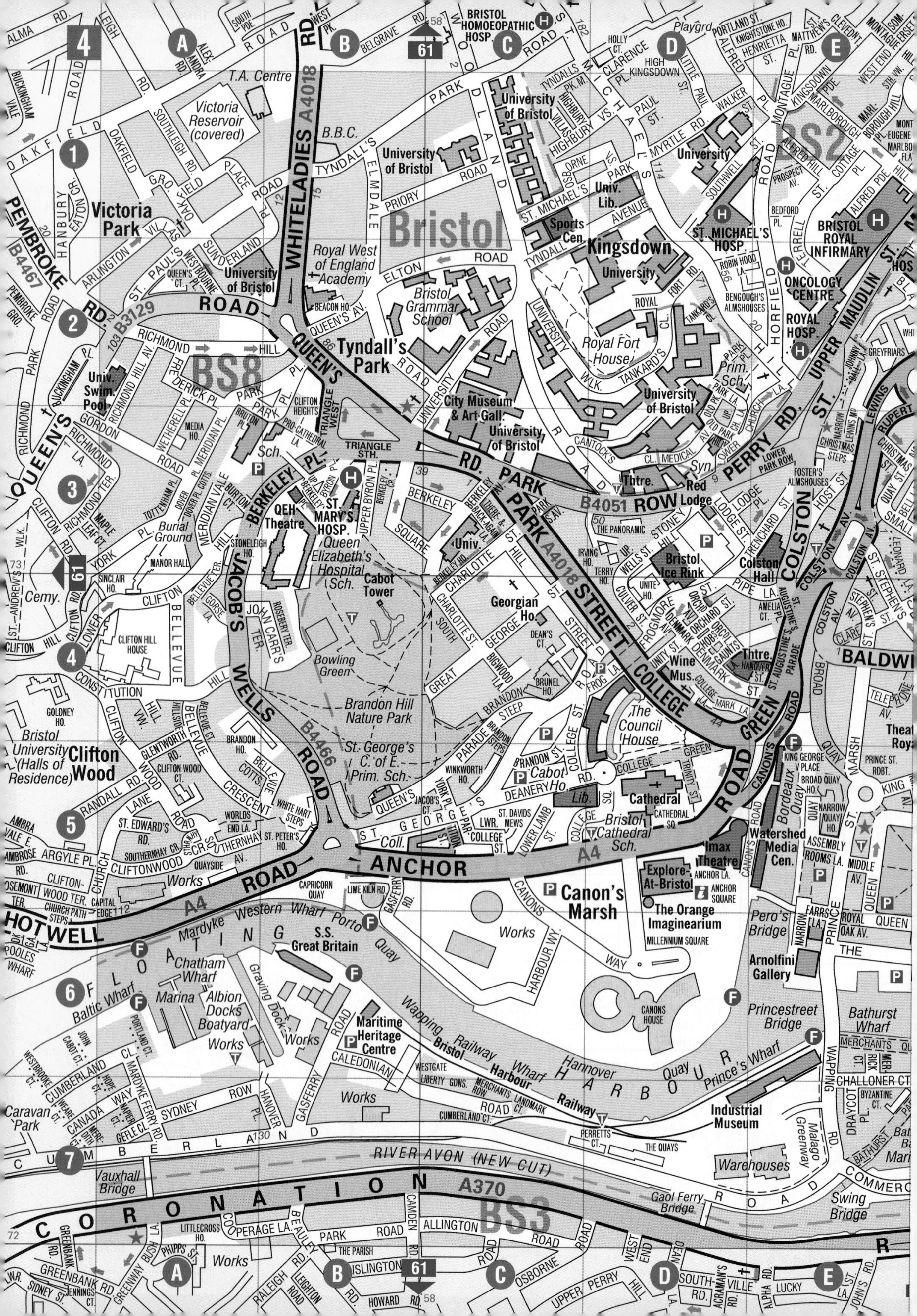

4
A
B
C
D
E
61
58
Bristol Homoeopathic Hosp.
Playgrd.
High Kingsdown
T.A. Centre
Victoria Reservoir (covered)
B.B.C.
Whiteladies Rd.
A4018
University of Bristol
Victoria Park
Pembroke Rd.
B4467
Bristol
Royal West of England Academy
Bristol Grammar School
Kingsdown
Sports Cen.
Univ. Lib.
Royal Fort House
St. Michael's Hosp.
Bristol Royal Infirmary
Oncology Centre
Royal Hosp.
BS2
BS8
Queen's Rd.
B3129
Tyndall's Park
Univ. Swim. Pool
City Museum & Art Gall.
Triangle Sth.
Berkeley Pl.
QEH Theatre
St. Mary's Hosp.
Queen Elizabeth's Hospital Sch.
Cabot Tower
Georgian Ho.
Park St.
Perry Rd.
B4051
Lodge
Thtre.
Red Lodge
Bristol Ice Rink
Colston Hall
Colston St.
Upper Maudlin St.
Burial Ground
Manor Hall
Clifton Hill House
Cemy.
Bowling Green
Brandon Hill Nature Park
St. George's C. of E. Prim. Sch.
Jacob's Wells Road
B4466
College Green
The Council House
Wine Mus.
Lib.
Cathedral
Bristol Cathedral Sch.
Baldwin
Theatre Royal
Bristol University (Halls of Residence)
Clifton Wood
Goldney Ho.
Hotwell
Anchor Road
A4
Works
Canon's Marsh
Explore-At-Bristol
Imax Theatre
Watershed Media Cen.
Bordeaux Quay
The Orange Imaginearium
Millennium Square
Pero's Bridge
Arnolfini Gallery
S.S. Great Britain
Floating Harbour
Chatham Wharf
Marina
Albion Docks Boatyard
Baltic Wharf
Graving Dock
Maritime Heritage Centre
Wapping Railway Wharf
Bristol Harbour Railway
Hannover Quay
Prince's Wharf
Princestreet Bridge
Bathurst Wharf
Industrial Museum
Malago Greenway
Caravan Park
Cumberland Road
River Avon (New Cut)
Vauxhall Bridge
Warehouses
Gaol Ferry Bridge
Swing Bridge
Coronation Road
A370
BS3
Works

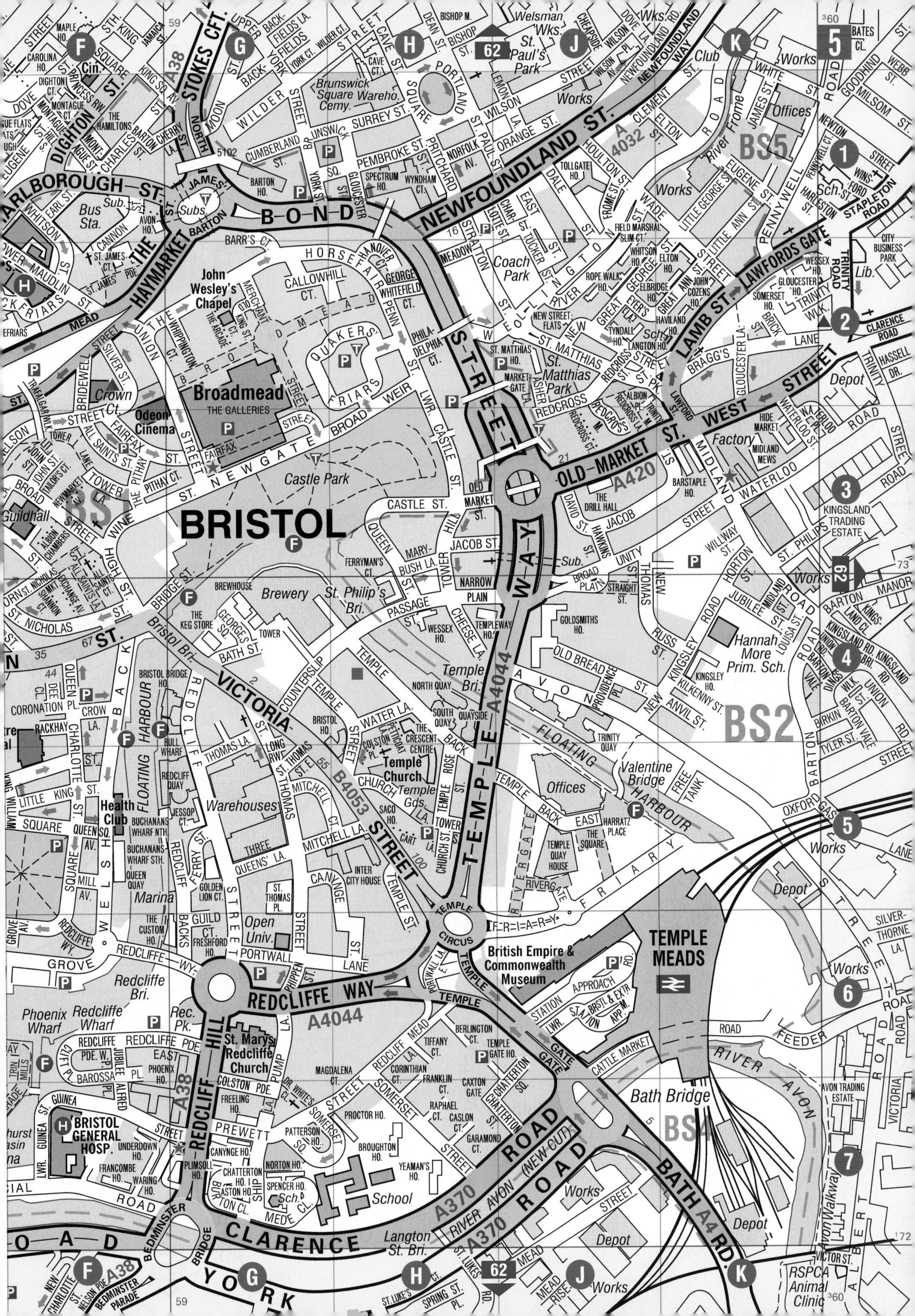

59
360
5
62
F
G
H
J
K
BRISTOL
BS1
BS2
BS4
BS5
1
2
3
4
5
6
7
Broadmead
THE GALLERIES
John Wesley's Chapel
Odeon Cinema
Castle Park
Bus Sta.
Crown Ct.
Guildhall
Brewery
St. Philip's Bri.
Temple Church
Temple Gds.
Temple Bri.
Temple Circus
TEMPLE MEADS
British Empire & Commonwealth Museum
St. Mary's Redcliffe Church
BRISTOL GENERAL HOSP.
Health Club
Open Univ.
Warehouses
Marina
Redcliffe Bri.
Phoenix Wharf
Redcliffe Wharf
Rec. Pk.
Valentine Bridge
Offices
Works
Depot
Factory
Coach Park
St. Matthias Park
St. Paul's Park
Brunswick Square Wareho. Cemy.
Hannah More Prim. Sch.
KINGSLAND TRADING ESTATE
AVON TRADING ESTATE
CITY BUSINESS PARK
RSPCA Animal Clinic
Bath Bridge
Langton St. Bri.
School
Lib.
FLOATING HARBOUR
RIVER AVON
RIVER AVON (NEW CUT)
River Frome
Avon Walkway
BOND ST.
NEWFOUNDLAND ST.
NEWFOUNDLAND WAY
MARLBOROUGH ST.
HAYMARKET
THE HAYMARKET
STOKES CFT.
NORTH ST.
HORSEFAIR
BROADMEAD
NEWGATE
STREET
TEMPLE WAY
OLD MARKET ST.
WEST STREET
LAWFORDS GATE
LAMB ST.
STAPLETON ROAD
CLARENCE ROAD
VICTORIA STREET
REDCLIFFE WAY
REDCLIFF HILL
CLARENCE ROAD
YORK ROAD
BATH RD.
TEMPLE GATE
CATTLE MARKET ROAD
FEEDER ROAD
STATION APPROACH
QUEEN SQUARE
KING ST.
WELSH BACK
CORONATION PL.
BRIDGE ST.
BALDWIN ST.
HIGH ST.
WINE ST.
CASTLE ST.
QUEEN ST.
CHARLOTTE ST.
BACK
REDCLIFF BACKS
REDCLIFF ST.
PORTWALL LANE
A38
A4044
A4032
A420
A370
A4
B4053

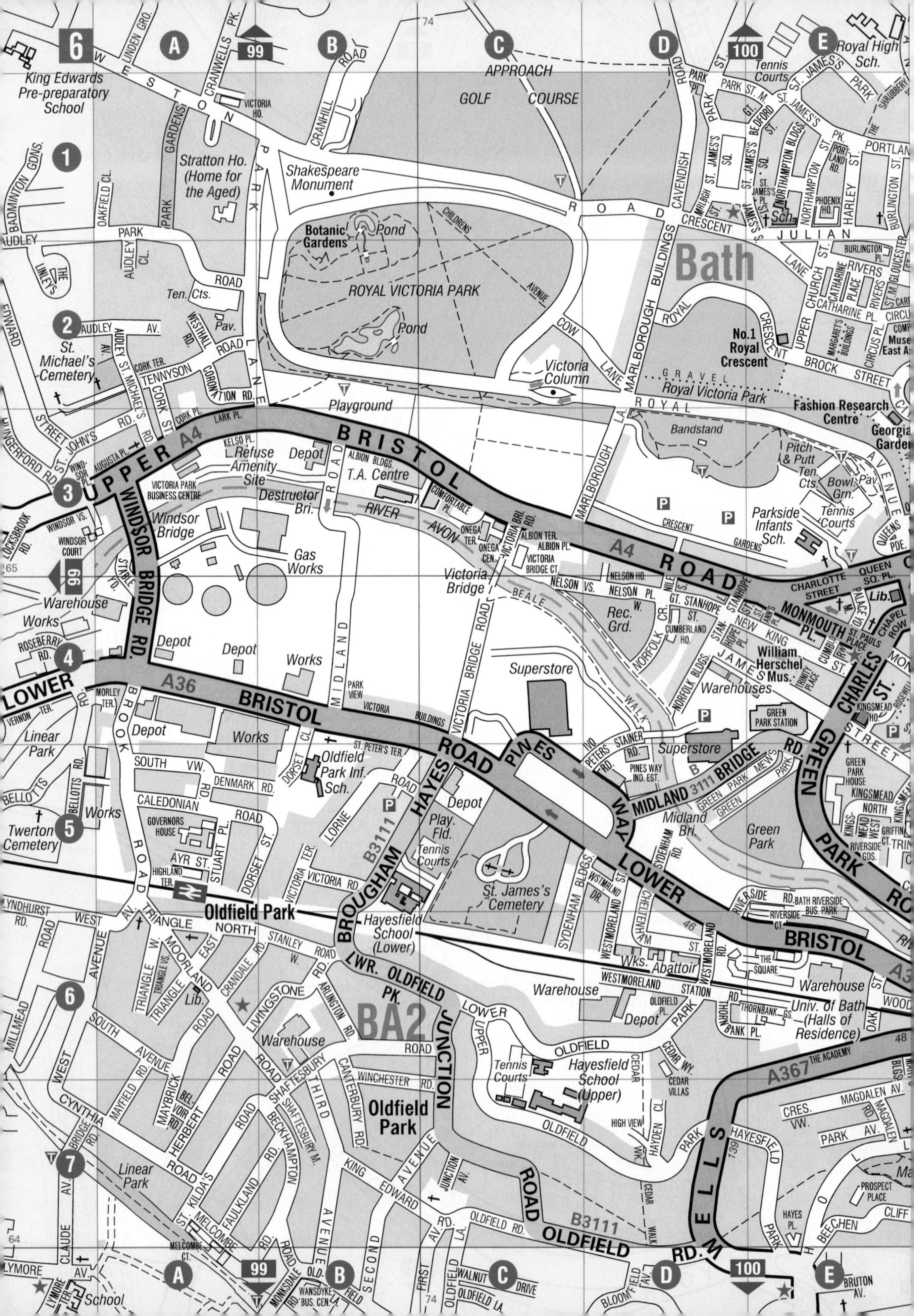
6
99
100
74
A
B
C
D
E
1
2
3
4
5
6
7
65
64
48
46
King Edwards Pre-preparatory School
WESTON
LINDEN GRO.
CRANWELLS PK.
VICTORIA HO.
CRANHILL
ROAD
APPROACH
GOLF COURSE
Royal High Sch.
Tennis Courts
PARK PL.
PARK ST. M.
ST. JAMES'S PARK
SHRUBBERY
BADMINTON GDNS.
OAKFIELD CL.
GARDENS
PARK
Stratton Ho. (Home for the Aged)
PARK LANE
Shakespeare Monument
Botanic Gardens
Pond
CHILDRENS AVENUE
ROYAL VICTORIA PARK
ROAD
CAVENDISH
ST. JAMES'S SQ.
NORTHAMPTON BLDGS.
PORTLAND RD.
PORTLAND
PHOENIX HO.
HARLEY
BURLINGTON
CRESCENT
JULIAN
Sch.
AUDLEY PARK
AUDLEY CL.
THE LINLEYS
ROAD
Ten. Cts.
Bath
BURLINGTON PL.
LANE
RIVERS
CATHARINE PLACE
GLOUCESTER
AUDLEY AV.
WESTHALL RD.
Pav.
Pond
MARLBOROUGH BUILDINGS
ROYAL CRESCENT
No.1 Royal Crescent
UPPER CHURCH ST.
CATHARINE PL.
MARGARET'S BUILDINGS
CIRCUS PL.
Museum East Asian
St. Michael's Cemetery
AUDLEY ST. MICHAEL'S
CORK TER.
TENNYSON
CORONATION RD.
COW LANE
Victoria Column
BROCK STREET
GRAVEL
Royal Victoria Park
Playground
ROYAL
Fashion Research Centre
Georgian Garden
HUNGERFORD RD.
ST. JOHN'S RD.
CORK PL.
LARK PL.
UPPER BRISTOL A4
KELSO PL.
Refuse Amenity Site
Depot
ALBION BLDGS.
T.A. Centre
MARLBOROUGH LA.
Bandstand
Pitch & Putt
Ten. Cts.
Bowl. Grn.
Pav.
AVENUE
WINDSOR PL.
AUGUSTA PL.
VICTORIA PARK BUSINESS CENTRE
Destructor Bri.
RIVER AVON
COMFORTABLE PL.
Parkside Infants Sch.
Tennis Courts
LOCKSBROOK RD.
WINDSOR VS.
WINDSOR COURT
WINDSOR BRIDGE RD.
Windsor Bridge
Gas Works
ONEGA TER.
ONEGA CEN.
VICTORIA BRI. RD.
ALBION TER.
ALBION PL.
VICTORIA BRIDGE CT.
CRESCENT GARDENS
A4 ROAD
QUEEN SQ. PL.
QUEENS PDE.
STABLE YD.
Warehouse
Works
Victoria Bridge
BEALE
NELSON HO.
NELSON VS.
NELSON PL. W.
NILE ST.
GT. STANHOPE ST.
STANHOPE
CHARLOTTE STREET
MONMOUTH PL.
Lib.
CHAPEL ROW
ROSEBERY RD.
Depot
Depot
Works
MIDLAND ROAD
VICTORIA BRIDGE ROAD
Rec. Grd.
NORFOLK CR.
CUMBERLAND HO.
NEW KING
William Herschel Mus.
TRINITY PLACE
ST. PAULS PLACE
LOWER
A36 BRISTOL
MORLEY TER.
PARK VIEW
VICTORIA BUILDINGS
Superstore
WALK
NORFOLK BLDGS.
JAMES'S
Warehouses
CHARLES ST.
KINGSMEAD HO.
VERNON TER.
Linear Park
BROOK RD.
Depot
Works
DORSET CL.
Oldfield Park Inf. Sch.
ST. PETER'S TER.
PINES WAY
PETERS TER.
STAINER RD.
PINES WAY IND. EST.
Superstore
GREEN PARK STATION
STREET
GREEN PARK HOUSE
KINGSMEAD NORTH
SOUTH VW.
DENMARK RD.
DORSET ST.
LORNE RD.
HAYES
ROAD
Depot
MIDLAND 3111 BRIDGE
GREEN PARK MEWS
GREEN PARK ROAD
BELLOTTS RD.
Works
CALEDONIAN ROAD
GOVERNORS HOUSE
STUART PL.
Play. Fld.
Tennis Courts
Midland Bri.
SYDENHAM RD.
Green Park
KINGSMEAD WEST
GRIFFIN CT.
RIVERSIDE GDS.
Twerton Cemetery
AYR ST.
HIGHLAND TER.
VICTORIA TER.
VICTORIA RD.
B3111 BROUGHAM
St. James's Cemetery
SYDENHAM BLDGS.
WESTMORELAND DR.
WESTMORELAND ST.
CHELTENHAM ST.
LOWER BRISTOL
RIVERSIDE RD.
BATH RIVERSIDE BUS. PARK
RIVERSIDE CT.
LYNDHURST RD.
WEST
TRIANGLE NORTH
Oldfield Park
Hayesfield School (Lower)
AVENUE
TRIANGLE W.
TRIANGLE VS.
MOORLAND ROAD
EAST
CRANDALE RD.
STANLEY RD. W.
LWR. OLDFIELD PK.
Wks.
Abattoir
WESTMORELAND RD.
THE SQUARE
Warehouse
WESTMORELAND STATION
Warehouse
OAK ST.
WOOD
Lib.
LIVINGSTONE RD.
ARLINGTON RD.
BA2
JUNCTION ROAD
LOWER UPPER OLDFIELD PARK
OLDFIELD PL.
Depot
THORNBANK GS.
THORNBANK PL.
Univ. of Bath (Halls of Residence)
MILLMEAD RD.
SOUTH AVENUE
Warehouse
ROAD
THE ACADEMY
A367
WEST AVENUE
MAYFIELD RD.
MAYBRICK RD.
BELVOIR RD.
HERBERT ROAD
SHAFTESBURY ROAD
WINCHESTER RD.
THIRD AVENUE
CANTERBURY RD.
Oldfield Park
Tennis Courts
Hayesfield School (Upper)
CEDAR WY.
CEDAR VILLAS
CEDAR WK.
HIGH VIEW
HAYDEN CL.
MAGDALEN AV.
CRES. VW.
MAGDALEN RD.
PARK AV.
CYNTHIA RD.
BRIDGE RD.
Linear Park
ST. KILDA'S ROAD
FAULKLAND RD.
BECKHAMPTON RD.
SHAFTESBURY M.
KING EDWARD RD.
JUNCTION AV.
OLDFIELD
WELLS
HAYESFIELD PARK
139
PROSPECT PLACE
CLAUDE AV.
ST. MELCOMBE RD.
MELCOMBE CT.
SECOND AVENUE
FIRST AV.
OLDFIELD RD.
OLDFIELD LA.
B3111 OLDFIELD ROAD
HAYES PL.
BEECHEN CLIFF
LYMORE AV.
LYMORE TER.
School
MONKSDALE RD.
OLD FIELD
WANSDYKE BUS. CEN.
WALNUT DRIVE
OLDFIELD LA.
BLOOMFIELD AV.
RD. M
BRUTON AV.

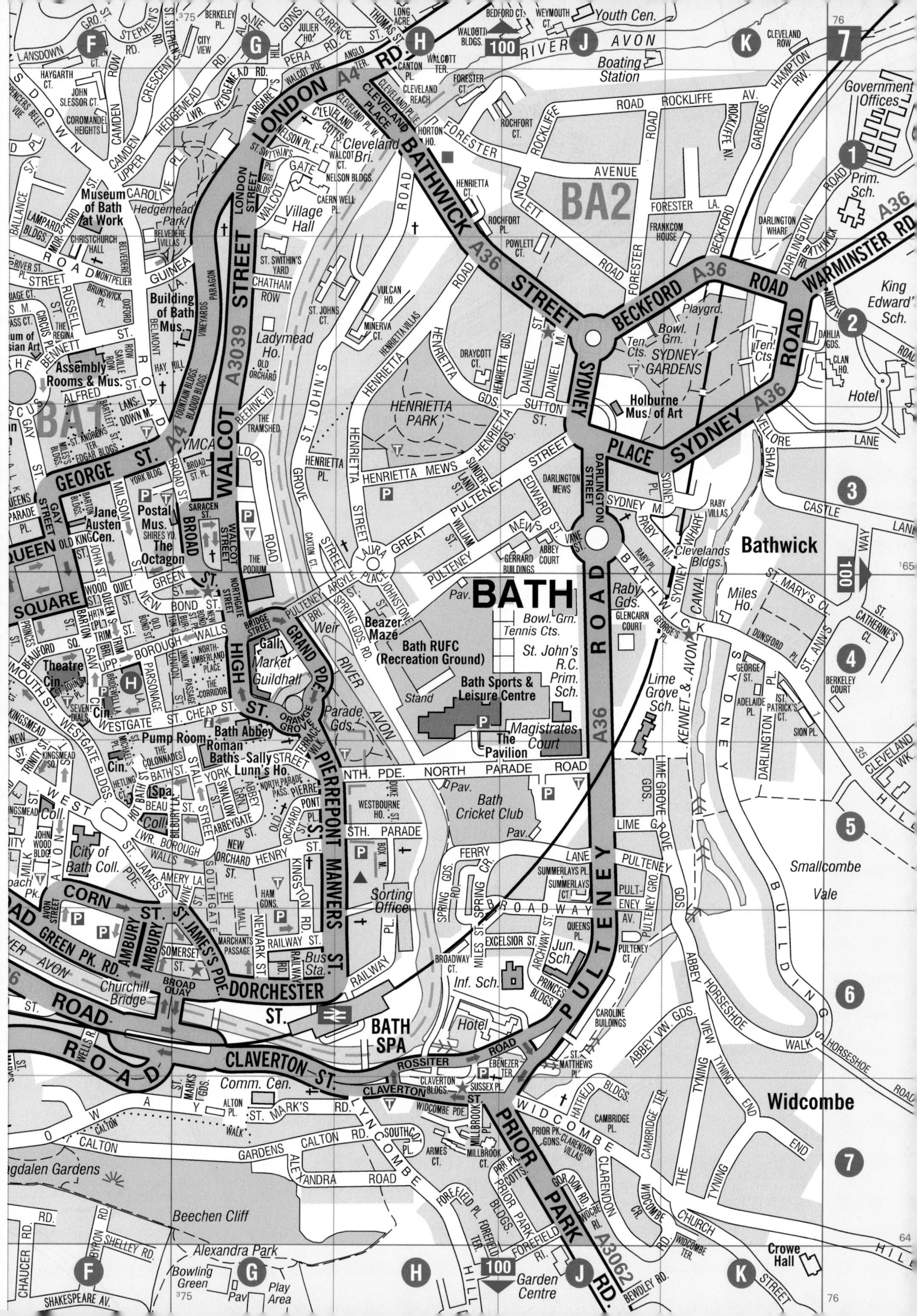

F
G
H
J
K
7
1
2
3
4
5
6
7
LANSDOWN GRO.
ST. STEPHEN'S RD.
BERKELEY PL.
CITY VIEW
ALPINE GDNS.
JULIER HO.
CLARENCE ST.
THOMAS ST.
LONG ACRE
BEDFORD CT.
WEYMOUTH CT.
Youth Cen.
RIVER AVON
Boating Station
CLEVELAND ROW
HAMPTON RW.
Government Offices
WALCOTT BLDGS.
100
PERA RD.
ANGLO TER.
WALCOT PDE.
CANTON PL.
WALCOTT TER.
CLEVELAND REACH
FORESTER CT.
LANSDOWN
HAYGARTH CT.
JOHN SLESSOR CT.
COROMANDEL HEIGHTS
CAMDEN ROW
CAMDEN CRESCENT
HEDGEMEAD RD.
LWR. HEDGEMEAD RD.
UPPER HEDGEMEAD
MARGARET'S
LONDON RD.
A4
CLEVELAND PLACE
CLEVELAND COTTS.
NELSON PL. E.
ST. SWITHIN'S
Cleveland Bri.
WALCOT CT.
NELSON BLDGS.
CAERN WELL PL.
HORTON HO.
FORESTER RD.
ROCHFORT CT.
ROCKLIFFE RD.
ROAD ROCKLIFFE AV.
ROCKLIFFE AV.
GARDENS
AVENUE
BA2
FORESTER LA.
FRANKCOM HOUSE
BECKFORD
DARLINGTON WHARF
Prim. Sch.
A36
WARMINSTER RD.
Museum of Bath at Work
CAROLINE PL.
Hedgemead Park
BELVEDERE VILLAS
LONDON STREET
WALCOT
Village Hall
BATHWICK
HENRIETTA CT.
ROCHFORT PL.
POWLETT CT.
POWLETT ROAD
BALLANCE ST.
LAMPARDS BLDGS.
MORFORD ST.
CHRISTCHURCH HALL
BELVEDERE
RIVER ST. PL.
RUSSELL ST.
MONTPELIER
BRUNSWICK PL.
OXFORD
GUINEA LA.
ST. SWITHIN'S YARD
CHATHAM ROW
VULCAN HO.
A36
STREET
BECKFORD ROAD
King Edward's Sch.
CIRCUS PL.
THE REGINA
BENNETT ST.
SAVILLE ROW
Building of Bath Mus.
VINEYARDS
PARAGON
A3039
Ladymead Ho.
ST. JOHNS CT.
MINERVA CT.
HENRIETTA VILLAS
HENRIETTA ROAD
DRAYCOTT CT.
HENRIETTA GDS.
DANIEL ST.
DANIEL M.
Playgrd.
Bowl. Grn.
Ten. Cts.
SYDNEY GARDENS
DAHLIA GDS.
CLAN HO.
Hotel
Assembly Rooms & Mus.
ALFRED ST.
BA1
BELMONT
HAY HILL
FOUNTAIN BLDGS.
BLADUD BLDGS.
LANSDOWN M.
BARTLETT ST.
ST. ANDREWS TER.
MILES'S BLDGS.
EDGAR BLDGS.
GEORGE ST.
YMCA
BEEHIVE YD.
OLD ORCHARD
THE TRAMSHED
HENRIETTA PARK
HENRIETTA PL.
HENRIETTA MEWS
SUTTON ST.
SYDNEY
Holburne Mus. of Art
SYDNEY PLACE
VELLORE LANE
GAY STREET
BARTON BLDGS.
MILSOM ST.
YORK BLDG.
BROAD ST. PL.
LOOP ROAD
GROVE
ST. JOHN'S RD.
SUNDERLAND ST.
DARLINGTON STREET
DARLINGTON MEWS
EDWARD ST.
SYDNEY PL.
SYDNEY M.
RABY VILLAS
RABY PL.
CASTLE LANE
Jane Austen Cen.
Postal Mus.
SHIRES YD.
The Octagon
SARACEN ST.
BROAD ST.
WALCOT STREET
THE PODIUM
LAURA PLACE
GREAT PULTENEY ST.
WILLIAM ST.
GERRARD BUILDINGS
ABBEY COURT
VANE ST.
WHARF
Clevelands Bldgs.
Bathwick
WAY
QUEEN SQUARE
OLD KING ST.
JOHN ST.
WOOD ST.
QUEEN ST.
QUIET ST.
NEW BOND ST.
GREEN ST.
NORTHGATE STREET
BRIDGE STREET
PULTENEY ARGYLE ST.
JOHNSTONE
BATH
Pav.
Raby Gds.
GLENCAIRN COURT
CANAL
Miles Ho.
ST. MARY'S CL.
ST. CATHERINE'S CL.
PRINCES ST.
BARTON ST.
TRIM ST.
BORROUGH WALLS
UNION PASSAGE
NORTHUMBERLAND PLACE
THE CORRIDOR
HIGH ST.
Gall.
Market
Guildhall
GRAND PDE.
Weir
Beazer Maze
Bath RUFC (Recreation Ground)
Bowl. Grn.
Tennis Cts.
St. John's R.C. Prim. Sch.
ROAD
KENNET & AVON
GEORGE'S PL.
DUNSFORD PL.
ST. ANN'S
Theatre
Cin.
BEAUFORD SQ.
SAW CLOSE
UPPER BOROUGH
PARSONAGE LA.
SEVEN DIALS
WESTGATE ST.
CHEAP ST.
ORANGE GROVE
TERRACE WLK.
Parade Gds.
RIVER AVON
Stand
Bath Sports & Leisure Centre
Lime Grove Sch.
GEORGE ST.
ADELAIDE PL.
ST. PATRICK'S CT.
BERKELEY COURT
SION PL.
KINGSMEAD
NEW ST.
WESTGATE BLDGS.
Pump Room
Bath Abbey
Roman Baths
THE COLONNADES
Sally Lunn's Ho.
NORTH PARADE PASS.
PIERREPONT ST.
The Pavilion
Magistrates Court
A36
LIME GROVE GDS.
SYDNEY BUILDINGS
DARLINGTON PL.
CLEVELAND WK.
TRINITY ST.
KINGSMEAD SQ.
Cin.
HETLING CT.
HOT BATH ST.
BATH ST.
Spa
BEAU ST.
STALL ST.
YORK ST.
SWALLOW ST.
ABBEY GRN.
ABBEYGATE
NTH. PDE.
NORTH PARADE ROAD
WESTBOURNE HO.
DUKE ST.
Pav.
Bath Cricket Club
Coll.
JOHN WOOD BLDG.
City of Bath Coll.
BILBURY LA.
LWR. BOROUGH WALLS
OLD ORCHARD
ORCHARD ST.
HENRY ST.
PONT ST.
PL.
STH. PARADE
BOX M.
MANVERS
Pav.
LIME GROVE
FERRY LANE
SUMMERLAYS PL.
SUMMERLAYS CT.
PULTENEY
PULTENEY RD.
5
Smallcombe Vale
MILK ST.
AVON ST.
JAMES'S PDE.
AMERY LA.
SOUTHGATE
THE MALL
NEW ORCHARD ST.
HAM GDNS.
KINGSTON RD.
Sorting Office
SPRING GDS. RD.
SPRING CR.
BROADWAY
PULTENEY GRO.
PULTENEY AV.
CORN ST.
AMBURY
ST. JAMES'S PDE.
NEWARK ST.
MARCHANTS PASSAGE
RAILWAY ST.
RAILWAY PL.
Bus Sta.
BROADWAY CT.
MILES ST.
EXCELSIOR ST.
ARCHWAY ST.
QUEENS PL.
Jun. Sch.
PULTENEY CT.
GDS.
ABBEY VIEW
HORSESHOE
BUILDINGS
GREEN PK. RD.
SOMERSET ST.
BROAD QUAY
DORCHESTER ST.
Churchill Bridge
ROAD
ST.
BATH SPA
Inf. Sch.
PRINCES BLDGS.
CAROLINE BUILDINGS
ABBEY VW. GDS.
WALK
HORSESHOE ROAD
WELLS R.
ROAD
CLAVERTON ST.
ROSSITER ROAD
EBENEZER TER.
ST. MATTHEWS PL.
Hotel
MARKS GDS.
Comm. Cen.
CLAVERTON BLDGS.
SUSSEX PL.
CLAVERTON ST.
HATFIELD BLDGS.
CAMBRIDGE TER.
TYNING END
Widcombe
WAY
ALTON PL.
ST. MARK'S RD.
WIDCOMBE PDE.
MILLBROOK PL.
PRIOR
WIDCOMBE
CALTON WALK
LYNCOMBE
SOUTHCOT PL.
PRIOR PK. GDNS.
CLARENDON VILLAS
CAMBRIDGE PL.
END
CALTON GARDENS
CALTON RD.
ARMES CT.
MILLBROOK CT.
agdalen Gardens
ALEXANDRA ROAD
PRR. PK. COTTS.
PARK
GORDON RD.
CLARENDON
WIDCOMBE CR.
THE TYNING
Beechen Cliff
FOREFIELD PL.
PRIOR PARK BLDGS.
FOREFIELD RI.
CHURCH
HILL
CHAUCER RD.
BYRON RD.
SHELLEY RD.
Alexandra Park
FOREFIELD TER.
A3062
WIDCOMBE TER.
Crowe Hall
Bowling Green
Pav
Play Area
100
Garden Centre
BEWDLEY RD.
RD.
STREET
SHAKESPEARE AV.
375
76
64
65
35

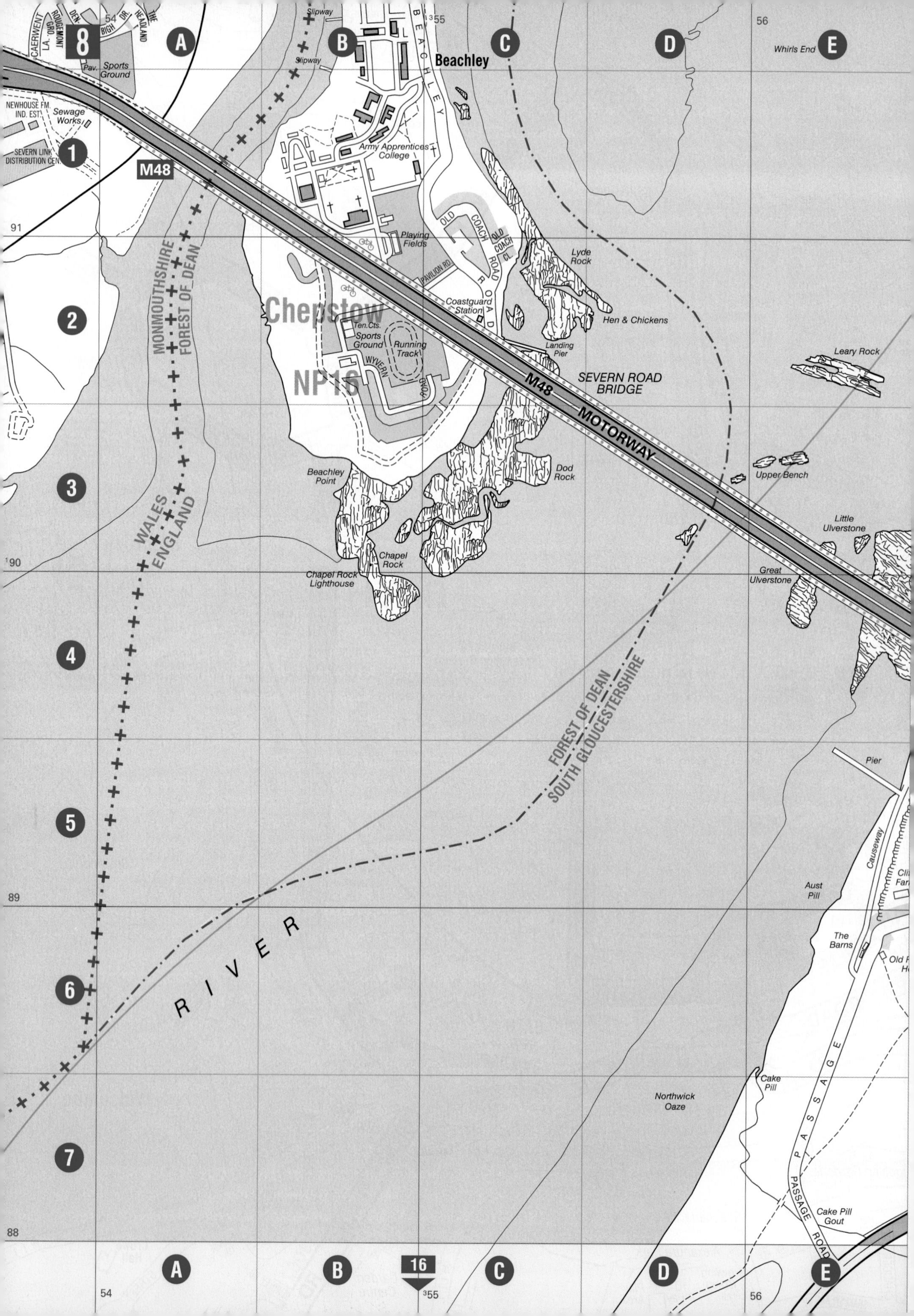
Beachley
Slipway
Slipway
Sports Ground
Pav.
NEWHOUSE FM. IND. EST.
Sewage Works
SEVERN LINK DISTRIBUTION CEN.
M48
Army Apprentices College
Playing Fields
OLD COACH ROAD
PAVILION RD.
Coastguard Station
Chepstow
NP16
Ten.Cts.
Sports Ground
Running Track
WYVERN ROAD
MONMOUTHSHIRE
FOREST OF DEAN
WALES
ENGLAND
Lyde Rock
Hen & Chickens
Landing Pier
SEVERN ROAD BRIDGE
M48 MOTORWAY
Dod Rock
Beachley Point
Chapel Rock
Chapel Rock Lighthouse
Leary Rock
Upper Bench
Little Ulverstone
Great Ulverstone
Whirls End
FOREST OF DEAN
SOUTH GLOUCESTERSHIRE
Pier
Causeway
Aust Pill
The Barns
RIVER
Cake Pill
Northwick Oaze
PASSAGE ROAD
Cake Pill Gout
54
55
56
91
90
89
88
A B C D E
1 2 3 4 5 6 7
16

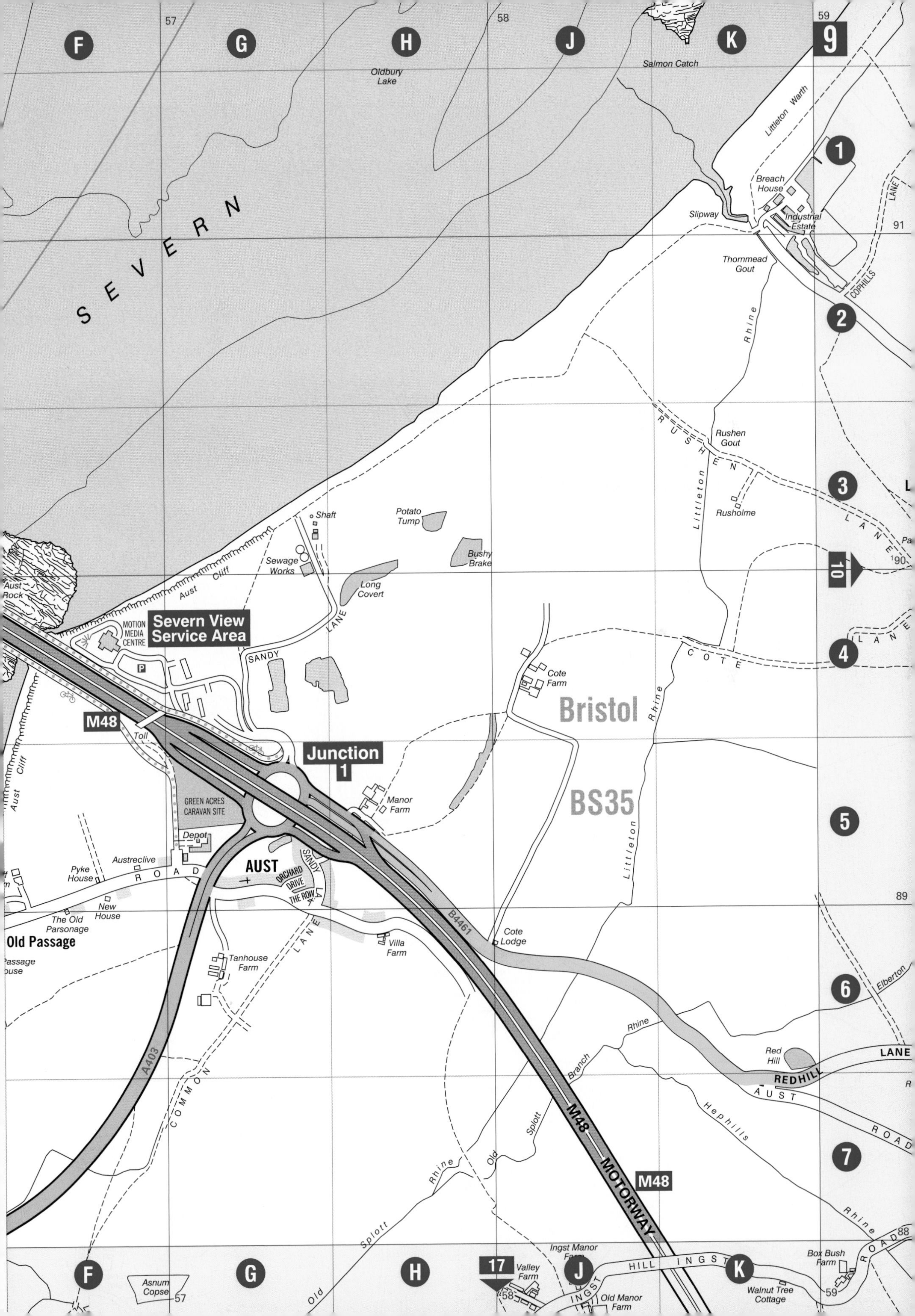

9
10
17
F
G
H
J
K
1
2
3
4
5
6
7
57
58
59
91
90
89
88
SEVERN
Oldbury Lake
Salmon Catch
Littleton Warth
Breach House
Industrial Estate
Slipway
Thornmead Gout
COPHILLS
LANE
Rhine
RUSHEN
Rushen Gout
Littleton
Rusholme
LANE
COTE
LANE
Potato Tump
Bushy Brake
Shaft
Sewage Works
Long Covert
Aust Cliff
Aust Rock
MOTION MEDIA CENTRE
Severn View Service Area
SANDY
LANE
Cote Farm
Bristol
BS35
M48
Toll
Junction 1
Manor Farm
Aust Cliff
GREEN ACRES CARAVAN SITE
Depot
Austreclive
Pyke House
ROAD
AUST
ORCHARD DRIVE
THE ROW
SANDY LA
New House
The Old Parsonage
Old Passage
Passage House
B4461
Cote Lodge
Villa Farm
Tanhouse Farm
LANE
Elberton
Rhine
Red Hill
REDHILL
LANE
AUST
ROAD
Hephills
Branch
A403
COMMON
Splott
Old
Rhine
M48 MOTORWAY
M48
Rhine
ROAD
Ingst Manor Farm
Box Bush Farm
HILL
INGST
Valley Farm
Walnut Tree Cottage
Old Manor Farm
Asnum Copse
Splott
Old

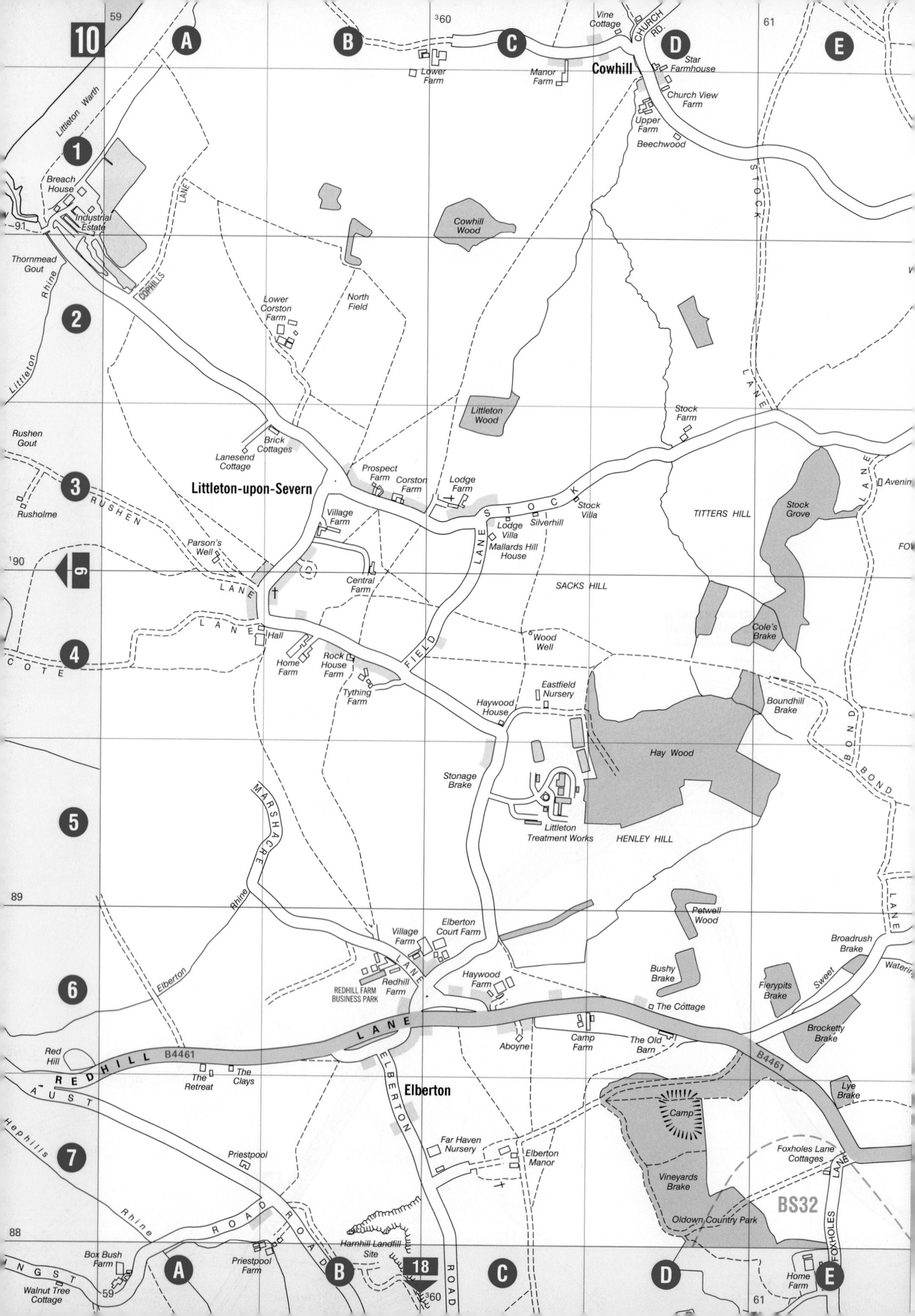

10
59
A
B
360
C
Vine Cottage
CHURCH RD.
D
61
E
Lower Farm
Manor Farm
Cowhill
Star Farmhouse
Church View Farm
Upper Farm
Beechwood
Littleton Warth
1
Breach House
Industrial Estate
91
LANE
STOCK
Cowhill Wood
Thornmead Gout
Rhine
COPHILLS
Lower Corston Farm
North Field
2
Littleton
Littleton Wood
LANE
Stock Farm
Rushen Gout
Brick Cottages
Lanesend Cottage
3
Prospect Farm
Corston Farm
Lodge Farm
Littleton-upon-Severn
Rusholme
RUSHEN
Village Farm
STOCK
Stock Villa
Lodge Villa
Silverhill
LANE
Avening
TITTERS HILL
Stock Grove
Parson's Well
Mallards Hill House
LANE
190
9
FO
Central Farm
SACKS HILL
LANE
Hall
Wood Well
Cole's Brake
4
COTE
Home Farm
Rock House Farm
FIELD
Tything Farm
Eastfield Nursery
Haywood House
Boundhill Brake
BOND
Hay Wood
Stonage Brake
MARSHACRE
BOND
5
Littleton Treatment Works
HENLEY HILL
89
Rhine
Petwell Wood
LANE
Elberton Court Farm
Village Farm
Broadrush Brake
LANE
Bushy Brake
6
Elberton
Haywood Farm
Redhill Farm
REDHILL FARM BUSINESS PARK
Fierypits Brake
Sweet
Watering
The Cottage
Brocketty Brake
Red Hill
LANE
B4461
Aboyne
Camp Farm
The Old Barn
B4461
REDHILL
The Retreat
The Clays
AUST
Elberton
ELBERTON
Camp
Lye Brake
Hephills
7
Far Haven Nursery
Elberton Manor
Priestpool
Foxholes Lane Cottages
Vineyards Brake
BS32
Rhine
ROAD
ROAD
Oldown Country Park
FOXHOLES LANE
88
Box Bush Farm
Priestpool Farm
Harnhill Landfill Site
18
ROAD
A
B
C
D
E
Home Farm
NGST
Walnut Tree Cottage
59
360
61

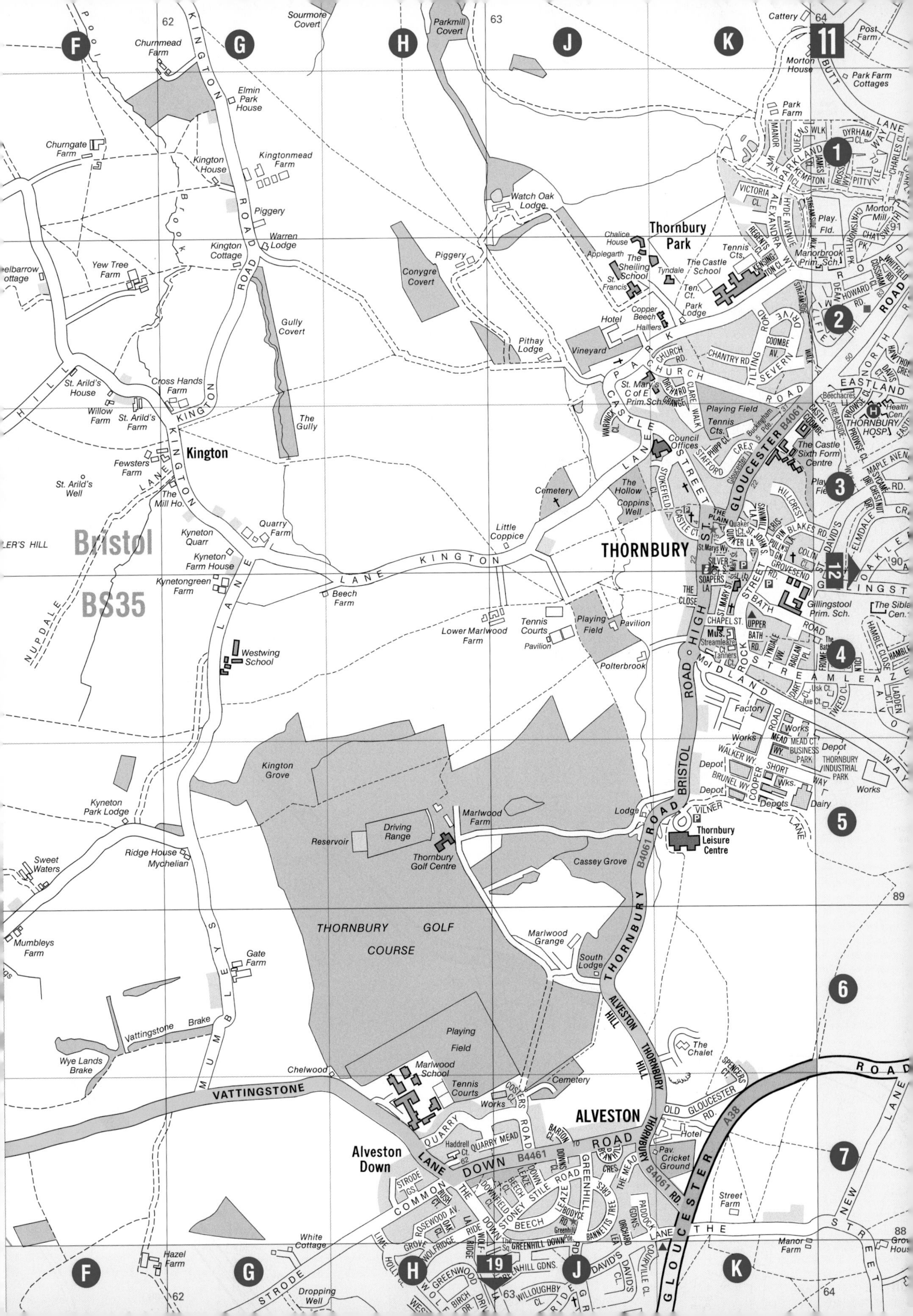

F
G
H
J
K
11
12
19
62
63
64
88
89
90
91
Sourmore Covert
Parkmill Covert
Cattery
Post Farm
Churnmead Farm
Morton House
Park Farm Cottages
Elmin Park House
Park Farm
Churngate Farm
Kington House
Kingtonmead Farm
Watch Oak Lodge
Piggery
Warren Lodge
Kington Cottage
Thornbury Park
Chalice House
Applegarth
The Sheiling School
St. Francis
Tyndale
The Castle School
Tennis Cts.
Ten. Ct.
Park Lodge
Yew Tree Farm
Conygre Covert
Gully Covert
Hotel
Copper Beech
Halliers
Vineyard
Pithay Lodge
St. Arild's House
Cross Hands Farm
Willow Farm
St. Arild's Farm
The Gully
St. Mary's C of E Prim. Sch.
Council Offices
Kington
Fewsters Farm
St. Arild's Well
The Mill Ho.
Cemetery
The Hollow
Coppins Well
Quarry Farm
Little Coppice
Kyneton Quarr
Kyneton Farm House
Kynetongreen Farm
Bristol
BS35
THORNBURY
Beech Farm
Lower Marlwood Farm
Tennis Courts
Pavilion
Playing Field
Polterbrook
Westwing School
Kington Grove
Kyneton Park Lodge
Marlwood Farm
Driving Range
Reservoir
Thornbury Golf Centre
Lodge
Thornbury Leisure Centre
Cassey Grove
Ridge House
Mychelian
Sweet Waters
THORNBURY GOLF COURSE
Marlwood Grange
South Lodge
Mumbleys Farm
Gate Farm
Vattingstone Brake
Wye Lands Brake
Playing Field
The Chalet
Chelwood
Marlwood School
Tennis Courts
Cemetery
Works
ALVESTON
Alveston Down
Hotel
Pav.
Cricket Ground
Street Farm
Manor Farm
White Cottage
Hazel Farm
Dropping Well
Morton Mill
Play. Fld.
Manorbrook Prim. Sch.
Playing Field
Tennis Cts.
The Castle Sixth Form Centre
Health Cen.
THORNBURY HOSP.
Gillingstool Prim. Sch.
The Sibland Cen.
Mus.
Factory
Works
Depot
THORNBURY INDUSTRIAL PARK
MEAD CT. BUSINESS PARK
Depots
Dairy
Wks.
KINGTON ROAD
KINGTON LANE
KINGTON
MUMBLEYS LANE
VATTINGSTONE LANE
BRISTOL ROAD
THORNBURY ROAD
ALVESTON HILL
GLOUCESTER ROAD
CASTLE STREET
HIGH ST.
PARK ROAD
CHURCH ROAD
BUTT LANE
MORTON WAY
ALEXANDRA WAY
HYDE AVENUE
PARKLAND WALK
MANOR WALK
VICTORIA CL.
QUEENS WALK
KEMPTON CL.
JAMES CL.
PITTVILLE CL.
DYRHAM CL.
CHATSWORTH PK.
HOWARD RD.
DEAN AV.
TILTING ROAD
COOMBE AV.
SEVERN WALK
CHANTRY RD.
ORCHARD GRANGE
CLARE WALK
STAFFORD CRES.
STOKEFIELD CL.
CASTLE CT.
QUAKER LA.
SOAPERS LA.
ST. MARY ST.
CHAPEL ST.
UPPER BATH RD.
BATH ROAD
ROCK STREET
STREAMLEAZE
MIDLAND WAY
AVON WAY
GROVESEND RD.
GILLINGSTOOL
ST. DAVID'S
EASTLAND AVE.
MAPLE AVE.
SYCAMORE DR.
ELMDALE CR.
COLIN CL.
HILLCREST
WALKER WY.
BRUNEL WY.
COOPER RD.
SHORT WAY
VILNER LANE
QUARRY MEAD
BARTON CT.
COSTERS CL.
HADDRELL CT.
DOWN ROAD
GREENHILL ROAD
STONEY STILE ROAD
BEECH LEAZE
BANNETTS TREE CRES.
THE MEAD
PADDOCK GDNS.
ORCHARD LEA
COURTVILLE CL.
GREENHILL DOWN
GREENHILL GDNS.
WOLFRIDGE RIDE
ROSEWOOD AV.
OAK CL.
COMMON ROAD
STRODE COMMON
STRODE GS.
LIME GROVE
HOLLY CL.
BIRCH DR.
GREENWOOD DR.
WILLOUGHBY CL.
DAVID'S LANE
OLD GLOUCESTER RD.
SPENCERS CT.
THE STREET
NEW STREET
A38
B4061
B4461
HILL
NUPDALE
POOL

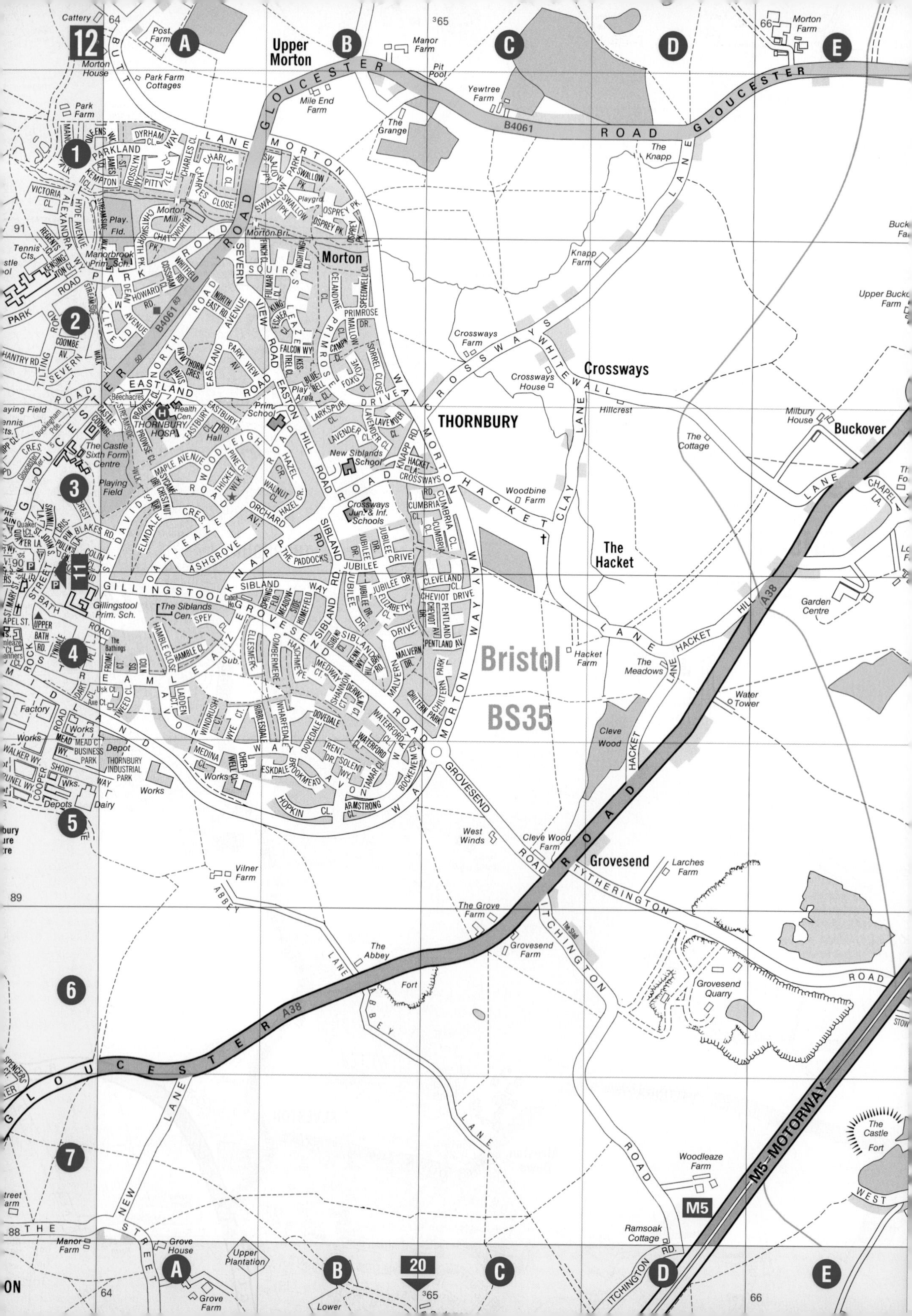
12
11
20
A
B
C
D
E
1
2
3
4
5
6
7
Upper Morton
Morton
Crossways
THORNBURY
Buckover
The Hackett
Grovesend
Bristol
BS35
Cattery
Post Farm
Morton House
Park Farm Cottages
Park Farm
Manor Farm
Pit Pool
Mile End Farm
Yewtree Farm
The Grange
Morton Farm
The Knapp
Knapp Farm
Crossways Farm
Crossways House
Hillcrest
Milbury House
The Cottage
Woodbine Farm
Hacket Farm
The Meadows
Water Tower
Cleve Wood
Garden Centre
Upper Buckover Farm
West Winds
Cleve Wood Farm
Larches Farm
Vilner Farm
The Grove Farm
Grovesend Farm
The Abbey
Fort
Grovesend Quarry
The Castle Fort
Woodleaze Farm
Ramsoak Cottage
Manor Farm
Grove House
Upper Plantation
Grove Farm
Lower
GLOUCESTER ROAD
B4061
A38
M5 MOTORWAY
M5
MORTON WAY
CROSSWAYS
WHITEWALL LANE
CLAY LANE
HACKET LANE
HACKET HILL
GROVESEND ROAD
TYTHERINGTON ROAD
ITCHINGTON ROAD
ABBEY LANE
NEW STREET
MIDLAND WAY
EASTLAND ROAD
KNAPP ROAD
SIBLAND ROAD
GILLINGSTOOL
MORTON LANE
PARK ROAD
SEVERN ROAD
HACKET LA.
CHAPEL LA.
WEST
Morton Mill
Play. Fld.
Manorbrook Prim. Sch.
Tennis Cts.
Playing Field
The Castle Sixth Form Centre
Health Cen.
THORNBURY HOSP.
Prim. School
New Siblands School
Crossways Jun. & Inf. Schools
Gillingstool Prim. Sch.
The Siblands Cen.
The Bathings
Factory
Works
Depot
MEAD CT. BUSINESS PARK
THORNBURY INDUSTRIAL PARK
Dairy
Depots
89
90
91
88
64
65
66

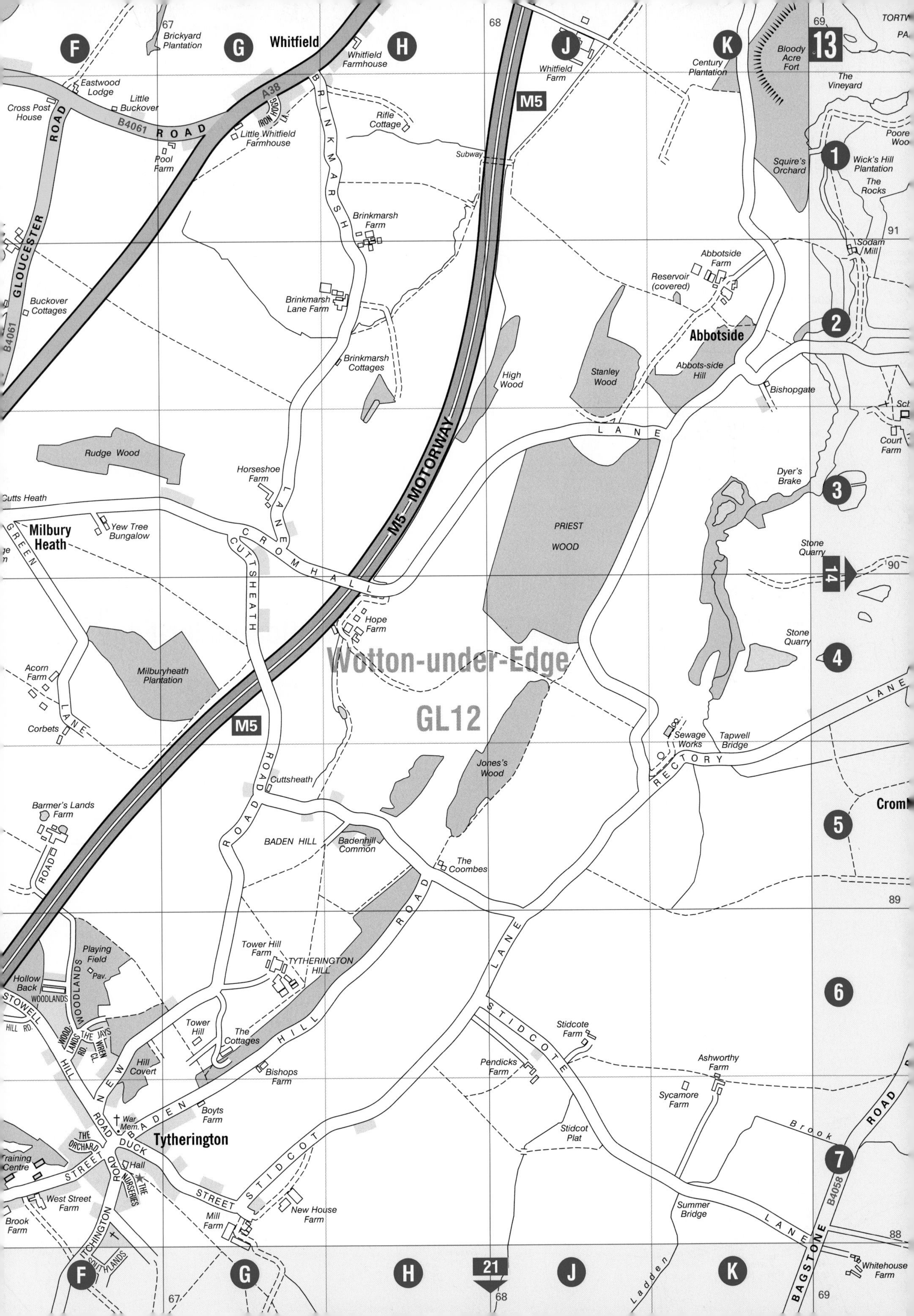

13
14
21
Whitfield
Whitfield Farmhouse
Whitfield Farm
Brickyard Plantation
Eastwood Lodge
Little Buckover
Cross Post House
B4061 ROAD
A38
IRON HOGG LA.
Little Whitfield Farmhouse
Pool Farm
Rifle Cottage
Subway
M5
Century Plantation
Bloody Acre Fort
The Vineyard
Poore Woo
Wick's Hill Plantation
The Rocks
Squire's Orchard
Sodam Mill
GLOUCESTER ROAD
BRINKMARSH LANE
Brinkmarsh Farm
Brinkmarsh Lane Farm
Brinkmarsh Cottages
Buckover Cottages
Abbotside Farm
Reservoir (covered)
Abbotside
Abbots-side Hill
Stanley Wood
High Wood
Bishopgate
Court Farm
Rudge Wood
Horseshoe Farm
M5 MOTORWAY
LANE
Dyer's Brake
Cutts Heath
Milbury Heath
Yew Tree Bungalow
GREEN
CROMHALL
CUTTSHEATH ROAD
PRIEST WOOD
Stone Quarry
Hope Farm
Wotton-under-Edge
GL12
Acorn Farm
Milburyheath Plantation
Corbets
LANE
Jones's Wood
Sewage Works
Tapwell Bridge
RECTORY
Cuttsheath
Barmer's Lands Farm
ROAD
BADEN HILL
Badenhill Common
The Coombes
Cromh
Playing Field
Pav.
Hollow Back
WOODLANDS
STOWELL HILL RD.
Tower Hill Farm
TYTHERINGTON HILL
Tower Hill
The Cottages
WOOD LANDS RD.
THE JAYS
WREN CL.
Hill Covert
Bishops Farm
Boyts Farm
War Mem.
Tytherington
STIDCOTE
Stidcote Farm
Pendicks Farm
Ashworthy Farm
Sycamore Farm
Stidcot Plat
Brook
B4058
BAGSTONE ROAD
Summer Bridge
LANE
New House Farm
Mill Farm
Training Centre
West Street Farm
Brook Farm
THE ORCHARD
DUCK STREET
Hall
THE NURSERIES
ITCHINGTON ROAD
SOUTHLANDS
Ladden
Whitehouse Farm
F G H J K
1 2 3 4 5 6 7
67 68 69
88 89 90 91

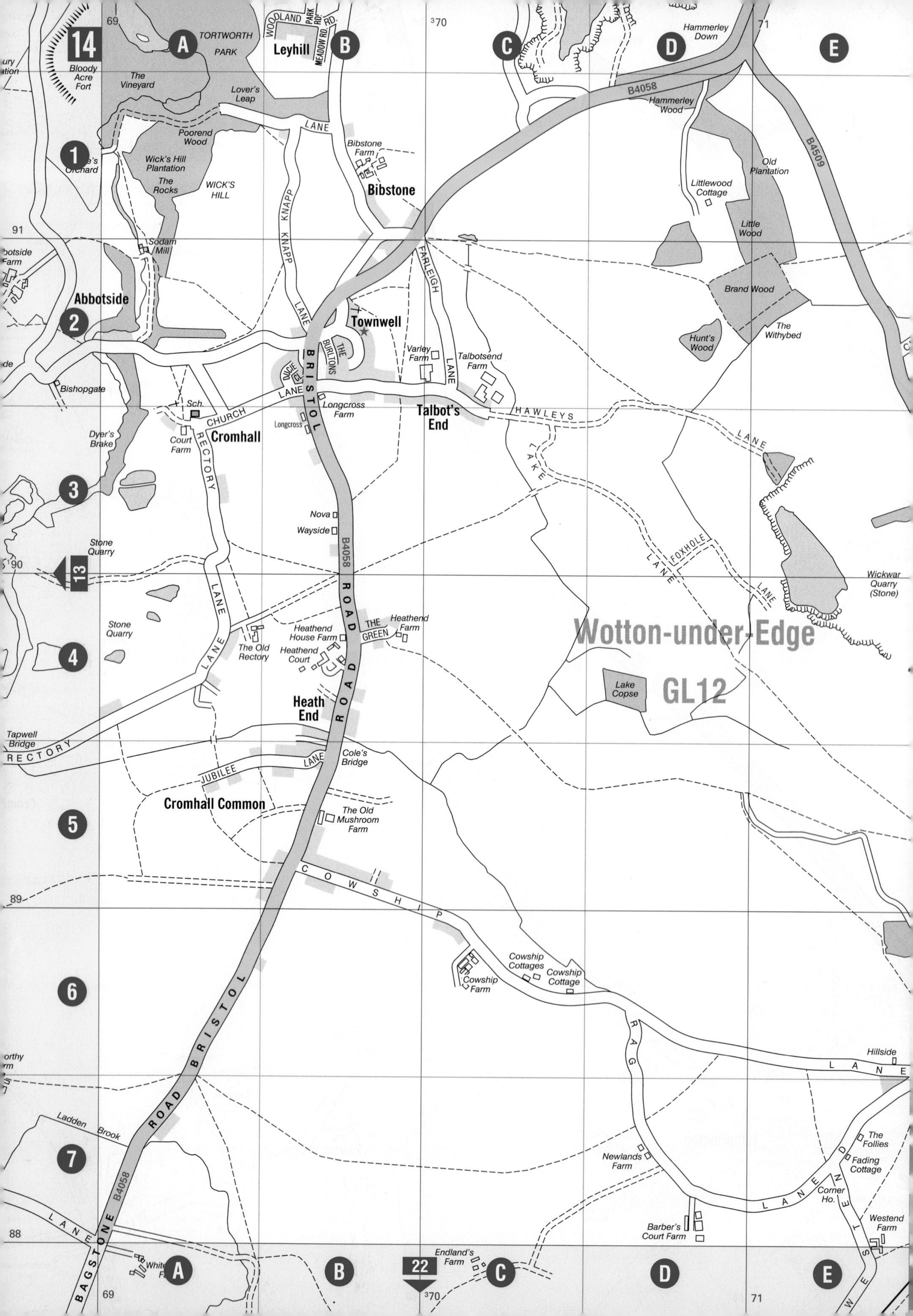

14
Bloody Acre Fort
TORTWORTH PARK
The Vineyard
Lover's Leap
Poorend Wood
Wick's Hill Plantation
The Rocks
WICK'S HILL
Leyhill
WOODLAND RD.
PARK RD.
MEADOW RD.
LANE
Bibstone Farm
Bibstone
KNAPP LANE
Hammerley Down
B4058
Hammerley Wood
B4509
Old Plantation
Littlewood Cottage
Little Wood
Brand Wood
The Withybed
Hunt's Wood
Sodam Mill
Abbotside
Townwell
THE BURLTONS
FARLEIGH LANE
Varley Farm
Talbotsend Farm
Bishopgate
DUCIE CL.
BRISTOL ROAD
Longcross Farm
Longcross
Talbot's End
HAWLEYS LANE
Sch.
CHURCH LANE
RECTORY LANE
Cromhall
Court Farm
Dyer's Brake
LAKE LANE
Nova
Wayside
Stone Quarry
13
FOXHOLE LANE
Wickwar Quarry (Stone)
Heathend Farm
Heathend House Farm
THE GREEN
The Old Rectory
Heathend Court
Wotton-under-Edge
GL12
Lake Copse
Heath End
Tapwell Bridge
RECTORY
Cole's Bridge
JUBILEE LANE
Cromhall Common
The Old Mushroom Farm
COWSHIP
Cowship Cottages
Cowship Cottage
Cowship Farm
RAG
Hillside
LANE
Ladden Brook
The Follies
Fading Cottage
Newlands Farm
Corner Ho.
Westend Farm
WEST END LANE
Barber's Court Farm
Endland's Farm
22
BAGSTONE ROAD
B4058
69
370
71
91
90
89
88
A B C D E
1 2 3 4 5 6 7

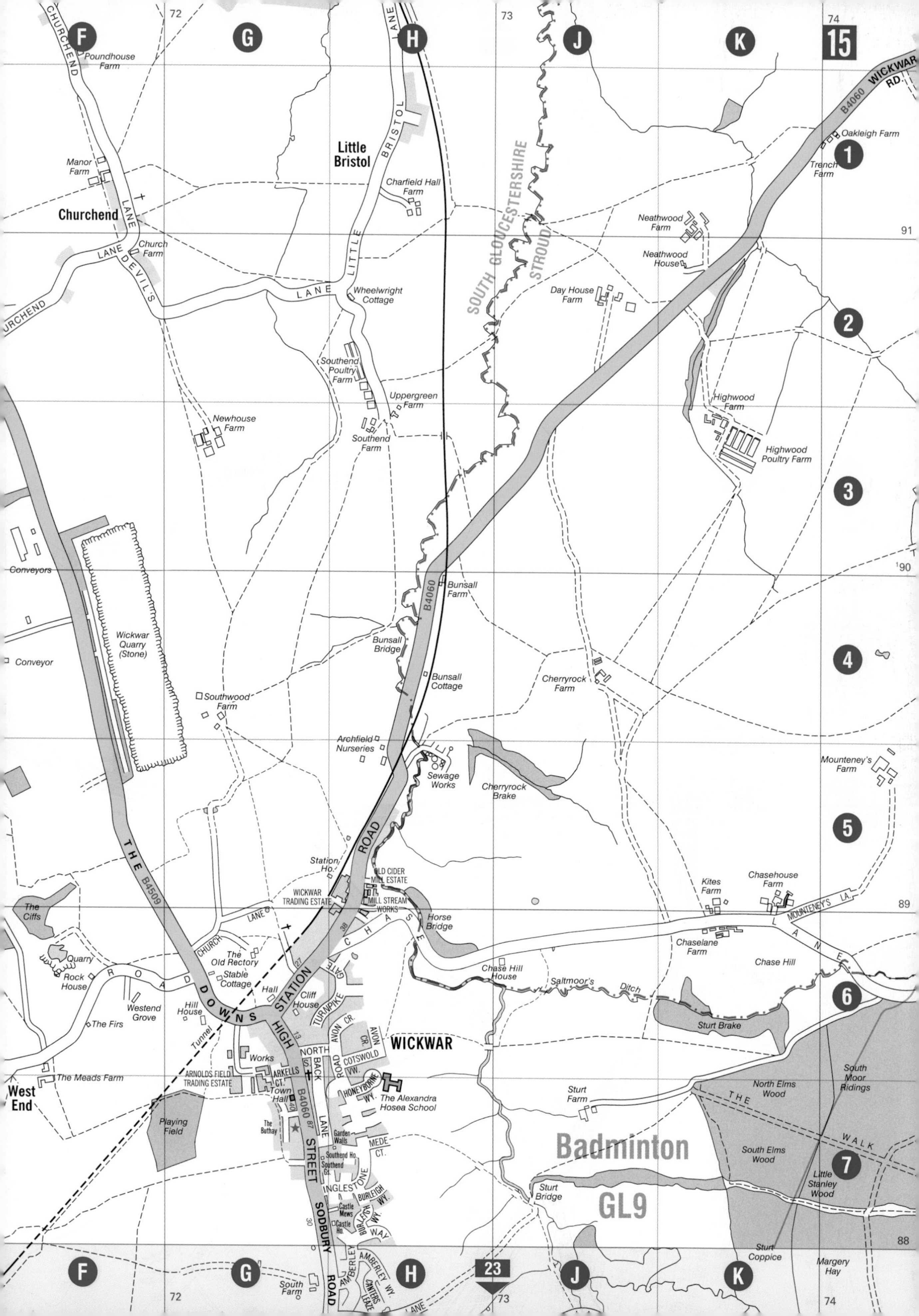
F
G
H
J
K
72
73
74
CHURCHEND
Poundhouse Farm
LANE
Little Bristol
LITTLE BRISTOL
Charfield Hall Farm
Manor Farm
Churchend
Church Farm
LANE
DEVIL'S
CHURCHEND
LANE
Wheelwright Cottage
SOUTH GLOUCESTERSHIRE
STROUD
Oakleigh Farm
Trench Farm
B4060
WICKWAR RD.
Neathwood Farm
Neathwood House
Day House Farm
91
1
2
3
4
5
6
7
Southend Poultry Farm
Uppergreen Farm
Southend Farm
Newhouse Farm
Highwood Farm
Highwood Poultry Farm
Conveyors
Wickwar Quarry (Stone)
Conveyor
90
Bunsall Farm
B4060
Bunsall Bridge
Bunsall Cottage
Cherryrock Farm
Southwood Farm
Archfield Nurseries
Sewage Works
Cherryrock Brake
Mounteney's Farm
THE
B4509
ROAD
Station Ho.
OLD CIDER MILL ESTATE
WICKWAR TRADING ESTATE
MILL STREAM WORKS
Horse Bridge
Kites Farm
Chasehouse Farm
MOUNTENEY'S LA.
89
The Cliffs
LANE
CHURCH
The Old Rectory
Stable Cottage
CHASE
GATE
Chaselane Farm
Chase Hill
LANE
Quarry
Rock House
ROAD
Hall
STATION
Cliff House
Chase Hill House
Saltmoor's Ditch
Westend Grove
Hill House
DOWNS
HIGH
TURNPIKE
AVON CR.
AVON CR.
Sturt Brake
The Firs
Tunnel
Works
NORTH S.
BACK ROAD
COTSWOLD VW.
WICKWAR
South Moor Ridings
The Meads Farm
ARNOLDS FIELD TRADING ESTATE
ARKELLS CT.
Town Hall
HONEYBORNE WY.
The Alexandra Hosea School
Sturt Farm
North Elms Wood
THE WALK
West End
Playing Field
The Buthay
B4060
LANE
Garden Walls
MEDE CT.
Badminton
South Elms Wood
STREET
Southend Ho.
Southend Gs.
INGLESTONE
BURLEIGH WY.
Sturt Bridge
GL9
Little Stanley Wood
Castle Mews
Castle Ho.
BURLEIGH WY.
WAY
SODBURY
88
AMBERLEY
AMBERLEY WY.
CANTERS LEAZE
LANE
Sturt Coppice
Margery Hay
South Farm
ROAD
23

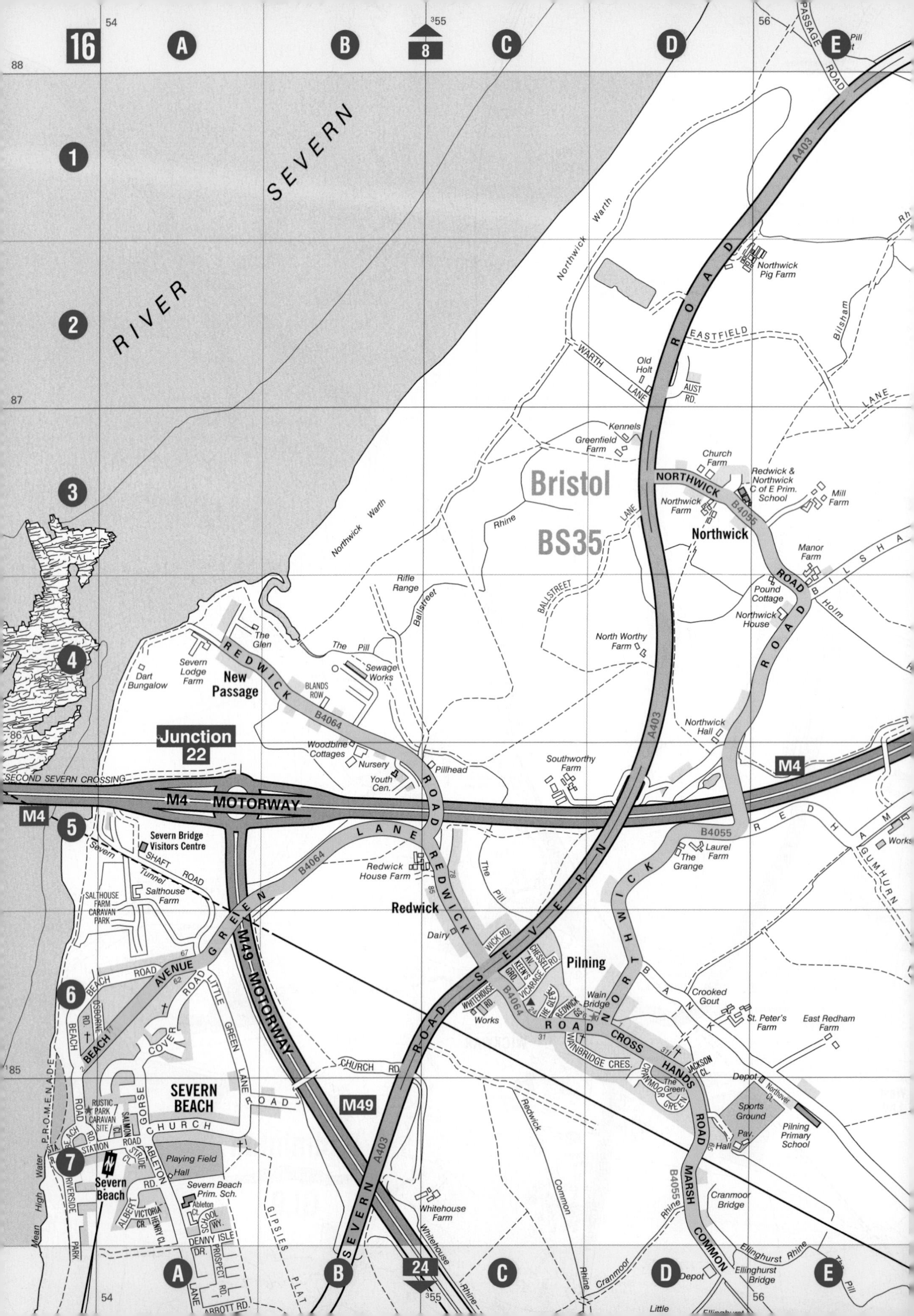

RIVER SEVERN
Bristol
BS35
New Passage
Junction 22
SECOND SEVERN CROSSING
M4 MOTORWAY
M4
M49 MOTORWAY
M49
SEVERN ROAD
A403
Severn Bridge Visitors Centre
SHAFT ROAD
Salthouse Farm
SALTHOUSE FARM CARAVAN PARK
BEACH ROAD
AVENUE
GREEN LANE
REDWICK ROAD
B4064
Redwick
Redwick House Farm
Dairy
Pilning
Wain Bridge
Works
WHITEHOUSE RD.
CROSS HANDS ROAD
WAINBRIDGE CRES.
CRANMOOR GREEN
The Green
JACKSON CL.
MARSH COMMON ROAD
B4055
Sports Ground
Pav.
Hall
Pilning Primary School
Depot
Northover Ct.
Crooked Gout
St. Peter's Farm
East Redham Farm
Cranmoor Bridge
Ellinghurst Bridge
Ellinghurst Rhine
NORTHWICK ROAD
Northwick
Northwick Farm
Church Farm
Redwick & Northwick C of E Prim. School
Mill Farm
Manor Farm
Pound Cottage
Northwick House
Northwick Hall
The Grange
Laurel Farm
REDHAM LANE
GUMHURN
Works
Southworthy Farm
North Worthy Farm
BALLSTREET LANE
Kennels
Greenfield Farm
Old Holt
AUST RD.
WARTH LANE
EASTFIELD
Bilsham
BILSHAM LANE
Holm
Northwick Pig Farm
Northwick Warth
PASSAGE ROAD
Pill
Rifle Range
Ballstreet
The Pill
Sewage Works
BLANDS ROW
Woodbine Cottages
Nursery
Youth Cen.
Pillhead
The Glen
Severn Lodge Farm
Dart Bungalow
Rhine
SEVERN BEACH
CHURCH ROAD
CHURCH RD.
COVER
LITTLE GREEN LANE
OSBORNE RD.
RUSTIC PARK CARAVAN SITE
SALMON CL.
GORSE
STATION ROAD
BEACH RD.
STRIDE CL.
ABLETON
Playing Field
Hall
Severn Beach
Severn Beach Prim. Sch.
Ableton Ct.
SCHOOL WY.
RIVERSIDE PARK
ALBERT RD.
VICTORIA CR.
HENRY CL.
DENNY ISLE DR.
PROSPECT RD.
ABBOTT RD.
LANE
GIPSIES PLAT
Whitehouse Farm
Whitehouse Rhine
Redwick Common
Cranmoor Rhine
Little
Mean High Water
PROMENADE
WICK RD.
KEEN'S GRO.
VICARAGE RD.
CHESSEL AV.
THE GLEN
REDWICK GRO.
24
8
1 2 3 4 5 6 7
A B C D E
54 355 56
88 87 86 85

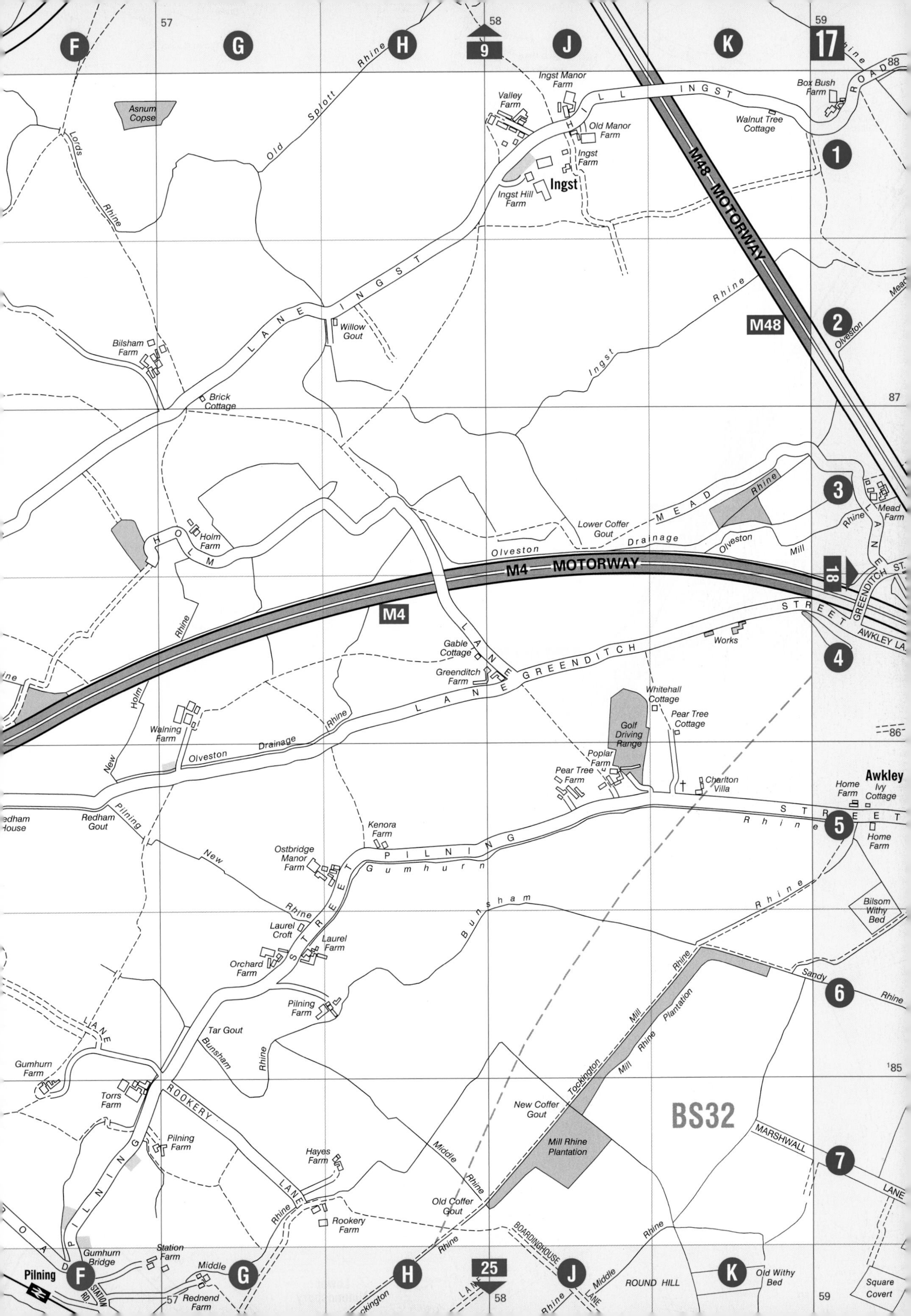

17
9
25
18
F
G
H
J
K
1
2
3
4
5
6
7
57
58
59
88
87
86
85
Asnum Copse
Lords Rhine
Old Splott Rhine
Ingst Manor Farm
Valley Farm
INGST HILL ROAD
Old Manor Farm
Ingst Farm
Ingst
Ingst Hill Farm
Box Bush Farm
Walnut Tree Cottage
M48 MOTORWAY
M48
Olveston
Mead
INGST LANE
Willow Gout
Ingst Rhine
Bilsham Farm
Brick Cottage
HOLM
Holm Farm
MEAD Rhine
Lower Coffer Gout
Olveston Drainage
Mead Farm
Mill Rhine
LANE
M4 MOTORWAY
M4
GREENDITCH ST.
STREET
AWKLEY LA.
Gable Cottage
Greenditch Farm
GREENDITCH LANE
Works
Whitehall Cottage
Pear Tree Cottage
Golf Driving Range
Poplar Farm
Pear Tree Farm
Charlton Villa
Awkley
Home Farm
Ivy Cottage
Home Farm
Holm Rhine
Walning Farm
New Rhine
Olveston Drainage Rhine
Redham House
Redham Gout
Pilning Rhine
New Rhine
Kenora Farm
Ostbridge Manor Farm
PILNING STREET
Gumhurn Rhine
Bunsham Rhine
Bilsom Withy Bed
Sandy Rhine
Laurel Croft
Laurel Farm
Orchard Farm
Pilning Farm
Mill Rhine
Mill Rhine Plantation
Tar Gout
Bunsham Rhine
LANE
Gumhurn Farm
Torrs Farm
ROOKERY LANE
Tockington Mill Rhine
New Coffer Gout
BS32
MARSHWALL LANE
Mill Rhine Plantation
Middle Rhine
Pilning Farm
Hayes Farm
PILNING ROAD
Old Coffer Gout
Rookery Farm
BOARDINGHOUSE LANE
Rhine
Station Farm
Gumhurn Bridge
Pilning
Middle
STATION RD.
Rednend Farm
Tockington
Middle Rhine
ROUND HILL
Old Withy Bed
Square Covert

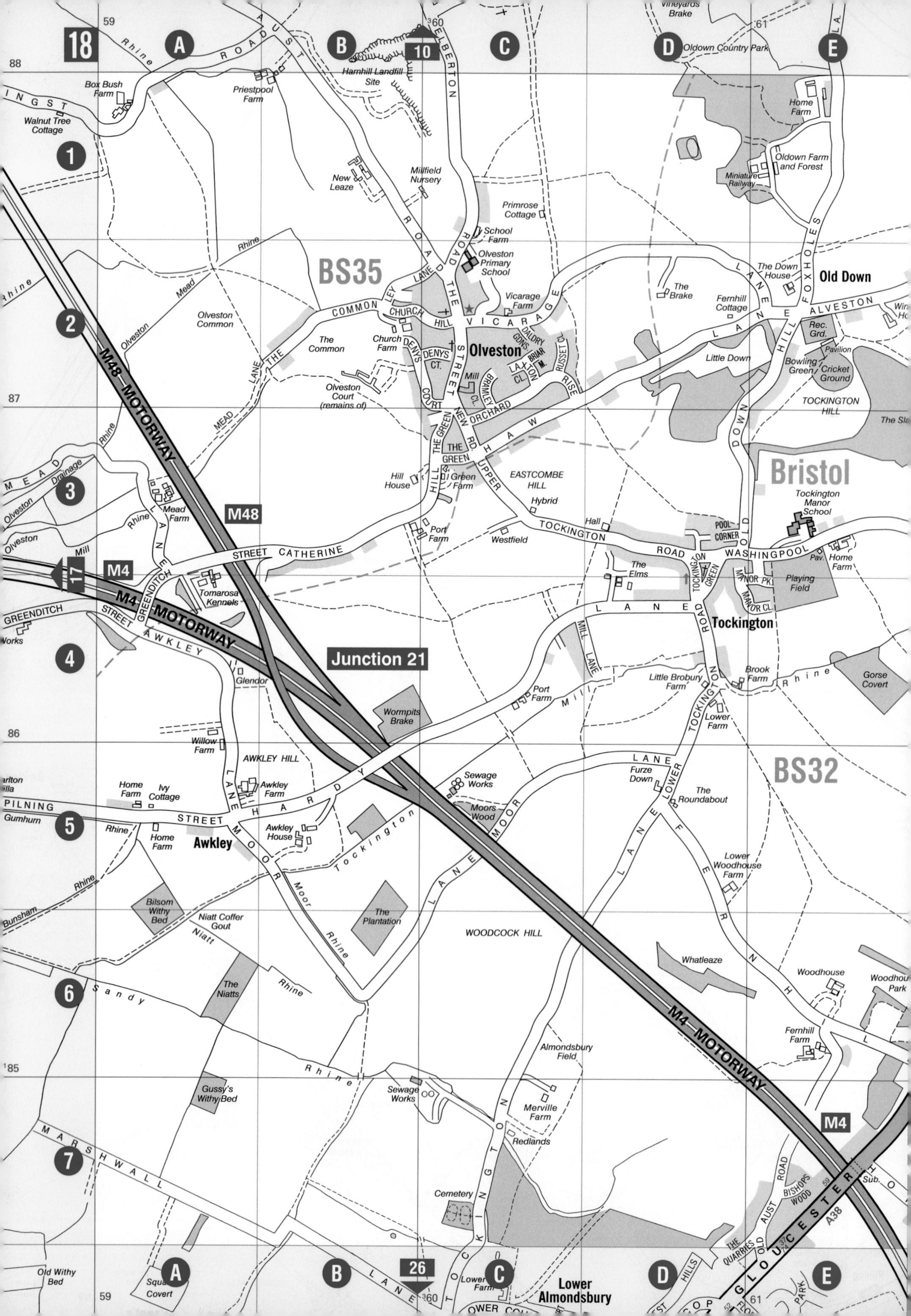

A
B
C
D
E
10
26
17
Harnhill Landfill Site
Box Bush Farm
Priestpool Farm
Walnut Tree Cottage
Oldown Country Park
Vineyards Brake
Home Farm
Oldown Farm and Forest
Miniature Railway
New Leaze
Millfield Nursery
Primrose Cottage
School Farm
Olveston Primary School
BS35
Olveston Common
The Common
Church Farm
Vicarage Farm
Olveston
Mill
The Brake
Fernhill Cottage
The Down House
Old Down
Rec. Grd.
Pavilion
Bowling Green
Cricket Ground
Little Down
TOCKINGTON HILL
Olveston Court (remains of)
M48 MOTORWAY
M48
M4
M4 MOTORWAY
Bristol
Tockington Manor School
Hill House
Green Farm
EASTCOMBE HILL
Hybrid
Hall
Port Farm
Westfield
POOL CORNER
Home Farm
Playing Field
The Elms
Tockington
Mead Farm
Tomarosa Kennels
Junction 21
Glendor
Little Brobury Farm
Brook Farm
Gorse Covert
Port Farm
Wormpits Brake
Lower Farm
Willow Farm
AWKLEY HILL
BS32
Home Farm
Ivy Cottage
Awkley Farm
Sewage Works
Furze Down
The Roundabout
Moors Wood
Awkley House
Home Farm
Awkley
Lower Woodhouse Farm
Bilsom Withy Bed
Niatt Coffer Gout
The Plantation
WOODCOCK HILL
Whatleaze
Woodhouse
The Niatts
Fernhill Farm
Almondsbury Field
Gussy's Withy Bed
Sewage Works
Merville Farm
Redlands
Cemetery
Old Withy Bed
Lower Farm
Lower Almondsbury
A38
ROAD
AUST
ELBERTON
COMMON
CHURCH
HILL
VICARAGE
DENYS CT.
BRAMLEY CL.
ORCHARD
NEW RD.
THE GREEN
UPPER
TOCKINGTON
ROAD
WASHINGPOOL
LANE
MILL LANE
CATHERINE STREET
GREENDITCH
AWKLEY
HARDY
STREET
MOOR
LANE
LOWER
FERN
PILNING
MARSHWALL LANE
ALVESTON
FOXHOLES
HILL
OLD DOWN
GLOUCESTER
BISHOPS WOOD
OLD AUST ROAD
THE QUARRIES
Rhine
Olveston
Mead
Sandy
Niatt
Moor Rhine
Tockington
Drainage
Mill
Gumhurn
Bunsham
59
60
61
88
87
86
85

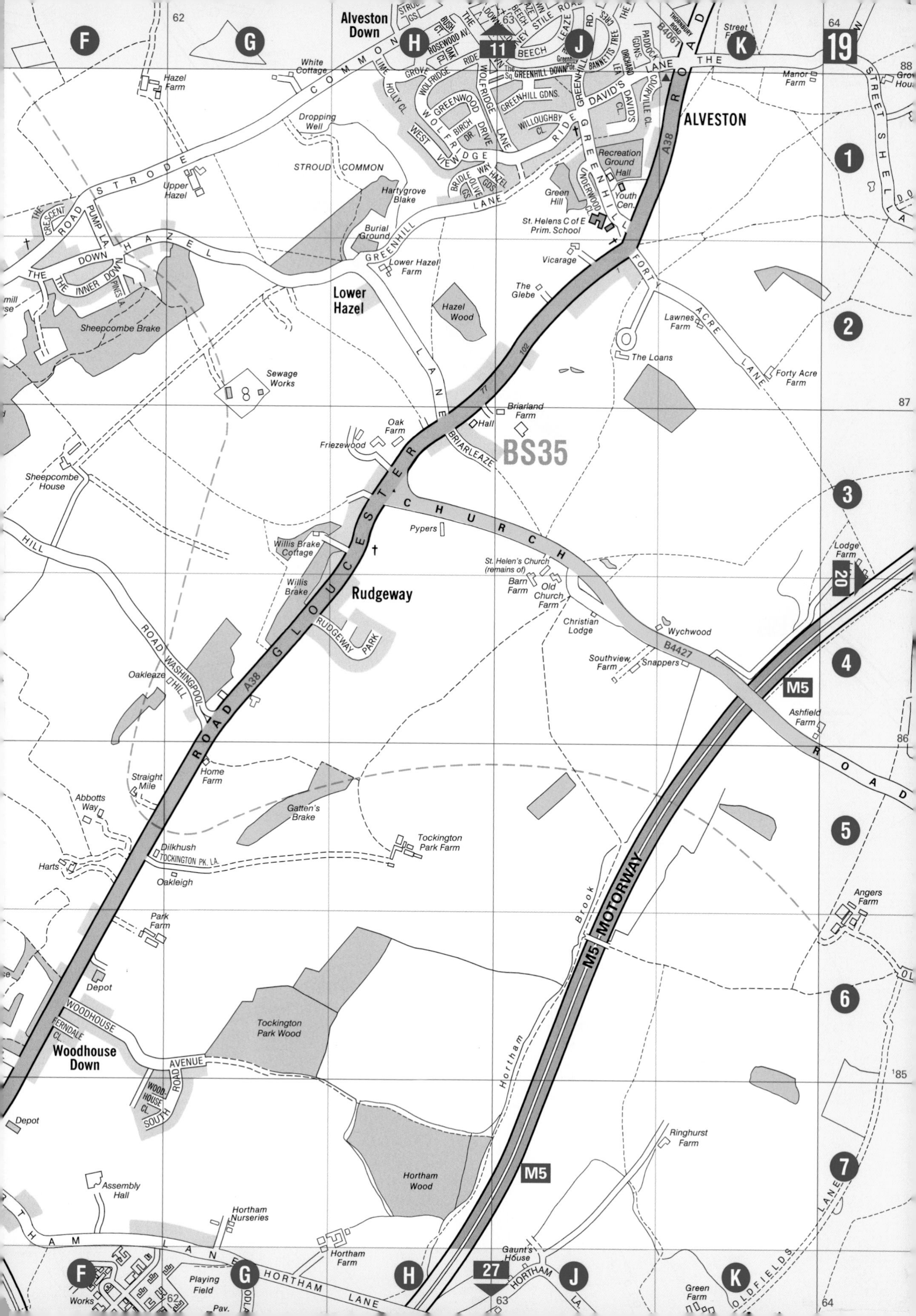

19
Alveston Down
Alveston
Lower Hazel
Rudgeway
Woodhouse Down
BS35
Stroud Common
Strode Common
Hazel Farm
Upper Hazel
White Cottage
Dropping Well
Hartygrove Blake
Burial Ground
Lower Hazel Farm
Hazel Wood
Sheepcombe Brake
Sewage Works
Greenhill Lane
Recreation Ground
Hall
Youth Cen.
Green Hill
St. Helens C of E Prim. School
Vicarage
The Glebe
Lawnes Farm
The Loans
Forty Acre Lane
Forty Acre Farm
Fort
Manor Farm
Street Farm
Thornbury Road
Briarland Farm
Hall
Oak Farm
Friezewood
Briarleaze
Sheepcombe House
Church Road
Pypers
Willis Brake Cottage
Willis Brake
St. Helen's Church (remains of)
Barn Farm
Old Church Farm
Christian Lodge
Wychwood
Southview Farm
Snappers
B4427
Lodge Farm
20
M5
Ashfield Farm
Gloucester Road
A38
Rudgeway Park
Washingpool Hill Road
Oakleaze
Home Farm
Straight Mile
Abbotts Way
Gatten's Brake
Tockington Park Farm
Dilkhush
Tockington Pk. La.
Oakleigh
Harts
Park Farm
Depot
Woodhouse Avenue
Ferndale Cl.
Tockington Park Wood
Woodhouse Cl.
South Road
Hortham Brook
M5 Motorway
Angers Farm
Ringhurst Farm
Hortham Wood
Assembly Hall
Hortham Nurseries
Hortham Lane
Hortham Farm
Gaunt's House
Playing Field
Works
Pav.
Green Farm
Oldfields Lane
11
27
F
G
H
J
K
1
2
3
4
5
6
7
62
63
64
85
86
87
88

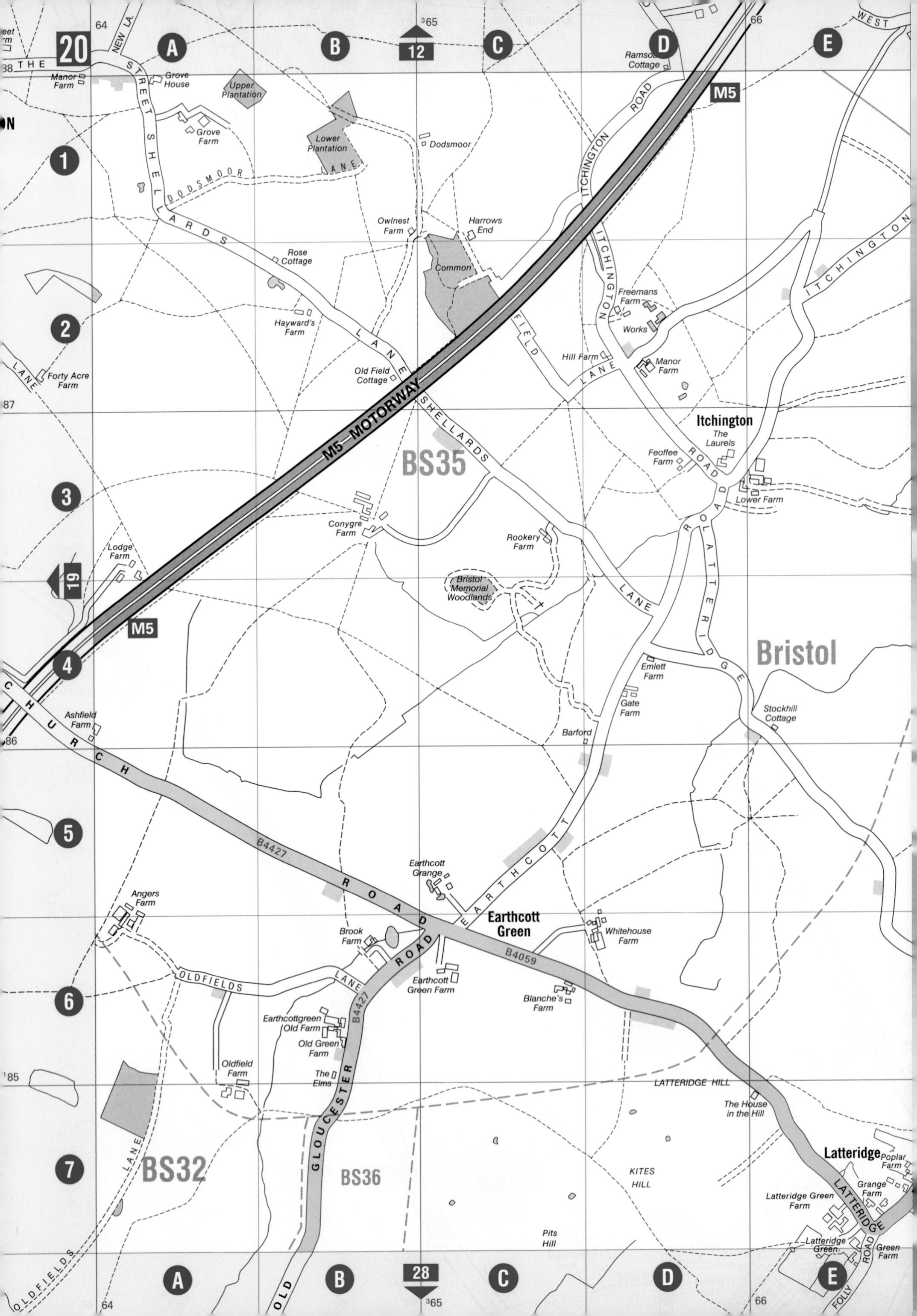

20
12
A
B
C
D
E
1
2
3
4
5
6
7
19
28
M5
M5 MOTORWAY
BS35
BS32
BS36
Bristol
Itchington
Earthcott Green
Latteridge
Manor Farm
Grove House
Upper Plantation
Grove Farm
Lower Plantation
Dodsmoor
Dodsmoor Lane
Shellards Lane
The Street
New Lane
Ramsom Cottage
Itchington Road
Owlnest Farm
Harrows End
Common
Rose Cottage
Hayward's Farm
Old Field Cottage
Forty Acre Farm
Freemans Farm
Works
Hill Farm
Field Lane
Manor Farm
The Laurels
Feoffee Farm
Lower Farm
Conygre Farm
Rookery Farm
Bristol Memorial Woodlands
Lodge Farm
Latteridge Road
Emlett Farm
Gate Farm
Barford
Stockhill Cottage
Ashfield Farm
Church Road
B4427
Earthcott Grange
Earthcott
Angers Farm
Brook Farm
Whitehouse Farm
B4059
Oldfields Lane
Earthcott Green Farm
Blanche's Farm
Earthcottgreen Old Farm
Old Green Farm
Oldfield Farm
The Elms
Gloucester Road
Latteridge Hill
The House in the Hill
Kites Hill
Pits Hill
Poplar Farm
Grange Farm
Latteridge Green Farm
Latteridge Green
Green Farm
Folly Road
Old Gloucester Road
Oldfields Lane
West
64
365
66
87
86
85

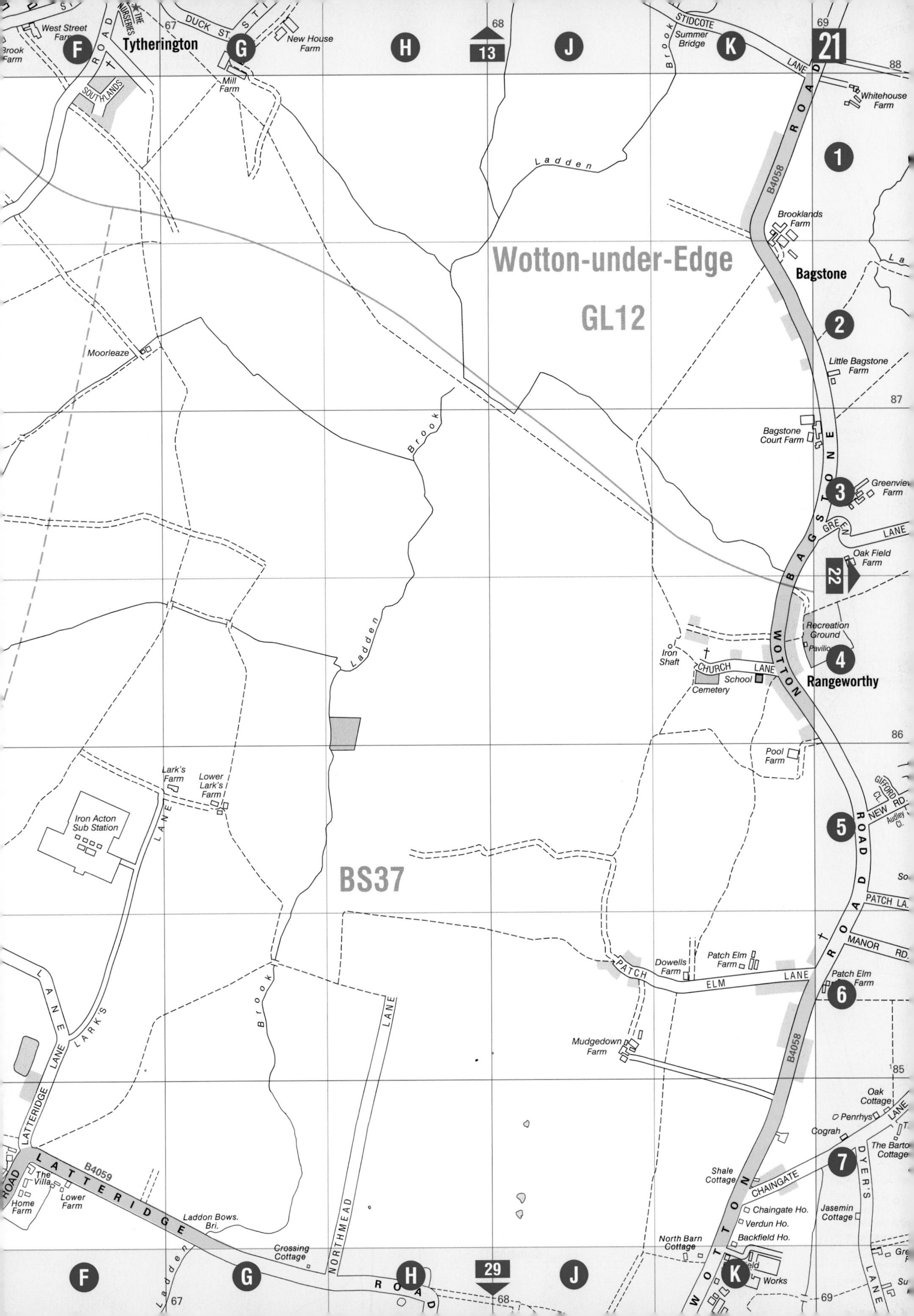
Tytherington
West Street Farm
Brook Farm
ROAD
SOUTHLANDS
THE NURSERIES
DUCK ST.
Mill Farm
New House Farm
13
STIDCOTE LANE
Summer Bridge
Brook
Whitehouse Farm
Ladden
B4058
Brooklands Farm
Bagstone
Wotton-under-Edge
GL12
Little Bagstone Farm
Moorleaze
Brook
Bagstone Court Farm
BAGSTONE
Greenview Farm
GREEN LANE
Oak Field Farm
22
Recreation Ground
Pavilion
Ladden
Iron Shaft
CHURCH LANE
School
Cemetery
WOTTON
Rangeworthy
Pool Farm
GIFFORD CL.
NEW RD.
Audley Cl.
Lark's Farm
Lower Lark's Farm
LANE
Iron Acton Sub Station
ROAD
BS37
PATCH LA.
MANOR RD.
Dowells Farm
Patch Elm Farm
PATCH ELM LANE
Patch Elm Farm
LANE
Brook
LARK'S
Mudgedown Farm
B4058
LATTERIDGE LANE
Oak Cottage
Penrhys
Cograh
The Barton Cottage
LANE
DYER'S LANE
CHAINGATE
Shale Cottage
B4059
LATTERIDGE ROAD
The Villa
Home Farm
Lower Farm
Laddon Bows. Bri.
Crossing Cottage
NORTHMEAD
Chaingate Ho.
Verdun Ho.
Backfield Ho.
Jasemin Cottage
North Barn Cottage
Works
WOTTON
Ladden
29
F
G
H
J
K
1
2
3
4
5
6
7
67
68
69
88
87
86
85

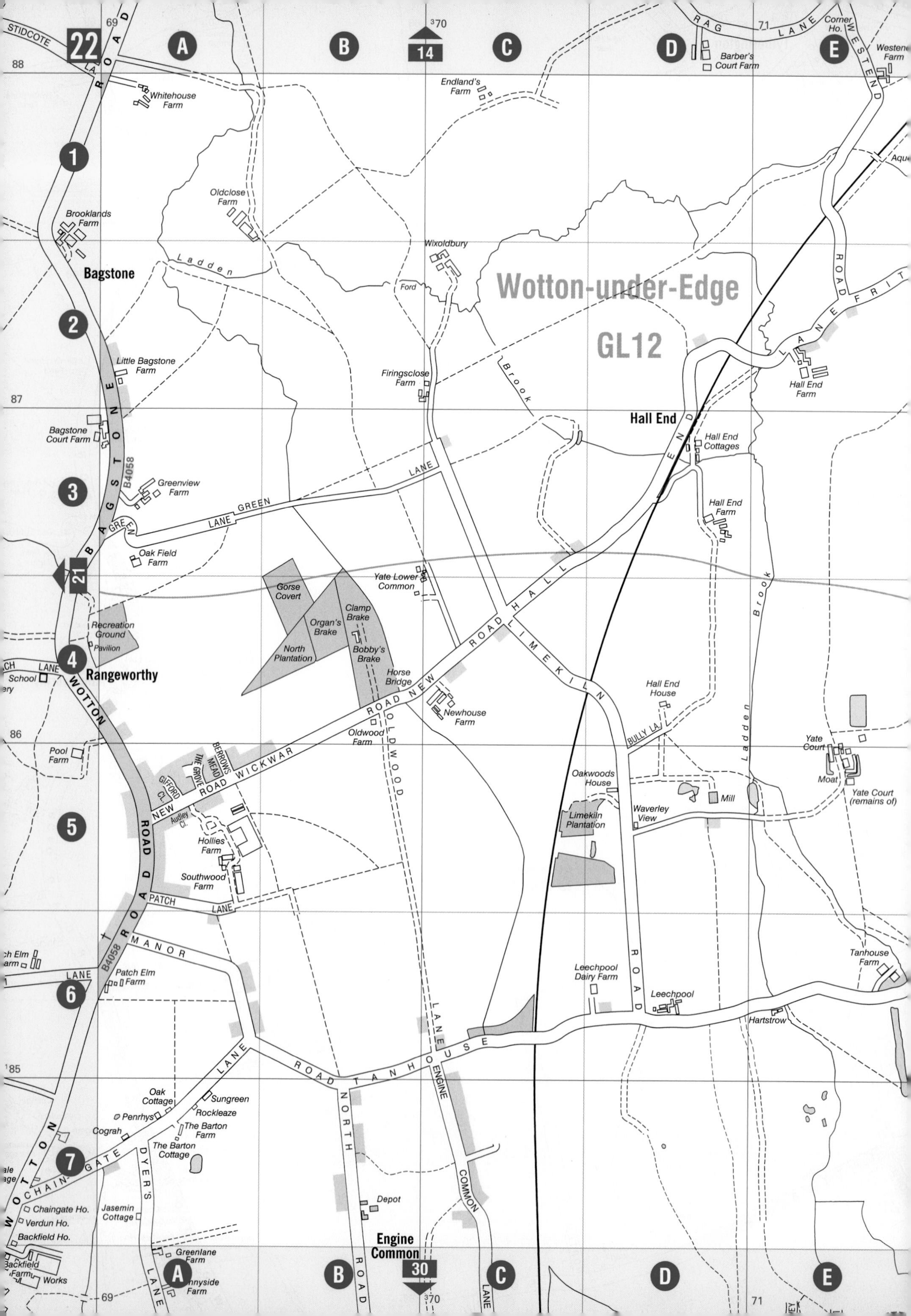
22
14
30
21
Wotton-under-Edge
GL12
Bagstone
Rangeworthy
Hall End
Engine Common
Whitehouse Farm
Brooklands Farm
Oldclose Farm
Endland's Farm
Wixoldbury
Firingsclose Farm
Little Bagstone Farm
Bagstone Court Farm
Greenview Farm
Oak Field Farm
Yate Lower Common
Gorse Covert
Organ's Brake
Clamp Brake
North Plantation
Bobby's Brake
Horse Bridge
Newhouse Farm
Oldwood Farm
Recreation Ground
Pavilion
School
Pool Farm
Hollies Farm
Southwood Farm
Patch Elm Farm
Oak Cottage
Penrhys
Cograh
Sungreen
Rockleaze
The Barton Farm
The Barton Cottage
Chaingate Ho.
Verdun Ho.
Backfield Ho.
Backfield Farm
Works
Jasemin Cottage
Greenlane Farm
Depot
Barber's Court Farm
Corner Ho.
Westend Farm
Hall End Farm
Hall End Cottages
Hall End House
Oakwoods House
Limekiln Plantation
Waverley View
Mill
Yate Court
Moat
Yate Court (remains of)
Leechpool Dairy Farm
Leechpool
Hartstrow
Tanhouse Farm
Ladden
Ladden Brook
Brook
Ford
STIDCOTE LANE
BAGSTONE ROAD
B4058
GREEN LANE
NEW ROAD WICKWAR
HALL END ROAD NEW
LIMEKILN ROAD
OLDWOOD
BULLY LA.
GIFFORD CL.
THE GROVE
MEAD
BERROWS
Audley Cl.
PATCH LANE
MANOR LANE
WOTTON ROAD
TANHOUSE ROAD
NORTH ROAD
ENGINE COMMON LANE
CHAINGATE
DYER'S LANE
RAG LANE
WESTEND
FRITH LANE
88
87
86
85
69
370
71

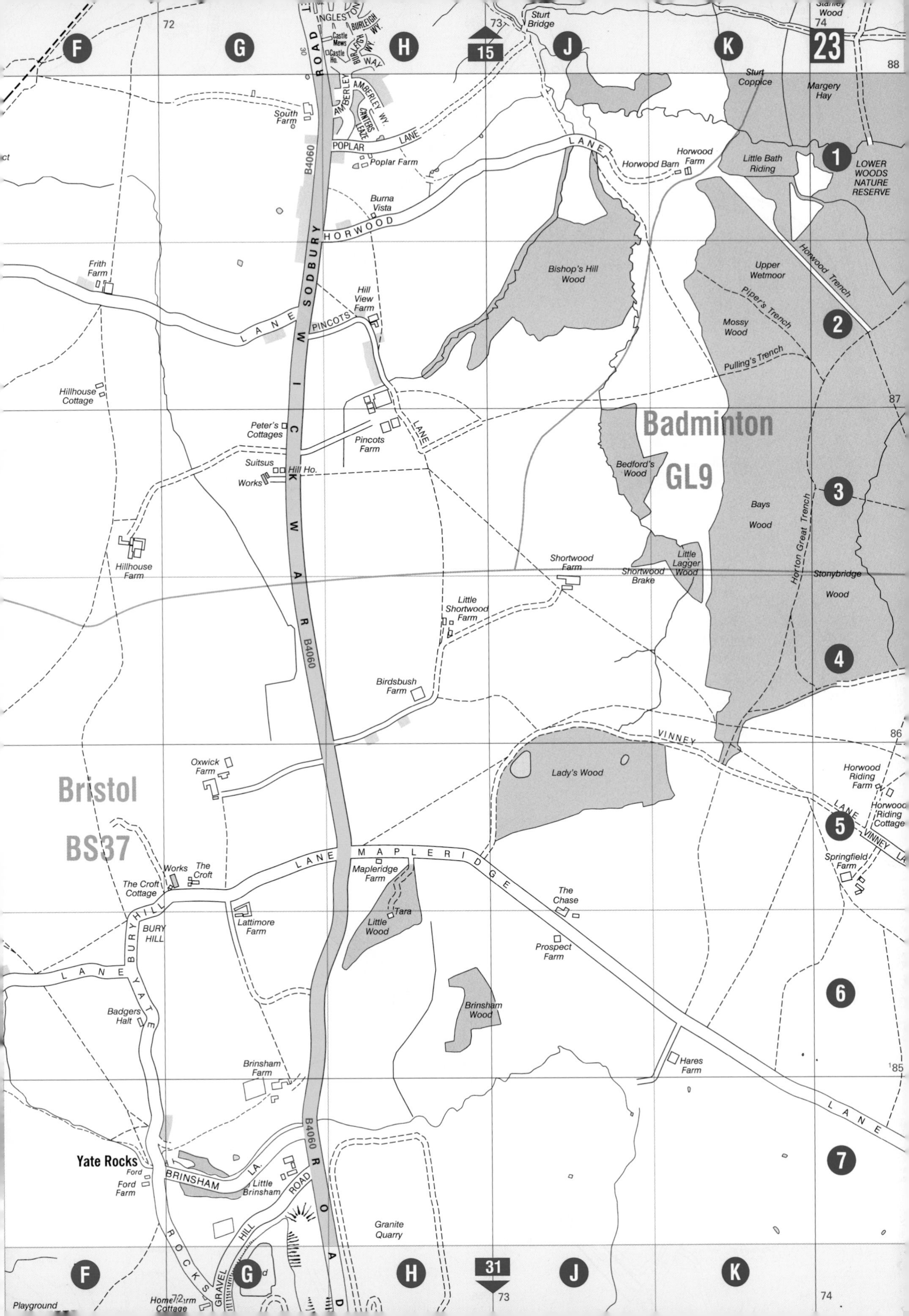
Badminton
GL9
Bristol
BS37
Sturt Bridge
Sturt Coppice
Margery Hay
Stanley Wood
LOWER WOODS NATURE RESERVE
Little Bath Riding
Horwood Farm
Horwood Barn
Horwood Trench
Upper Wetmoor
Piper's Trench
Mossy Wood
Pulling's Trench
Bishop's Hill Wood
Bedford's Wood
Bays Wood
Horton Great Trench
Little Lagger Wood
Shortwood Brake
Shortwood Farm
Stonybridge Wood
Little Shortwood Farm
Birdsbush Farm
Lady's Wood
VINNEY LANE
Horwood Riding Farm
Horwood Riding Cottage
Springfield Farm
MAPLERIDGE LANE
Mapleridge Farm
Tara
Little Wood
The Chase
Prospect Farm
Brinsham Wood
Hares Farm
Granite Quarry
INGLESTON
BURLEIGH WY.
Castle Mews
Castle Ho.
BURLEIGH WAY
AMBERLEY
AMBERLEY WY.
CANTERS LEAZE
South Farm
POPLAR LANE
Poplar Farm
Burna Vista
HORWOOD LANE
WICKWAR SODBURY ROAD
B4060
Frith Farm
Hill View Farm
PINCOTS LANE
Hillhouse Cottage
Peter's Cottages
Pincots Farm
Suitsus
Hill Ho.
Works
Hillhouse Farm
Oxwick Farm
The Croft
The Croft Cottage
Lattimore Farm
BURY HILL
YATE LANE
Badgers Halt
Brinsham Farm
Yate Rocks
Ford
Ford Farm
BRINSHAM LA.
Little Brinsham
GRAVEL HILL ROAD
ROCKS
Home Farm Cottage
Playground
F
G
H
J
K
15
23
31
1
2
3
4
5
6
7
72
73
74
85
86
87
88

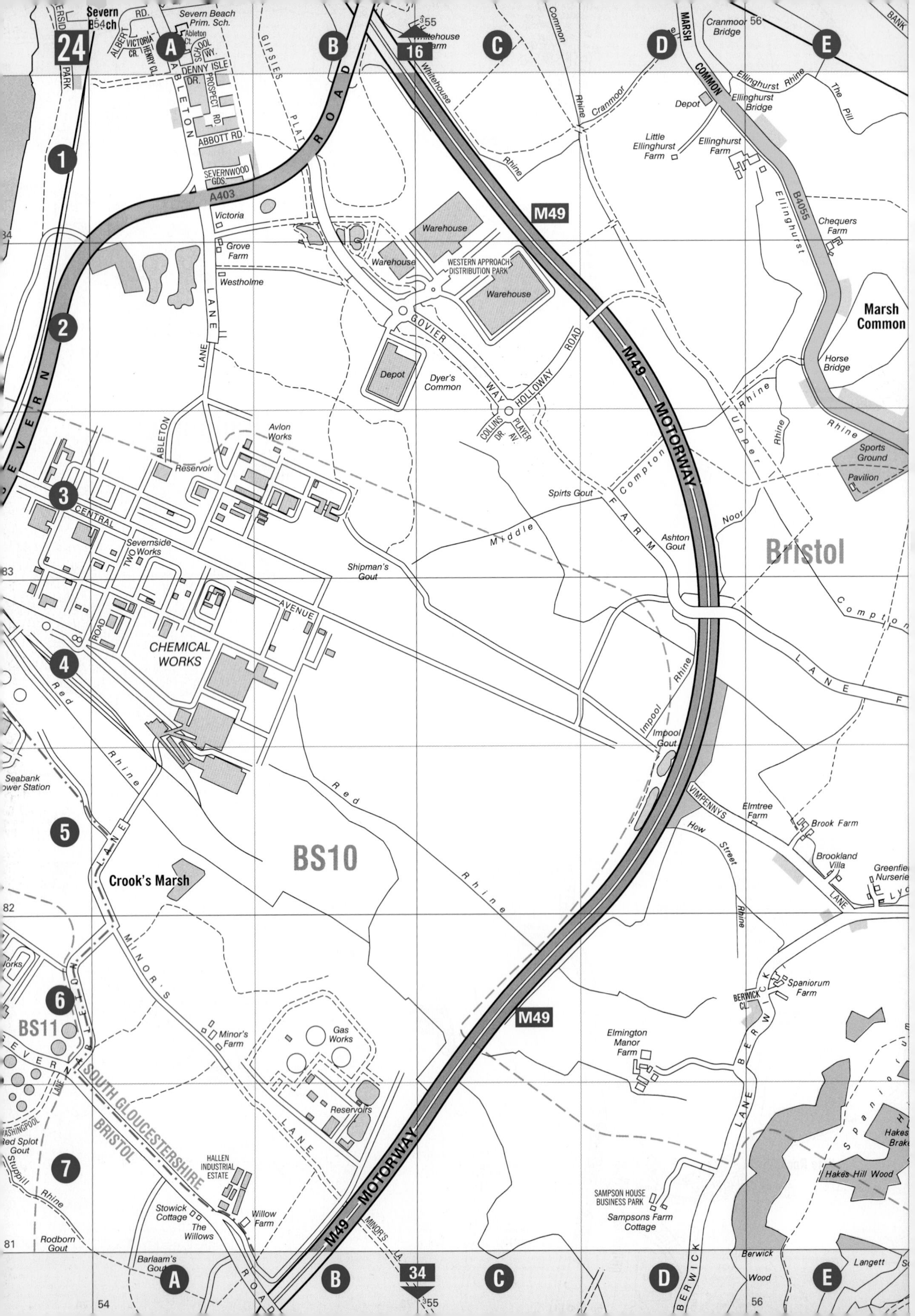

24
16
34
Severn Beach
Severn Beach Prim. Sch.
Ableton Ct.
ALBERT RD.
VICTORIA CR.
HENRY CL.
SCHOOL WY.
DENNY ISLE DR.
PROSPECT RD.
ABLETON LANE
ABBOTT RD.
SEVERNWOOD GDS.
A403
SEVERN ROAD
GIPSIES PLAT
Whitehouse Farm
Whitehouse
Cranmoor Bridge
MARSH COMMON
Common
Cranmoor Rhine
Ellinghurst Rhine
Ellinghurst Bridge
The Pill
Depot
Little Ellinghurst Farm
Ellinghurst Farm
B4055
Chequers Farm
Marsh Common
Horse Bridge
Victoria
Grove Farm
Westholme
Warehouse
WESTERN APPROACH DISTRIBUTION PARK
GOVIER WAY
HOLLOWAY ROAD
COLLINS DR.
PLAYER AV.
Dyer's Common
M49
M49 MOTORWAY
Upper Rhine
Sports Ground
Pavilion
Avlon Works
Reservoir
CENTRAL AVENUE
Severnside Works
TWO ROAD
CHEMICAL WORKS
Spirts Gout
Compton
FARM
Middle Rhine
Ashton Gout
Noor
Bristol
Compton LANE
Shipman's Gout
Red Rhine
Impool Rhine
Impool Gout
Seabank Power Station
VIMPENNYS LANE
Elmtree Farm
Brook Farm
Brookland Villa
How Street
BS10
Crook's Marsh
Greenfield Nurseries
BS11
MINOR'S LANE
Minor's Farm
Gas Works
Reservoirs
Spaniorum Farm
BERWICK CL.
BERWICK LANE
Elmington Manor Farm
SEVERN ROAD
SOUTH GLOUCESTERSHIRE
BRISTOL
WASHINGPOOL LANE
Red Splot Gout
Stuppill Rhine
HALLEN INDUSTRIAL ESTATE
Stowick Cottage
The Willows
Willow Farm
Rodborn Gout
Barlaam's Gout
SAMPSON HOUSE BUSINESS PARK
Sampsons Farm Cottage
Hakes Hill Wood
Berwick Wood
Langett
A B C D E
1 2 3 4 5 6 7
54 55 56
81 82 83 84

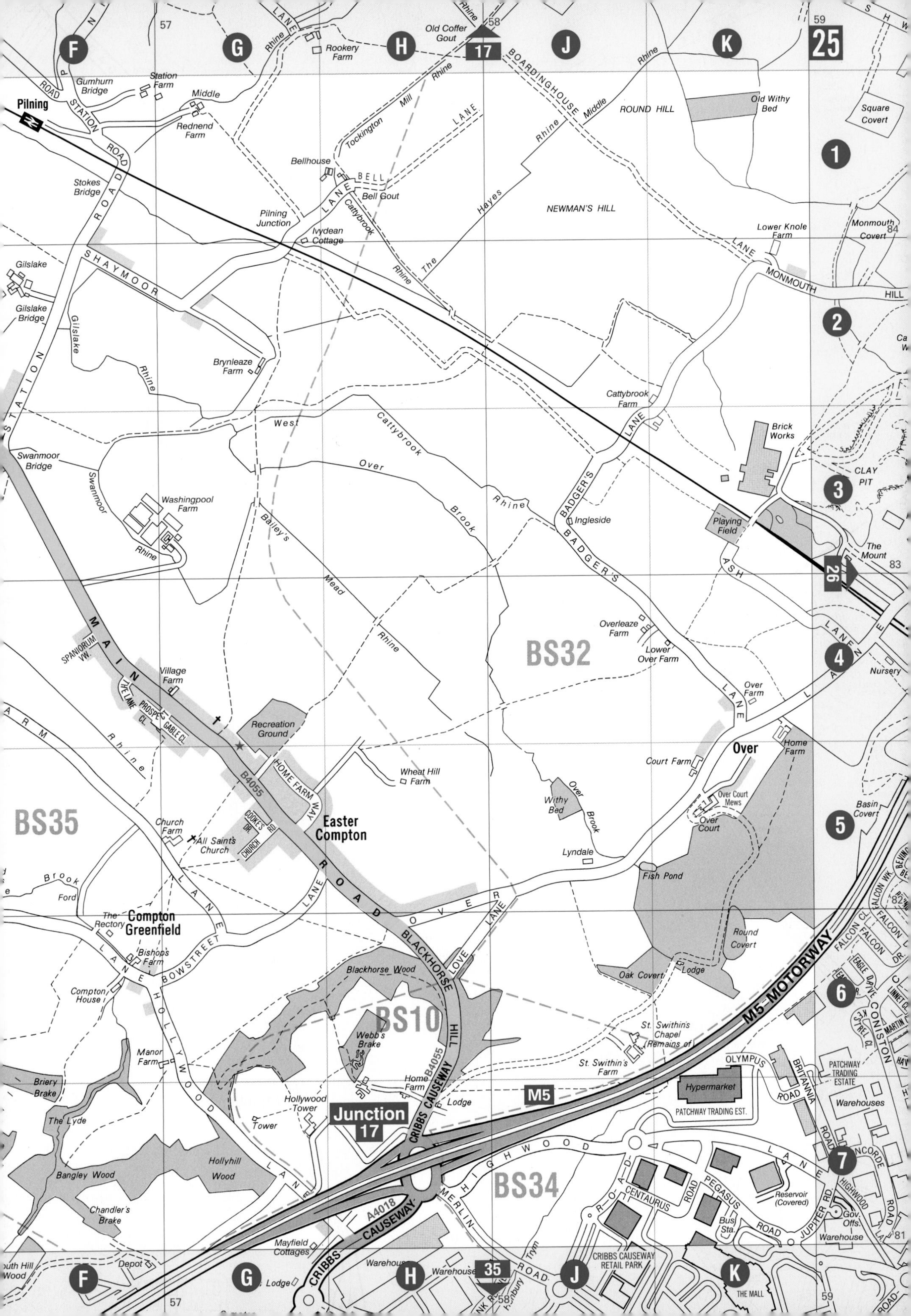
Pilning
Gumhurn Bridge
Station Farm
Middle
Rednend Farm
Old Coffer Gout
Rookery Farm
17
ROUND HILL
Old Withy Bed
Square Covert
Bellhouse
Bell Gout
Tockington Mill Rhine
Stokes Bridge
Pilning Junction
Ivydean Cottage
NEWMAN'S HILL
Lower Knole Farm
Monmouth Covert
MONMOUTH HILL
Gilslake
Gilslake Bridge
SHAYMOOR
Brynleaze Farm
Cattybrook Farm
Brick Works
CLAY PIT
West
Cattybrook
Over Brook
Swanmoor Bridge
Washingpool Farm
Ingleside
Playing Field
The Mount
26
BADGER'S LANE
Bailey's Mead Rhine
Overleaze Farm
Lower Over Farm
BS32
Nursery
SPANIORUM VW.
Village Farm
Recreation Ground
Over Farm
Over
Home Farm
Court Farm
Wheat Hill Farm
HOME FARM WAY
BS35
Church Farm
All Saints Church
Easter Compton
Withy Bed
Over Court Mews
Over Court
Basin Covert
Lyndale
Fish Pond
Brook
Ford
The Rectory
Compton Greenfield
Bishops Farm
BOWSTREET
Round Covert
Oak Covert
Lodge
M5 MOTORWAY
Compton House
Blackhorse Wood
BS10
Webb's Brake
St. Swithin's Chapel (Remains of)
Manor Farm
St. Swithin's Farm
Briery Brake
Home Farm
Lodge
M5
Hypermarket
PATCHWAY TRADING ESTATE
Warehouses
PATCHWAY TRADING EST.
OLYMPUS ROAD
BRITANNIA ROAD
Hollywood Tower
Tower
Junction 17
CRIBBS CAUSEWAY
The Lyde
Hollyhill Wood
Bangley Wood
HIGHWOOD LANE
BS34
Chandler's Brake
A4018
MERLIN ROAD
CENTAURUS ROAD
PEGASUS ROAD
Reservoir (Covered)
JUPITER RD
Gov. Offs.
Bus Sta.
Warehouse
Mayfield Cottages
Warehouse
Warehouse
35
CRIBBS CAUSEWAY RETAIL PARK
THE MALL
Depot
Lodge
B4055
MAIN ROAD
BLACKHORSE HILL
HOLLYWOOD LANE
LOVE LANE
OVER LANE
ASH LANE
BOARDINGHOUSE LANE
STATION ROAD
FALCON CL.
FALCON DR.
CONISTON
57
58
59
84
83
82
81

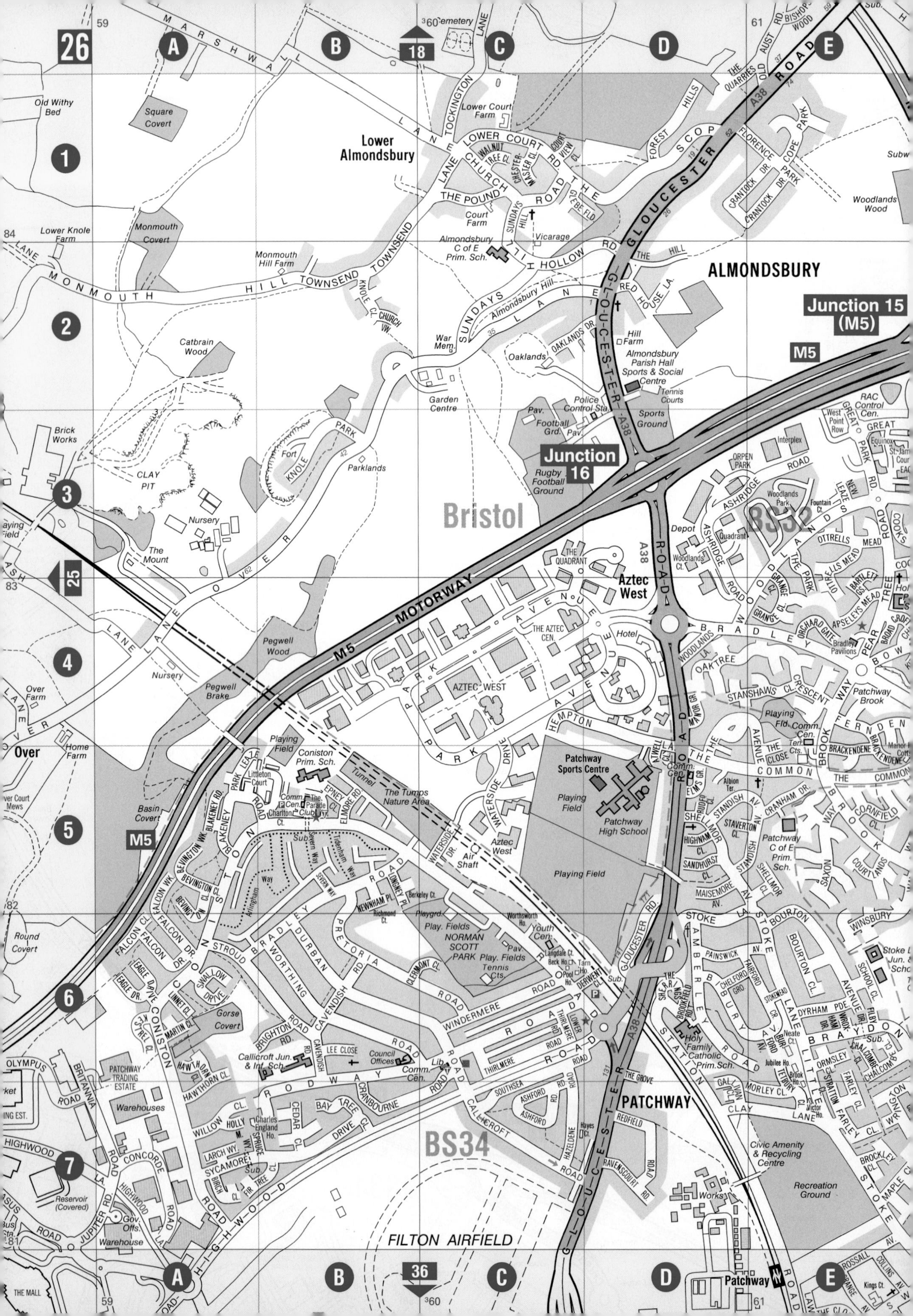
26
18
25
36
Junction 15 (M5)
Junction 16
M5
M5 MOTORWAY
Lower Almondsbury
ALMONDSBURY
Bristol
BS32
BS34
Aztec West
PATCHWAY
Over
FILTON AIRFIELD
GLOUCESTER ROAD
A38
Old Withy Bed
Square Covert
Lower Knole Farm
Monmouth Covert
Monmouth Hill Farm
MONMOUTH HILL
TOWNSEND
SUNDAYS HILL
Almondsbury C of E Prim. Sch.
Lower Court Farm
Court Farm
Vicarage
Catbrain Wood
Brick Works
CLAY PIT
Fort
Parklands
Nursery
The Mount
Garden Centre
Oaklands
Almondsbury Parish Hall Sports & Social Centre
Police Control Sta.
Football Grd.
Rugby Football Ground
Sports Ground
Tennis Courts
Hill Farm
RAC Control Cen.
Woodlands Wood
Pegwell Wood
Pegwell Brake
Over Farm
Home Farm
Basin Covert
Round Covert
Playing Field
Coniston Prim. Sch.
The Tumps Nature Area
Tunnel
Air Shaft
Patchway Sports Centre
Patchway High School
Playing Field
NORMAN SCOTT PARK
Play. Fields
Gorse Covert
Callicroft Jun. & Inf. Sch.
Council Offices
PATCHWAY TRADING ESTATE
Warehouses
Reservoir (Covered)
Gov. Offs.
Warehouse
Holy Family Catholic Prim.Sch.
Patchway C of E Prim. Sch.
Civic Amenity & Recycling Centre
Recreation Ground
Works
Patchway
Patchway Brook
THE MALL

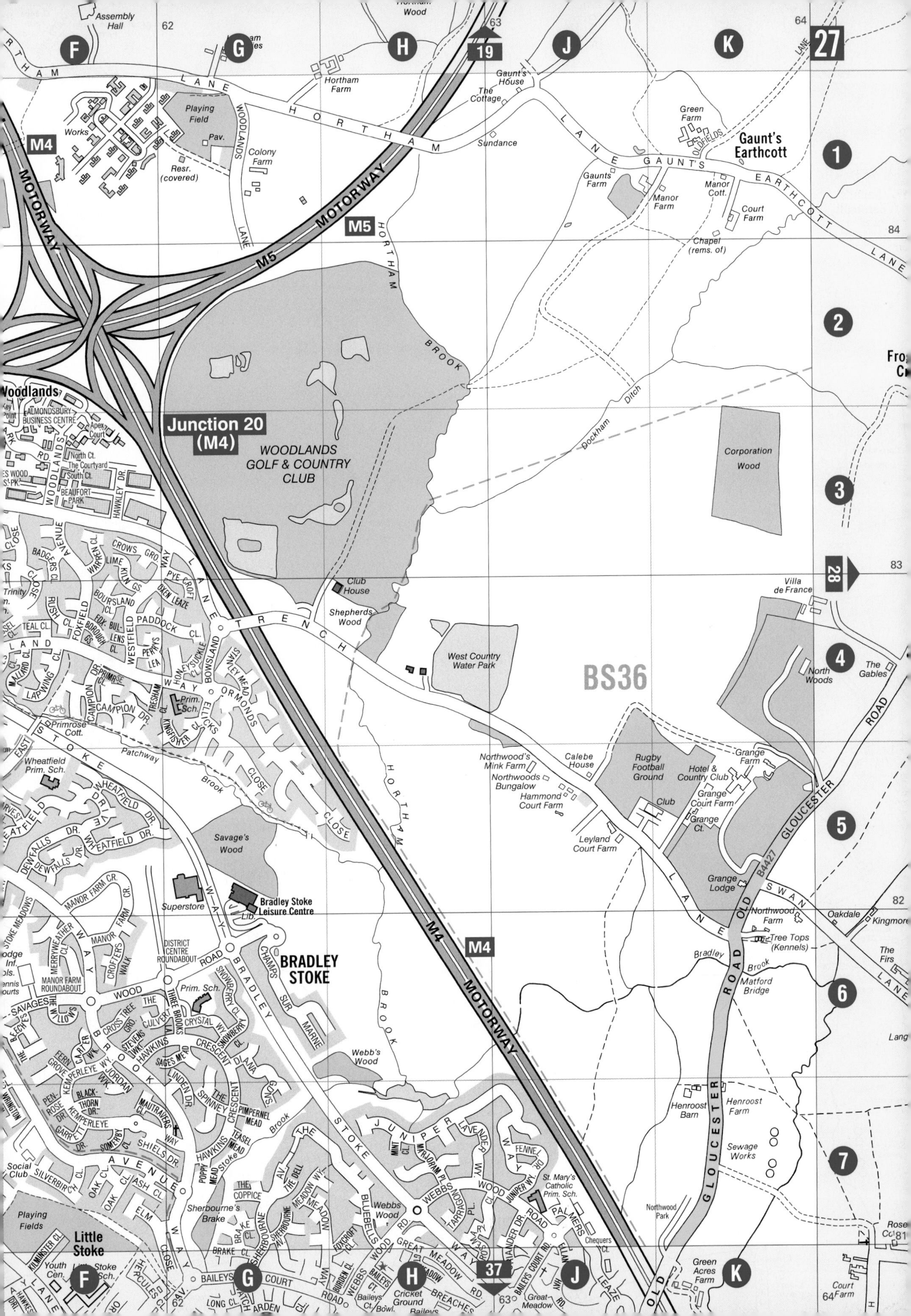

27
28
19
37
Gaunt's Earthcott
Junction 20 (M4)
WOODLANDS GOLF & COUNTRY CLUB
BS36
BRADLEY STOKE
Little Stoke
Woodlands
Corporation Wood
West Country Water Park
Savage's Wood
Webb's Wood
Hortham Farm
Colony Farm
Green Farm
Gaunts Farm
Manor Farm
Court Farm
Villa de France
The Gables
North Woods
Rugby Football Ground
Hotel & Country Club
Grange Farm
Grange Court Farm
Leyland Court Farm
Hammond Court Farm
Northwoods Bungalow
Northwood's Mink Farm
Calebe House
Northwood Farm
Tree Tops (Kennels)
Matford Bridge
Henroost Farm
Henroost Barn
Sewage Works
Northwood Park
Green Acres Farm
Superstore
Bradley Stoke Leisure Centre
Club House
Shepherds Wood
Playing Field
Playing Fields
Assembly Hall
Resr. (covered)
HORTHAM LANE
GAUNT'S EARTHCOTT LANE
TRENCH LANE
GLOUCESTER ROAD
OLD GLOUCESTER ROAD
M4 MOTORWAY
M5 MOTORWAY
BRADLEY STOKE WAY

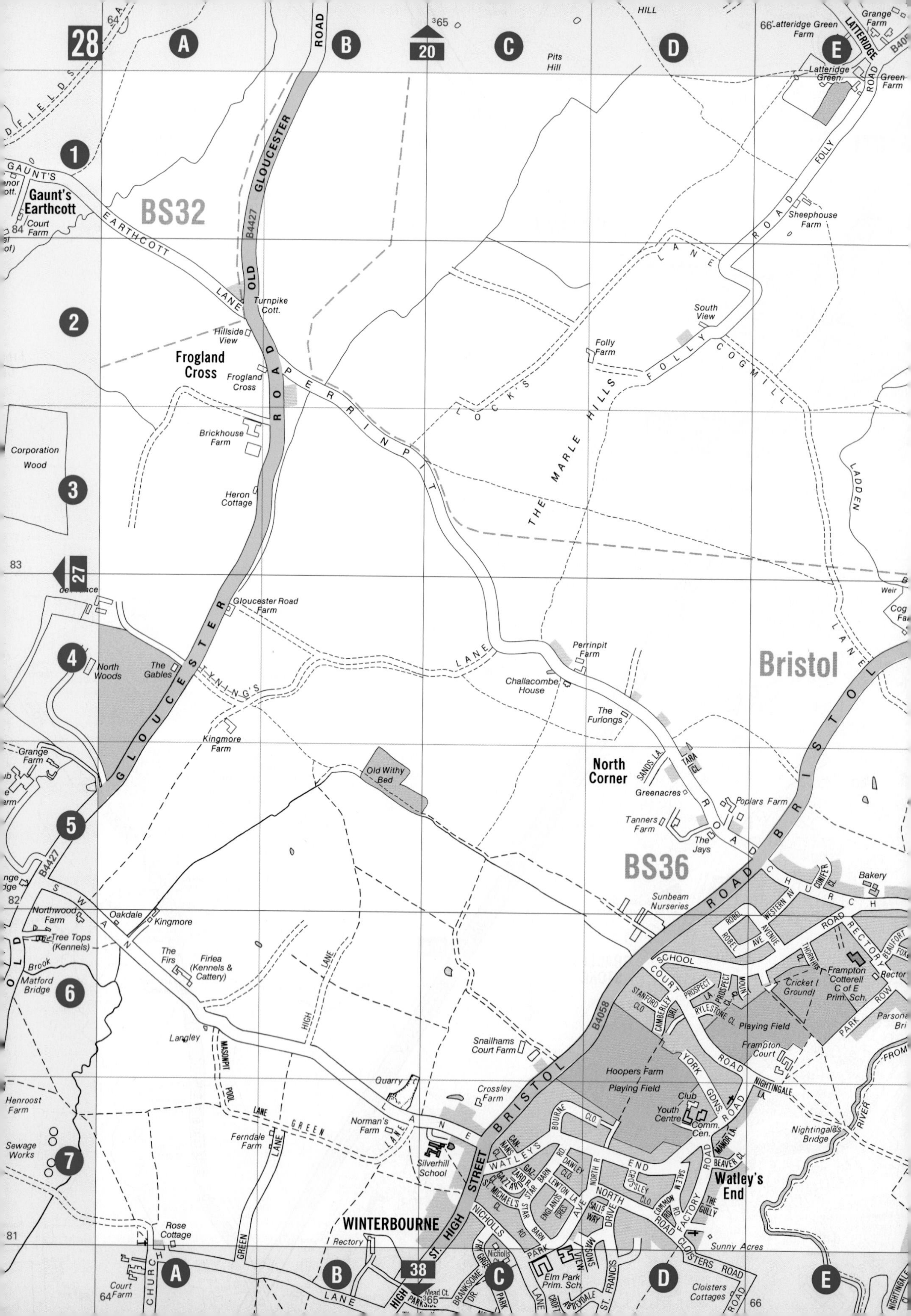
28
20
27
38
A
B
C
D
E
1
2
3
4
5
6
7
64
365
66
83
82
81
BS32
BS36
Bristol
Gaunt's Earthcott
Court Farm
Frogland Cross
Corporation Wood
North Woods
The Gables
Gloucester Road Farm
Kingmore Farm
Grange Farm
Northwood Farm
Tree Tops (Kennels)
Oakdale
Kingmore
The Firs
Firlea (Kennels & Cattery)
Matford Bridge
Brook
Langley
Henroost Farm
Sewage Works
Rose Cottage
Court Farm
Turnpike Cott.
Hillside View
Brickhouse Farm
Heron Cottage
Old Withy Bed
Pits Hill
Latteridge Green Farm
Latteridge Green
Grange Farm
Green Farm
Sheephouse Farm
South View
Folly Farm
Perrinpit Farm
Challacombe House
The Furlongs
North Corner
Greenacres
Poplars Farm
Tanners Farm
The Jays
Sunbeam Nurseries
Bakery
Weir
Snailhams Court Farm
Crossley Farm
Quarry
Norman's Farm
Ferndale Farm
Silverhill School
WINTERBOURNE
Rectory
Hoopers Farm Playing Field
Club
Youth Centre
Comm. Cen.
Frampton Cotterell C of E Prim. Sch.
Cricket Ground
Playing Field
Frampton Court
Nightingale's Bridge
Watley's End
Sunny Acres
Elm Park Prim. Sch.
Cloisters Cottages
GLOUCESTER ROAD
OLD GLOUCESTER ROAD
B4427
EARTHCOTT LANE
GAUNT'S
PERRINPIT ROAD
PERRINPIT LANE
TYNING'S
LOCK'S LANE
THE MARLE HILLS
FOLLY ROAD
FOLLY LANE
COGMILL
LADDEN
LATTERIDGE
BRISTOL ROAD
B4058
SANDS LA.
TARA CL.
CHURCH ROAD
RECTORY ROAD
CONIFER CL.
ROBEL AVE
WESTERN AV
AVENUE
SCHOOL COURT
STANFORD CLO
CAMBERLEY DRI.
PROSPECT LA
PROSPECT CL.
RYLESTONE CL
YORK GDNS
YORK ROAD
NIGHTINGALE LA.
PARK ROW
RIVER
SWAN LANE
HIGH LANE
MASONPIT
POOL LANE
GREEN LANE
WATLEYS END ROAD
BOURNE CLO.
DAWLEY CLO.
LEWTON LA
STAR BARN RD
ST. MICHAEL'S CL
ENGLANDS CRES.
NORTH DRIVE
NORTH AVE
SALLYS WAY
COMMON RD
FACTORY ROAD
THE GULLY
MANOR LA.
BEAVER CL
SALEM
CLOISTERS ROAD
NICHOLLS
HIGH STREET
HIGH ST.
PARKSIDE
BRANKSOME DR.
ST. FRANCIS
ABBEYDALE
CHURCH
Mead Ct.

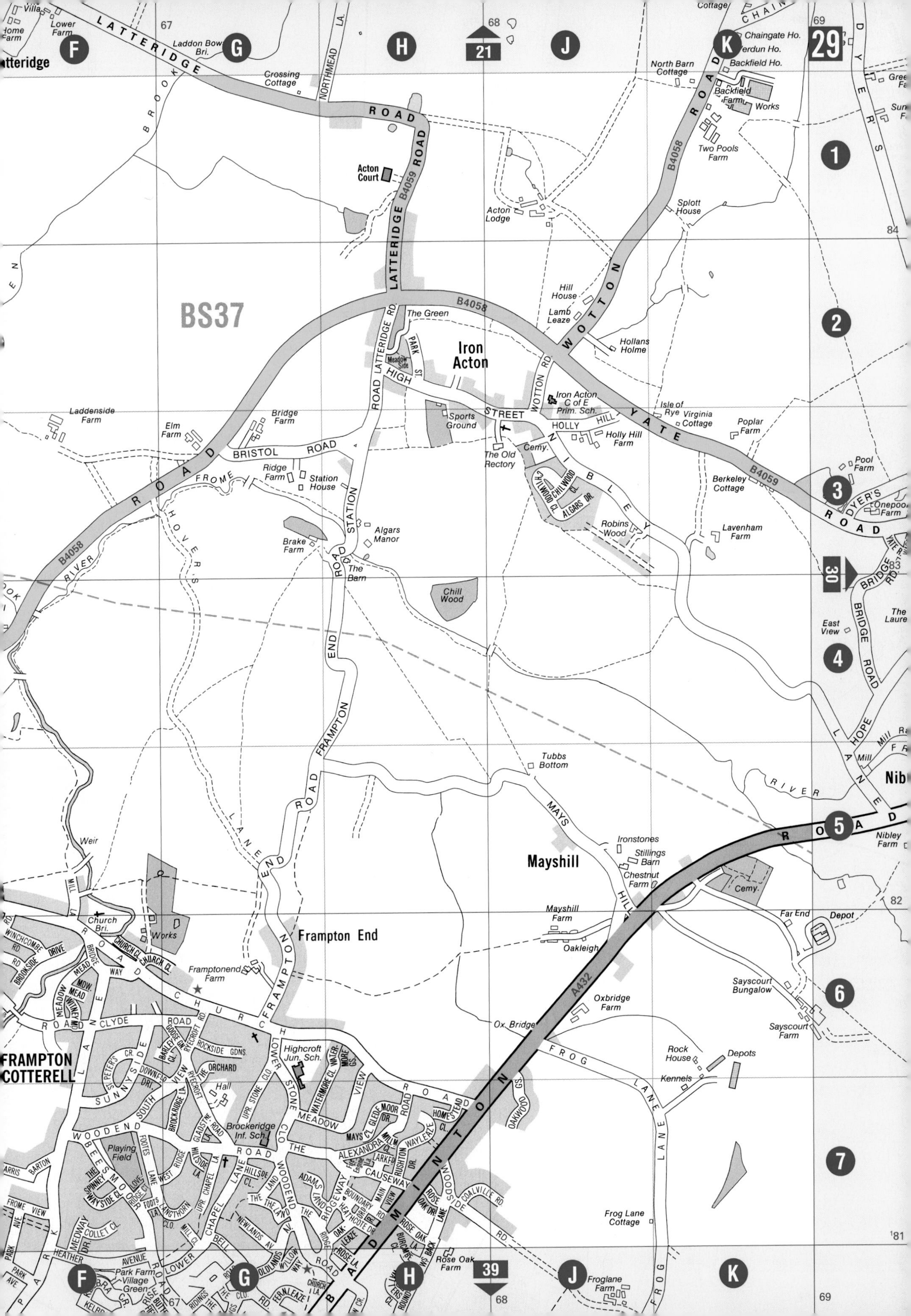

29
21
30
39
F
G
H
J
K
1
2
3
4
5
6
7
67
68
69
84
83
82
81
BS37
Iron Acton
Mayshill
Frampton End
FRAMPTON COTTERELL
LATTERIDGE ROAD
Latteridge
Lower Farm
Home Farm
Villa
Laddon Bow Bri.
Crossing Cottage
NORTHMEAD LA.
BROOK
Acton Court
B4059 ROAD
LATTERIDGE
Acton Lodge
North Barn Cottage
Chaingate Ho.
Verdun Ho.
Backfield Ho.
Backfield Farm
Works
Two Pools Farm
Splott House
B4058
ROAD
WOTTON
DYER'S
Hill House
Lamb Leaze
Hollans Holme
The Green
LATTERIDGE RD.
PARK ST.
Meadow Side
HIGH STREET
WOTTON RD.
Iron Acton C of E Prim. Sch.
HOLLY HILL
Holly Hill Farm
Isle of Rye
Virginia Cottage
Poplar Farm
YATE
B4059
Pool Farm
Onepool Farm
DYER'S ROAD
Berkeley Cottage
Laddenside Farm
Bridge Farm
Elm Farm
BRISTOL ROAD
Sports Ground
The Old Rectory
Cemy.
NIBLEY
CHILWOOD CL.
ALGARS DR.
Ridge Farm
Station House
FROME
RIVER
B4058
ROAD
Robins Wood
Lavenham Farm
STATION ROAD
Algars Manor
Brake Farm
The Barn
Chill Wood
SHOVERS
BRIDGE RD.
BRIDGE ROAD
East View
The Laurels
END
FRAMPTON
ROAD
LANE
HOPE
Mill
Nibley
Tubbs Bottom
MAYS
RIVER
ROAD
Nibley Farm
Weir
Ironstones
Stillings Barn
Chestnut Farm
HILL
Cemy.
Far End
Depot
MILL LANE
Church Bri.
Works
Mayshill Farm
Oakleigh
A432
WINCHCOMBE RD.
DRIVE
BROOKSIDE RD.
CHURCH CL.
BRIDGE WAY
Framptonend Farm
Sayscourt Bungalow
Sayscourt Farm
MEADOW MEAD
MDW. MEAD
WITNEY MD.
CLYDE ROAD
CHURCH ROAD
Oxbridge Farm
Ox Bridge
FROG LANE
Rock House
Depots
Kennels
ST. PETERS CR.
GOOSE GN.
BARLEY CL.
RYECROFT RD.
ROCKSIDE GDNS.
Highcroft Jun. Sch.
WATERMORE CL.
MORE GS.
LOWER STONE CLO.
ORCHARD
SUNNYSIDE
DOWNFIELD DRI.
SOUTH VIEW
RYECROFT
Hall
UPR. STONE CLO.
MEADOW
VIEW
ROAD
HOMESTEAD CL.
OAKWOOD GS.
BROCKRIDGE LA.
GLADSTONE ROAD
Brockeridge Inf. Sch.
MOOR DR.
GLEDE
MAYS CL.
WOODEND ROAD
BEESMOOR
Playing Field
FOOTES LANE
WEST RIDGE
HILLSIDE LA.
ROAD
THE CAUSEWAY
ALEXANDRA
MILLING CL.
LARKFIELD
RUSHTON DR.
WAYLEAZE
BARTON
HARRIS
THE SPINNEY
WAYSIDE CL.
LOVE LA.
RIDGE CL.
LANGTHORN CLO.
UPR. CHAPEL LA.
CHAPEL LA.
HILLSIDE CL.
THE LAND
ADAMS LAND
RIDGEWAY
BOUNDARY RD.
HEATHCOTE DR.
MAIN
VIEW
ROSE OAK DR.
LANE
WOODSIDE
COALVILLE RD
FROME VIEW
AVE.
MEDWAY DR.
COLLET CL.
MILL CL.
NEWLANDS AV.
WOODEND AV.
THE RIDGE
OAK LEAZE
ROSE LA.
BURCOMBE CL.
BACK LANE
LANE
Frog Lane Cottage
PARK
HEATHER AVENUE
Park Farm
Village Green
LOWER
BELL
ROAD
OLDLANDS
WILLOW WAY
CHURCH LA.
FERNLEAZE
BADMINTON
Rose Oak Farm
Froglane Farm
FROG

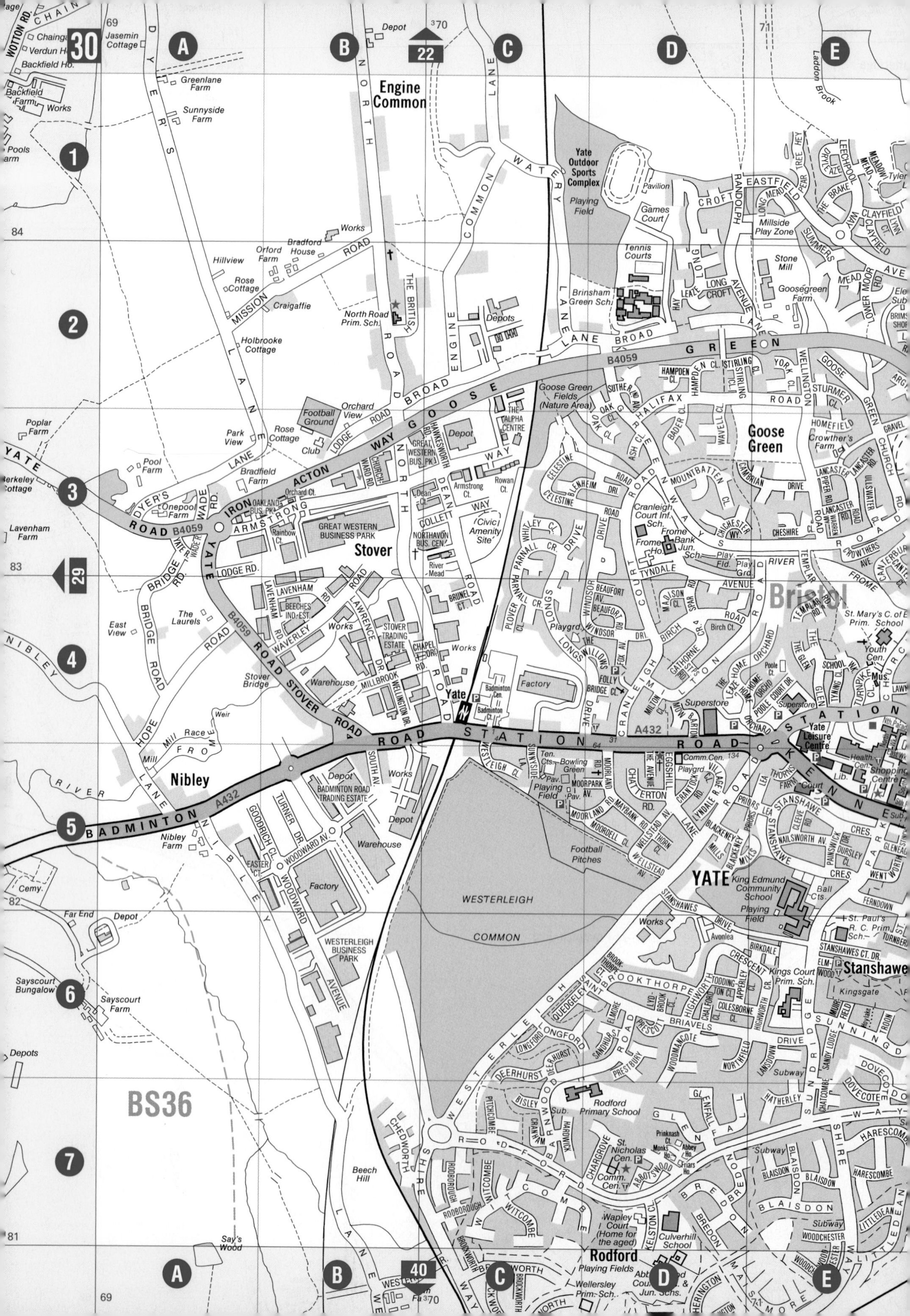

30
22
29
40
69
370
71
84
83
82
81
Engine Common
Yate Outdoor Sports Complex
Playing Field
Pavilion
Games Court
Tennis Courts
Brinsham Green Sch.
Millside Play Zone
Stone Mill
Goosegreen Farm
Greenlane Farm
Sunnyside Farm
Jasemin Cottage
Backfield Ho.
Backfield Farm
Works
Depot
Bradford House
Orford Farm
Hillview
Rose Cottage
Craigaffie
Holbrooke Cottage
North Road Prim. Sch.
Depots
Football Ground
Orchard View
Rose Cottage
Park View
Poplar Farm
Pool Farm
Bradfield Farm
Onepool Farm
Club
Goose Green Fields (Nature Area)
The Alpha Centre
Great Western Bus. Pk.
Goose Green
Crowther's Farm
Cranleigh Court Inf. Sch.
Frome Bank Jun. Sch.
Frome Ho.
Play Fld.
Play Grd.
Bristol
St. Mary's C. of E. Prim. School
Youth Cen.
Mus.
Great Western Business Park
Stover
Northavon Bus. Cen.
Civic Amenity Site
River Mead
Beeches Ind. Est.
Stover Trading Estate
Warehouse
Factory
Yate
Badminton Cen.
Superstore
Birch Ct.
Yate Leisure Centre
Shopping Centre
Lib.
Court
Lavenham Farm
Berkeley Cottage
East View
The Laurels
Stover Bridge
Weir
Mill Race
Mill
Nibley
Nibley Farm
Badminton Road Trading Estate
Westerleigh Business Park
Westerleigh Common
Football Pitches
Ten. Cts.
Bowling Green
Pav.
Playing Field
Comm. Cen.
YATE
King Edmund Community School
Playing Field
Ball Cts.
St. Paul's R. C. Prim. Sch.
Avonlea
Kings Court Prim. Sch.
Stanshawe
Kingsgate
Cemy.
Far End
Depot
Sayscourt Bungalow
Sayscourt Farm
Depots
BS36
Beech Hill
Say's Wood
Rodford Primary School
St. Nicholas Cen.
Prinknash Ct.
Monks Ho.
Abbey Ho.
Friars Ho.
Comm. Cen.
Wapley Court (Home for the aged)
Culverhill School
Rodford
Playing Fields
Wellersley Prim. Sch.
Subway
Sub.
BADMINTON ROAD
STATION ROAD
GOOSE GREEN WAY
BROAD LANE
IRON ACTON WAY
STOVER ROAD
YATE ROAD
DYER'S LANE
MISSION ROAD
NORTH ROAD
ENGINE COMMON LANE
WATERY LANE
B4059
A432
NIBLEY LANE
HOPE ROAD
BRIDGE ROAD
LODGE RD.
RIVER FROME
WESTERLEIGH ROAD
RIDGEWOOD
KENNEDY WAY
SUNDRIDGE PARK
LONG CROFT
EASTFIELD
RANDOLPH AVENUE
WELLINGTON ROAD
HALIFAX ROAD
MOUNTBATTEN CL.
CELESTINE ROAD
LONGS DRIVE
CRANLEIGH COURT ROAD
MILTON ROAD
ST. BRIAVELS DRIVE
SAINT BROOKTHORPE
STANSHAWES DRIVE
WOODWARD AVENUE
GOODRICH CL.
TURNER DR.
CHEDWORTH

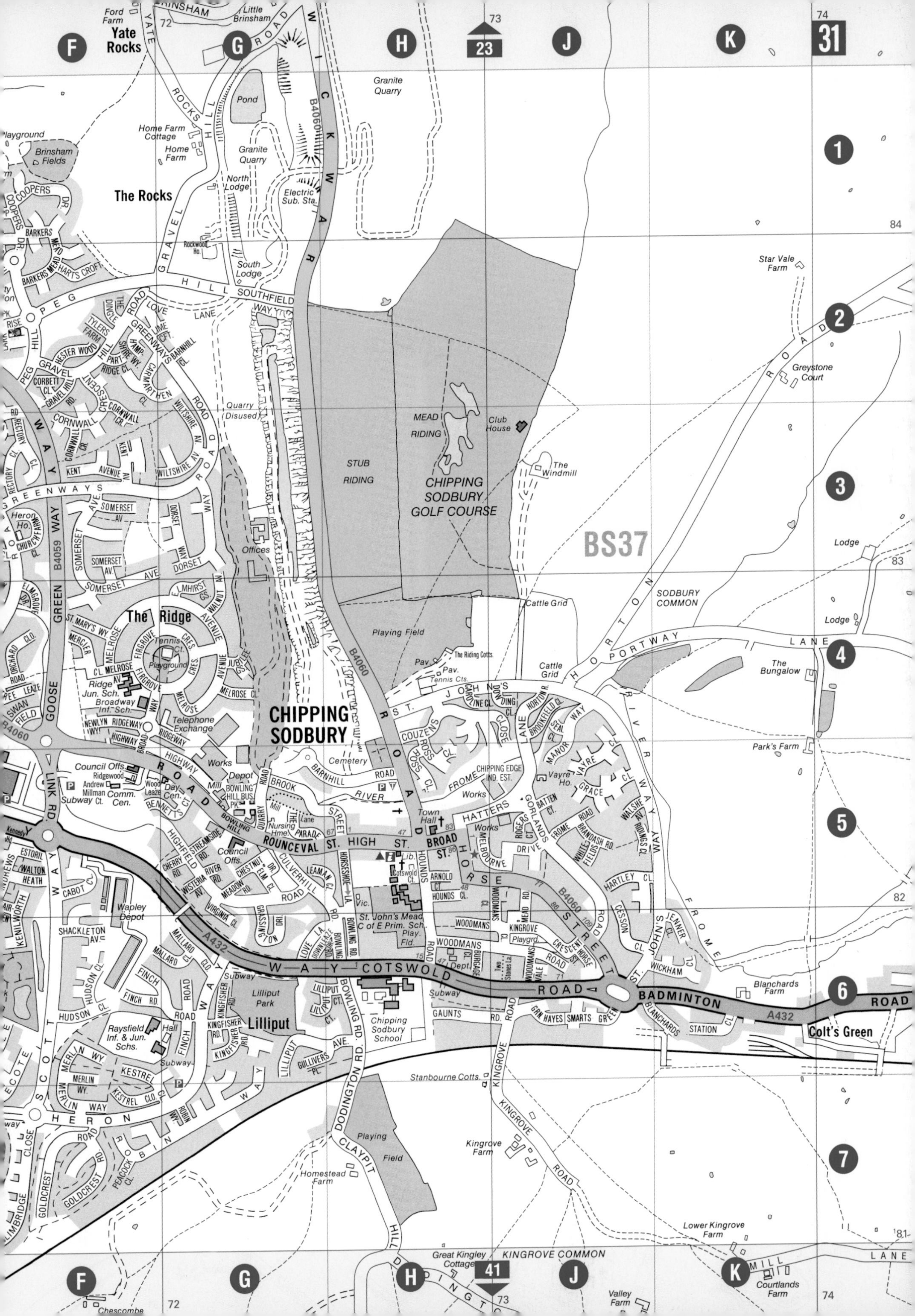

23
41
F
G
H
J
K
1
2
3
4
5
6
7
72
73
74
84
83
82
81
Yate Rocks
Ford Farm
Little Brinsham
The Rocks
Brinsham Fields
Granite Quarry
Pond
Home Farm Cottage
Home Farm
North Lodge
Electric Sub. Sta.
Rockwood Ho.
South Lodge
WICKWAR ROAD
B4060
YATE ROCKS ROAD
GRAVEL HILL
PEG HILL
SOUTHFIELD WAY
LOVE LANE
Quarry (Disused)
MEAD RIDING
STUB RIDING
Club House
CHIPPING SODBURY GOLF COURSE
The Windmill
BS37
Star Vale Farm
Greystone Court
HORTON ROAD
SODBURY COMMON
Lodge
PORTWAY LANE
The Bungalow
Park's Farm
Cattle Grid
Playing Field
The Riding Cotts.
Pav.
Tennis Cts.
The Ridge
Offices
Telephone Exchange
CHIPPING SODBURY
Cemetery
Works
Depot
Mill
Council Offs.
Ridge Jun. Sch.
Broadway Inf. Sch.
Ridgewood Comm. Cen.
Andrew Millman Ct.
Subway Ct.
Woodleaze Day Cen.
Nursing Hme.
Town Hall
CHIPPING EDGE IND. EST.
Vayre Ho.
RIVER FROME
ST. JOHN'S WAY
ROUNCEVAL ST.
HIGH ST.
BROAD ST.
HORSE STREET
MELBOURNE DRIVE
HOUNDS ROAD
RIVER WAY
FROME WAY
Lib.
Cotswold Ct.
Vic.
St. John's Mead C of E Prim. Sch.
Play. Fld.
Wapley Depot
Council Offs.
A432
COTSWOLD WAY
BADMINTON ROAD
Blanchards Farm
Colt's Green
Lilliput Park
Lilliput
Chipping Sodbury School
Raysfield Inf. & Jun. Schs.
Hall
Subway
GOOSE GREEN WAY
B4059
B4060
SCOTT WAY
HERON WAY
KINGROVE ROAD
Stanbourne Cotts.
Kingrove Farm
DODINGTON RD.
CLAYPIT HILL
Playing Field
Homestead Farm
Lower Kingrove Farm
Great Kingley Cottage
KINGROVE COMMON
MILL LANE
Courtlands Farm
Valley Farm
Chescombe

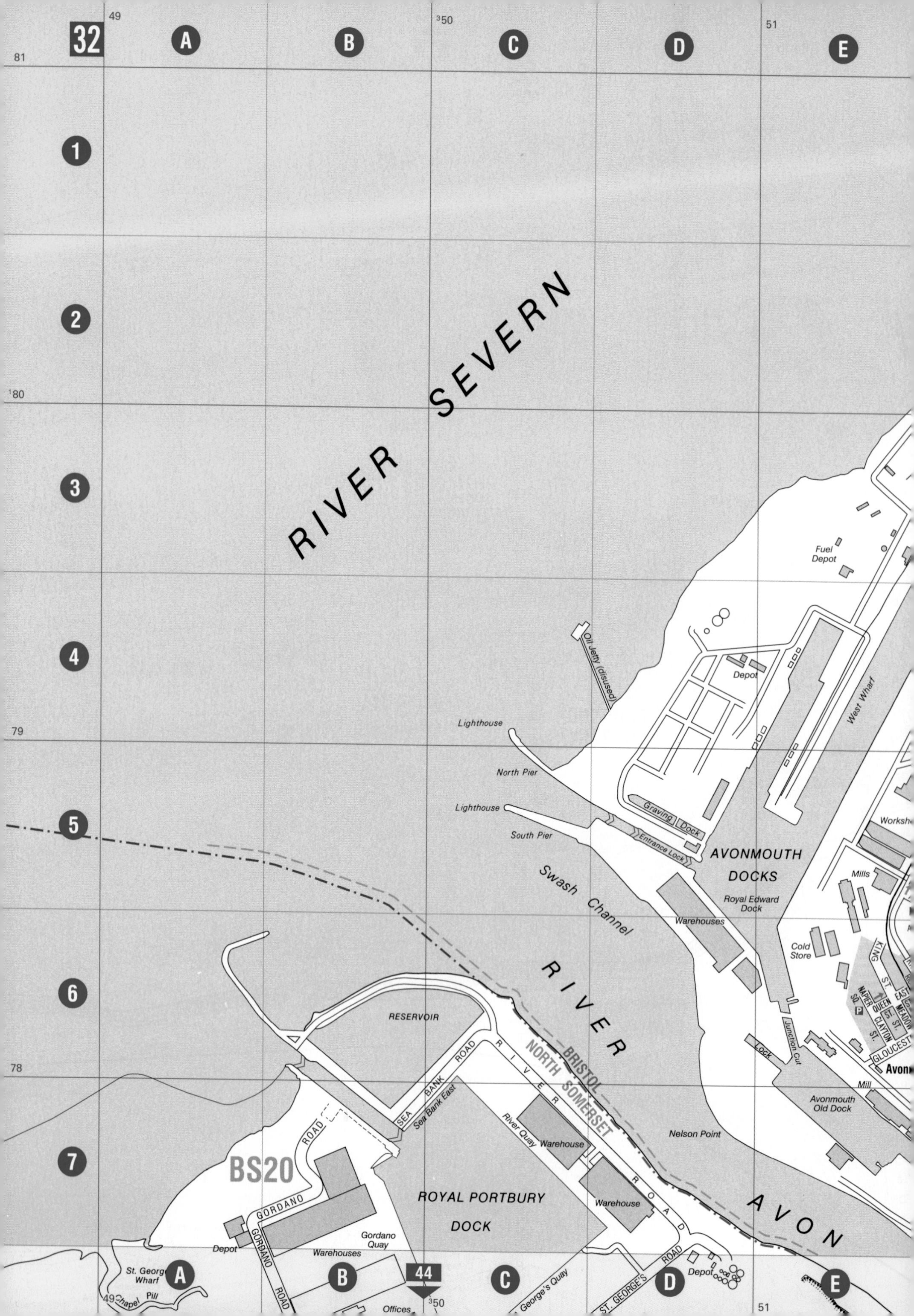

49   A   B   **³50**   C   D   51   E

81

1

2

¹80

RIVER SEVERN

3

4

79

Lighthouse

North Pier

Lighthouse

South Pier

Swash Channel

Oil Jetty (disused)

Depot

Fuel Depot

West Wharf

Graving Dock

Entrance Lock

AVONMOUTH DOCKS

Royal Edward Dock

Warehouses

Workshop

Mills

Cold Store

5

6

RESERVOIR

RIVER

BRISTOL

NORTH SOMERSET

ROAD

Lock

Junction Cut

KING ST EAST

WESTON ST

NAPIER SQ CLAYTON ST

QUEEN ST

GLOUCEST

GLOUCESTER ST

Avon

78

SEA BANK ROAD

Sea Bank East

River Quay Warehouse

Nelson Point

Mill

Avonmouth Old Dock

7

BS20

GORDANO ROAD

GORDANO ROAD

Depot

Gordano Quay

Warehouses

ROYAL PORTBURY DOCK

Warehouse

ROAD

George's Quay

ST. GEORGE'S ROAD

Depot

AVON

St. George Wharf

49 Chapel Pill

A

B

44

³50

Offices

C

D

E

51

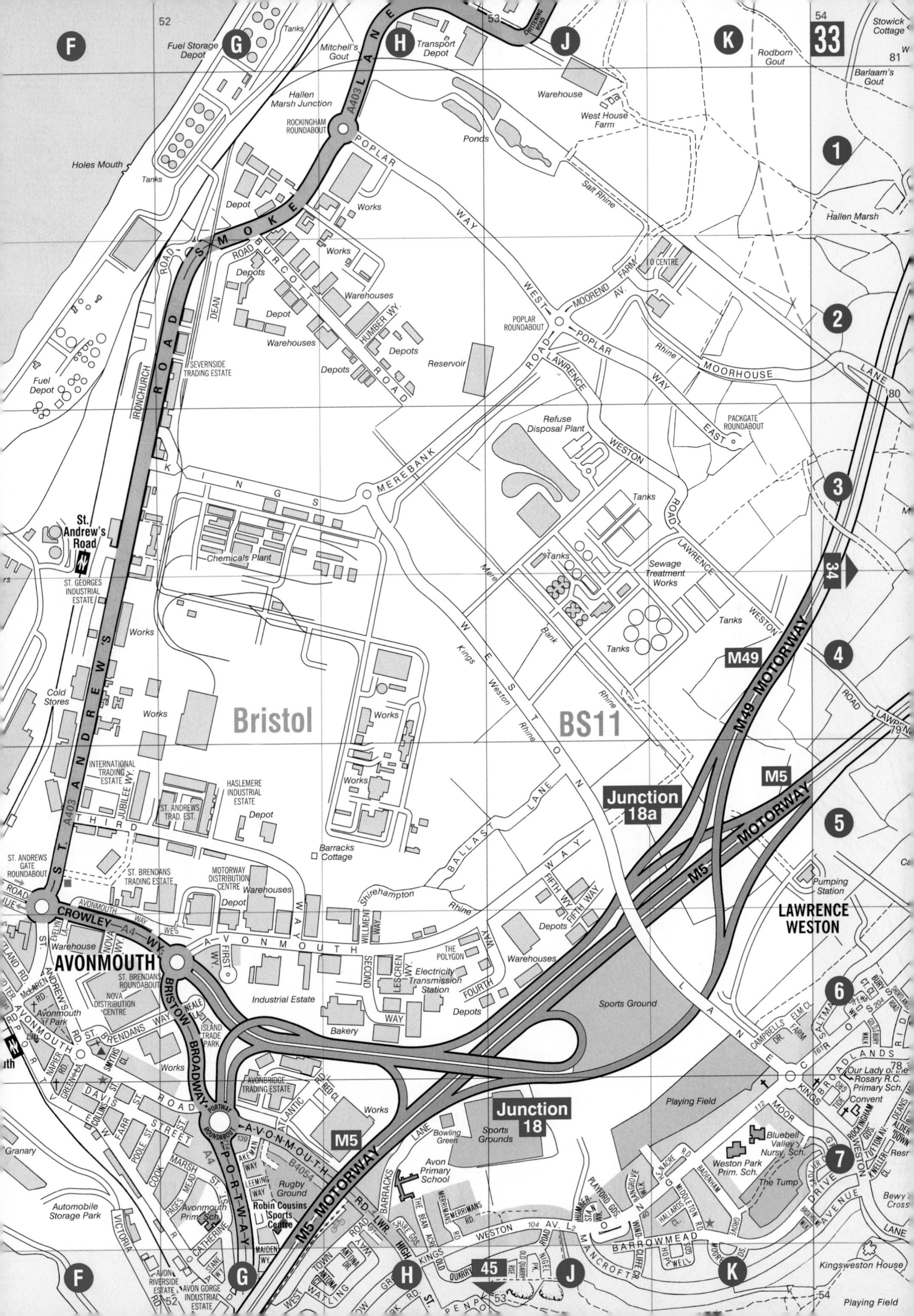

Bristol
BS11
AVONMOUTH
LAWRENCE WESTON
Fuel Storage Depot
Tanks
Mitchell's Gout
Transport Depot
Rodborn Gout
Stowick Cottage
Barlaam's Gout
Hallen Marsh Junction
ROCKINGHAM ROUNDABOUT
Warehouse
West House Farm
Ponds
Holes Mouth
Salt Rhine
Hallen Marsh
Depot
Works
Warehouses
Depots
I O CENTRE
MOOREND FARM AV.
POPLAR ROUNDABOUT
SEVERNSIDE TRADING ESTATE
Reservoir
Fuel Depot
MOORHOUSE LANE
PACKGATE ROUNDABOUT
Refuse Disposal Plant
KINGS WESTON ROAD
Chemicals Plant
St. Andrew's Road
ST. GEORGES INDUSTRIAL ESTATE
Sewage Treatment Works
Kings Weston Rhine
M49 MOTORWAY
M5 MOTORWAY
Cold Stores
INTERNATIONAL TRADING ESTATE
HASLEMERE INDUSTRIAL ESTATE
ST. ANDREWS TRAD. EST.
Junction 18a
Junction 18
Barracks Cottage
ST. ANDREWS GATE ROUNDABOUT
ST. BRENDANS TRADING ESTATE
MOTORWAY DISTRIBUTION CENTRE
Shirehampton Rhine
Pumping Station
ST. BRENDANS ROUNDABOUT
NOVA DISTRIBUTION CENTRE
Electricity Transmission Station
Industrial Estate
Sports Ground
Bakery
ISLAND TRADE PARK
AVONBRIDGE TRADING ESTATE
PORTWAY ROUNDABOUT
Playing Field
Our Lady of the Rosary R.C. Primary Sch.
Convent
Bluebell Valley Nursy. Sch.
Weston Park Prim. Sch.
The Tump
Granary
Bowling Green
Sports Grounds
Avon Primary School
Rugby Ground
Robin Cousins Sports Centre
Avonmouth Prim. Sch.
Automobile Storage Park
AVON RIVERSIDE ESTATE
AVON GORGE INDUSTRIAL ESTATE
Kingsweston House
Bewy's Cross
ST. ANDREW'S ROAD
SMOKE LANE
POPLAR WAY WEST
POPLAR WAY EAST
BURCOTT ROAD
HUMBER WY.
KINGS WESTON LANE
LAWRENCE WESTON ROAD
MEREBANK ROAD
BALLAST LANE
AVONMOUTH WAY
CROWLEY WY.
BRISTOW BROADWAY
PORTWAY
AVONMOUTH RD.
WESTON AV.
BARROWMEAD DR.
KINGS WESTON AVENUE
THIRD WAY
FIFTH WAY
FOURTH WAY
SECOND WAY
FIRST WY.
DEAN ROAD
IRONCHURCH ROAD
JUBILEE WY.
WILLMENT WAY
LESCREN WY.
A403
A4
B4054
M5
M49
34
45
F G H J K
1 2 3 4 5 6 7
52 53 54
78 79 80 81

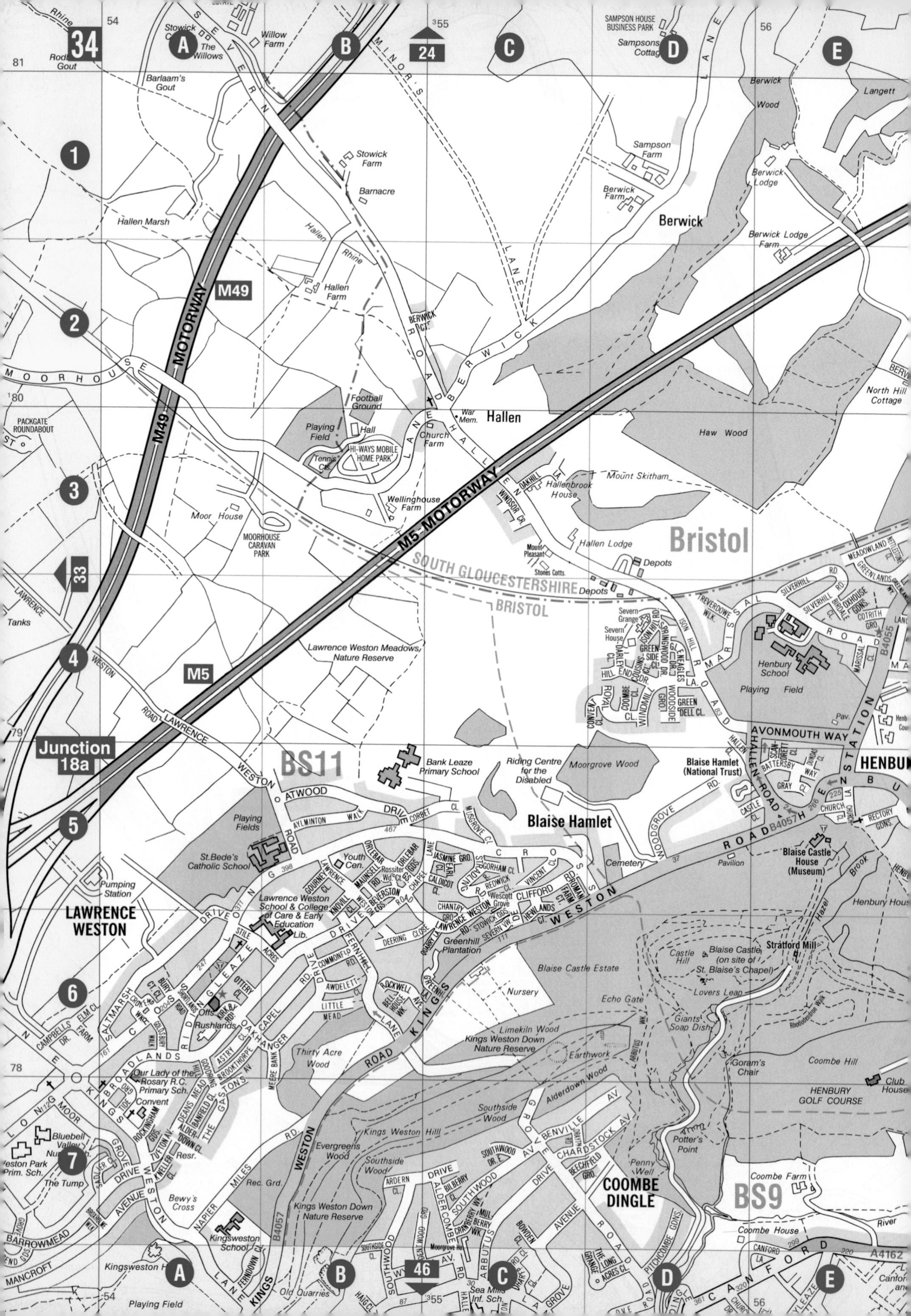

34
24
33
46
Junction 18a
M49 MOTORWAY
M5 MOTORWAY
Hallen
Berwick
Bristol
SOUTH GLOUCESTERSHIRE
BRISTOL
BS11
BS9
LAWRENCE WESTON
Blaise Hamlet
COOMBE DINGLE
HENBURY
Hallen Marsh
Barlaam's Gout
Stowick Farm
Barnacre
Hallen Farm
Berwick Wood
Langett
Sampson Farm
Berwick Lodge
Berwick Farm
Berwick Lodge Farm
SAMPSON HOUSE BUSINESS PARK
Willow Farm
The Willows
Football Ground
Playing Field
Hall
HI-WAYS MOBILE HOME PARK
Church Farm
War Mem.
Wellinghouse Farm
Moor House
MOORHOUSE CARAVAN PARK
PACKGATE ROUNDABOUT
Mount Skitham
Hallenbrook House
Hallen Lodge
Haw Wood
North Hill Cottage
Depots
Stones Cotts
Mount Pleasant
Lawrence Weston Meadows Nature Reserve
Bank Leaze Primary School
Riding Centre for the Disabled
Moorgrove Wood
Blaise Hamlet (National Trust)
Henbury School
Playing Field
Playing Fields
St.Bede's Catholic School
Pumping Station
Youth Cen.
Lawrence Weston School & College of Care & Early Education
Lib.
Cemetery
Pavilion
Blaise Castle House (Museum)
Greenhill Plantation
Blaise Castle Estate
Nursery
Castle Hill
Blaise Castle (on site of St. Blaise's Chapel)
Stratford Mill
Lovers Leap
Echo Gate
Giants Soap Dish
Limekiln Wood
Kings Weston Down Nature Reserve
Earthwork
Alderdown Wood
Goram's Chair
Coombe Hill
HENBURY GOLF COURSE
Club House
Thirty Acre Wood
Southside Wood
Evergreens Wood
Potter's Point
Penny Well
Coombe Farm
Coombe House
Our Lady of the Rosary R.C. Primary Sch.
Convent
Rushlands
Offs.
Bluebell Valley
The Tump
Resr.
Bewy's Cross
Rec. Grd.
Kingsweston School
Old Quarries
Sea Mills Inf. Sch.
Playing Field
Tanks
River
A4162
B4057
B4055

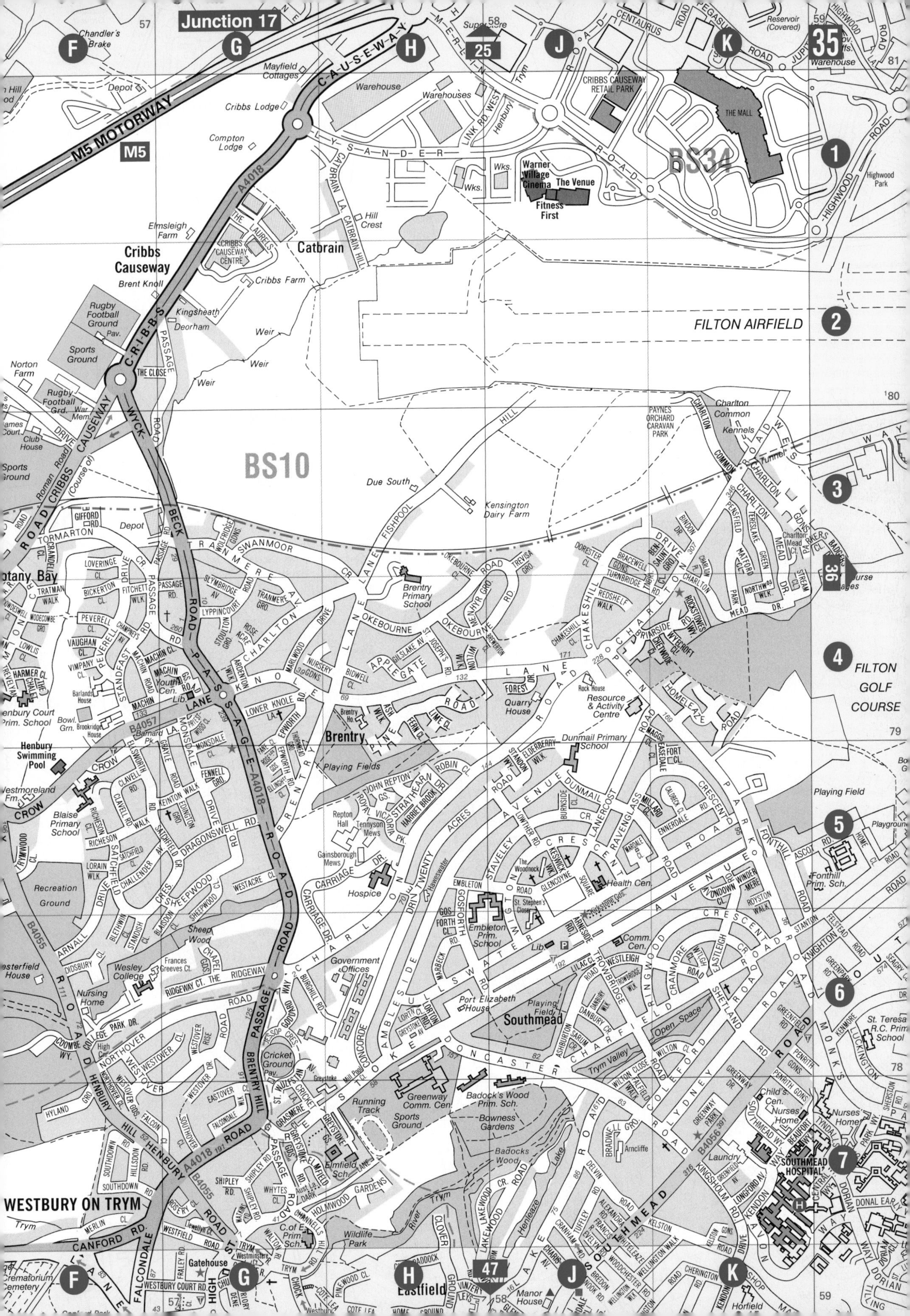
35
36
25
47
Junction 17
M5 MOTORWAY
M5
CAUSEWAY
CENTAURUS ROAD
PEGASUS ROAD
Reservoir (Covered)
Chandler's Brake
Mayfield Cottages
Depot
Cribbs Lodge
Compton Lodge
Warehouse
Warehouses
LINK RD. WEST
CRIBBS CAUSEWAY RETAIL PARK
THE MALL
BS34
LYSANDER ROAD
CATBRAIN LA.
CATBRAIN HILL
Hill Crest
Warner Village Cinema
The Venue
Fitness First
Highwood Park
HIGHWOOD
Elmsleigh Farm
Cribbs Causeway
Catbrain
CRIBBS CAUSEWAY CENTRE
THE LAURELS
Cribbs Farm
Brent Knoll
Kingsheath
Deorham
Rugby Football Ground
Sports Ground
Weir
FILTON AIRFIELD
Norton Farm
Rugby Football Grd.
War Mem.
THE CLOSE
Club House
Sports Ground
Roman Road
CRIBBS CAUSEWAY
WYCK BECK ROAD
BS10
Charlton Common
Kennels
PAYNES ORCHARD CARAVAN PARK
Due South
Kensington Dairy Farm
FISHPOOL HILL
Tunnel
GIFFORD RD
TORMARTON
Depot
SWANMOOR
Botany Bay
Brentry Primary School
OKEBOURNE
CHARLTON
Brentry
Playing Fields
FILTON GOLF COURSE
Resource & Activity Centre
Rock House
Quarry House
Dunmail Primary School
Henbury Swimming Pool
Henbury Court Prim. School
Blaise Primary School
Recreation Ground
Repton Hall
Tennyson Mews
Gainsborough Mews
Hospice
Government Offices
Sheep Wood
Wesley College
Frances Greeves Ct.
Nursing Home
Westmoreland Fm.
Chesterfield House
Playing Field
Fonthill Prim. Sch.
Health Cen.
Embleton Prim. School
St. Stephen's Close
Comm. Cen.
Lib
Port Elizabeth House
Southmead
Open Space
Trym Valley
Cricket Ground
Running Track
Greenway Comm. Cen.
Sports Ground
Badock's Wood Prim. Sch.
Bowness Gardens
Badocks Wood
Arncliffe
St. Teresa R.C. Prim. School
Child's Cen.
Nurses Home
SOUTHMEAD HOSPITAL
Laundry
Elmfield Sch.
C.of E. Prim. Sch.
Wildlife Park
River Trym
WESTBURY ON TRYM
Crematorium Cemetery
Gatehouse
Eastfield
Manor House
Horfield
HENBURY ROAD
HENBURY HILL
FALCONDALE
CANFORD RD.
SOUTHMEAD ROAD
DONCASTER ROAD
CHARLTON ROAD
PASSAGE ROAD
BRENTRY HILL
DUNMAIL
KINGSHOLM
A4018
B4055
B4057
B4056
A4018
F
G
H
J
K
1
2
3
4
5
6
7
57
58
59
78
79
80
81

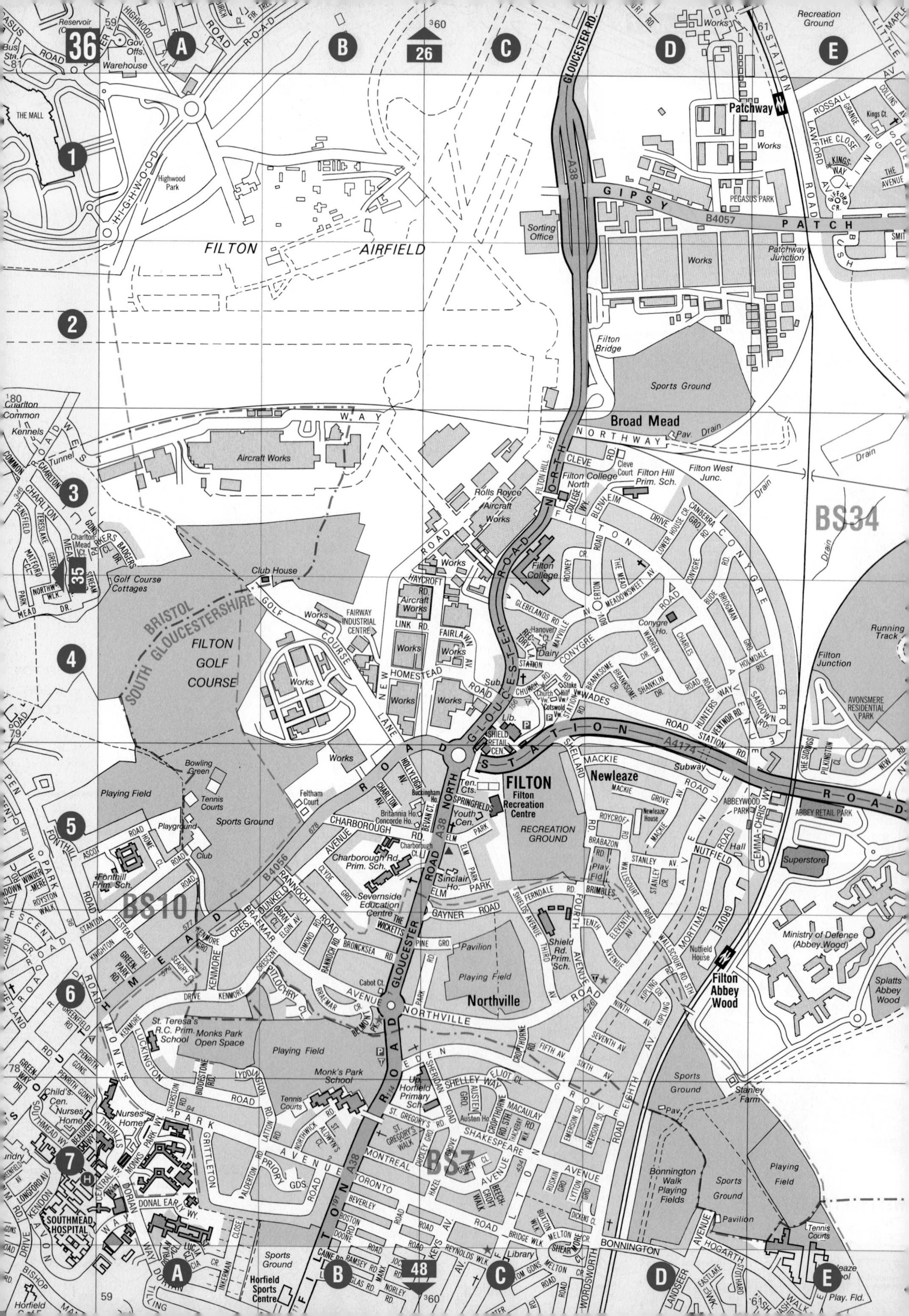

36
26
48
35
FILTON AIRFIELD
FILTON
Patchway
Broad Mead
Aircraft Works
Rolls Royce Aircraft Works
Filton College
FILTON GOLF COURSE
BRISTOL
SOUTH GLOUCESTERSHIRE
Golf Course Cottages
Club House
Fairway Industrial Centre
Filton Recreation Centre
RECREATION GROUND
Newleaze
Northville
Filton Abbey Wood
Ministry of Defence (Abbey Wood)
Splatts Abbey Wood
Abbey Retail Park
Superstore
Avonsmere Residential Park
Running Track
Filton Junction
Filton West Junc.
Patchway Junction
Sports Ground
Sorting Office
Pegasus Park
Gipsy Patch
B4057
A38
A4174
B4056
BS34
BS10
BS7
Monks Park Open Space
Monk's Park School
St. Teresa's R.C. Prim. School
Fonthill Prim. Sch.
Charborough Rd. Prim. Sch.
Severnside Education Centre
Shield Rd. Prim. Sch.
Up. Horfield Primary Sch.
Southmead Hospital
Horfield Sports Centre
Bonnington Walk Playing Fields
Stanley Farm
Highwood Park
The Mall
Charlton Common
Gloucester Road
Station Road
Northway
Conygre Road
Filton Avenue
Southmead Road
Filton Road

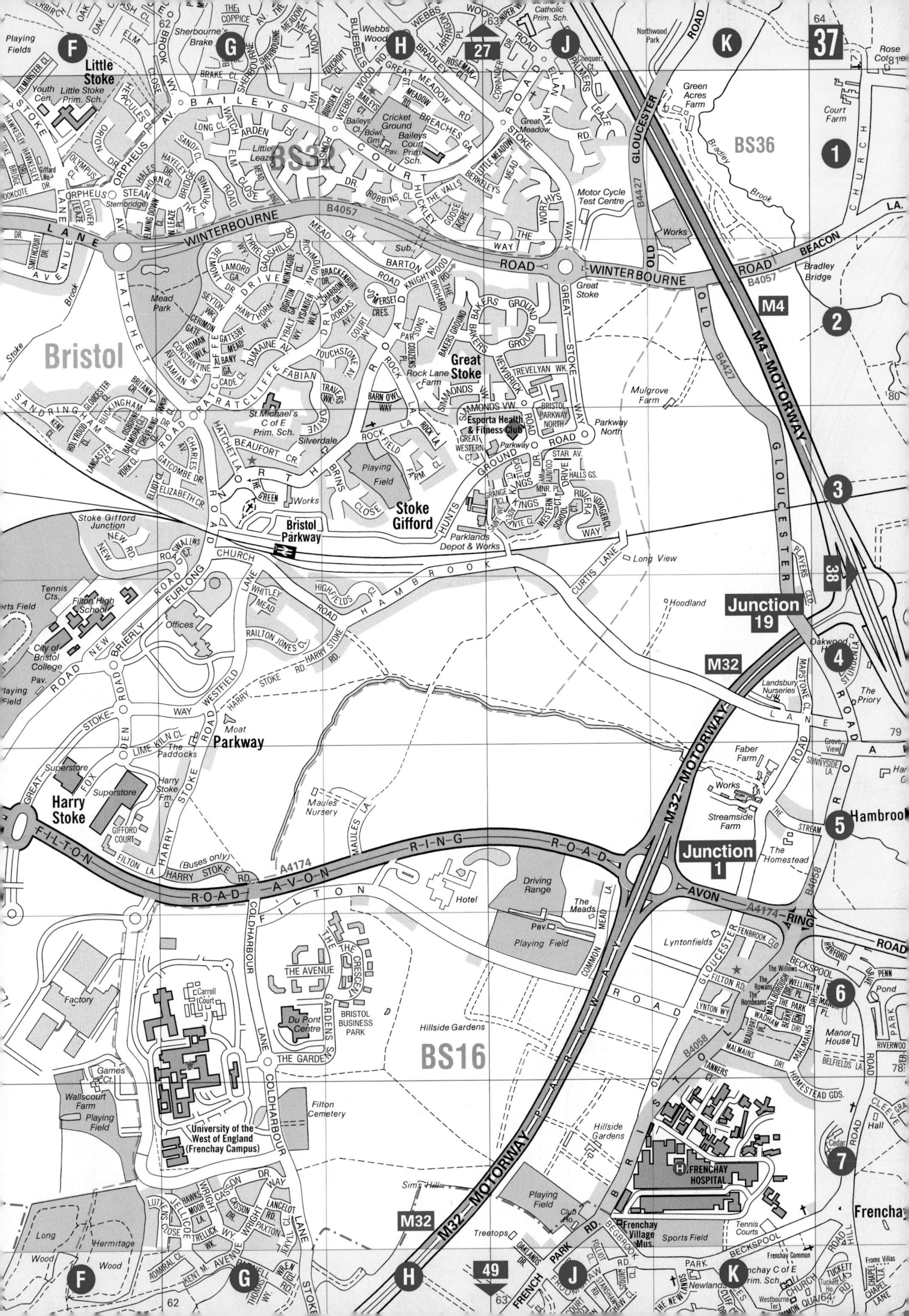

37
27
49
38
Little Stoke
Bristol
BS32
BS36
BS16
Great Stoke
Stoke Gifford
Bristol Parkway
Parkway
Harry Stoke
Hambrook
Frenchay
Junction 19
Junction 1
M4 MOTORWAY
M32 MOTORWAY
WINTERBOURNE ROAD
AVON RING ROAD
University of the West of England (Frenchay Campus)
FRENCHAY HOSPITAL
Frenchay Village Mus.
Esporta Health & Fitness Club
Filton High School
City of Bristol College
Du Pont Centre
BRISTOL BUSINESS PARK
Filton Cemetery
Driving Range
Playing Field
Hillside Gardens

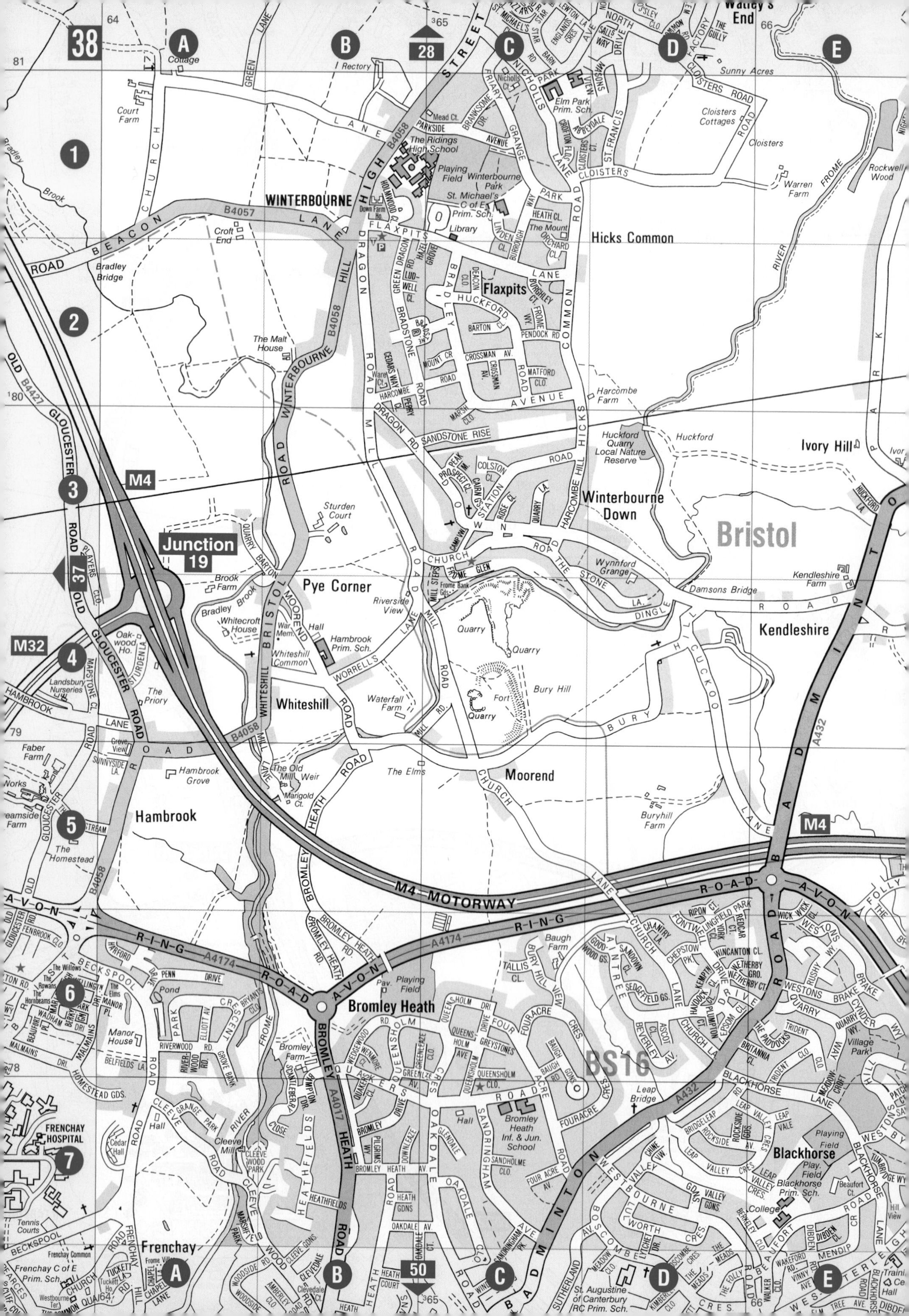
38
28
37
50
A
B
C
D
E
1
2
3
4
5
6
7
WINTERBOURNE
Hicks Common
Flaxpits
Winterbourne Down
Bristol
Pye Corner
Whiteshill
Moorend
Kendleshire
Hambrook
Bromley Heath
Blackhorse
Frenchay
Watley's End
Ivory Hill
BS16
Junction 19
M4
M32
M4 MOTORWAY
A4174
A432
A4017
B4058
B4057
B4427
AVON RING ROAD
BADMINTON ROAD
BEACON LANE
WINTERBOURNE ROAD
GLOUCESTER ROAD
BRISTOL ROAD
HIGH STREET
CHURCH ROAD
DRAGON ROAD
HICKS COMMON ROAD
BROMLEY HEATH ROAD
DINGLE ROAD
CLOISTERS ROAD
Court Farm
Cottage
Rectory
The Ridings High School
Elm Park Prim. Sch.
Cloisters Cottages
Warren Farm
Rockwell Wood
Playing Field
Winterbourne Park
St. Michael's C of E Prim. Sch.
Library
Croft End
Bradley Bridge
The Malt House
Harcombe Farm
Huckford Quarry Local Nature Reserve
Sturden Court
Brook Farm
Whitecroft House
Hambrook Prim. Sch.
Whiteshill Common
Riverside View
Quarry
Bury Hill
Fort
Waterfall Farm
Wynnford Grange
Damsons Bridge
Kendleshire Farm
Buryhill Farm
The Elms
The Old Mill
Weir
Hambrook Grove
Faber Farm
The Priory
Landsbury Nurseries
The Homestead
Manor House
Baugh Farm
Bromley Farm
Bromley Heath Inf. & Jun. School
Leap Bridge
Cleeve Mill
FRENCHAY HOSPITAL
Frenchay C of E Prim. Sch.
Tennis Courts
St. Augustine of Canterbury RC Prim. Sch.
Blackhorse Prim. Sch.
Village Park
Sunny Acres
River Frome

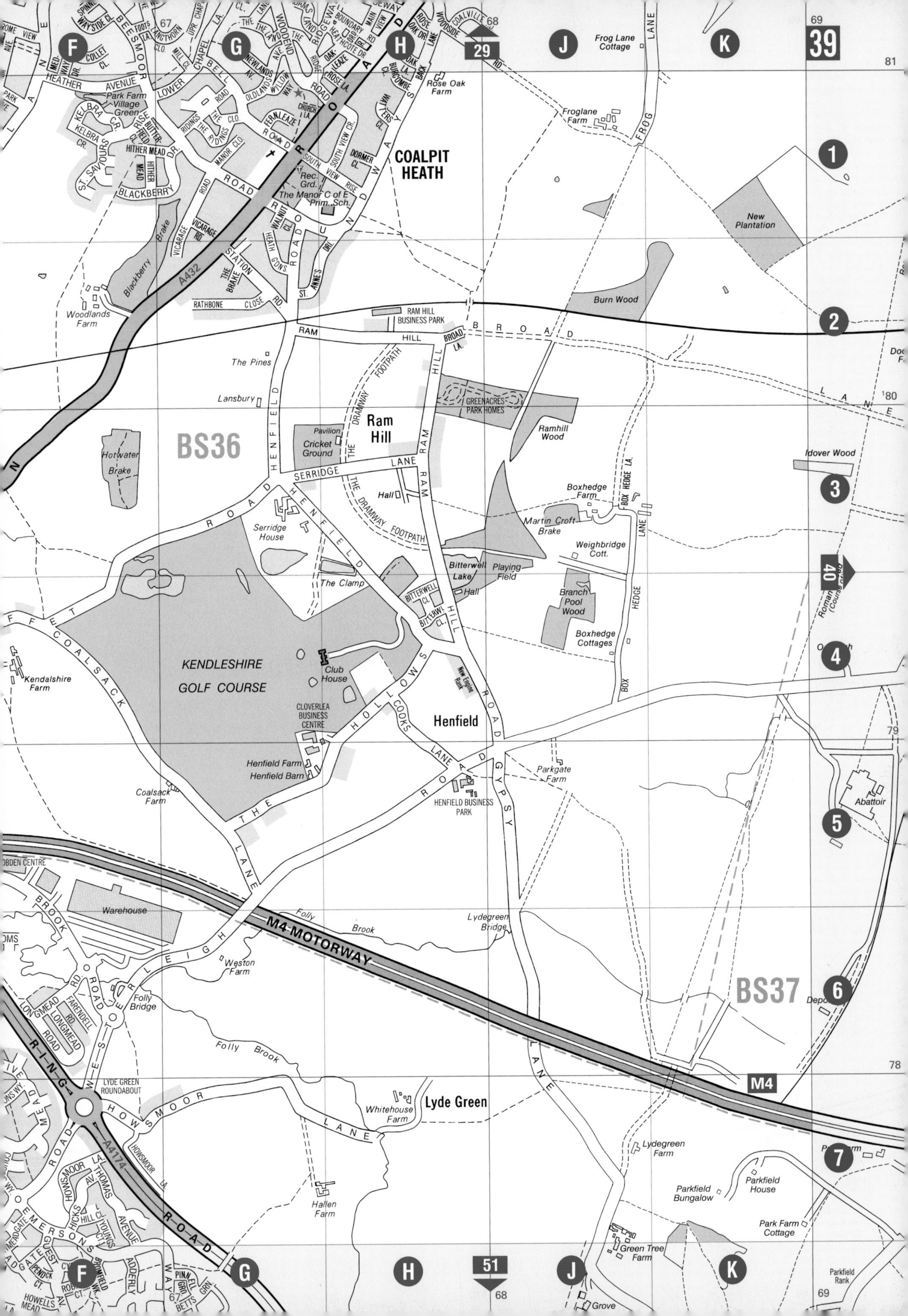
COALPIT HEATH
Ram Hill
BS36
KENDLESHIRE GOLF COURSE
Henfield
Lyde Green
BS37
M4 MOTORWAY
Frog Lane Cottage
Rose Oak Farm
Froglane Farm
New Plantation
Burn Wood
RAM HILL BUSINESS PARK
The Pines
Lansbury
GREENACRES PARK HOMES
Ramhill Wood
Pavilion
Cricket Ground
Hotwater Brake
Woodlands Farm
Idover Wood
Boxhedge Farm
Martin Croft Brake
Weighbridge Cott.
Serridge House
The Clamp
Bitterwell Lake
Playing Field
Branch Pool Wood
Boxhedge Cottages
Kendalshire Farm
Club House
CLOVERLEA BUSINESS CENTRE
Henfield Farm
Henfield Barn
Coalsack Farm
HENFIELD BUSINESS PARK
Parkgate Farm
Abattoir
Warehouse
Folly Brook
Lydegreen Bridge
Weston Farm
Folly Bridge
LYDE GREEN ROUNDABOUT
Whitehouse Farm
Hallen Farm
Lydegreen Farm
Parkfield House
Parkfield Bungalow
Park Farm Cottage
Green Tree Farm
Parkfield Rank
Grove
A432
A4174
M4
29
40
51

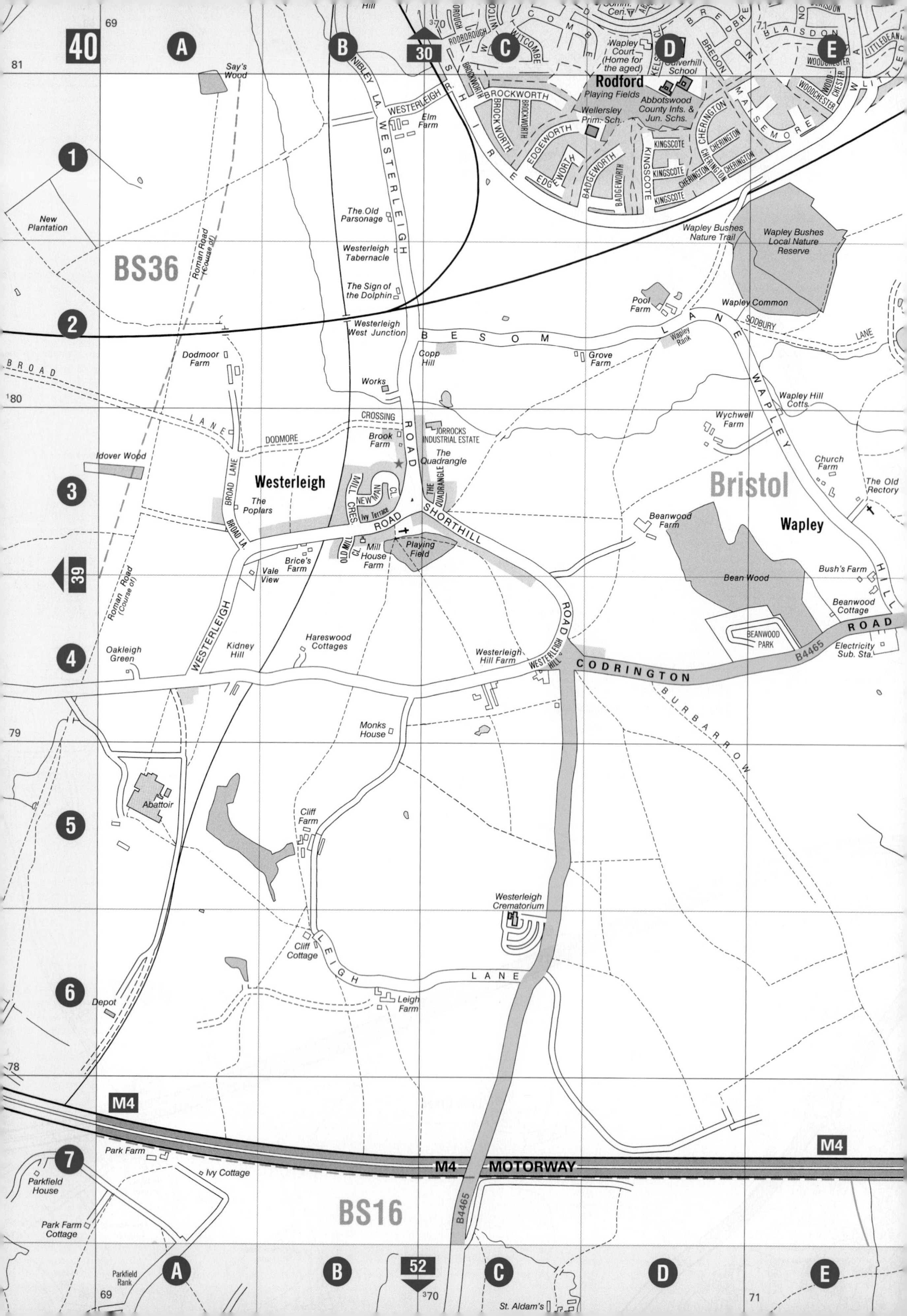

40
A
B
C
D
E
30
39
52
1
2
3
4
5
6
7
69
370
71
81
80
79
78
Say's Wood
New Plantation
BS36
Roman Road (Course of)
Nibley La.
Westerleigh
Elm Farm
The Old Parsonage
Westerleigh Tabernacle
The Sign of the Dolphin
Westerleigh West Junction
Besom Lane
Copp Hill
Grove Farm
Pool Farm
Wapley Rank
Wapley Common
Sodbury Lane
Wapley Bushes Nature Trail
Wapley Bushes Local Nature Reserve
Rodford
Playing Fields
Wapley Court (Home for the aged)
Culverhill School
Abbotswood County Infs. & Jun. Schs.
Wellersley Prim. Sch.
Rodborough
Witcombe
Brockworth
Edgeworth
Badgeworth
Kingscote
Cherington
Bredon
Maisemore
Woodchester
Blaisdon
Littledean
Dodmoor Farm
Broad Lane
Dodmore Lane
Works
Crossing Road
Brook Farm
Jorrocks Industrial Estate
The Quadrangle
Idover Wood
Westerleigh
The Poplars
Mill Cres.
Newman Cl.
Ivy Terrace
Old Mill Cl.
Mill House Farm
Playing Field
Shorthill Road
Brice's Farm
Vale View
Westerleigh Road
Kidney Hill
Hareswood Cottages
Westerleigh Hill Farm
Westerleigh Hill
Oakleigh Green
Codrington Road
B4465
Burbarrow
Beanwood Farm
Bean Wood
Beanwood Park
Beanwood Cottage
Bush's Farm
Electricity Sub. Sta.
Wapley Hill
Wapley Hill Cotts.
Wychwell Farm
Church Farm
The Old Rectory
Bristol
Wapley
Monks House
Abattoir
Cliff Farm
Westerleigh Crematorium
Cliff Cottage
Leigh Lane
Leigh Farm
Depot
M4
M4 Motorway
Park Farm
Ivy Cottage
Parkfield House
Park Farm Cottage
BS16
Parkfield Rank
St. Aldam's

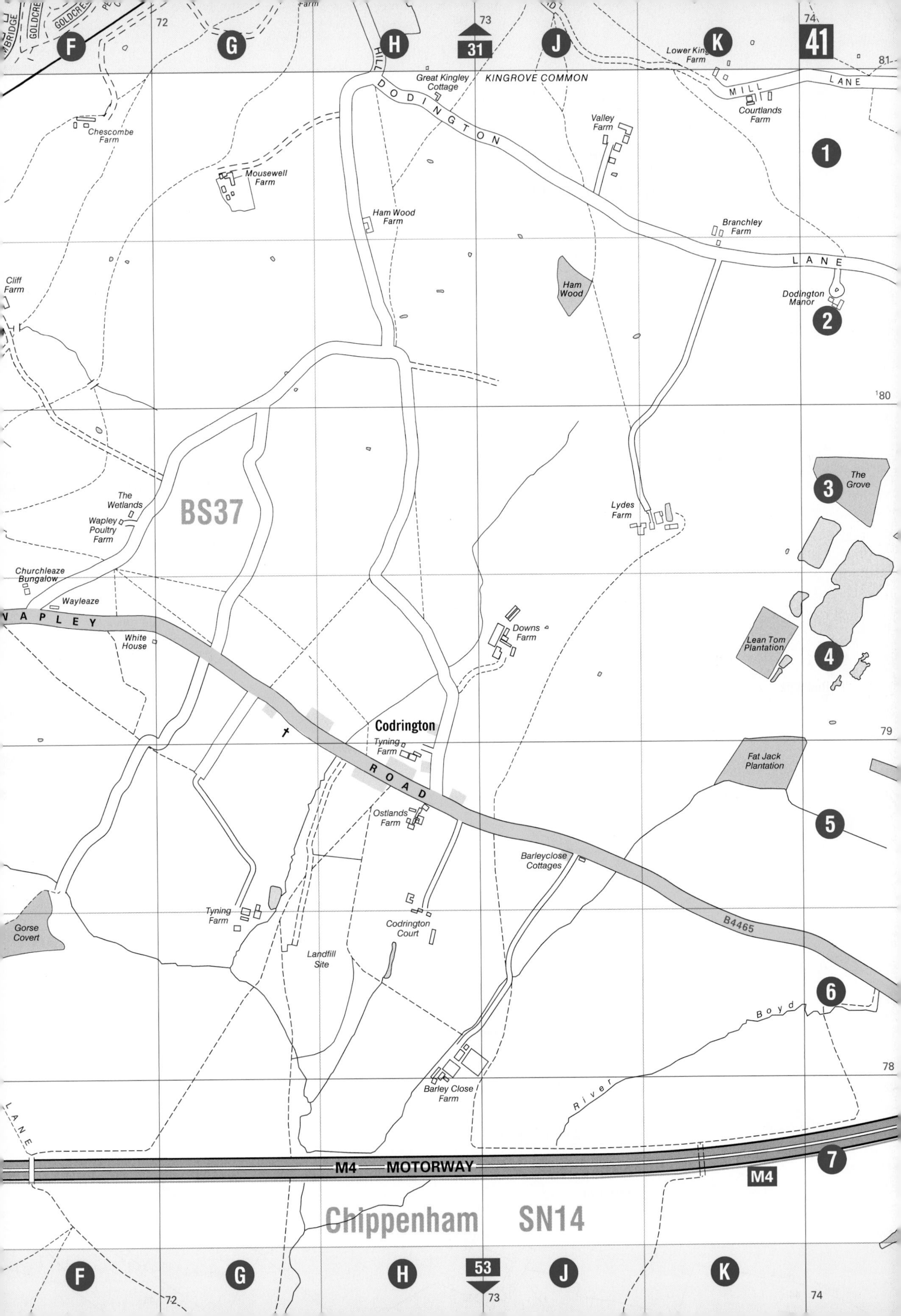
41
31
53
F
G
H
J
K
1
2
3
4
5
6
7
72
73
74
81
80
79
78
KINGROVE COMMON
Great Kingley Cottage
Lower King Farm
MILL LANE
Courtlands Farm
DODINGTON LANE
HILL
Chescombe Farm
Mousewell Farm
Valley Farm
Ham Wood Farm
Branchley Farm
Ham Wood
Dodington Manor
Cliff Farm
The Grove
BS37
Lydes Farm
The Wetlands
Wapley Poultry Farm
Churchleaze Bungalow
Wayleaze
WAPLEY ROAD
White House
Downs Farm
Lean Tom Plantation
Codrington
Tyning Farm
Fat Jack Plantation
Ostlands Farm
Barleyclose Cottages
B4465
Tyning Farm
Gorse Covert
Codrington Court
Landfill Site
Boyd
River
Barley Close Farm
LANE
M4 MOTORWAY
M4
Chippenham SN14

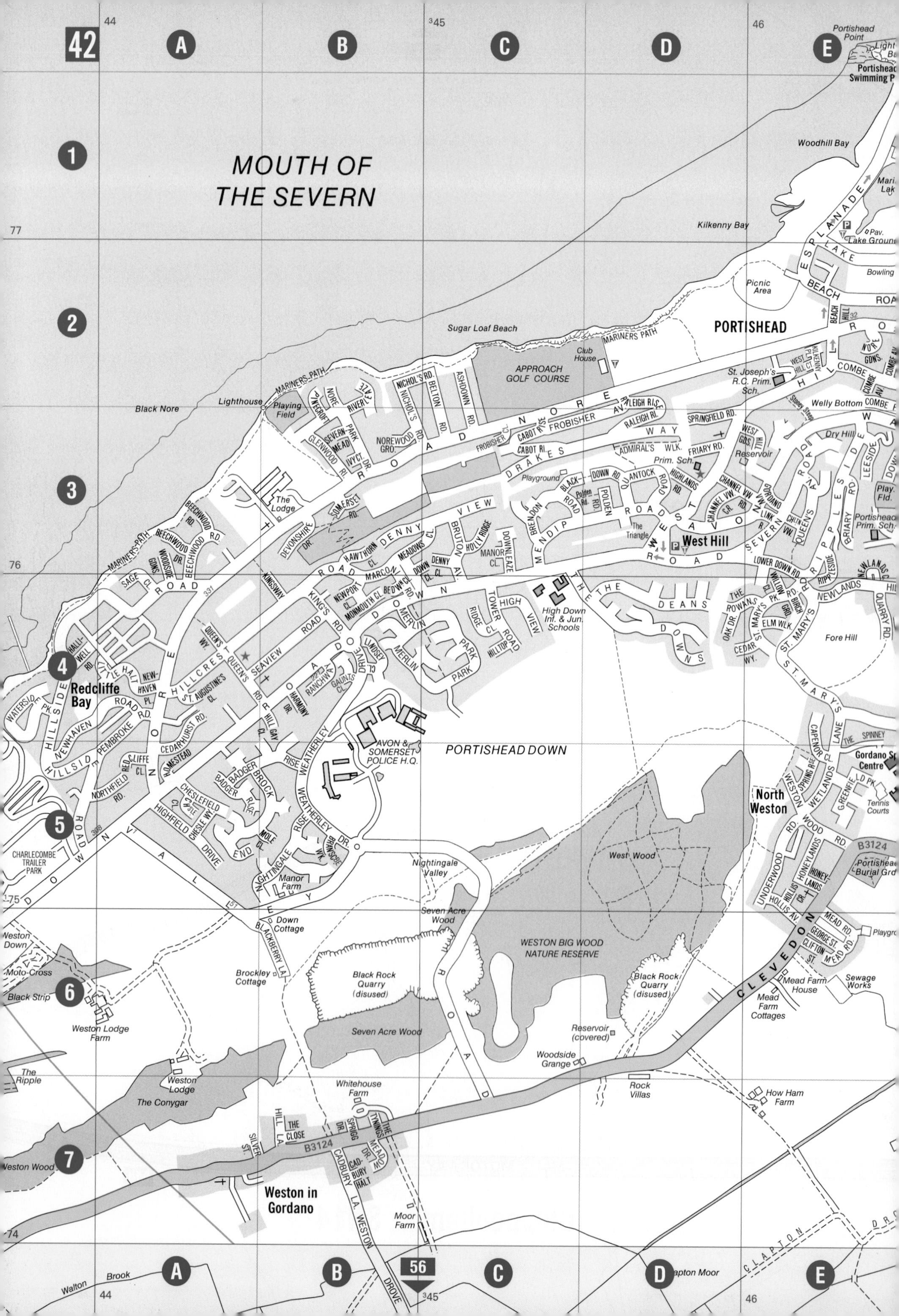
MOUTH OF THE SEVERN
Portishead Point
Portishead Swimming Pool
Woodhill Bay
Kilkenny Bay
Lake Grounds
Bowling
Picnic Area
PORTISHEAD
Sugar Loaf Beach
MARINERS PATH
Club House
APPROACH GOLF COURSE
Black Nore
Lighthouse
Playing Field
St. Joseph's R.C. Prim. Sch.
Welly Bottom
Dry Hill
Reservoir
Prim. Sch.
Playground
The Lodge
The Triangle
West Hill
Portishead Prim. Sch.
Play. Fld.
High Down Inf. & Jun. Schools
Fore Hill
Redcliffe Bay
PORTISHEAD DOWN
AVON & SOMERSET POLICE H.Q.
Gordano Sports Centre
North Weston
Tennis Courts
CHARLECOMBE TRAILER PARK
Nightingale Valley
Manor Farm
West Wood
Portishead Burial Ground
Down Cottage
Seven Acre Wood
WESTON BIG WOOD NATURE RESERVE
Weston Down
Moto-Cross
Black Strip
Brockley Cottage
Black Rock Quarry (disused)
Mead Farm House
Sewage Works
Mead Farm Cottages
Weston Lodge Farm
Reservoir (covered)
Woodside Grange
The Ripple
Weston Lodge
The Conygar
Whitehouse Farm
Rock Villas
How Ham Farm
Weston Wood
B3124
Weston in Gordano
Moor Farm
Walton Brook
Clapton Moor
NORE ROAD
DOWN ROAD
VALLEY ROAD
CLEVEDON ROAD
ESPLANADE
BEACH ROAD
WEST HILL
HILLCREST
SEAVIEW ROAD
WEST AVON ROAD
SEVERN ROAD
DRAKES WAY
FROBISHER AV.
RALEIGH RISE
MENDIP ROAD
DENNY VIEW
HIGH VIEW
THE DEANS
THE DOWNS
ST. MARY'S ROAD
NEWLANDS
WESTON WOOD RD.
BLACKBERRY LA.
CADBURY LA.
WESTON DROVE
CLAPTON DROVE
56
A B C D E
1 2 3 4 5 6 7
44 345 46
77 76 75 74

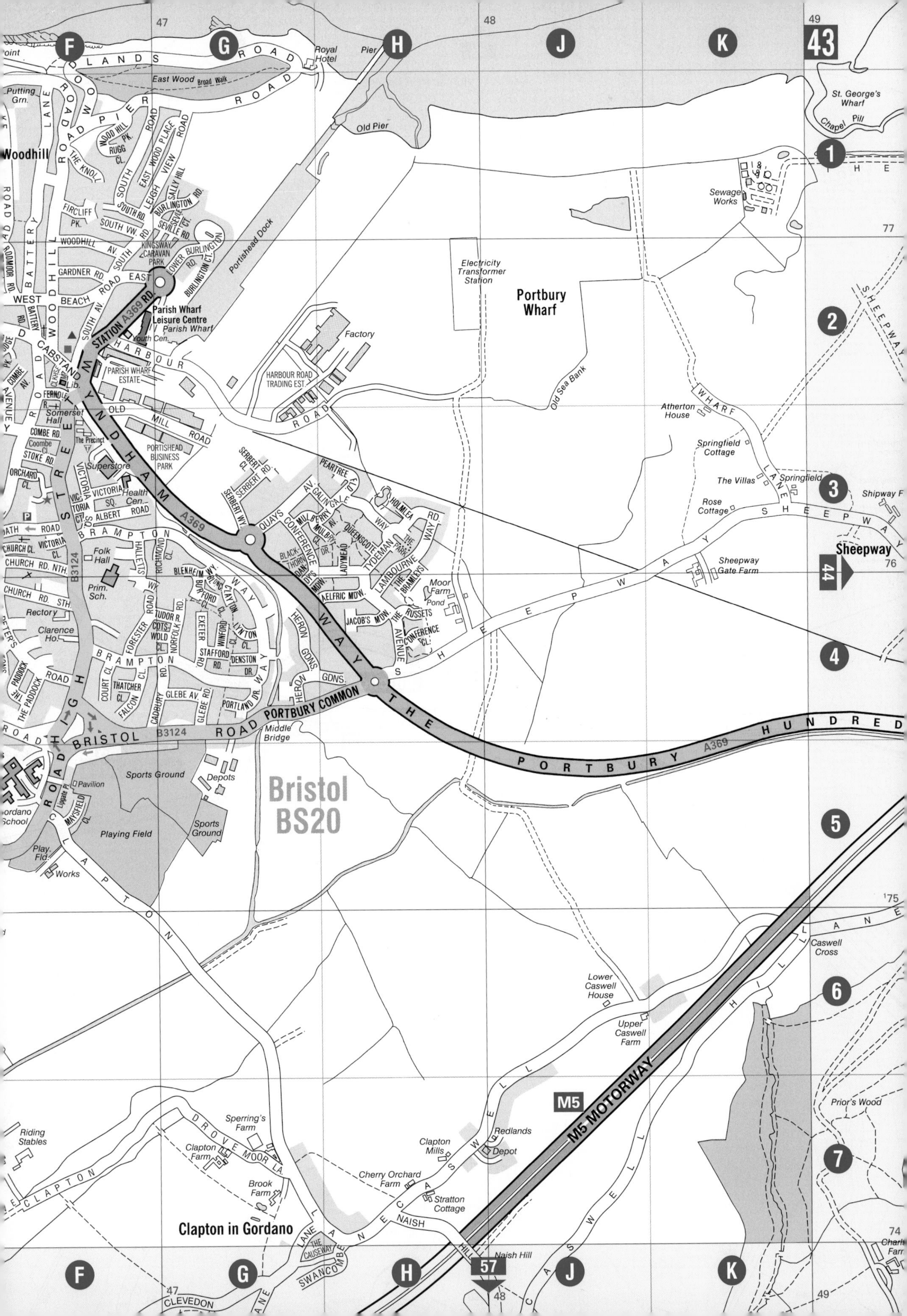
43
47
48
49
F
G
H
J
K
1
2
3
4
5
6
7
77
76
75
74
Royal Hotel
Pier
East Wood
Broad Walk
Old Pier
St. George's Wharf
Chapel Pill
Putting Grn.
Woodhill
Sewage Works
Electricity Transformer Station
Portbury Wharf
Portishead Dock
Factory
Parish Wharf Leisure Centre
Parish Wharf
Youth Cen.
Kingsway Caravan Park
Harbour Road Trading Est.
Parish Wharf Estate
Portishead Business Park
Old Sea Bank
Atherton House
Springfield Cottage
The Villas
Springfield
Rose Cottage
Shipway F
Sheepway
Sheepway Gate Farm
44
Moor Farm
Pond
Superstore
Health Cen.
Folk Hall
Prim. Sch.
Rectory
Clarence Ho.
Somerset Hall
Lib.
The Precinct
A369
B3124
STATION RD.
WYNDHAM WAY
PORTBURY COMMON
THE PORTBURY HUNDRED
BRISTOL ROAD
HIGH STREET
SHEEPWAY
WHARF LANE
HARBOUR ROAD
OLD MILL ROAD
BRAMPTON WAY
BRAMPTON ROAD
Middle Bridge
Sports Ground
Depots
Pavilion
Gordano School
Playing Field
Play. Fld.
Works
Bristol BS20
CLAPTON LANE
Caswell Cross
Lower Caswell House
Upper Caswell Farm
CASWELL HILL
CASWELL LANE
M5
M5 MOTORWAY
Prior's Wood
Riding Stables
Sperring's Farm
Clapton Farm
DROVE MOOR LA.
Brook Farm
Clapton Mills
Redlands
Depot
Cherry Orchard Farm
Stratton Cottage
Clapton in Gordano
NAISH LANE
Naish Hill
57
SWANCOMBE
THE CAUSEWAY
CLEVEDON
CLAPTON

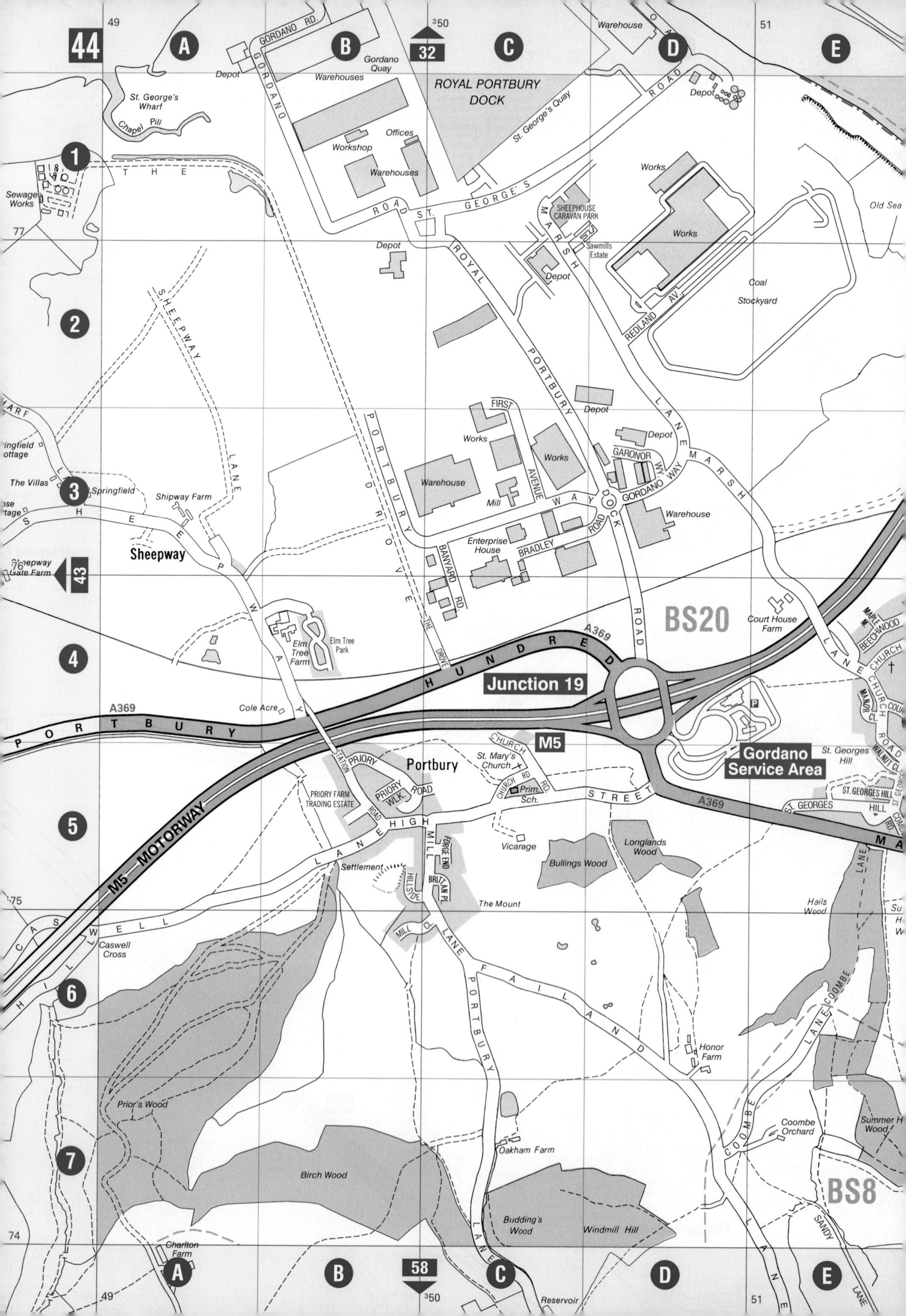

ROYAL PORTBURY DOCK
Gordano Quay
Warehouses
Workshop
Offices
Depot
St. George's Wharf
Chapel Pill
Sewage Works
St. George's Quay
SHEEPHOUSE CARAVAN PARK
Sawmills Estate
Works
Coal Stockyard
REDLAND AV.
Old Sea
Warehouse
Sheepway
Shipway Farm
Springfield
The Villas
Sheepway Gate Farm
Elm Tree Farm
Elm Tree Park
Enterprise House
BRADLEY
BANYARD RD.
GARONOR WY.
GORDANO WAY
DOCK ROAD
Court House Farm
BS20
Junction 19
A369
PORTBURY HUNDRED
M5 MOTORWAY
M5
Cole Acre
Portbury
St. Mary's Church
PRIORY FARM TRADING ESTATE
PRIORY WLK.
PRIORY ROAD
STATION ROAD
HIGH STREET
CHURCH RD
Prim. Sch.
Vicarage
Gordano Service Area
St. Georges Hill
ST. GEORGES HILL
Longlands Wood
Bullings Wood
Settlement
The Mount
FORGE END
BRITTAN PL.
HILLSIDE
MILL CL.
MILL LANE
CASWELL LANE
Caswell Cross
FAILAND LANE
PORTBURY LANE
Honor Farm
Hails Wood
COOMBE LANE
Coombe Orchard
Summer Hill Wood
BS8
SANDY LANE
Prior's Wood
Birch Wood
Oakham Farm
Budding's Wood
Windmill Hill
Charlton Farm
Reservoir
MAPLE
BEECHWOOD
CHURCH ROAD
MANOR CL.
WALNUT CL.

32
43
58

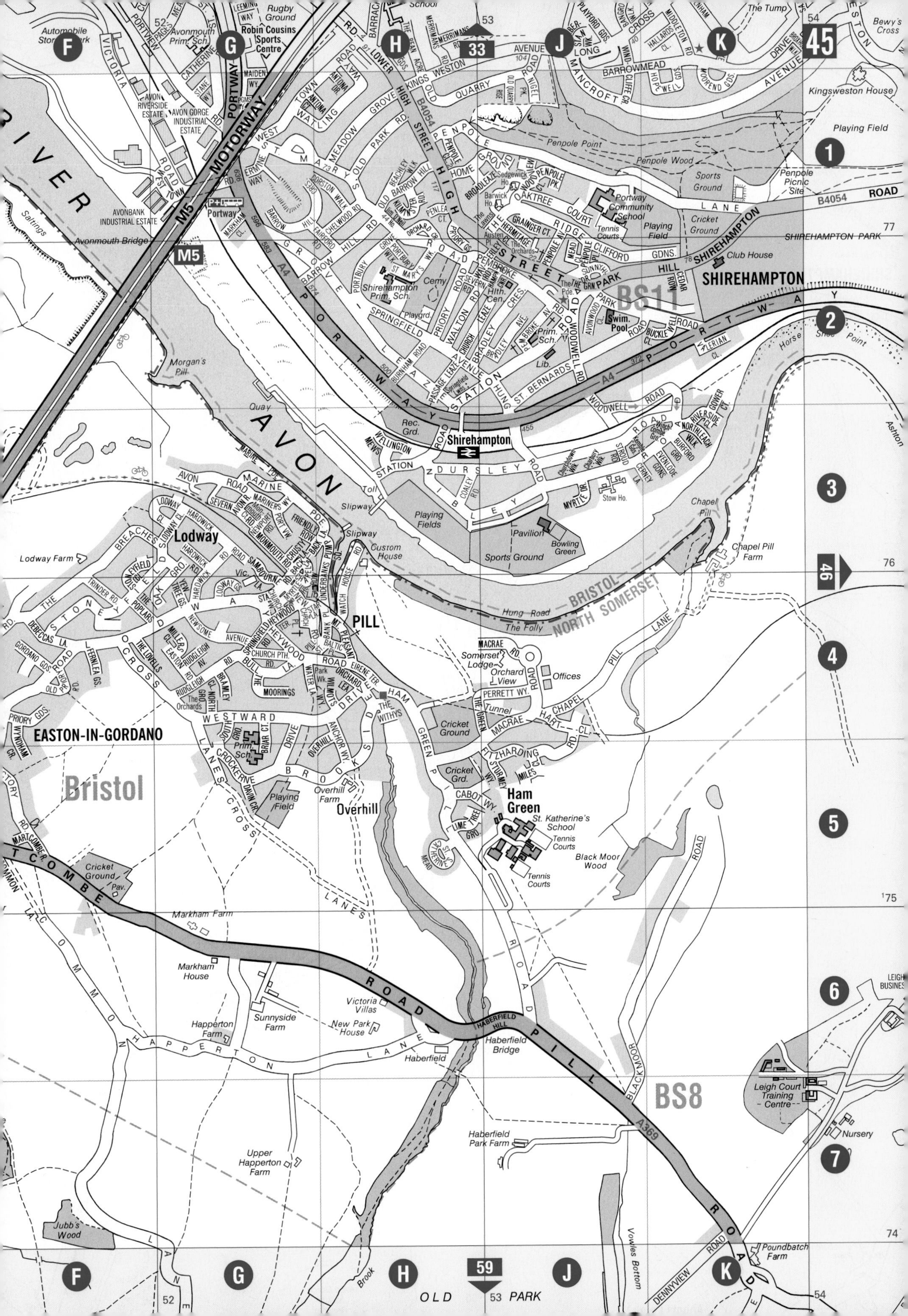
45
33
46
59
F
G
H
J
K
1
2
3
4
5
6
7
52
53
54
77
76
75
74
SHIREHAMPTON
SHIREHAMPTON PARK
BS11
BS8
PILL
Lodway
EASTON-IN-GORDANO
Bristol
Ham Green
Overhill
RIVER
AVON
BRISTOL
NORTH SOMERSET
M5
MOTORWAY
PORTWAY
A4
B4054
A369
Shirehampton
Portway
Avonmouth Bridge
AVONBANK INDUSTRIAL ESTATE
AVON RIVERSIDE ESTATE
AVON GORGE INDUSTRIAL ESTATE
Robin Cousins Sports Centre
Rugby Ground
Avonmouth Prim. Sch.
Automobile Storage Park
Kingsweston House
Playing Field
Penpole Point
Penpole Wood
Penpole Picnic Site
Sports Ground
Portway Community School
Cricket Ground
Club House
Shirehampton Prim. Sch.
Swim. Pool
Rec. Grd.
Playing Fields
Pavilion
Bowling Green
Stow Ho.
Chapel Pill
Chapel Pill Farm
Horse Shoe Point
Morgan's Pill
Quay
Slipway
Custom House
Lodway Farm
Somerset Lodge
Offices
Cricket Ground
Cricket Grd.
St. Katherine's School
Tennis Courts
Black Moor Wood
Playing Field
Overhill Farm
Markham Farm
Markham House
Sunnyside Farm
Happerton Farm
Victoria Villas
New Park House
Haberfield
Haberfield Bridge
Haberfield Park Farm
Upper Happerton Farm
Jubb's Wood
Leigh Court Training Centre
Nursery
Poundbatch Farm
Vowles Bottom
Brook
POUNDBATCH
HAPPERTON LANE
PILL ROAD
OLD PARK
DENNYVIEW ROAD
BLACKMOOR ROAD
HAM GREEN
CHAPEL PILL LANE
STATION ROAD
HIGH STREET
DURSLEY ROAD
NIBLEY
WOODWELL ROAD
ST BERNARDS RD.
WESTWARD
STONEY FIELD
BROOK LANES
MONKS HILL
The Tump
Bewy's Cross
Ashton

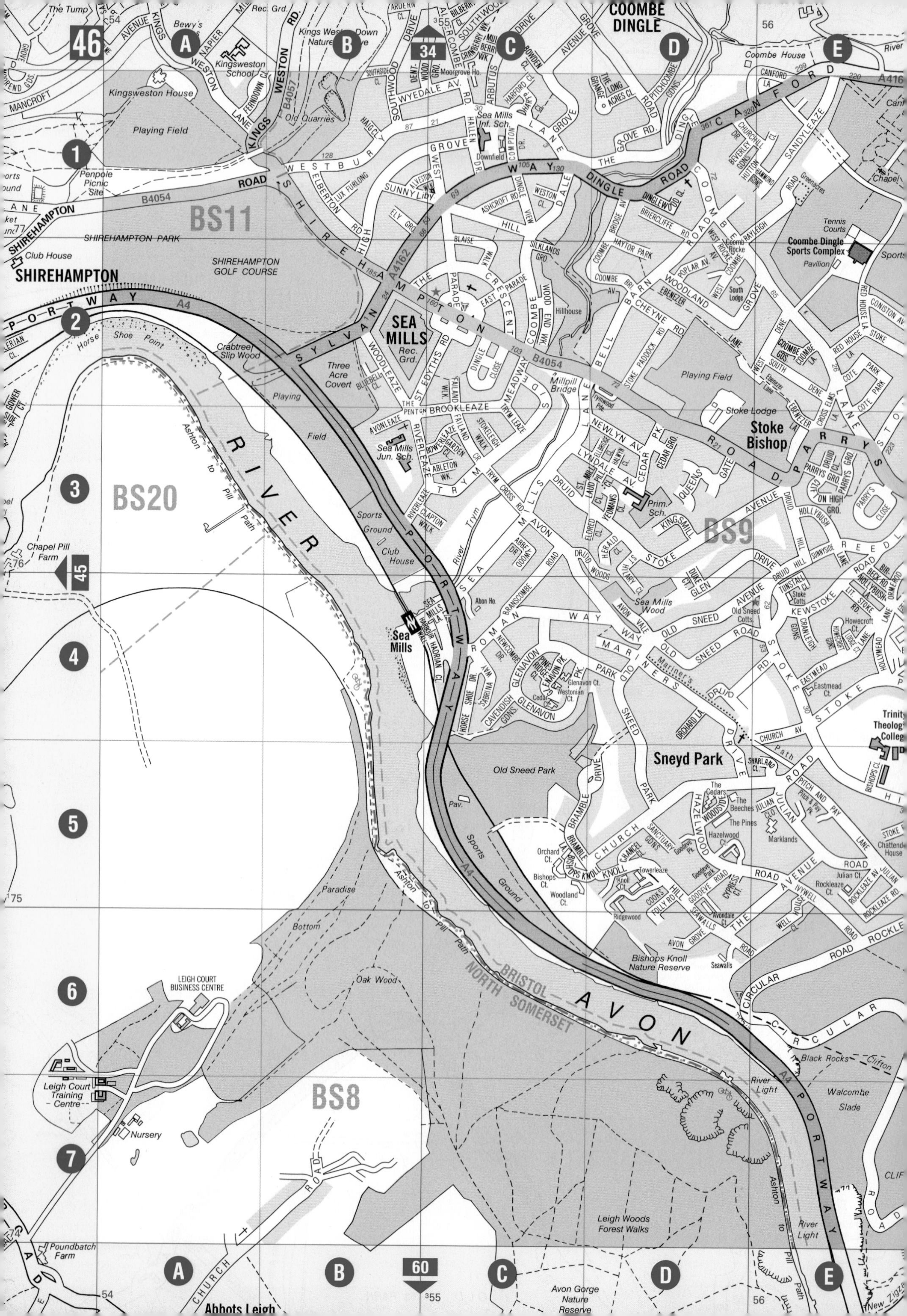

COOMBE DINGLE
SHIREHAMPTON
BS11
BS20
BS9
BS8
SEA MILLS
Stoke Bishop
Sneyd Park
Abbots Leigh
Kingsweston House
Kingsweston School
Playing Field
Penpole Picnic Site
SHIREHAMPTON PARK
SHIREHAMPTON GOLF COURSE
Club House
Horse Shoe Point
Crabtree Slip Wood
Three Acre Covert
Sea Mills Rec. Grd.
Sea Mills Jun. Sch.
Sea Mills Inf. Sch.
Sea Mills Wood
Old Sneed Park
Sports Ground
Coombe Dingle Sports Complex
Stoke Lodge
Coombe House
Trinity Theolog College
Bishops Knoll Nature Reserve
Chapel Pill Farm
Ashton to Pill Path
RIVER AVON
BRISTOL
NORTH SOMERSET
Paradise Bottom
Oak Wood
LEIGH COURT BUSINESS CENTRE
Leigh Court Training Centre
Nursery
Poundbatch Farm
Leigh Woods Forest Walks
Avon Gorge Nature Reserve
Black Rocks
Walcombe Slade
River Light
PORTWAY
A4
A4162
B4054
B4057
SHIREHAMPTON ROAD
WESTBURY ROAD
SYLVAN WAY
STOKE ROAD
PARRYS LANE
CIRCULAR ROAD
CANFORD LA.
DINGLE ROAD
34
45
60

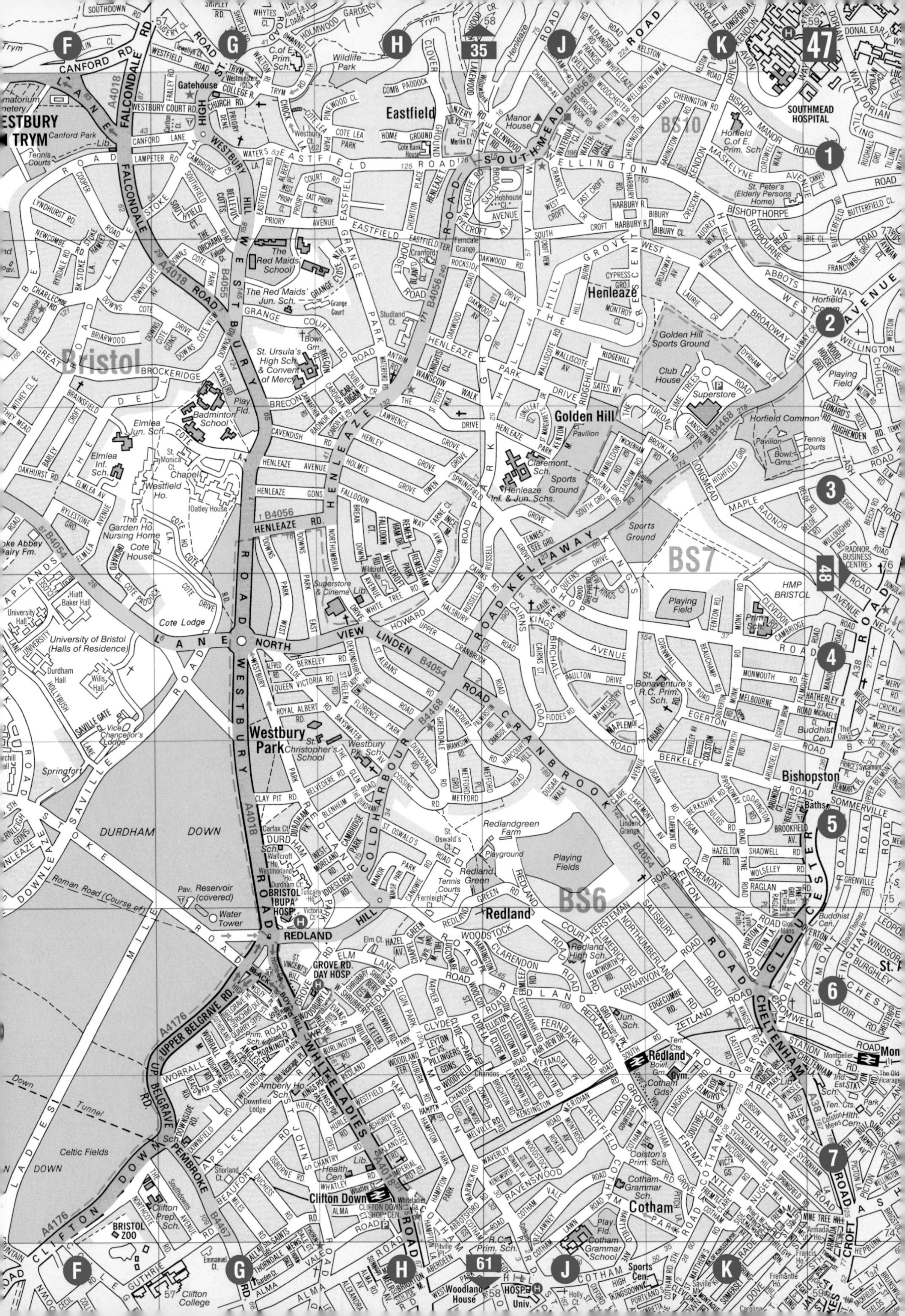

47
35
48
61
F
G
H
J
K
1
2
3
4
5
6
7
Eastfield
Henleaze
Golden Hill
Bristol
Westbury Park
Redland
Cotham
Bishopston
Clifton Down
BS10
BS7
BS6
SOUTHMEAD HOSPITAL
Gatehouse
Wildlife Park
Manor House
The Red Maids' School
The Red Maids' Jun. Sch.
St. Ursula's High Sch. & Convent of Mercy
Badminton School
Elmlea Jun. Sch.
Elmlea Inf. Sch.
Westfield Ho.
The Garden Ho. Nursing Home
Cote House
Cote Lodge
University of Bristol (Halls of Residence)
University Hall
Hiatt Baker Hall
Durham Hall
Wills Hall
Vice Chancellor's Lodge
Springfort
DURHAM DOWN
Celtic Fields
Reservoir (covered)
Water Tower
BRISTOL BUPA HOSP.
GROVE RD. DAY HOSP.
St. Christopher's School
Westbury Pk. Sch.
Superstore & Cinema
Golden Hill Sports Ground
Club House
Superstore
Claremont Sch.
Sports Ground
Henleaze Inf. & Jun. Schs.
Horfield Common
Playing Field
HMP BRISTOL
St. Bonaventure's R.C. Prim. Sch.
Redlandgreen Farm
Playing Fields
Redland Green
Redland High Sch.
Colston's Prim. Sch.
Cotham Grammar School
BRISTOL ZOO
Clifton Prep. Sch.
Clifton College
Sports Cen.
Woodland House
Montpelier
Buddhist Cen.
Horfield C.of E. Prim. Sch.
St. Peter's (Elderly Persons Home)
FALCONDALE RD.
WESTBURY RD.
HENLEAZE RD.
NORTH VIEW
KELLAWAY AV.
CRANBROOK RD.
GLOUCESTER RD.
CHELTENHAM RD.
WHITELADIES RD.
UPPER BELGRAVE RD.
CLIFTON DOWN
REDLAND HILL
COLDHARBOUR RD.
SOUTHMEAD RD.
WELLINGTON HILL WEST
A4018
A4176
A38
B4056
B4054
B4468
B4055
B4467

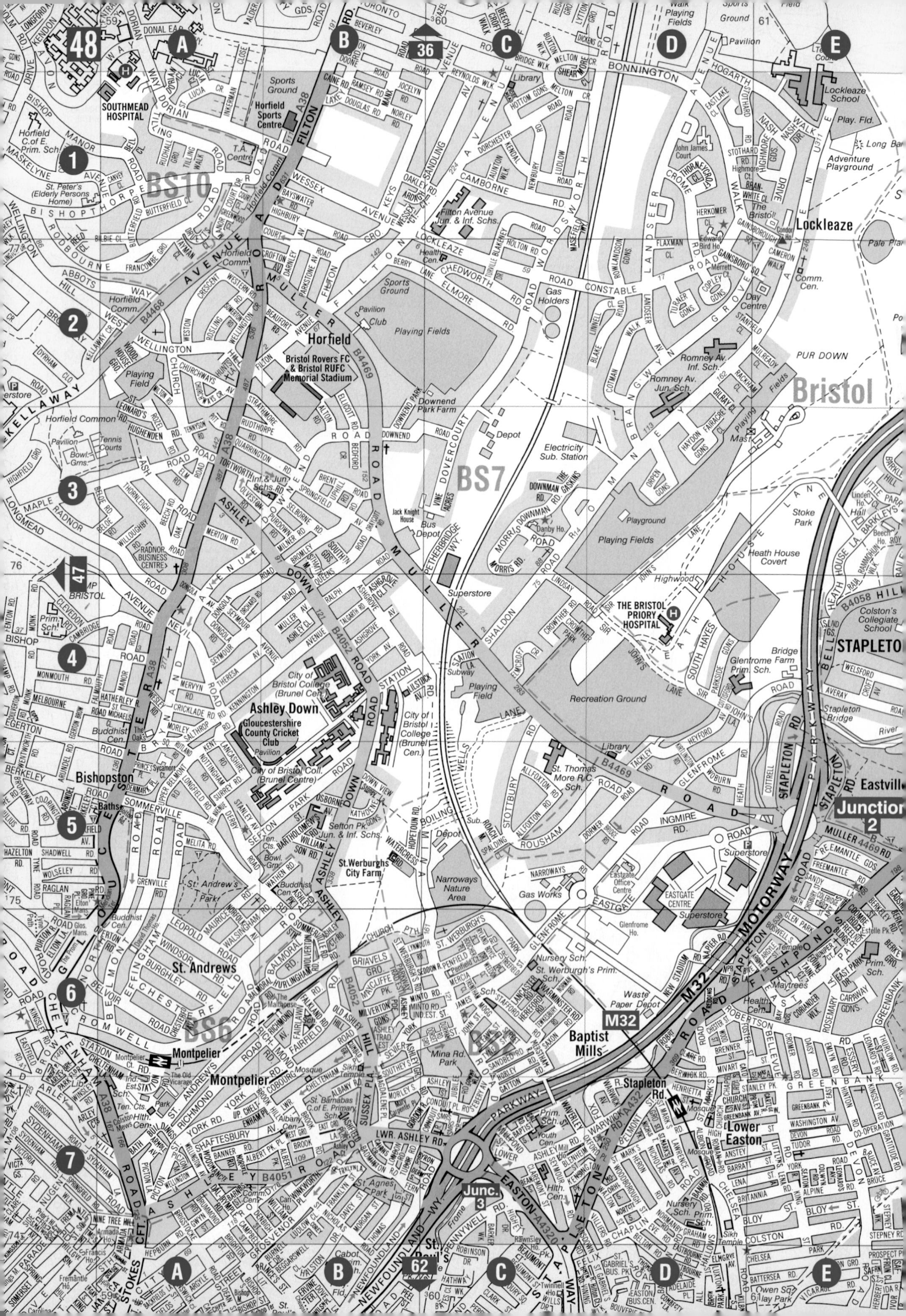
48
36
47
62
A
B
C
D
E
1
2
3
4
5
6
7
BS10
BS7
BS6
BS2
Bristol
SOUTHMEAD HOSPITAL
Horfield C.of E. Prim. Sch.
St. Peter's (Elderly Persons Home)
Sports Ground
Horfield Sports Centre
T.A. Centre
Horfield Comm.
Horfield Common
Horfield
Bristol Rovers FC & Bristol RUFC Memorial Stadium
Pavilion
Club
Playing Fields
Playing Field
Tennis Courts
Bowl. Grns.
Downend Park Farm
Depot
Electricity Sub. Station
Filton Avenue Jun. & Inf. Schs.
Library
Gas Holders
Lockleaze School
Play. Fld.
Long Bar
Adventure Playground
Lockleaze
Pale Pur
Comm. Cen.
Day Centre
Romney Av. Inf. Sch.
Romney Av. Jun. Sch.
PUR DOWN
Fields
Playing Mast
Stoke Park
Heath House Covert
Highwood
THE BRISTOL PRIORY HOSPITAL
Playground
Danby Ho.
Jack Knight House
Bus Depot
Superstore
Recreation Ground
Glenfrome Farm
Glenfrome Prim. Sch.
Colston's Collegiate School
STAPLETON
Stapleton Bridge
River
Eastville
Junction 2
Junction
City of Bristol College (Brunel Cen.)
Ashley Down
Gloucestershire County Cricket Club
City of Bristol Coll. (Brunel Centre)
Bishopston
Baths
St. Thomas More R.C. Sch.
Sefton Pk. Jun. & Inf. Schs.
St.Werburghs City Farm
Narroways Nature Area
Gas Works
EASTGATE CENTRE
Superstore
Eastgate Office Centre
Glenfrome Ho.
St. Andrew's Park
St. Andrews
Nursery Sch.
St. Werburgh's Prim. Sch.
Waste Paper Depot
M32
Baptist Mills
Mina Rd. Park
Montpelier
Stapleton Rd.
Lower Easton
Mosque
Junc. 3
Health Cen.
Maytrees
Prim. Sch.
Sikh Temple
Cabot Prim. Sch.
Owen Sq. Play Park
RADNOR BUSINESS CENTRE
CAMP BRISTOL
Buddhist Cen.
The Oaks
Sycamore Ct.
FILTON ROAD
MULLER ROAD
GLOUCESTER ROAD
ASHLEY DOWN ROAD
WELLINGTON AVENUE
KELLAWAY AVENUE
CONSTABLE ROAD
BONNINGTON WALK
HOGARTH WALK
BRANGWYN GROVE
MOTORWAY
PARKWAY
EASTON WAY
NEWFOUNDLAND WAY
CHELTENHAM ROAD
STOKES CROFT
ASHLEY ROAD
FISHPONDS ROAD
STAPLETON ROAD
GLENFROME ROAD
A38
B4469
B4052
B4051
B4058
A4320
A432

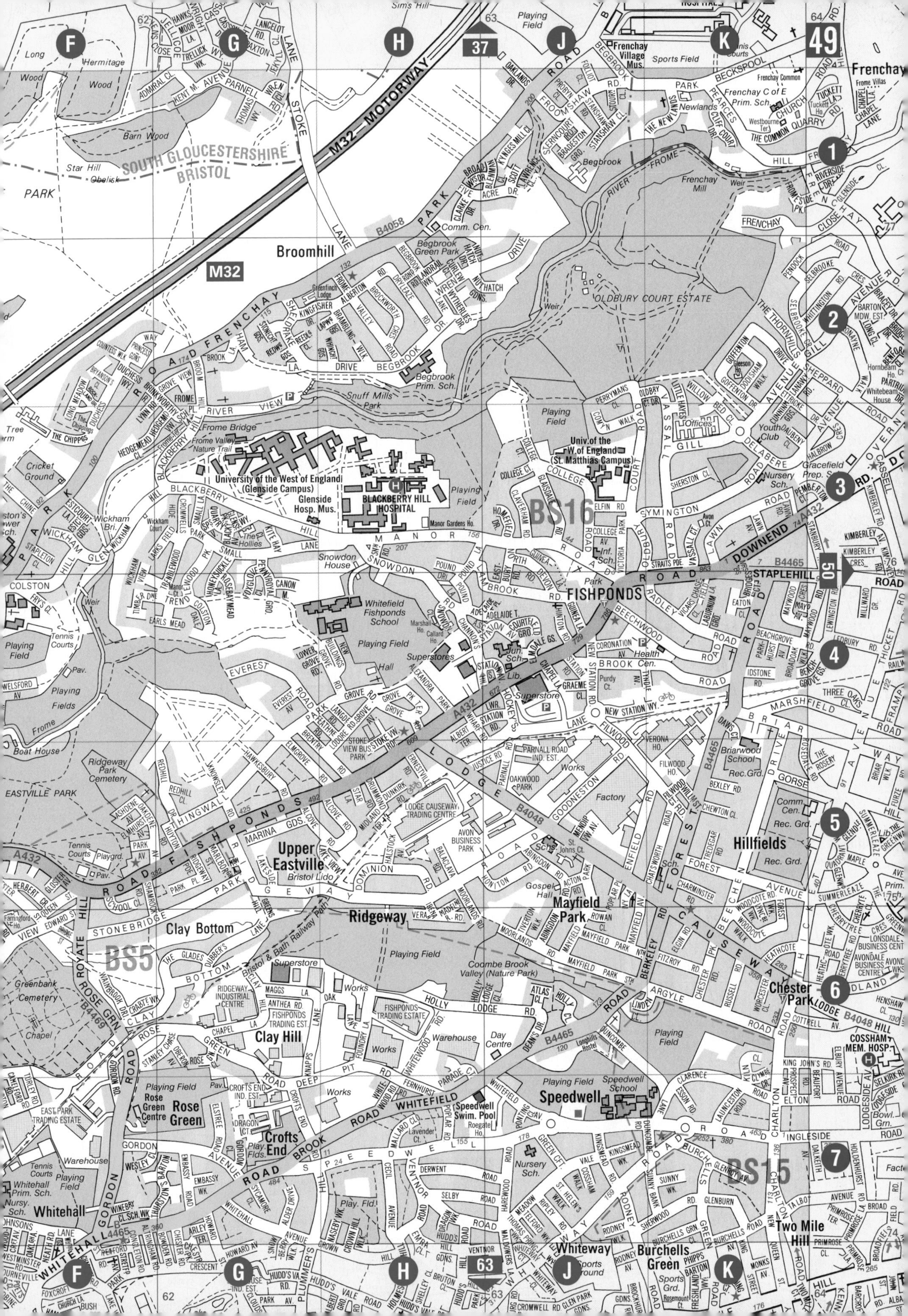

49
50
37
63
Frenchay
Frenchay Village Mus.
Frenchay Mill
Frenchay C of E Prim. Sch.
Broomhill
M32
M32 MOTORWAY
SOUTH GLOUCESTERSHIRE
BRISTOL
Barn Wood
Hermitage Wood
Long Wood
Star Hill
PARK
OLDBURY COURT ESTATE
Snuff Mills Park
RIVER FROME
Begbrook Prim. Sch.
Begbrook Green Park
Comm. Cen.
University of the West of England (Glenside Campus)
Glenside Hosp. Mus.
BLACKBERRY HILL HOSPITAL
Univ. of the W. of England (St. Matthias Campus)
BS16
FISHPONDS
Whitefield Fishponds School
Snowdon House
EASTVILLE PARK
Ridgeway Park Cemetery
Upper Eastville
Bristol Lido
LODGE CAUSEWAY TRADING CENTRE
AVON BUSINESS PARK
Ridgeway
Clay Bottom
BS5
Mayfield Park
Hillfields
Chester Park
COSSHAM MEM. HOSP.
Greenbank Cemetery
Clay Hill
RIDGEWAY INDUSTRIAL CENTRE
FISHPONDS TRADING EST.
Coombe Brook Valley (Nature Park)
Speedwell
Speedwell School
Speedwell Swim. Pool
Rose Green
Crofts End
EAST PARK TRADING ESTATE
Whitehall
Whiteway
Burchells Green
BS15
Two Mile Hill
FISHPONDS ROAD
DOWNEND ROAD
STAPLEHILL ROAD
LODGE CAUSEWAY
FRENCHAY PARK ROAD
ROAD
WHITEHALL ROAD
A432
B4058
B4465
B4048
B4469

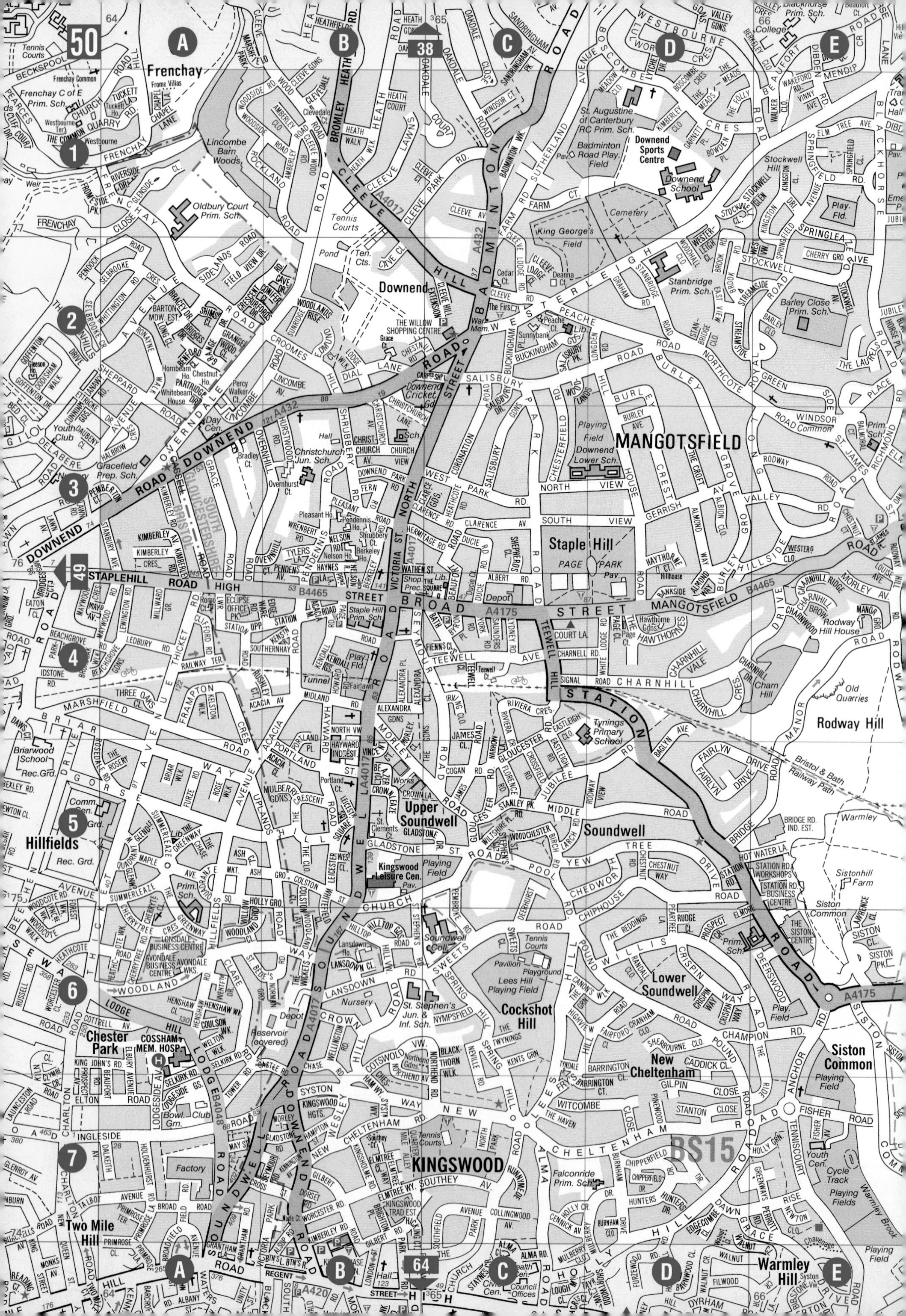

50
38
49
64
A
B
C
D
E
1
2
3
4
5
6
7
Frenchay
Frenchay Common
Frenchay C of E Prim. Sch.
Tennis Courts
Lincombe Barn Woods
Oldbury Court Prim. Sch.
Downend
THE WILLOW SHOPPING CENTRE
Downend Cricket Gd.
Christchurch Jun. Sch.
Gracefield Prep. Sch.
Youth Club
St. Augustine of Canterbury RC Prim. Sch.
Badminton Road Play. Field
Downend Sports Centre
Downend School
Cemetery
King George's Field
Stanbridge Prim. Sch.
Barley Close Prim. Sch.
Stockwell Hill
Play. Fld.
MANGOTSFIELD
Playing Field Downend Lower Sch.
Staple Hill
PAGE PARK
Staple Hill Prim. Sch.
Hawthorne Gdns.
Rodway Hill House
Old Quarries
Rodway Hill
Charn Hill
Tynings Primary School
Bristol & Bath Railway Path
Warmley
BRIDGE RD. IND. EST.
Sistonhill Farm
Siston Common
THE SISTON CENTRE
Briarwood School
Rec. Grd.
Comm. Cen.
Hillfields
Rec. Grd.
Prim. Sch.
LONSDALE BUSINESS CENTRE
AVONDALE BUSINESS CENTRE
Upper Soundwell
Kingswood Leisure Cen.
Playing Field
Soundwell
Soundwell Coll.
Tennis Courts
Pavilion
Playground
Lees Hill Playing Field
Cockshot Hill
Lower Soundwell
Play. Field
St. Stephen's Jun. & Inf. Sch.
Nursery
Reservoir (covered)
Chester Park
COSSHAM MEM. HOSP.
Bowl. Club
Factory
Two Mile Hill
KINGSWOOD
KINGSWOOD TRAD. EST.
New Cheltenham
Falconride Prim. Sch.
BS15
Siston Common
Playing Field
Youth Cen.
Cycle Track
Playing Fields
Warmley Brook
Warmley Hill
Civic Cen.
Council Offices
A4017
A432
A4175
A482
A420
B4465
B4048
CLEEVE HILL
BADMINTON ROAD
DOWNEND ROAD
STAPLEHILL ROAD
HIGH STREET
BROAD STREET
MANGOTSFIELD STREET
STATION ROAD
SOUNDWELL ROAD
REGENT STREET

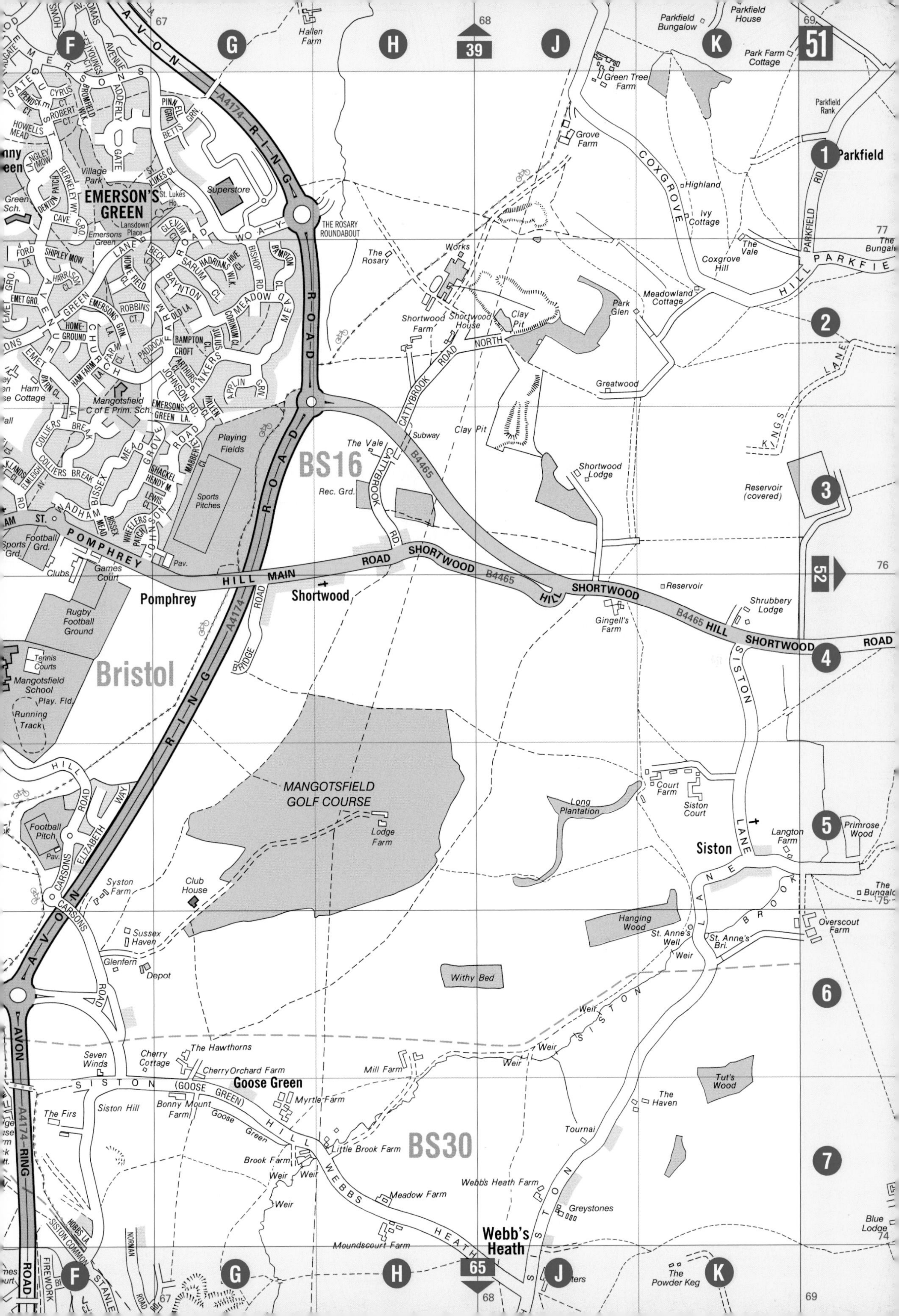
51
39
52
65
F
G
H
J
K
1
2
3
4
5
6
7
67
68
69
77
76
75
74
EMERSON'S GREEN
Parkfield
Pomphrey
Shortwood
Bristol
BS16
BS30
Siston
Goose Green
Webb's Heath
Superstore
THE ROSARY ROUNDABOUT
Village Park
Emersons Green
Lansdown Place
St. Lukes Ho.
Mangotsfield C of E Prim. Sch.
Playing Fields
Sports Pitches
Pav.
Games Court
Clubs
Football Grd.
Rugby Football Ground
Tennis Courts
Mangotsfield School
Play. Fld.
Running Track
Football Pitch
MANGOTSFIELD GOLF COURSE
Lodge Farm
Club House
Syston Farm
Sussex Haven
Glenfern
Depot
Seven Winds
Cherry Cottage
The Hawthorns
Cherry Orchard Farm
Myrtle Farm
Bonny Mount Farm
The Firs
Siston Hill
Mill Farm
Little Brook Farm
Brook Farm
Weir
Meadow Farm
Moundscourt Farm
Webb's Heath Farm
Greystones
Tournai
The Haven
Tut's Wood
Withy Bed
Hanging Wood
St. Anne's Well
St. Anne's Bri.
Overscout Farm
Langton Farm
Primrose Wood
The Bungalow
Blue Lodge
The Powder Keg
Long Plantation
Court Farm
Siston Court
Shrubbery Lodge
Gingell's Farm
Reservoir
Reservoir (covered)
Shortwood Lodge
Greatwood
Park Glen
Meadowland Cottage
Coxgrove Hill
The Vale
Ivy Cottage
Highland
Grove Farm
Green Tree Farm
Parkfield Bungalow
Parkfield House
Park Farm Cottage
Parkfield Rank
Works
Clay Pit
Shortwood Farm
Shortwood House
The Rosary
The Vale
Rec. Grd.
Subway
Hallen Farm
A4174 RING ROAD
AVON RING ROAD
B4465
SHORTWOOD HILL
SHORTWOOD ROAD
MAIN ROAD
POMPHREY HILL
SISTON LANE
SISTON COMMON
SISTON HILL
GOOSE GREEN
WEBBS HEATH
CATTYBROOK ROAD
COXGROVE HILL
PARKFIELD ROAD
KINGS LANE
BRIDGE ROAD
CARSONS ROAD
ELIZABETH WAY
WADHAM ST.
EMERSONS GREEN LA.
BISSEX MEAD
COLLIERS BREAK
CHURCH FARM CL.
HAM FARM LA.
PINKERS MEAD
BAMPTON CROFT
BAYNTON MEAD
SARUM CL.
BISHOP RD.
HADRIANS WLK.
MEADOW MEAD

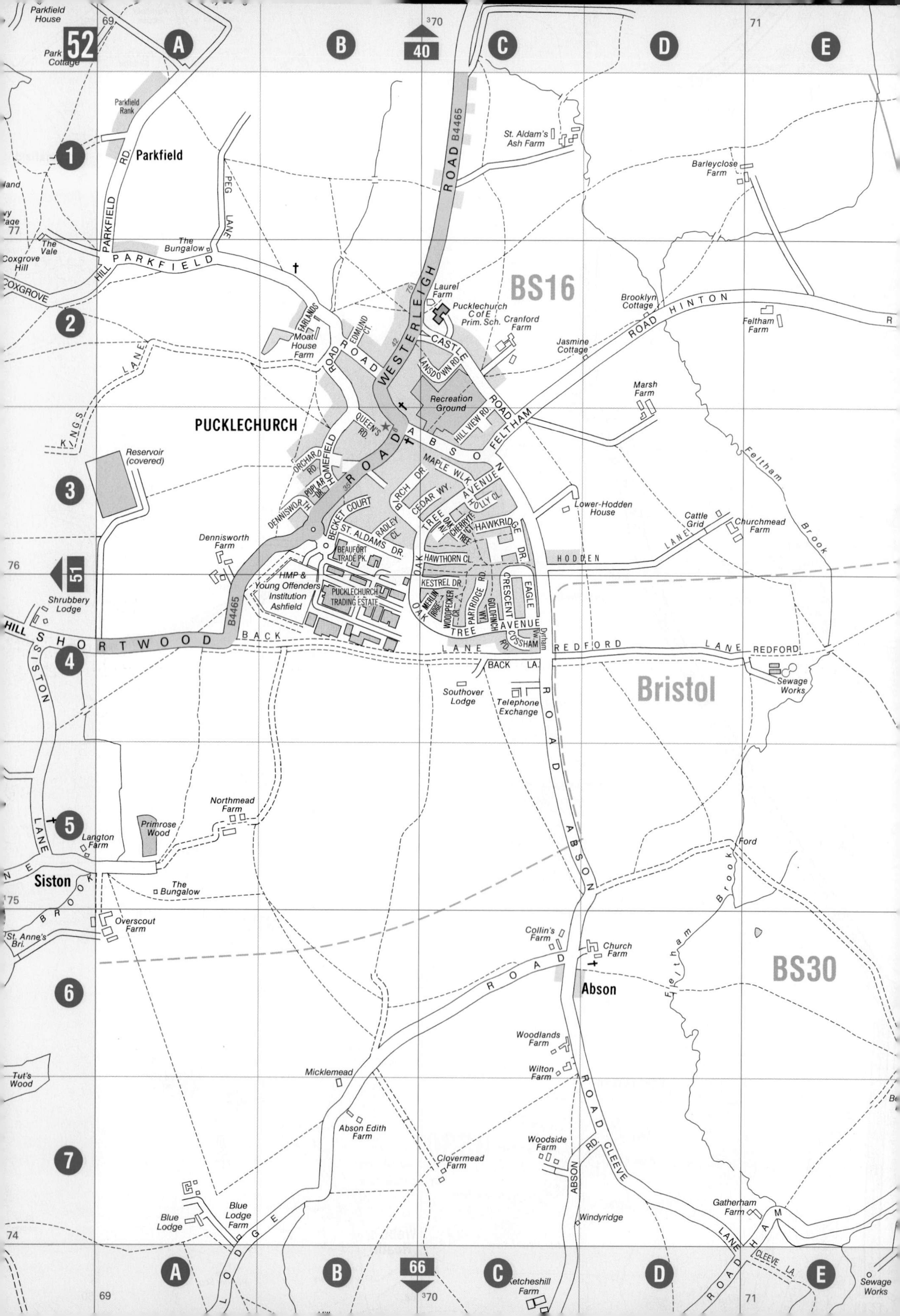

Parkfield House
Park Cottage
40
Parkfield Rank
Parkfield
PARKFIELD RD.
PEG LANE
ROAD B4465
St. Aldam's Ash Farm
Barleyclose Farm
The Vale
Coxgrove Hill
The Bungalow
PARKFIELD HILL
COXGROVE
BS16
Laurel Farm
Pucklechurch C of E Prim. Sch.
Cranford Farm
Brooklyn Cottage
HINTON ROAD
Feltham Farm
FARLANDS
Moat House Farm
EDMUND CT.
WESTERLEIGH ROAD
CASTLE ROAD
LANSDOWN RD.
Jasmine Cottage
KINGS LANE
Recreation Ground
Marsh Farm
PUCKLECHURCH
QUEEN'S RD.
HILL VIEW RD.
FELTHAM ROAD
Reservoir (covered)
ORCHARD RD.
HOMEFIELD
ABSON ROAD
MAPLE WLK.
Feltham Brook
POPLAR DR.
CEDAR WY.
AVENUE
HOLLY CL.
Lower-Hodden House
DENNISWORTH
BECKET COURT
RADLEY CL.
OAK TREE AV.
CHERRYTREE CT.
HAWKRIDGE DR.
Cattle Grid
Churchmead Farm
Dennisworth Farm
ST. ALDAMS DR.
BEAUFORT TRADE PK.
HAWTHORN CL.
HODDEN LANE
51
HMP & Young Offenders Institution Ashfield
PUCKLECHURCH TRADING ESTATE
KESTREL DR.
MERLIN RIDGE
WOODPECKER CR.
PARTRIDGE RD.
GOLDFINCH WY.
CRESCENT
EAGLE DR.
Shrubbery Lodge
SHORTWOOD HILL
B4465
BACK LANE
OAK TREE AVENUE
COSSHAM RD.
Dyrham Vw.
REDFORD LANE
REDFORD
SISTON LANE
BACK LA.
Southover Lodge
Telephone Exchange
Bristol
Sewage Works
Northmead Farm
Primrose Wood
Langton Farm
ABSON ROAD
Ford
Siston
BROOK
The Bungalow
Overscout Farm
St. Anne's Bri.
Collin's Farm
Church Farm
BS30
ROAD
Abson
Woodlands Farm
Tut's Wood
Micklemead
Wilton Farm
Abson Edith Farm
Woodside Farm
Clovermead Farm
ABSON RD.
CLEEVE ROAD
Blue Lodge
Blue Lodge Farm
LODGE ROAD
Windyridge
Gatherham Farm
HAM LANE
CLEEVE LA.
ROAD
Ketcheshill Farm
Sewage Works
66
69
370
71
76
75
74
75
A B C D E
1 2 3 4 5 6 7

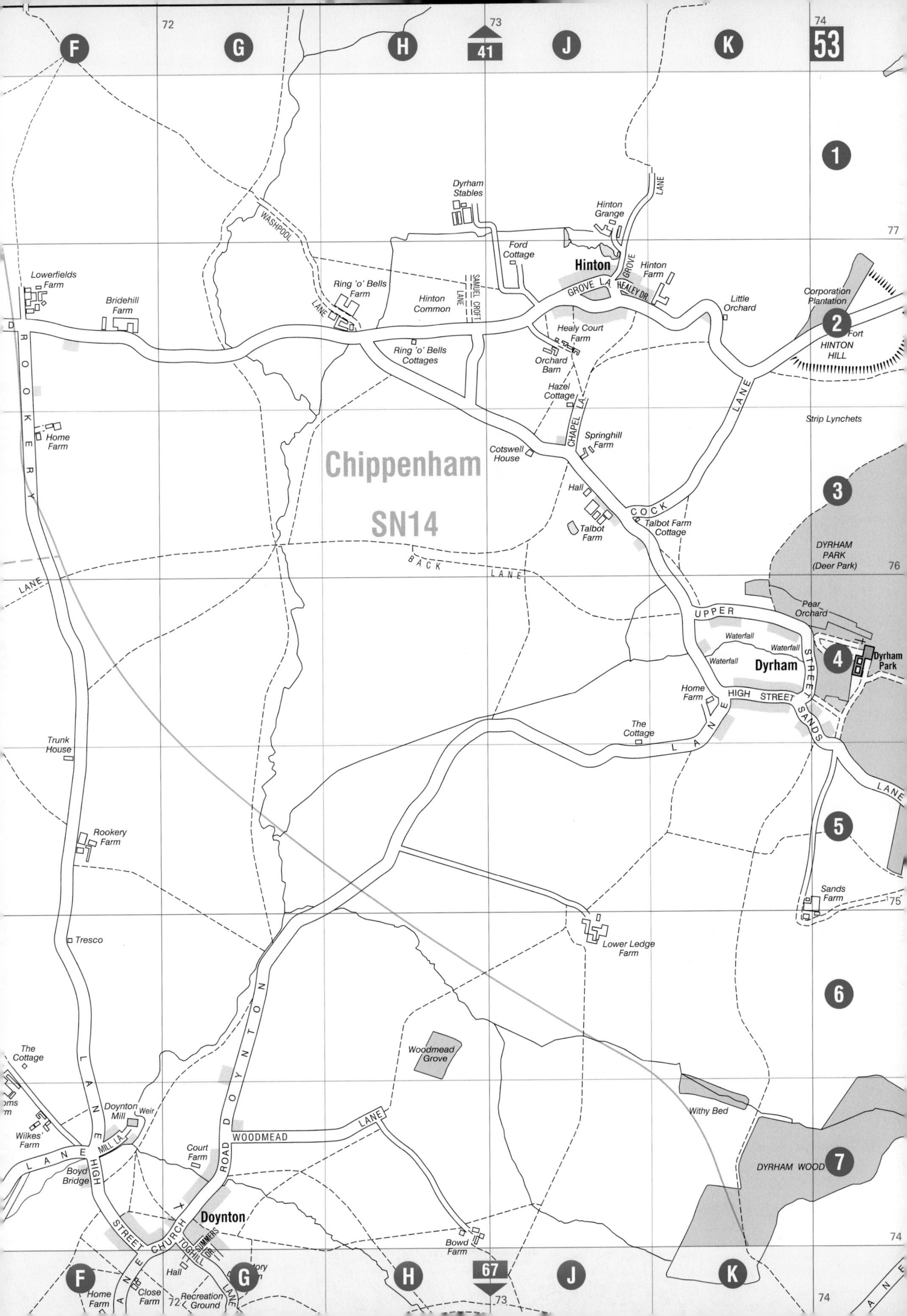

72
73
74
F
G
H
J
K
41
67
1
2
3
4
5
6
7
77
76
75
74
Chippenham
SN14
Dyrham Stables
Hinton Grange
Ford Cottage
Hinton
Hinton Farm
GROVE LA.
GROVE
HEALEY DR.
LANE
Little Orchard
Corporation Plantation
Fort
HINTON HILL
Strip Lynchets
WASHPOOL
Lowerfields Farm
Bridehill Farm
Ring 'o' Bells Farm
Hinton Common
SAMUEL CROFT
LANE
Ring 'o' Bells Cottages
Healy Court Farm
Orchard Barn
Hazel Cottage
CHAPEL LA.
Springhill Farm
Cotswell House
Home Farm
ROOKERY
Hall
COCK
Talbot Farm Cottage
Talbot Farm
BACK LANE
DYRHAM PARK (Deer Park)
Pear Orchard
UPPER
Waterfall
Dyrham
Dyrham Park
STREET
HIGH STREET
SANDS
Home Farm
The Cottage
LANE
Trunk House
Rookery Farm
Sands Farm
Lower Ledge Farm
Tresco
DOYNTON
Woodmead Grove
Withy Bed
DYRHAM WOOD
The Cottage
Doynton Mill
Weir
Wilkes' Farm
MILL LA.
HIGH
Boyd Bridge
WOODMEAD
Court Farm
ROAD
Doynton
CHURCH
STREET
TOGHILL
SUMMERS DR.
Bowd Farm
Hall
Home Farm
Close Farm
Recreation Ground

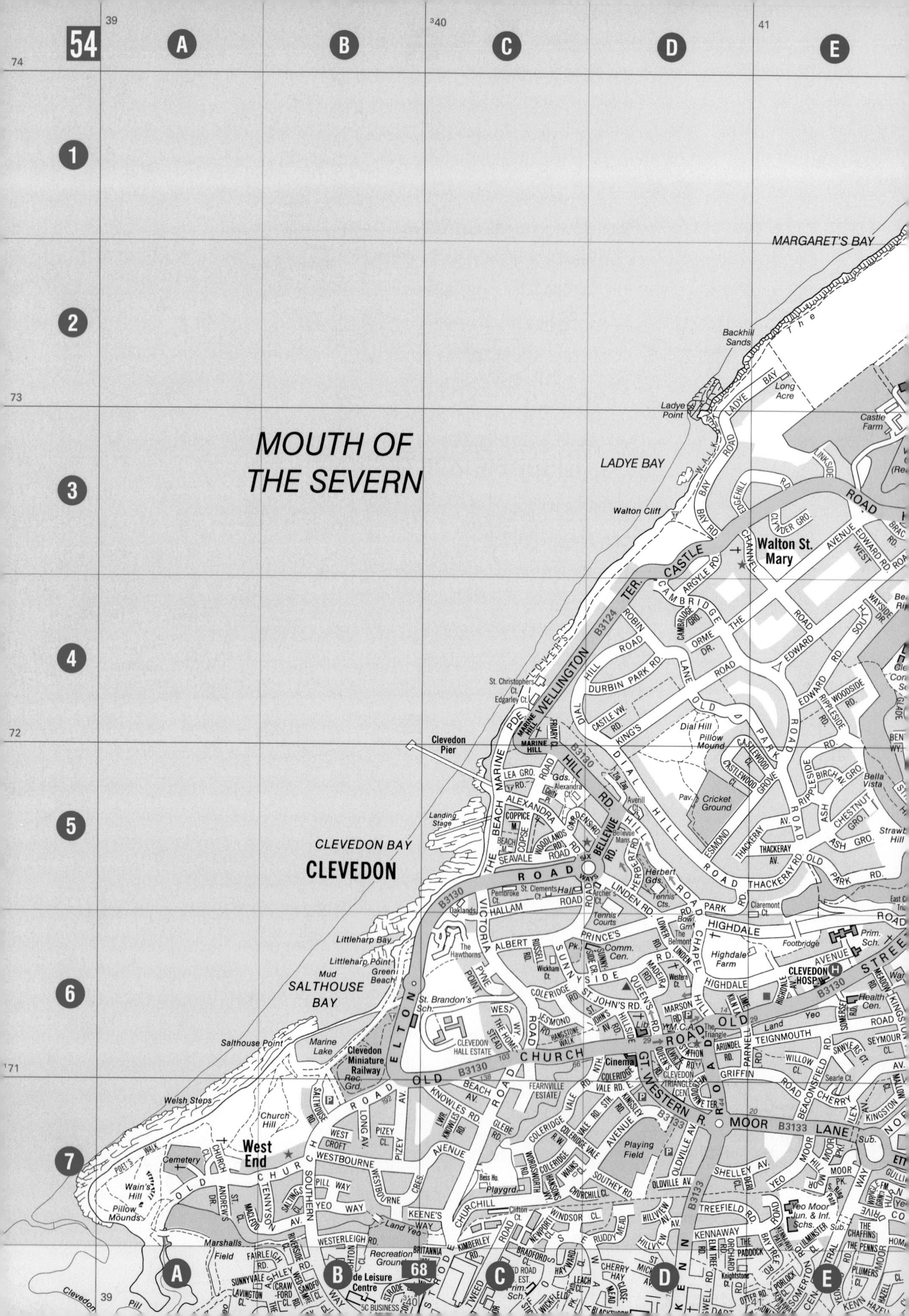
39
A
B
340
C
D
41
E
74
73
72
71
1
2
3
4
5
6
7
MARGARET'S BAY
Backhill Sands
Ladye Point
Long Acre
Castle Farm
MOUTH OF THE SEVERN
LADYE BAY
Walton Cliff
LADYE BAY
BAY RD.
EDGEHILL
CLYNDER GRO.
CHANNEL ROAD
Walton St. Mary
CASTLE
ARGYLE RD.
AVENUE
EDWARD RD.
WEST
WAYSIDE
TER.
WELLINGTON
B3124
CAMBRIDGE
CAMBRIDGE GRO.
THE
ROAD
SOUTH
ROBIN ROAD
ORME DR.
EDWARD
DURBIN PARK RD.
LANE
ROAD
St. Christophers Ct.
Edgarley Ct.
PDE.
MARINE HILL
FRIARY CL.
DIAL HILL
CASTLE VW. RD.
KING'S
OLD
Dial Hill
Pillow Mound
CASTLEWOOD
CASTLEWOOD CL.
GROVE
PARK
ROAD
EDWARD
RIPPLESIDE
WOODSIDE RD.
BIRCH AV.
GRO.
Bella Vista
Clevedon Pier
MARINE
HILL
B3130
LEA GRO.
Gds.
Alexandra Ct.
Zig Zag
Averill Ct.
Cricket Ground
Pav.
ESMOND
RIPPLESIDE
ASH
CHESTNUT GRO.
Landing Stage
ALEXANDRA
COPPICE M.
COPSE
WOODLANDS RD.
BEACH M.
SEAVALE
BELLEVUE RD.
Bellevue Mans
HERBERT RD.
THACKERAY AV.
THACKERAY AV.
THACKERAY RD.
ASH GRO.
OLD PARK RD.
Strawberry Hill
CLEVEDON BAY
CLEVEDON
THE BEACH
ROAD
SIX WAYS
Herbert Gds.
Tennis Cts.
ROAD
PARK
Claremont Ct.
B3130
Pembroke Ct.
St. Clements Ct.
Hall
LINDEN RD.
Archer's Ct.
Oaklands
VICTORIA
HALLAM ROAD
Tennis Courts
HIGHDALE
ROAD
Bowl. Grn.
The Belmont
Littleharp Bay
Littleharp Point
Green Beach
Mud
SALTHOUSE BAY
The Hawthorns
ALBERT RD.
RUSSELL
SUNNYSIDE
Pk.
Comm. Cen.
LOWER LINDEN RD.
CHAPEL
Highdale Farm
Footbridge
Prim. Sch.
AVENUE
CLEVEDON HOSP.
STREET
Wickham Ct.
MADEIRA RD.
Western Ct.
HIGHDALE
PYNE POINT
St. Brandon's Sch.
ELTON
COLERIDGE RD.
ST. JOHN'S RD.
QUEEN'S
MARSON RD
Health Cen.
WEST WY.
THE HOMESTEAD
JESMOND RD.
HANGSTONE WALK
ST. JOHN'S AV.
HILLSIDE
Lib.
Y.M.C.A.
The Triangle
OLD
Land
Yeo
ROAD
Salthouse Point
Marine Lake
Clevedon Miniature Railway
CLEVEDON HALL ESTATE
CHURCH
Cinema
ROAD
STATION RD
ARUNDEL RD.
TEIGNMOUTH
SEYMOUR CL.
WILLOW CL.
Rec. Grd.
OLD
B3130
ROAD
NTH.
COLERIDGE
GT. WESTERN
CLEVEDON TRIANGLE CEN.
GRIFFIN
Searle Ct.
CHERRY
Welsh Steps
SALTHOUSE RD.
ROAD
LONG AV.
KNOWLES RD.
BEACH AV.
FEARNVILLE ESTATE
VALE RD. STH.
KINGSLEY
MELBOURNE TER.
MOOR
B3133
LANE
KINGSTON
Church Hill
West End
WEST CROFT
PIZEY CL.
PIZEY
LWR. KNOWLES RD.
GLEBE RD.
COLERIDGE VALE
AVENUE
Playing Field
B3133
OLDVILLE AV.
Sub.
POET'S WALK
Cemetery
CHURCH CL.
WESTBOURNE
AVENUE
Wain's Hill
Pillow Mounds
OLD
ST. ANDREW'S DR.
TENNYSON AV.
SOUTHERN
SALTINGS CL.
PILL WAY
YEO WAY
WESTBOURNE
CRES.
Bess Ho.
Playgrd.
WORDSWORTH RD.
HANSONS WY.
WAINS CL.
CHURCHILL CL.
SOUTHEY RD.
OLDVILLE AV.
SHELLEY AV.
YEO
MOOR HILL
MOOR PK.
Yeo Moor Jun. & Inf. Schs.
MACLEOD
KEENE'S WAY
CHURCHILL
Clifton Ct.
WINDSOR CL.
HILLVIEW AV.
TREEFIELD RD.
Marshalls Field
Land Yeo
WESTERLEIGH RD.
KIMBERLEY
NEWPORT CL.
RUDDYMEAD
KENNAWAY RD.
THE PADDOCK
Sub.
THE CHAFFINS
THE PENNS
PLUMERS CL.
FAIRLEIGH RD.
ASHLEY
Recreation Ground
BRITANNIA
BRADFORD CL.
HAYWARD
CHERRY HAY
ELM TREE
ORCHARD
Knightstone Ct.
A
B
C
D
E
SUNNYVALE
LAVINGTON CL.
CRAWFORD CL.
de Leisure Centre
68
STRODE
TWEED
Prim. Sch.
LEACH CL.
39
340
41
Clevedon Pill
STAODE
5C BUSINESS

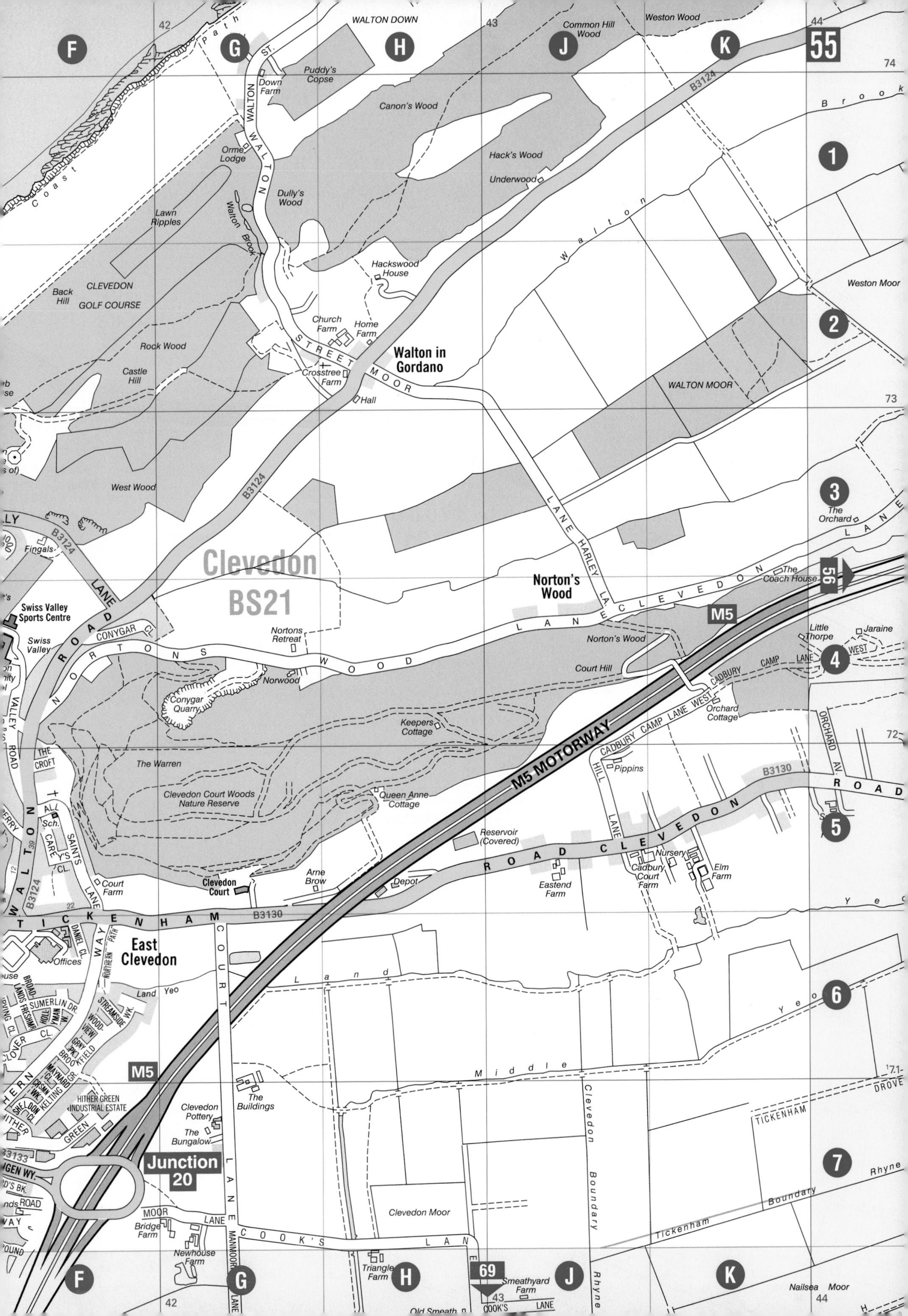
55
WALTON DOWN
Common Hill Wood
Weston Wood
Puddy's Copse
Down Farm
Canon's Wood
Hack's Wood
Underwood
Orme Lodge
Dully's Wood
Lawn Ripples
Walton Brook
Hackswood House
Back Hill
CLEVEDON GOLF COURSE
Church Farm
Home Farm
Walton in Gordano
Rock Wood
Castle Hill
Crosstree Farm
Hall
WALTON MOOR
Weston Moor
West Wood
The Orchard
Fingals
Clevedon BS21
Norton's Wood
The Coach House
Swiss Valley Sports Centre
Swiss Valley
Nortons Retreat
Norwood
Court Hill
Little Thorpe
Jaraine
Conygar Quarry
Keepers Cottage
Orchard Cottage
The Warren
Pippins
Clevedon Court Woods Nature Reserve
Queen Anne Cottage
Reservoir (Covered)
M5 MOTORWAY
Nursery
Cadbury Court Farm
Elm Farm
Eastend Farm
Court Farm
Clevedon Court
Arne Brow
Depot
TICKENHAM
B3130
East Clevedon
Offices
HITHER GREEN INDUSTRIAL ESTATE
The Buildings
Clevedon Pottery
The Bungalow
Junction 20
Clevedon Moor
Bridge Farm
Newhouse Farm
Triangle Farm
Smeathyard Farm
Old Smeath
Nailsea Moor
Clevedon Boundary Rhyne
Tickenham Boundary Rhyne
COOK'S LANE
MANMOOR LANE
CLEVEDON ROAD
CLEVEDON LANE
NORTONS WOOD LANE
WALTON ROAD
B3124
M5
56
69

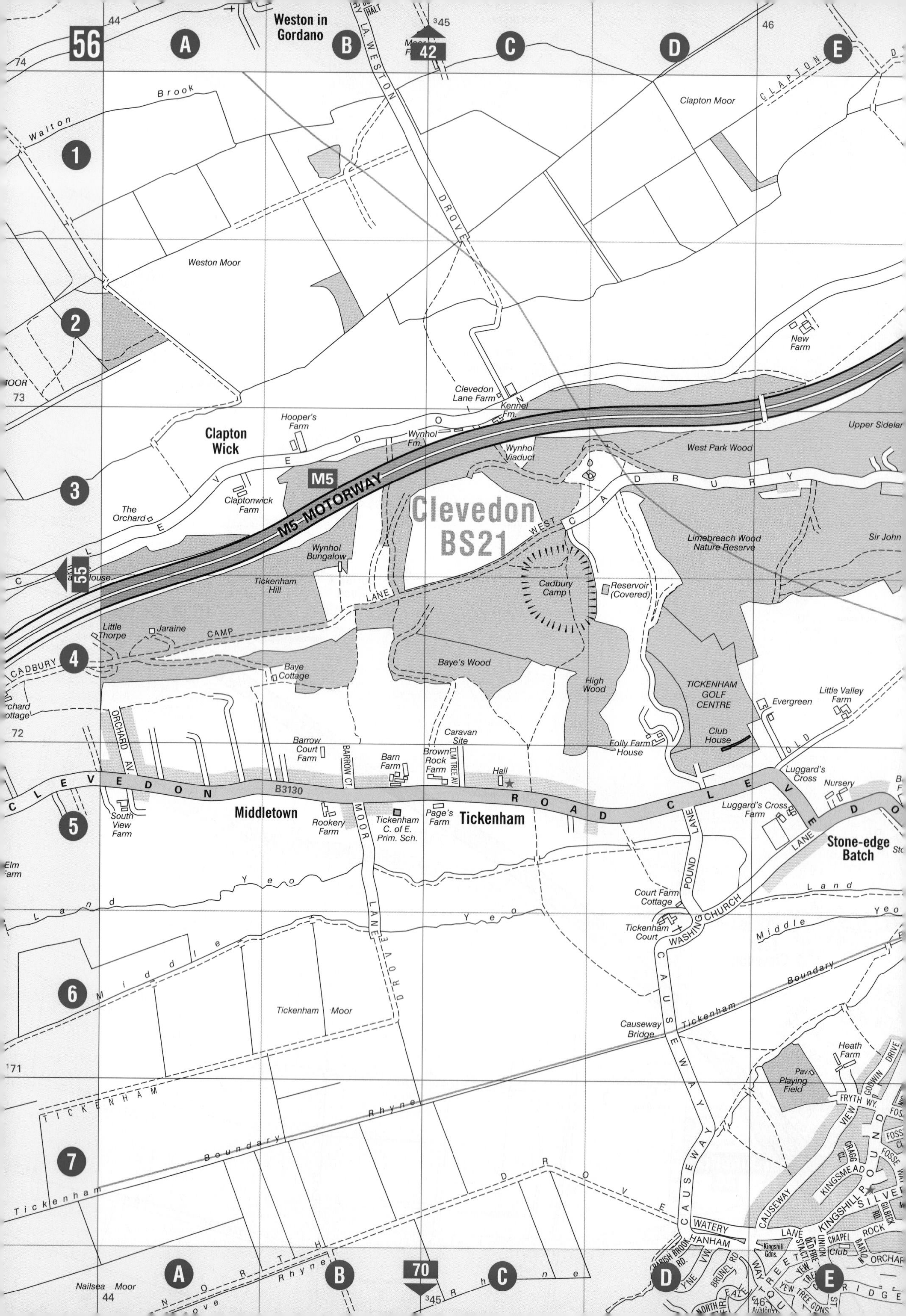
56
Weston in Gordano
42
Clapton Moor
Weston Moor
Clapton Wick
Hooper's Farm
Clevedon Lane Farm
Kennel Fm.
Wynhol Fm.
Wynhol Viaduct
West Park Wood
Upper Sidelands
M5
M5 MOTORWAY
Clevedon BS21
The Orchard
Claptonwick Farm
Wynhol Bungalow
Tickenham Hill
Limebreach Wood Nature Reserve
Sir John
Cadbury Camp
Reservoir (Covered)
New Farm
55
Little Thorpe
Jaraine
Baye Cottage
Baye's Wood
High Wood
TICKENHAM GOLF CENTRE
Club House
Folly Farm House
Evergreen
Little Valley Farm
Caravan Site
Barrow Court Farm
Barn Farm
Brown Rock Farm
Hall
Luggard's Cross
Nursery
Luggard's Cross Farm
CLEVEDON
B3130
ROAD
Middletown
Tickenham
South View Farm
Rookery Farm
Tickenham C. of E. Prim. Sch.
Page's Farm
Stone-edge Batch
Elm Farm
Court Farm Cottage
Tickenham Court
WASHING CHURCH
CAUSEWAY
Causeway Bridge
Tickenham Moor
Heath Farm
Playing Field
Pav.
Tickenham Boundary
Rhyne
Nailsea Moor
NORTH DROVE
WATERY
HANHAM
KINGSMEAD
KINGSHILL
70
44
45
46
71
72
73
74

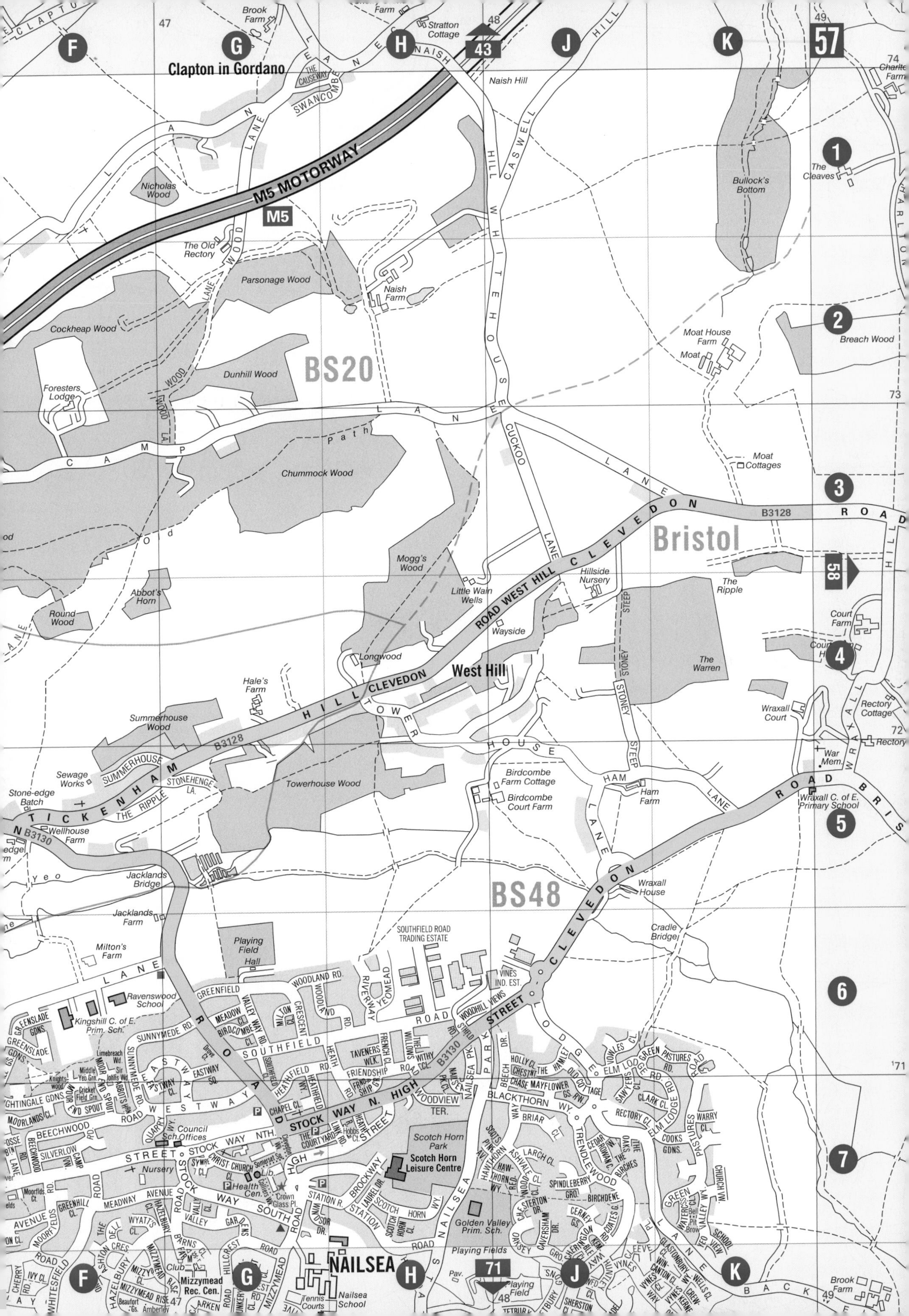
57
43
71
58
Clapton in Gordano
Brook Farm
Stratton Cottage
Naish Hill
M5 MOTORWAY
M5
Nicholas Wood
The Old Rectory
Parsonage Wood
Naish Farm
Cockheap Wood
Dunhill Wood
BS20
Foresters Lodge
CAMP LANE
Chummock Wood
Bullock's Bottom
The Cleaves
Charlton Farm
Moat House Farm
Moat
Breach Wood
Moat Cottages
B3128
Bristol
CLEVEDON ROAD
WEST HILL
CUCKOO LANE
CASWELL HILL
WHITEHOUSE LANE
Mogg's Wood
Little Wain Wells
Hillside Nursery
The Ripple
Court Farm
Abbot's Horn
Round Wood
Wayside
Longwood
Hale's Farm
West Hill
STONEY STEEP
The Warren
Wraxall Court
Rectory Cottage
Rectory
War Mem.
Summerhouse Wood
TICKENHAM HILL
TOWER HOUSE LANE
Sewage Works
SUMMERHOUSE
STONEHENGE LA.
THE RIPPLE
Towerhouse Wood
Birdcombe Farm Cottage
Birdcombe Court Farm
HAM LANE
Ham Farm
Wraxall C. of E. Primary School
Stone-edge Batch
Wellhouse Farm
B3130
Jacklands Bridge
Yeo
BS48
Wraxall House
Jacklands Farm
Cradle Bridge
Milton's Farm
Playing Field
Hall
SOUTHFIELD ROAD TRADING ESTATE
VINES IND. EST.
Ravenswood School
Kingshill C. of E. Prim. Sch.
GREENFIELD
WOODLAND RD.
YEOMEAD
RIVERWAY
SOUTHFIELD ROAD
HEATH RD.
LODGE LANE
PARK
NAILSEA PK.
STOCK WAY N.
HIGH STREET
WESTWAY
EASTWAY
Council Sch. Offices
Scotch Horn Park
Scotch Horn Leisure Centre
BLACKTHORN WY.
TRENDLEWOOD
Golden Valley Prim. Sch.
Playing Fields
NAILSEA
Nailsea School
Mizzymead Rec. Cen.
Club
Health Cen.
Lib.
Crown Glass Pl.
STATION ROAD
BROCKWAY
SILVER STREET
STOCK WAY SOUTH
MEADWAY AVENUE
BACK LANE
GREEN PASTURES
Brook Farm
Pav.
Tennis Courts
F G H J K
1 2 3 4 5 6 7
47 48 49
71 72 73 74

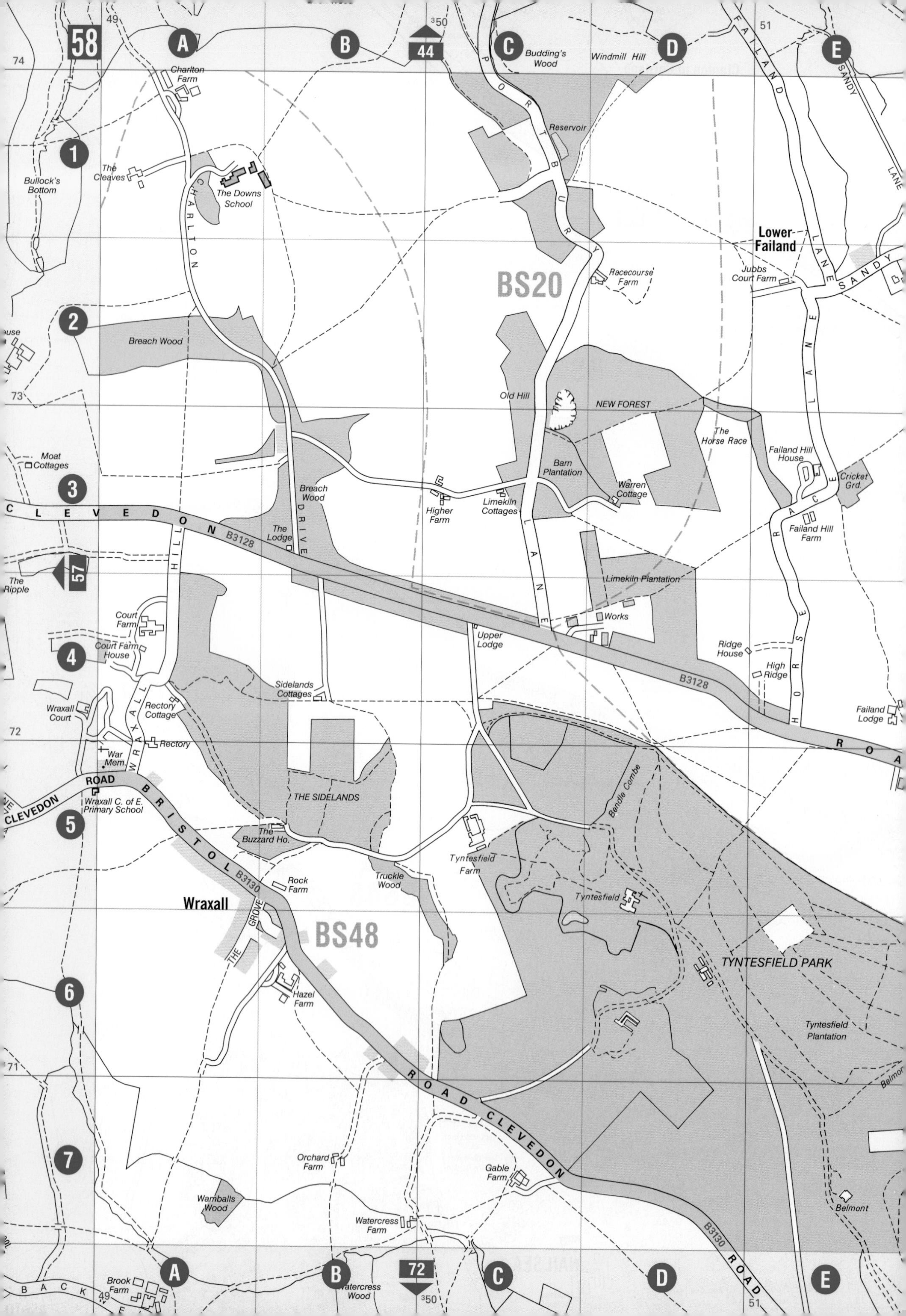
A
B
C
D
E
44
Charlton Farm
Budding's Wood
Windmill Hill
Bullock's Bottom
The Cleaves
The Downs School
CHARLTON
PORTBURY LANE
Reservoir
Lower Failand
Jubbs Court Farm
Racecourse Farm
BS20
FAILAND LANE
SANDY LANE
Breach Wood
Old Hill
NEW FOREST
The Horse Race
Moat Cottages
Barn Plantation
Failand Hill House
Cricket Grd.
Breach Wood
Higher Farm
Limekiln Cottages
Warren Cottage
Failand Hill Farm
CLEVEDON
B3128
The Lodge
DRIVE
HILL
57
The Ripple
Limekiln Plantation
Court Farm
Court Farm House
Works
Upper Lodge
Ridge House
High Ridge
HORSE RACE
Sidelands Cottages
Wraxall Court
Rectory Cottage
Rectory
Failand Lodge
War Mem.
WRAXALL
ROAD
THE SIDELANDS
Bendle Combe
CLEVEDON ROAD
Wraxall C. of E. Primary School
BRISTOL
The Buzzard Ho.
Tyntesfield Farm
Rock Farm
Truckle Wood
Tyntesfield
Wraxall
B3130
BS48
THE GROVE
TYNTESFIELD PARK
Hazel Farm
Tyntesfield Plantation
Belmont
ROAD CLEVEDON
Orchard Farm
Gable Farm
Wamballs Wood
Watercress Farm
Belmont
B3130 ROAD
Brook Farm
BACK
Watercress Wood
72
1
2
3
4
5
6
7
74
73
72
71
49
350
51

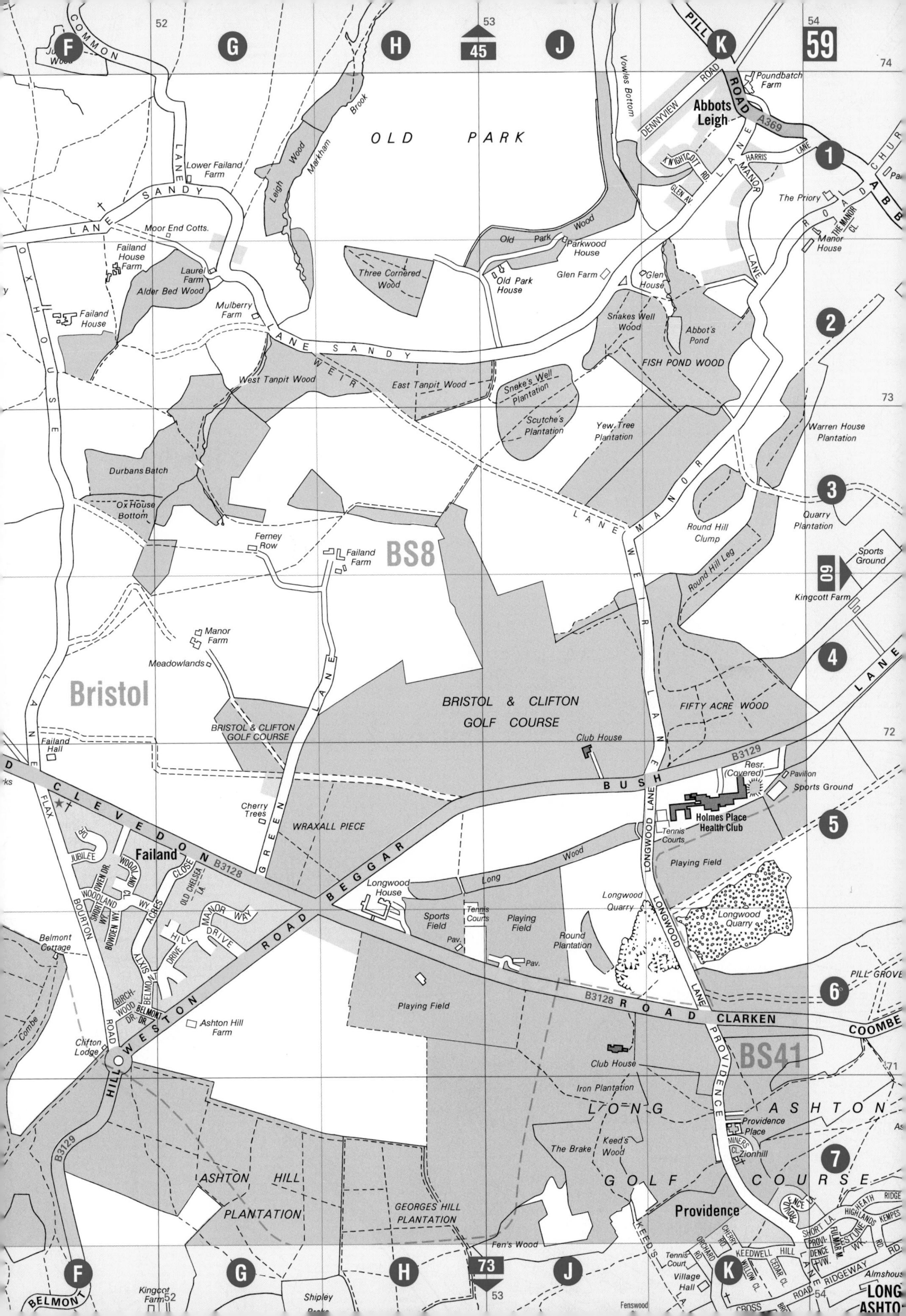
52
53
45
54
59
74
73
72
71
F
G
H
J
K
1
2
3
4
5
6
7
COMMON
PILL
ROAD
Vowles Bottom
DENNYVIEW
Poundbatch Farm
Abbots Leigh
A369
KNIGHTCOTT RD.
HARRIS
LANE
GLEN AV.
MANOR
The Priory
THE MANOR CL.
Manor House
ABB
OLD PARK
Leigh Wood
Markham Brook
LANE
Lower Failand Farm
SANDY
LANE
Moor End Cotts.
Failand House Farm
Laurel Farm
Alder Bed Wood
Mulberry Farm
Failand House
OX HOUSE LANE
Three Cornered Wood
Old Park Wood
Parkwood House
Old Park House
Glen Farm
Glen House
Snakes Well Wood
Abbot's Pond
FISH POND WOOD
LANE SANDY
WEIR
West Tanpit Wood
East Tanpit Wood
Snake's Well Plantation
Scutche's Plantation
Yew Tree Plantation
Warren House Plantation
Durbans Batch
Ox House Bottom
LANE
MANOR
Round Hill Clump
Quarry Plantation
Ferney Row
Failand Farm
BS8
Round Hill Leg
Sports Ground
60
Kingcott Farm
Manor Farm
Meadowlands
WEIR LANE
Bristol
BRISTOL & CLIFTON GOLF COURSE
FIFTY ACRE WOOD
LANE
Failand Hall
Club House
B3129
Resr. (Covered)
Pavilion
Sports Ground
BUSH
Holmes Place Health Club
Tennis Courts
LONGWOOD LANE
Playing Field
CLEVEDON
FLAX
Cherry Trees
WRAXALL PIECE
GREEN LANE
BEGGAR
Failand
B3128
JUBILEE
OWEN DR.
WOODLAND CL.
CLOSE
OLD CHELSEA LA.
WOODLAND WY.
SHORT WY.
BOWDEN WY.
ACRES
MANOR WAY
DRIVE
HILL
SIXTY
Long Wood
Longwood House
Sports Field
Tennis Courts
Playing Field
Pav.
Pav.
Round Plantation
Longwood Quarry
Longwood Quarry
LONGWOOD
Belmont Cottage
BOURTON
ROAD
WESTON
Playing Field
PILL GROVE
B3128
ROAD
CLARKEN
COOMBE
Combe
BIRCHWOOD DR.
BELMONT DR.
Ashton Hill Farm
Clifton Lodge
ROAD
HILL
PROVIDENCE
BS41
Club House
Iron Plantation
LONG ASHTON
Providence Place
MINERS CL.
Zionhill
The Brake
Keed's Wood
GOLF COURSE
B3129
ASHTON HILL
PLANTATION
GEORGES HILL PLANTATION
Providence
HEATH
RIDGE
HIGHLANDS
KEMPES
SHORT LA.
PROVIDENCE VW.
WESTUNE WK.
RD.
Fen's Wood
73
KEEDWELL HILL
CHERRY RD.
ORCHARD RD.
Tennis Court
Village Hall
WILLOW CL.
CEDAR CL.
RIDGEWAY
Almshouses
LONG ASHTON
KEEDS LA.
BELMONT
Kingcot Farm
Shipley
Fenswood
CROSS
ROAD

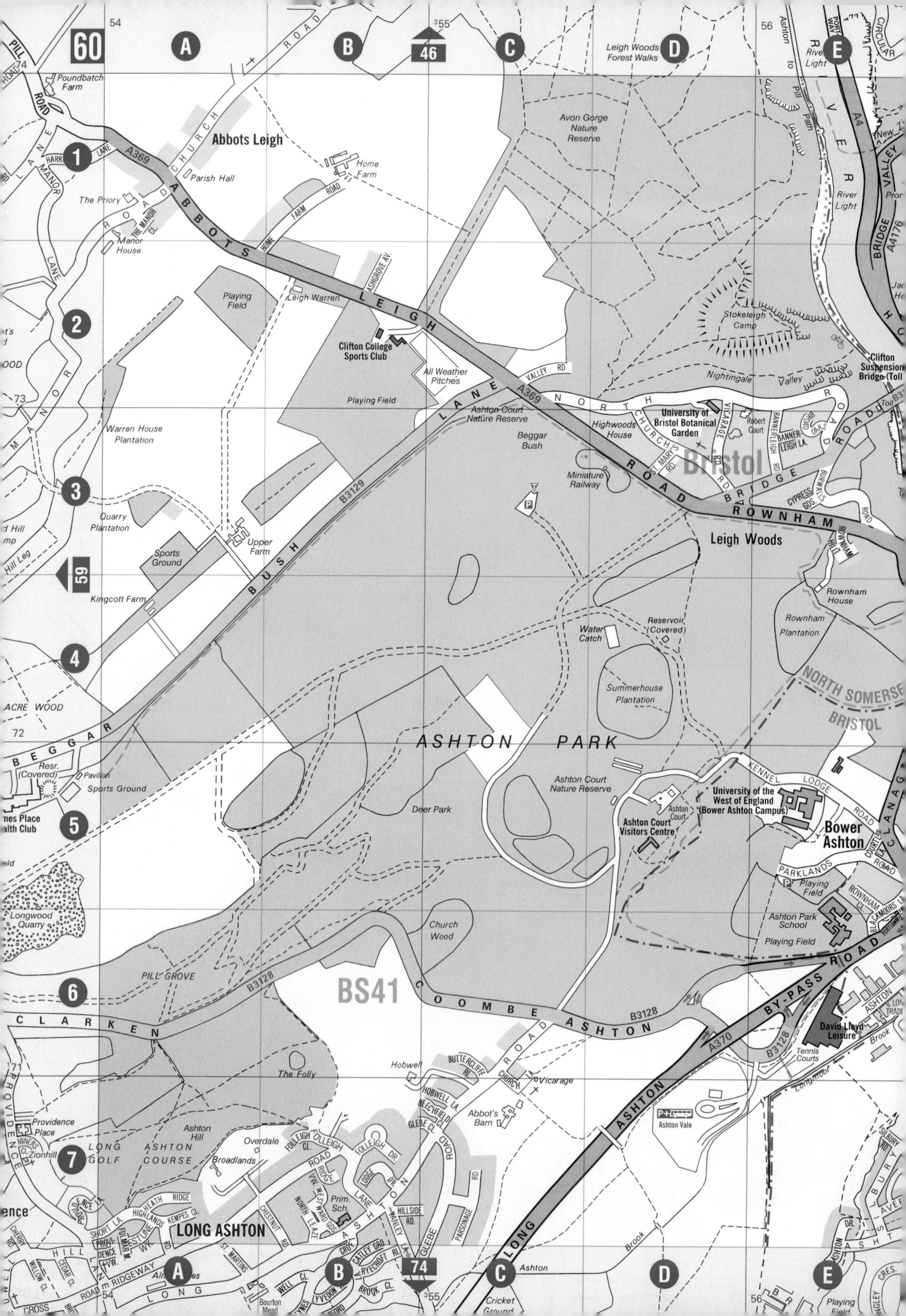
Abbots Leigh
Poundbatch Farm
Parish Hall
Home Farm
The Priory
Manor House
Playing Field
Leigh Warren
Clifton College Sports Club
All Weather Pitches
Playing Field
Warren House Plantation
Quarry Plantation
Upper Farm
Sports Ground
Kingcott Farm
Avon Gorge Nature Reserve
Leigh Woods Forest Walks
Stokeleigh Camp
Nightingale Valley
Clifton Suspension Bridge
University of Bristol Botanical Garden
Highwoods House
Robert Court
Beggar Bush
Ashton Court Nature Reserve
Miniature Railway
Bristol
Leigh Woods
Rownham House
Rownham Plantation
Water Catch
Reservoir (Covered)
Summerhouse Plantation
ASHTON PARK
Ashton Court Nature Reserve
NORTH SOMERSET
BRISTOL
University of the West of England (Bower Ashton Campus)
Bower Ashton
Ashton Court
Ashton Court Visitors Centre
Deer Park
Church Wood
Playing Field
Ashton Park School
Playing Field
Longwood Quarry
Resr. (Covered)
Pavilion
Sports Ground
BS41
David Lloyd Leisure
Tennis Courts
Hobwell
Vicarage
Abbot's Barn
The Folly
Ashton Hill
Overdale
Broadlands
LONG ASHTON GOLF COURSE
Providence Place
Zionhill
Prim. Sch.
LONG ASHTON
Ashton Vale
Ashton
Cricket Ground
Bourton Mead
ABBOTS LEIGH ROAD
CHURCH ROAD
MANOR LANE
HOME FARM ROAD
ASHGROVE AV.
VALLEY RD.
NORTH ROAD
BUSH LANE
BEGGAR BUSH LANE
ROWNHAM HILL
BRIDGE ROAD
VICARAGE RD.
ST. MARY'S RD.
CHURCH RD.
BANNERLEIGH RD.
BANNERLEIGH LA.
CYPRESS GDS.
BURWALLS ROAD
KENNEL LODGE ROAD
PARKLANDS
ROWNHAM CL.
COURTLANDS
ASHTON ROAD
COOMBE
ASHTON
CLARKEN COMBE
PILL GROVE
BY-PASS
LONG ASHTON
BUTTERCLIFFE RI.
HOBWELL LA.
BEECHFIELD
GLEBE CL.
GLEBE ROAD
FOLLEIGH CL.
FOLLEIGH DR.
LODGE DR.
PARSONAGE RD.
HILLSIDE RD.
WESTWARD GDS.
NORTH LEAZE
CHESTNUT RD.
SHORT LA.
HIGHLANDS
KEMPES CL.
HEATH RIDGE
RIDGEWAY
HILL LANE
CEDAR CL.
WILLOW CL.
CROSS
ST. MARTINS
WELL CL.
BROOK CL.
RYECROFT RI.
CATLEY GRO.
MANLEY LA.
PROVIDENCE
MINERS CL.
A369
B3129
B3128
A370
A4
A4176
Brook
Longmoor
River Light
RIVER
PORTWAY
BRIDGE VALLEY
A
B
C
D
E
1
2
3
4
5
6
7
46
59
74
54
355
56
71
72
73
74

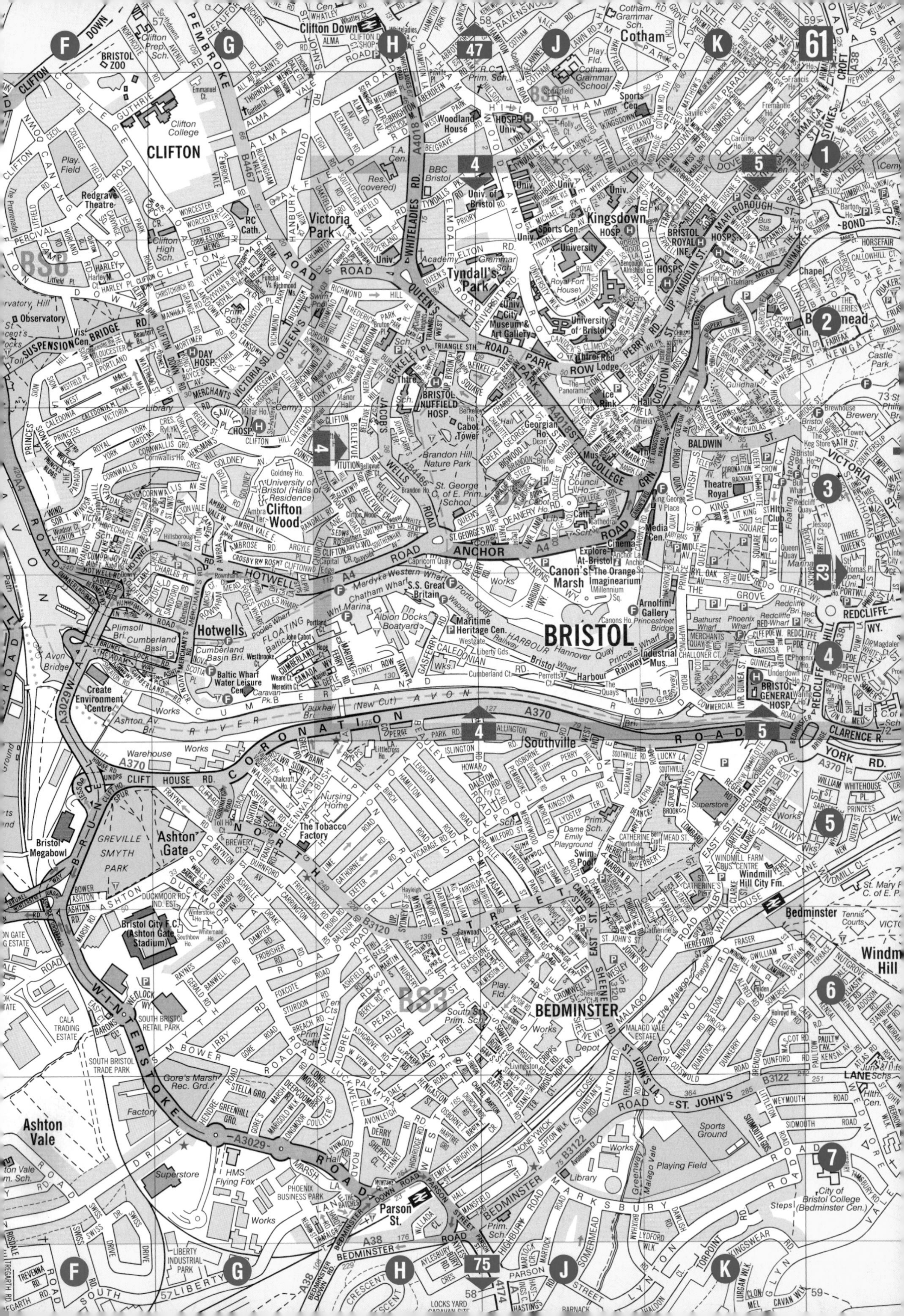

61
47
4
5
F
G
H
J
K
1
2
3
4
5
6
7
62
75
CLIFTON
Clifton Down
BRISTOL ZOO
Clifton Prep. Sch.
Clifton College
Cotham
Cotham Grammar Sch.
Cotham Grammar School
Play. Fld.
Play. Field
Redgrave Theatre
RC Cath.
Clifton High Sch.
BS8
Observatory
SUSPENSION BRIDGE
Vis. Cen.
Victoria Park
Res. (covered)
BBC Bristol
Woodland House
T.A. Cen.
Univ. of Bristol
Kingsdown
Sports Cen.
University
Royal Fort House
Tyndall's Park
City Museum & Art Gallery
University of Bristol
BRISTOL ROYAL INF.
Bus Sta.
Broadmead
Castle Park
BRISTOL NUFFIELD HOSP.
Cabot Tower
Brandon Hill Nature Park
St. George C. of E. Prim. School
Georgian Ho.
The Council Ho.
Cath.
Ice Rink
The Panoramic
Baldwin St.
Theatre Royal
Brewery
Victoria St.
Queen Square
Redcliffe Quay
Redcliffe Wharf
Arnolfini Gallery
Explore-At-Bristol
The Orange Imaginearium
Millennium Sq.
Canon's Marsh
Media Cen.
Cinema
Clifton Wood
University of Bristol (Halls of Residence)
HOTWELL RD.
Hotwells
Cumberland Basin
Plimsoll Bri.
Avon Bridge
Baltic Wharf Water Leisure Cen.
S.S. Great Britain
Albion Docks Boatyard
Maritime Heritage Cen.
BRISTOL
Hannover Quay
Prince's Wharf
Industrial Mus.
FLOATING HARBOUR
BRISTOL GENERAL HOSP.
REDCLIFFE HILL
Create Environment Centre
CUMBERLAND RD.
RIVER AVON
(New Cut)
A370
A4
A38
A4018
A3029
B3120
B3122
CORONATION ROAD
Southville
CLARENCE R.
YORK RD.
Bristol Megabowl
GREVILLE SMYTH PARK
Ashton Gate
The Tobacco Factory
Nursing Home
Superstore
Bristol City F.C. (Ashton Gate Stadium)
SOUTH BRISTOL RETAIL PARK
CALA TRADING ESTATE
SOUTH BRISTOL TRADE PARK
Gore's Marsh Rec. Grd.
Factory
Ashton Vale
BS3
BEDMINSTER
Windmill Hill City Fm.
WINDMILL FARM BUS. CENTRE
Bedminster
Windmill Hill
Malago Vale Estate
Sports Ground
Playing Field
Library
City of Bristol College (Bedminster Cen.)
HMS Flying Fox
PHOENIX BUSINESS PARK
LIBERTY INDUSTRIAL PARK
Parson St.
WINTERSTOKE ROAD
ST. JOHN'S ROAD
MARKSBURY ROAD
BEDMINSTER DOWN ROAD
LOCKS YARD CARAVAN SITE

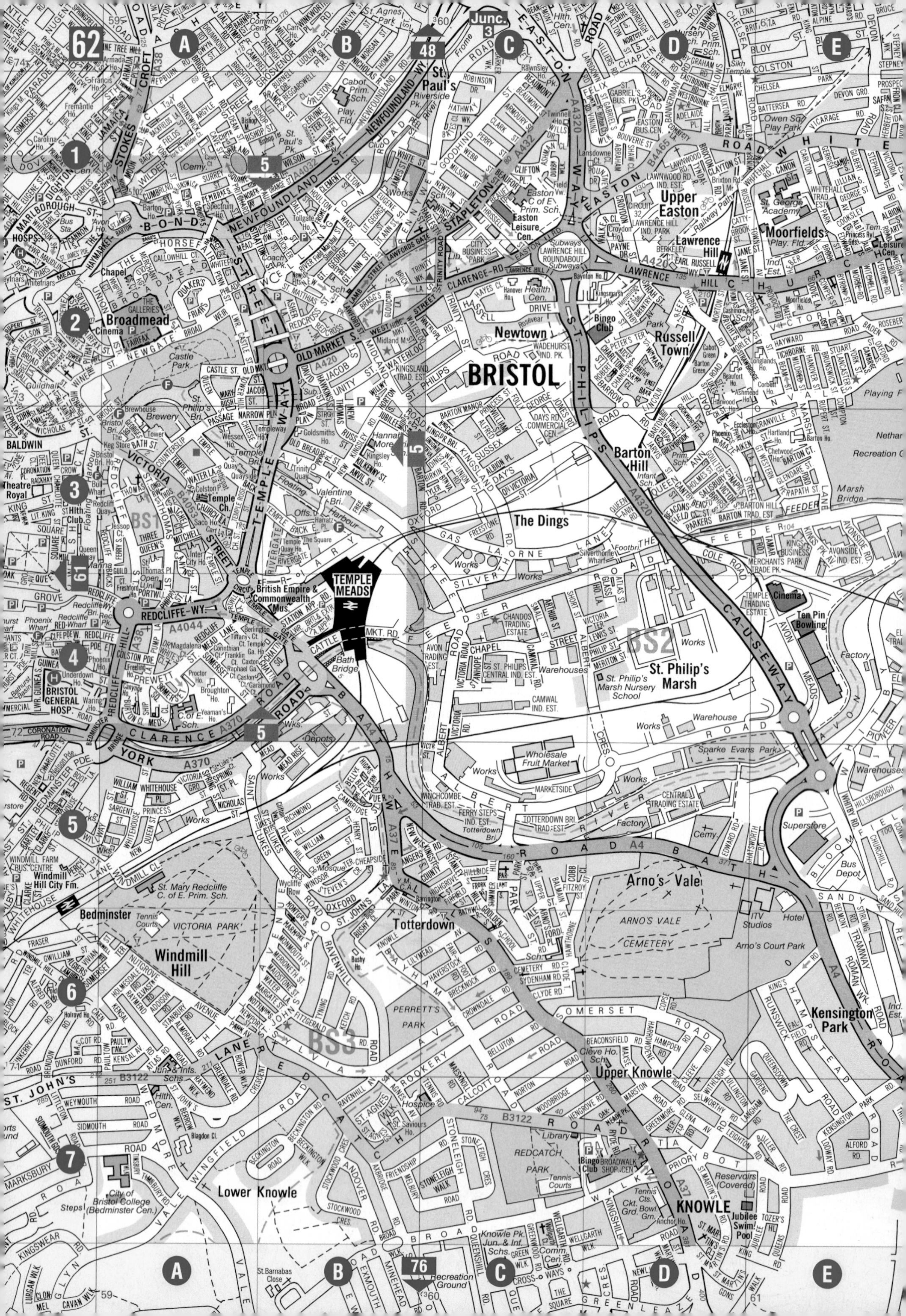
62
48
Junc. 3
5
61
76
A
B
C
D
E
1
2
3
4
5
6
7
BRISTOL
Broadmead
THE GALLERIES
Castle Park
St. Paul's
Upper Easton
Moorfields
Lawrence Hill
Newtown
Russell Town
Barton Hill
The Dings
TEMPLE MEADS
British Empire & Commonwealth Mus.
St. Philip's Marsh
Wholesale Fruit Market
Arno's Vale
ARNO'S VALE CEMETERY
Arno's Court Park
ITV Studios
Totterdown
Windmill Hill
VICTORIA PARK
Bedminster
Lower Knowle
Upper Knowle
KNOWLE
REDCATCH PARK
PERRETT'S PARK
Kensington Park
BS1
BS2
BS3
Temple Ch.
Theatre Royal
BRISTOL GENERAL HOSP.
Windmill Hill City Fm.
St. Mary Redcliffe C. of E. Prim. Sch.
City of Bristol College (Bedminster Cen.)
Cinema
Ten Pin Bowling
Superstore
Bus Depot
Hotel
Jubilee Swim. Pool
Easton Leisure Cen.
St. George Academy
Bingo Club
NEWFOUNDLAND WY.
TEMPLE WAY
BOND ST.
VICTORIA ST.
REDCLIFFE WY.
CLARENCE ROAD
YORK RD.
BATH ROAD
WELLS ROAD
ST. PHILIPS CAUSEWAY
EASTON WAY
LAWRENCE HILL
CHURCH RD.
OLD MARKET ST.
WEST ST.
FEEDER RD.
ALBERT RD.
SYLVIA AVE.
REDCATCH RD.
WEDMORE VALE
ST. JOHN'S LANE
BROAD WALK
SOMERSET RD.
A4
A37
A38
A370
A420
A432
A4044
A4320
B3122
B4465

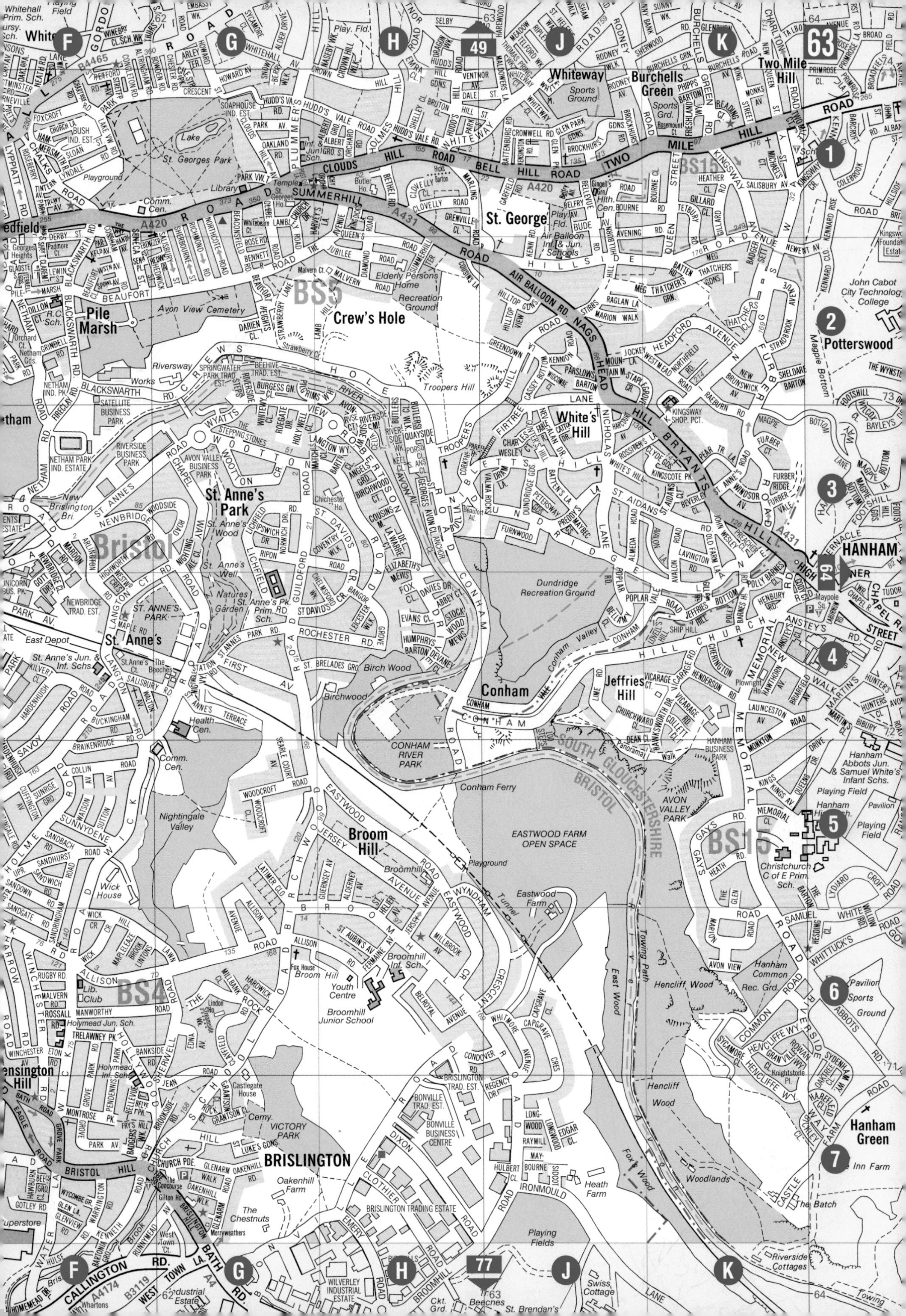
63
F
G
H
J
K
49
64
77
1
2
3
4
5
6
7
Whiteway
Burchells Green
Two Mile Hill
TWO MILE HILL ROAD
CLOUDS HILL ROAD
BELL HILL ROAD
A420
A431
BS15
BS5
BS4
St. George
St. Georges Park
Lake
Summerhill
Pile Marsh
Avon View Cemetery
Crew's Hole
Troopers Hill
White's Hill
Potterswood
Magpie Bottom
John Cabot City Technology College
HANHAM
HIGH STREET
CHAPEL STREET
Maypole Sq.
KINGSWAY SHOP. PCT.
NAGS HEAD HILL
BRYANTS HILL
AIR BALLOON RD.
Air Balloon Inf. & Jun. Schools
St. Anne's Park
St. Anne's Wood
St. Anne's Well
Natures Garden
St. Anne's Pk. Prim. Sch.
St. Anne's
East Depot
Bristol
NETHAM PARK IND. ESTATE
SATELLITE BUSINESS PARK
RIVERSIDE BUSINESS PARK
AVON VALLEY BUSINESS PARK
NEWBRIDGE TRAD. EST.
Dundridge Recreation Ground
Conham
Conham Valley
Conham Ferry
CONHAM RIVER PARK
Jeffries Hill
HANHAM BUSINESS PARK
AVON VALLEY PARK
SOUTH GLOUCESTERSHIRE
BRISTOL
EASTWOOD FARM OPEN SPACE
Eastwood Farm
Broom Hill
Broomhill Inf. Sch.
Broomhill Junior School
Youth Centre
Nightingale Valley
Wick House
Hanham Common Rec. Grd.
Hencliff Wood
East Wood
Towing Path
Woodlands
Riverside Cottages
The Batch
Hanham Green
Inn Farm
Pavilion
Sports Ground
Playing Field
Christchurch C of E Prim. Sch.
Hanham Abbots Jun. & Samuel White's Infant Schs.
VICTORY PARK
BRISLINGTON
Oakenhill Farm
The Chestnuts
BRISLINGTON TRADING ESTATE
BRISLINGTON TRAD. EST.
BONVILLE TRAD. EST.
BONVILLE BUSINESS CENTRE
Heath Farm
Playing Fields
WILVERLEY INDUSTRIAL ESTATE
Swiss Cottage
Brislington Hill
BRISTOL HILL
CALLINGTON RD.
A4174
B3119
A4
BATH RD.
WEST TOWN LA.
Industrial Estate
Kensington Hill
Holymead Jun. Sch.
Castlegate House
Cemy.
Recreation Ground
Elderly Persons Home
Strawberry Ct.
Riversway
Works

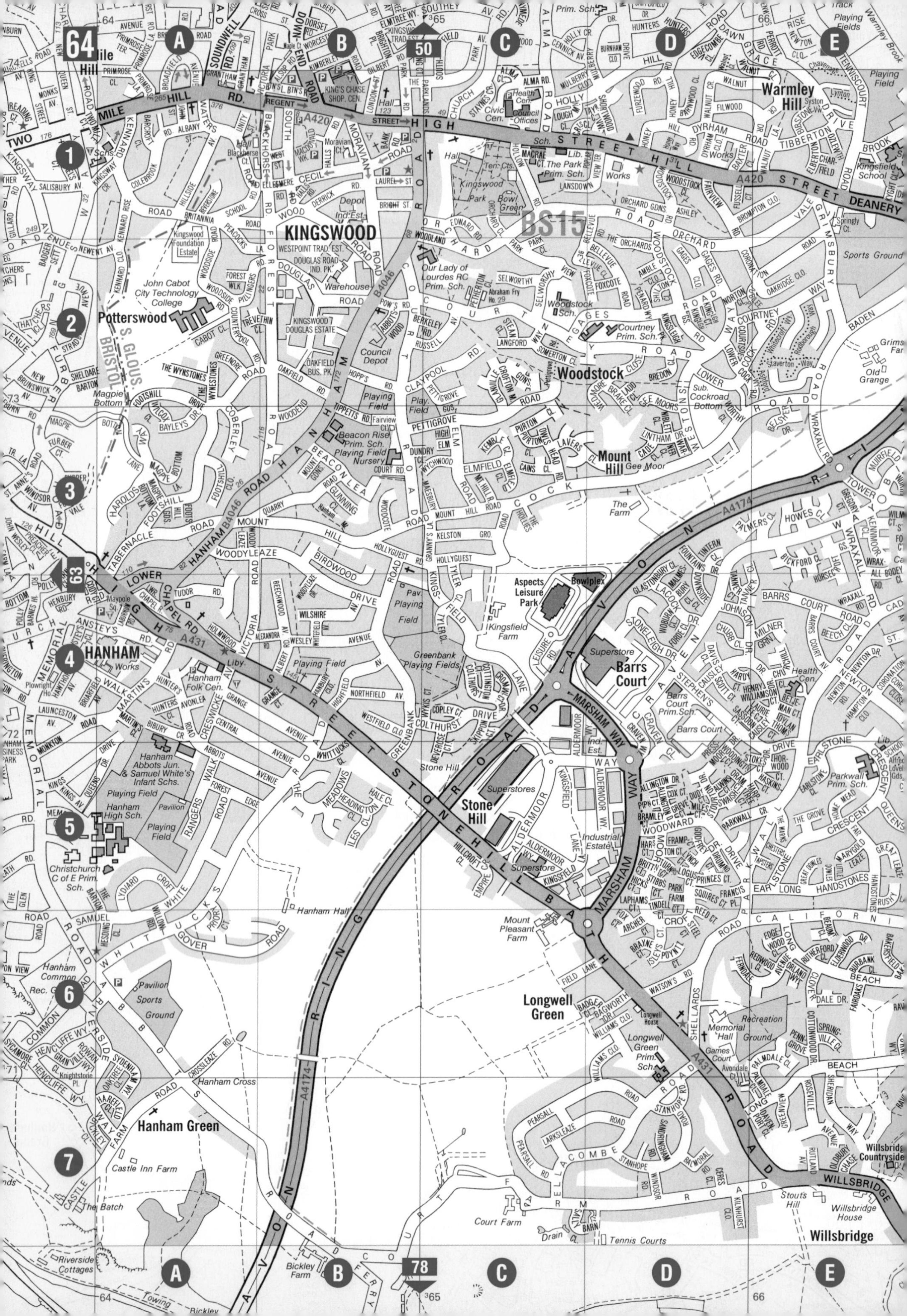
64
A
B
C
D
E
50
78
63
1
2
3
4
5
6
7
Mile Hill
Kingswood
Warmley Hill
BS15
Potterswood
Woodstock
Mount Hill
Gee Moor
Hanham
Barrs Court
Stone Hill
Longwell Green
Hanham Green
Willsbridge
Kingswood Foundation Estate
John Cabot City Technology College
Westpoint Trad. Est.
Douglas Road Ind. Pk.
Kingswood Douglas Estate
Oakfield Bus. Pk.
King's Chase Shop. Cen.
Our Lady of Lourdes RC Prim. Sch.
Woodstock Sch.
Courtney Prim. Sch.
Beacon Rise Prim. Sch.
Aspects Leisure Park
Bowlplex
Kingsfield Farm
Superstore
Superstores
Industrial Estate
Barrs Court Prim. Sch.
Parkwall Prim. Sch.
Hanham Abbots Jun. & Samuel White's Infant Schs.
Hanham High Sch.
Christchurch C of E Prim. Sch.
Hanham Folk Cen.
Greenbank Playing Fields
Hanham Hall
Mount Pleasant Farm
Longwell Green Prim. Sch.
Memorial Hall
Recreation Ground
Pavilion Sports Ground
Hanham Common
Hanham Cross
Castle Inn Farm
The Batch
Riverside Cottages
Bickley Farm
Court Farm
Stouts Hill
Willsbridge House
Willsbridge Countryside
Kingsfield School
Sports Ground
Old Grange
The Farm
S. GLOUS.
BRISTOL
HIGH STREET
REGENT STREET
DEANERY ROAD
A420
A4174
A431
B4046
AVON RING ROAD
HANHAM ROAD
STONEHILL
BATH ROAD
MARSHAM WAY
COURT ROAD
CHURCH ROAD
CHARD ROAD
ORCHARD ROAD
COURTNEY ROAD
LOWER COCK ROAD
MOUNT HILL ROAD
CRAVEN WAY
CALIFORNIA ROAD
WILLSBRIDGE
FARM ROAD
ALDERMOOR WAY
FIELD LANE
ABBOTS ROAD
MEMORIAL ROAD
COMMON ROAD
SAMUEL WHITE ROAD
CROSSLEAZE RD.
SOUNDWELL RD.
DOWNEND ROAD
65
66

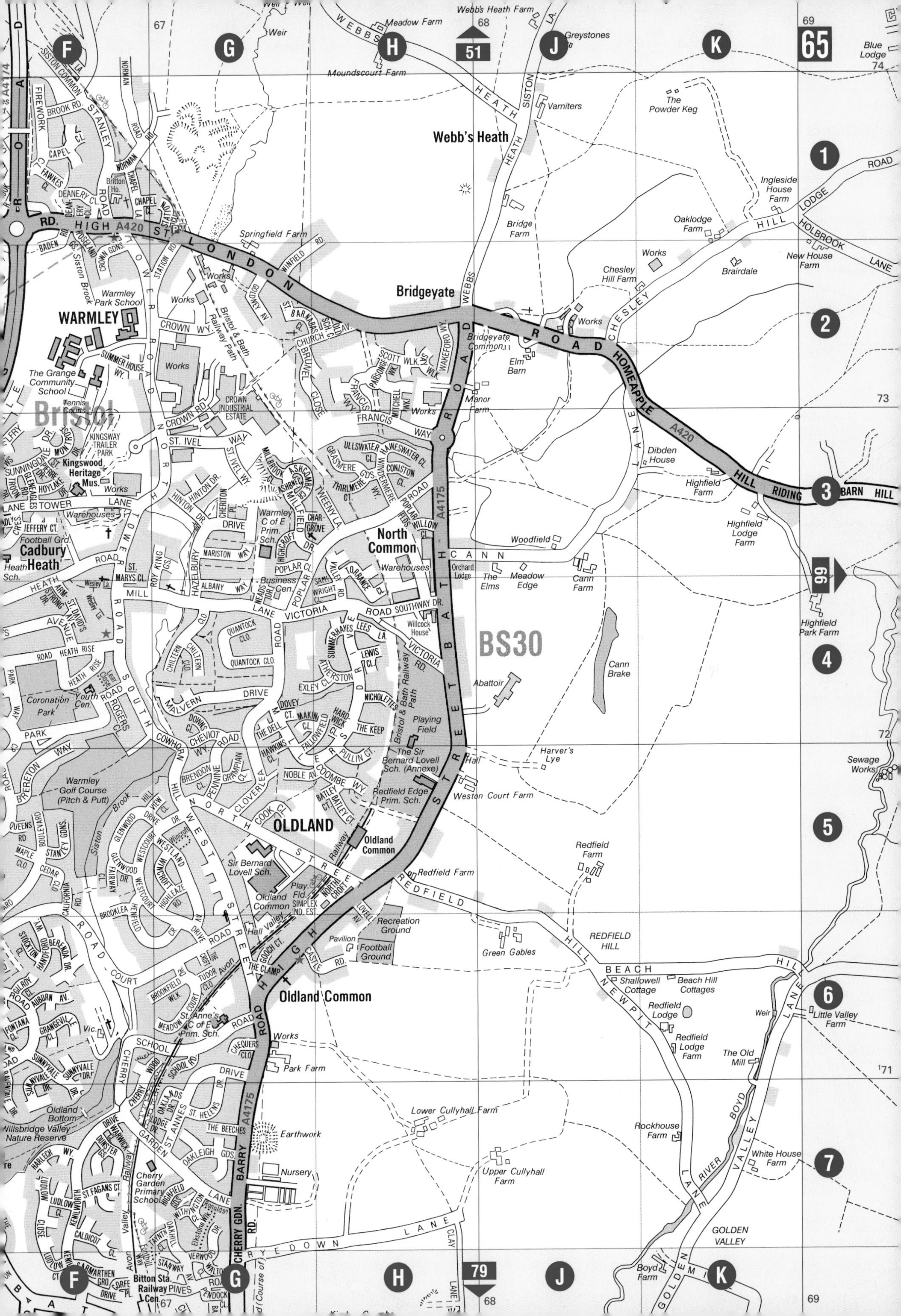

65
51
79
66
F
G
H
J
K
1
2
3
4
5
6
7
67
68
69
74
73
72
71
Webb's Heath Farm
Meadow Farm
Moundscourt Farm
Greystones
Weir
Blue Lodge
Varniters
The Powder Keg
Webb's Heath
Ingleside House Farm
Oaklodge Farm
Bridge Farm
Springfield Farm
New House Farm
Brairdale
Works
Chesley Hill Farm
Bridgeyate
Bridgeyate Common
Elm Barn
Manor Farm
WARMLEY
Warmley Park School
The Grange Community School
Bristol
Tennis Courts
Kingsway Trailer Park
Kingswood Heritage Mus.
Crown Industrial Estate
Bristol & Bath Railway Path
Dibden House
Highfield Farm
Highfield Lodge Farm
Highfield Park Farm
North Common
Warmley C of E Prim. Sch.
Business Cen.
Warehouses
Woodfield
Orchard Lodge
The Elms
Meadow Edge
Cann Farm
Willcock House
BS30
Cann Brake
Abattoir
Cadbury Heath
Heath Sch.
Football Grd.
Coronation Park
Youth Cen.
Warmley Golf Course (Pitch & Putt)
Playing Field
The Sir Bernard Lovell Sch. (Annexe)
Redfield Edge Prim. Sch.
Weston Court Farm
Harver's Lye
Sewage Works
OLDLAND
Oldland Common
Sir Bernard Lovell Sch.
Play. Fld.
Simplex Ind. Est.
Redfield Farm
Recreation Ground
Pavilion
Football Ground
Green Gables
REDFIELD HILL
Shallowell Cottage
Beach Hill Cottages
Redfield Lodge
Redfield Lodge Farm
Little Valley Farm
Weir
The Old Mill
St. Anne's C of E Prim. Sch.
Works
Park Farm
Oldland Bottom
Willsbridge Valley Nature Reserve
Lower Cullyhall Farm
Earthwork
Nursery
Upper Cullyhall Farm
Rockhouse Farm
White House Farm
Cherry Garden Primary School
GOLDEN VALLEY
Boyd Farm
Bitton Sta. Railway Cen.
A4174
A420
A4175
LONDON ROAD
HIGH ST.
HOMEAPPLE HILL
RIDING BARN HILL
HOLBROOK LANE
LODGE ROAD
CHESLEY HILL
WEBBS HEATH
SISTON LA.
BATH ROAD
NORTH ST.
TOWER ROAD NORTH
TOWER LANE
VICTORIA ROAD
CANN LANE
WEST STREET
REDFIELD ROAD
BEACH HILL
NEWPIT LANE
BOYD VALLEY LANE
RYEDOWN LANE
CLAY LANE
GOLDEN MILE
HIGH ST.
BARRY RD.
CHERRY GDN.
SCHOOL RD.
COURT ROAD
MILL LANE
HEATH ROAD
MALVERN DRIVE
CROWN WY.
ST. IVEL WAY
FRANCIS WAY
POPLAR RD.
CHERITON DRIVE

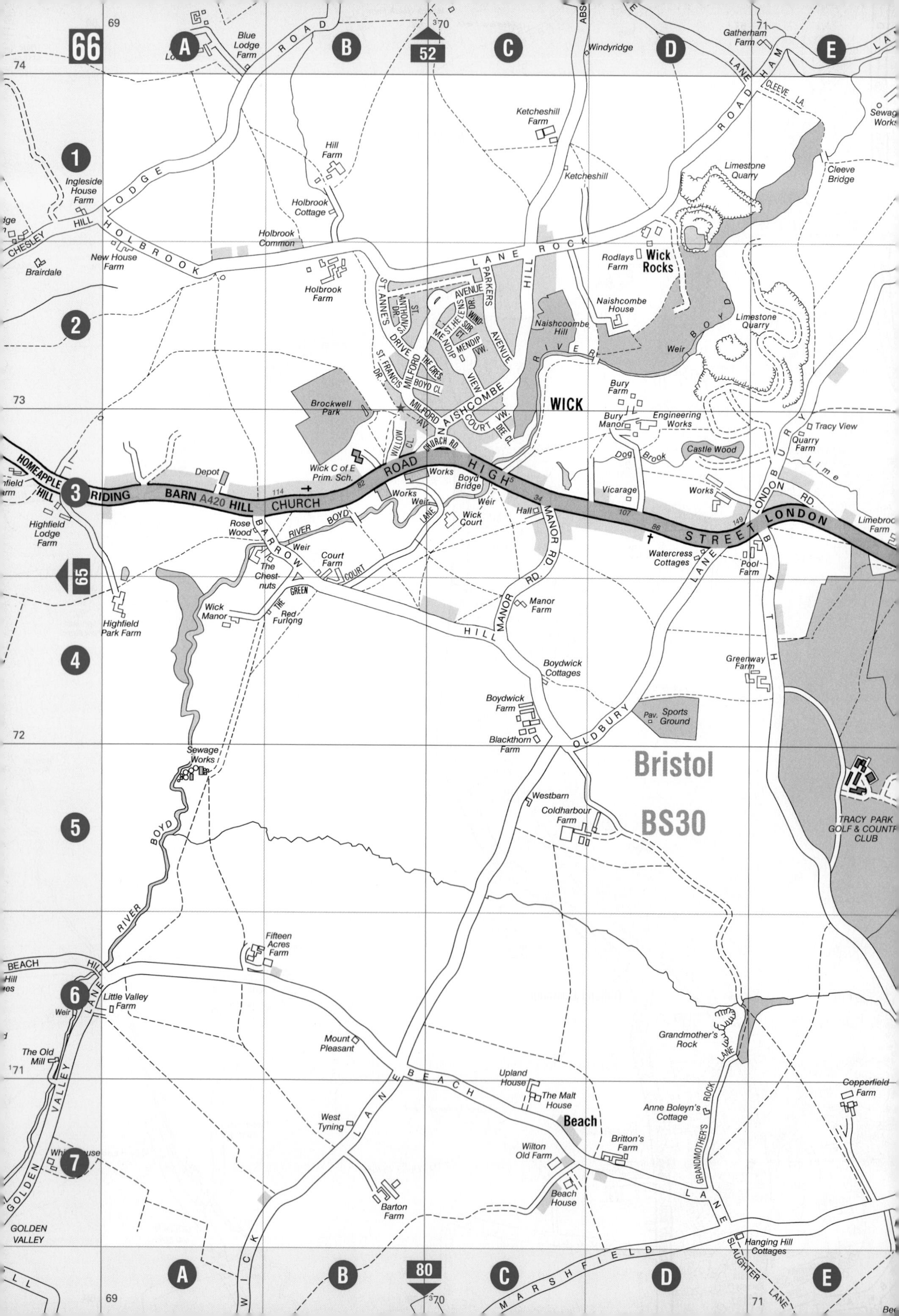

A
B
C
D
E
52
Blue Lodge Farm
Windyridge
Gatherham Farm
Ketcheshill Farm
Hill Farm
Ketcheshill
Limestone Quarry
Cleeve Bridge
Ingleside House Farm
Holbrook Cottage
Holbrook Common
New House Farm
Brairdale
Rodlays Farm
Wick Rocks
Holbrook Farm
Naishcombe House
Naishcoombe Hill
Limestone Quarry
Weir
Brockwell Park
WICK
Bury Farm
Bury Manor
Engineering Works
Tracy View
Quarry Farm
Castle Wood
Depot
Wick C of E Prim. Sch.
Works
Boyd Bridge
Vicarage
Works
Works
Weir
Weir
Wick Court
Hall
Rose Wood
Weir
The Chest-nuts
Court Farm
Watercress Cottages
Pool Farm
Limebrook Farm
Highfield Lodge Farm
Wick Manor
Red Furlong
Manor Farm
Highfield Park Farm
Boydwick Cottages
Greenway Farm
Boydwick Farm
Sports Ground
Pav.
Blackthorn Farm
Sewage Works
Bristol
BS30
Westbarn
Coldharbour Farm
TRACY PARK GOLF & COUNTRY CLUB
Fifteen Acres Farm
Little Valley Farm
Weir
Mount Pleasant
Grandmother's Rock
The Old Mill
Upland House
The Malt House
Copperfield Farm
West Tyning
Beach
Anne Boleyn's Cottage
Britton's Farm
Wilton Old Farm
Beach House
Barton Farm
GOLDEN VALLEY
Hanging Hill Cottages
80
65

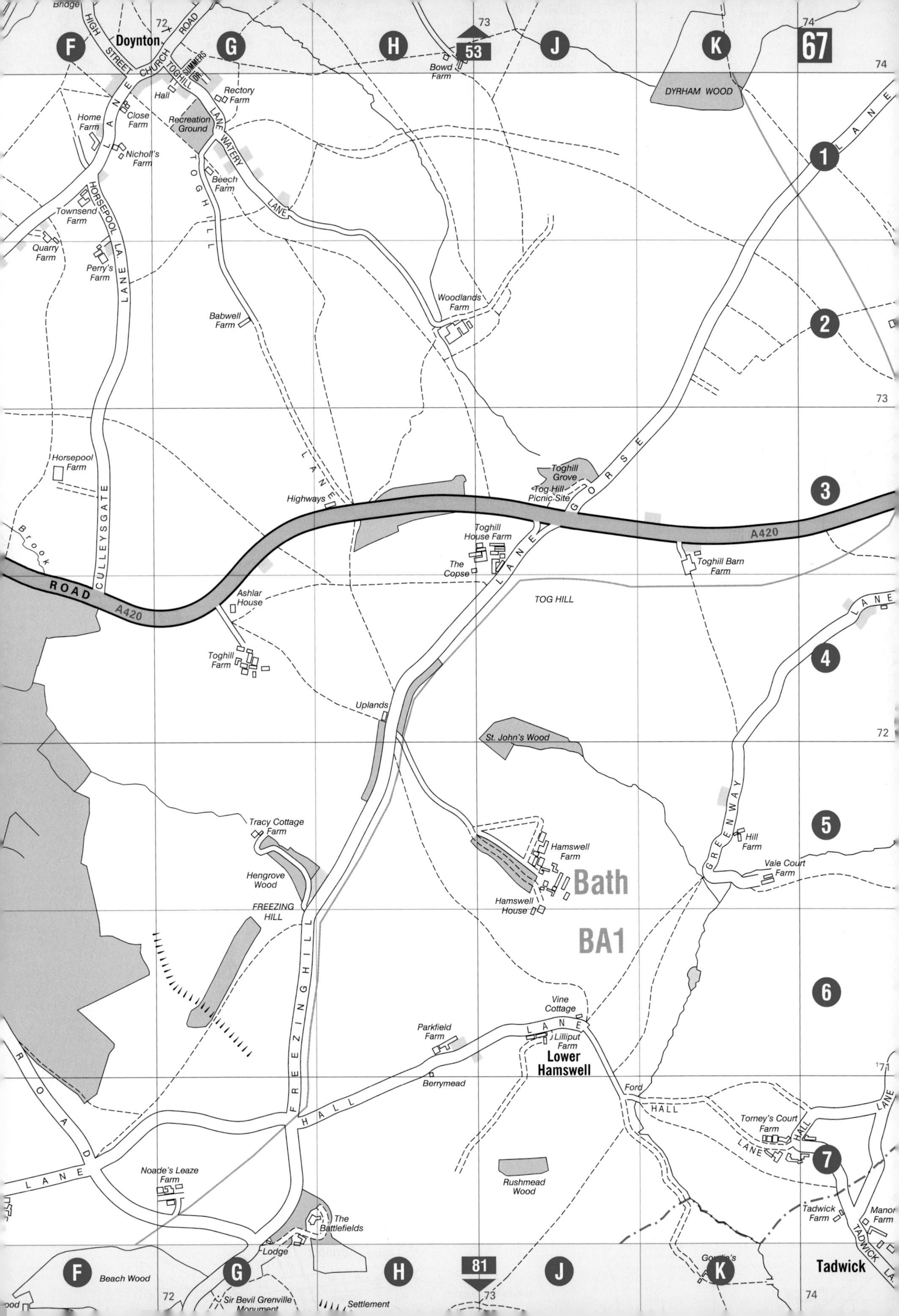

67
Doynton
Dyrham Wood
Recreation Ground
Rectory Farm
Close Farm
Home Farm
Nicholl's Farm
Beech Farm
Townsend Farm
Quarry Farm
Perry's Farm
Bowd Farm
Woodlands Farm
Babwell Farm
Horsepool Farm
Highways
Toghill Grove
Tog Hill Picnic Site
Toghill House Farm
The Copse
Toghill Barn Farm
Tog Hill
Ashlar House
Toghill Farm
Uplands
St. John's Wood
Tracy Cottage Farm
Hengrove Wood
Freezing Hill
Hamswell Farm
Hamswell House
Bath
BA1
Hill Farm
Vale Court Farm
Vine Cottage
Parkfield Farm
Lilliput Farm
Lower Hamswell
Berrymead
Ford
Torney's Court Farm
Noade's Leaze Farm
Rushmead Wood
The Battlefields
Lodge
Tadwick Farm
Manor Farm
Tadwick
Beach Wood
Sir Bevil Grenville Monument
Settlement
A420
53
81

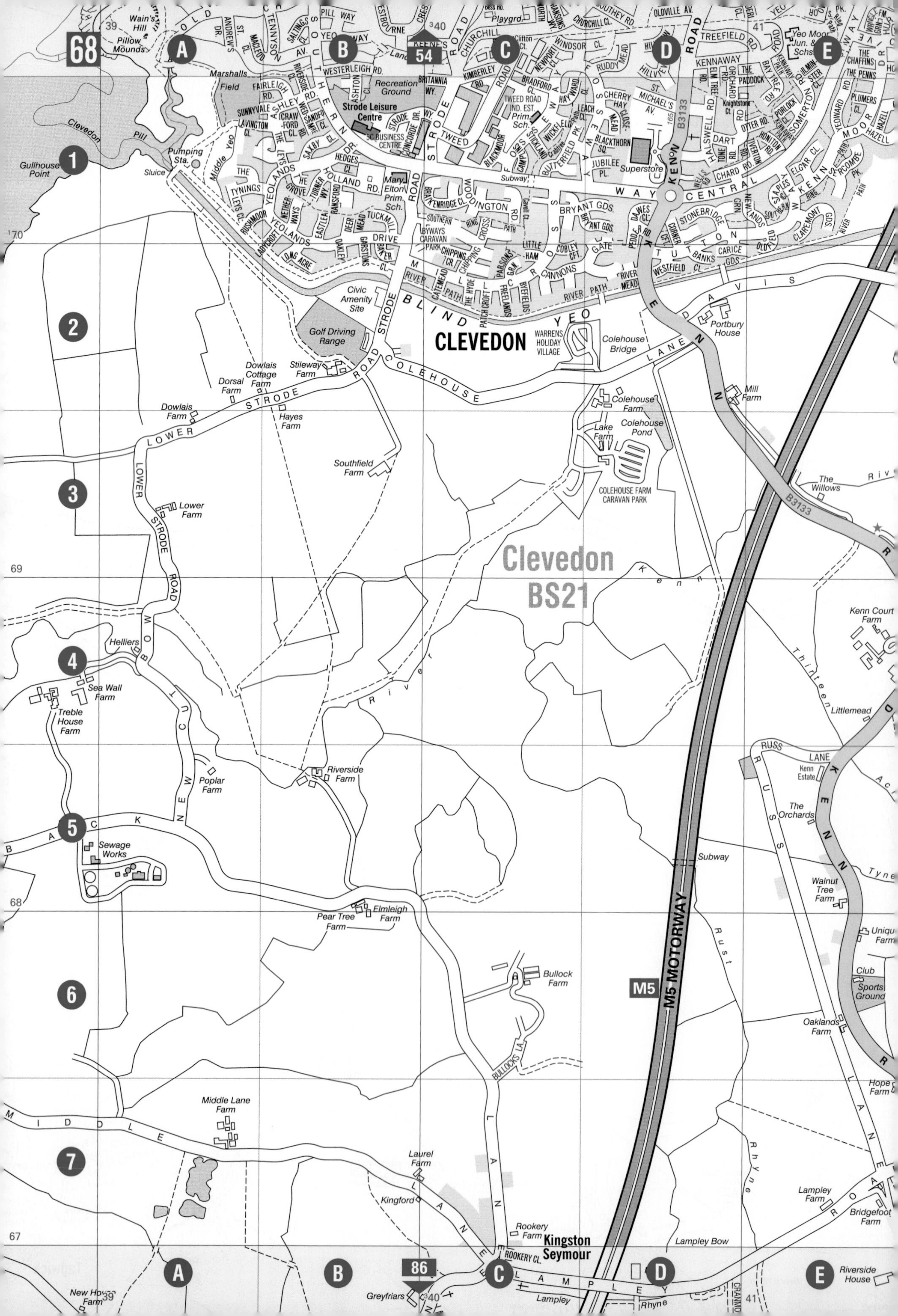

68
54
86
A
B
C
D
E
1
2
3
4
5
6
7
39
340
41
170
69
68
67
CLEVEDON
Clevedon
BS21
Wain's Hill
Pillow Mounds
Marshalls Field
Clevedon Pill
Gullhouse Point
Pumping Sta.
Sluice
Middle Yeo
Recreation Ground
Strode Leisure Centre
5C BUSINESS CENTRE
Mary Elton Prim. Sch.
Tweed Road Ind. Est.
Prim. Sch.
Superstore
Subway
Byways Caravan Park
Civic Amenity Site
Golf Driving Range
Warrens Holiday Village
Colehouse Bridge
Portbury House
Stileway Farm
Dowlais Cottage Farm
Dorsal Farm
Dowlais Farm
Hayes Farm
Mill Farm
Colehouse Farm
Lake Farm
Colehouse Pond
Colehouse Farm Caravan Park
Southfield Farm
Lower Farm
The Willows
B3133
Kenn Court Farm
Helliers
Sea Wall Farm
Treble House Farm
Littlemead
Riverside Farm
Poplar Farm
Kenn Estate
The Orchards
Sewage Works
Subway
Walnut Tree Farm
Elmleigh Farm
Pear Tree Farm
Bullock Farm
M5
M5 MOTORWAY
Club
Sports Ground
Oaklands Farm
Hope Farm
Middle Lane Farm
Laurel Farm
Kingford
Rookery Farm
Kingston Seymour
Rookery Cl.
Lampley Farm
Bridgefoot Farm
Lampley Bow
Riverside House
Greyfriars
New House Farm
Lampley Rhyne
Lower Strode Road
Strode Road
Colehouse Lane
Blind Yeo
New Cut
Bow
Back Lane
Middle Lane
Lane
Lampley Road
Russ Lane
Kenn Road
Kenn
River Kenn
Thirteen
Rust
Rhyne
Davis
Southern Way
Central Way
Tutton Way
River Path
Kenn Road
Old Street
Yeolands Dr.
Chippering Cr.
Cannons Gate
Westfield Cl.
Stonebridge
Yeo Moor Jun. & Schs.

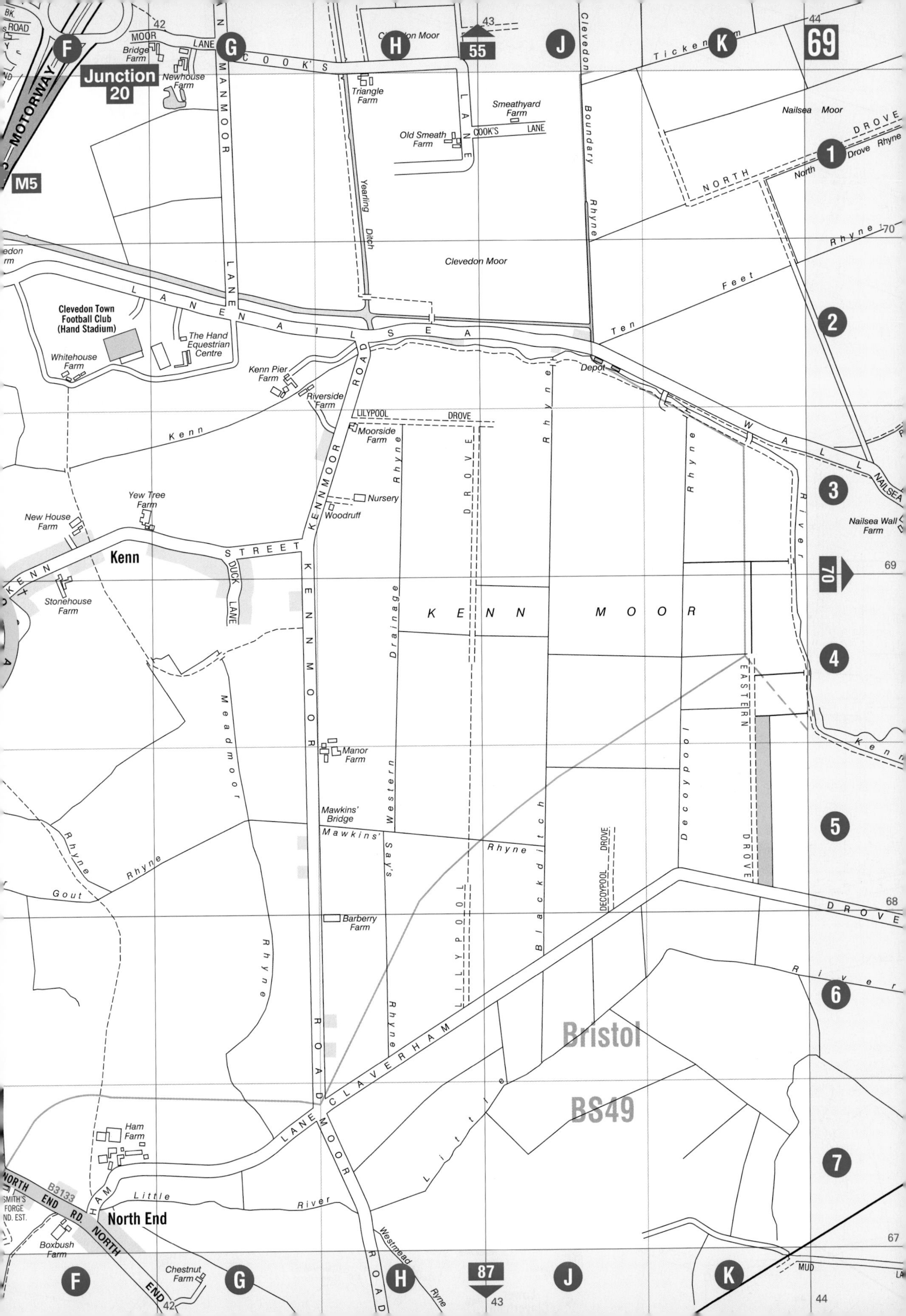

69
55
70
87
Junction 20
M5
MOTORWAY
MOOR LANE
Bridge Farm
Newhouse Farm
COOK'S LANE
MANMOOR LANE
Clevedon Moor
Triangle Farm
Smeathyard Farm
Old Smeath Farm
Yearling Ditch
Clevedon Boundary Rhyne
Tickenham
Nailsea Moor
NORTH DROVE
North Drove Rhyne
Ten Feet Rhyne
Clevedon Town Football Club (Hand Stadium)
The Hand Equestrian Centre
Whitehouse Farm
NAILSEA WALL
Kenn Pier Farm
Riverside Farm
Depot
LILYPOOL DROVE
Moorside Farm
Nursery
Woodruff
Kenn
Yew Tree Farm
New House Farm
STREET
DUCK LANE
Stonehouse Farm
KENNMOOR ROAD
KENN MOOR
Drainage Rhyne
River Kenn
Nailsea Wall Farm
EASTERN DROVE
Meadmoor Rhyne
Manor Farm
Decoypool
Mawkins' Bridge
Mawkins' Rhyne
Western Say's Rhyne
Blackditch
DECOYPOOL DROVE
LILYPOOL DROVE
Gout Rhyne
Barberry Farm
DROVE
River
Bristol
BS49
CLAVERHAM LANE
MOOR ROAD
Little River
Ham Farm
HAM
NORTH END RD.
B3133
SMITH'S FORGE IND. EST.
North End
Boxbush Farm
Chestnut Farm
Westmead Ryne
MUD
42
43
44
67
68

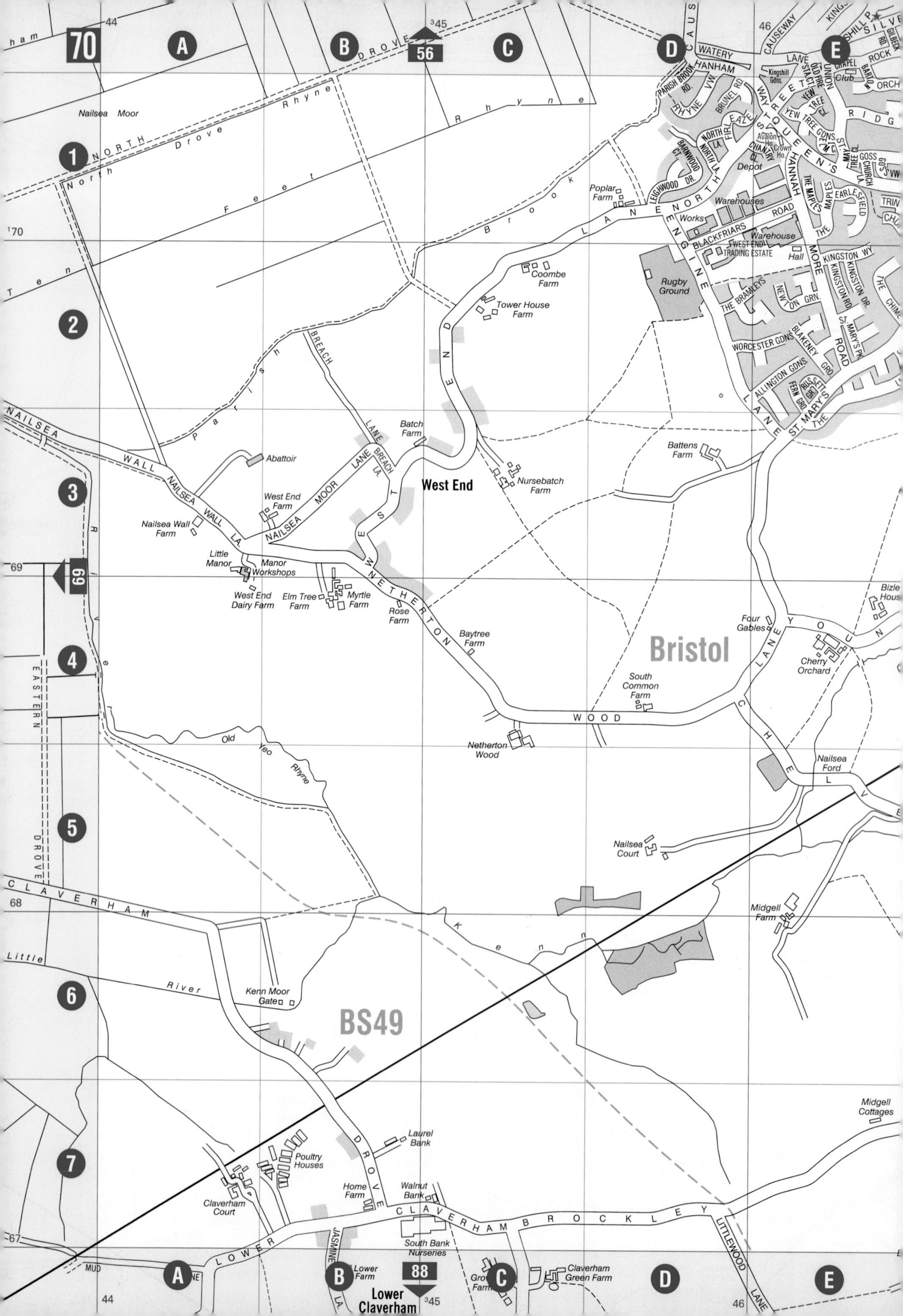
70
A
B
C
D
E
56
1
2
3
4
5
6
7
69
88
Nailsea Moor
North Drove Rhyne
North Drove
Ten Feet Rhyne
Parish Brook
West End
Bristol
BS49
Nailsea Wall Lane
Nailsea Moor Lane
Breach Lane
Netherton Wood
West End Lane
North Lane
Engine Lane
Youngwood Lane
Chelvey
Claverham Drove
Claverham Brockley
Lower Claverham
Littlewood Lane
Jasmine La.
Eastern Drove
Little River
Old Yeo Rhyne
River Kenn
Abattoir
West End Farm
Nailsea Wall Farm
Little Manor
Manor Workshops
West End Dairy Farm
Elm Tree Farm
Myrtle Farm
Rose Farm
Batch Farm
Coombe Farm
Tower House Farm
Nursebatch Farm
Poplar Farm
Battens Farm
Baytree Farm
South Common Farm
Netherton Wood
Four Gables
Cherry Orchard
Bizley House
Nailsea Ford
Nailsea Court
Midgell Farm
Midgell Cottages
Kenn Moor Gate
Laurel Bank
Poultry Houses
Claverham Court
Home Farm
Walnut Bank
South Bank Nurseries
Lower Farm
Claverham Green Farm
Rugby Ground
Works
Warehouses
Warehouse
West End Trading Estate
Depot
Hall
Blackfriars Road
Queen's Way
Hannah More Road
St. Mary's Grove
Kingston Wy
Worcester Gdns.
Allington Gdns.
The Bramleys
Watery Lane
Causeway
Parish Brook Rd.
Rhyne Vw.
Brunel Rd.
Leighwood Dr.
Barnwood Ct.
44
345
46
170
69
68
67

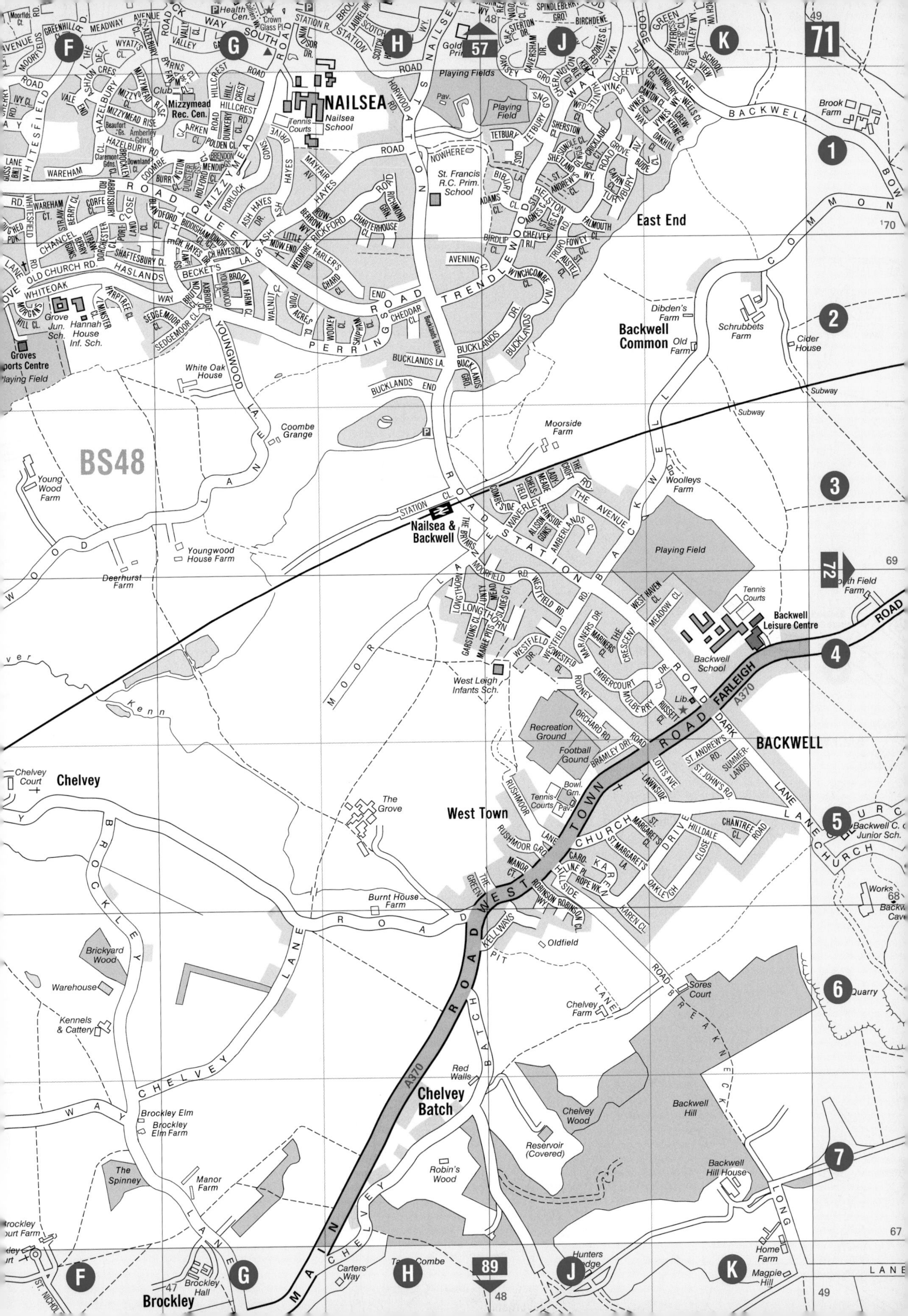

71
57
72
89
F
G
H
J
K
1
2
3
4
5
6
7
49
48
47
70
69
68
67
NAILSEA
Nailsea School
Tennis Courts
Mizzymead Rec. Cen.
St. Francis R.C. Prim. School
Playing Fields
Playing Field
East End
Backwell Common
Dibden's Farm
Old Farm
Schrubbets Farm
Cider House
Brook Farm
Subway
Moorside Farm
Woolleys Farm
Nailsea & Backwell
Playing Field
Tennis Courts
Backwell Leisure Centre
Backwell School
Lib.
BACKWELL
West Leigh Infants Sch.
Recreation Ground
Football Gound
Bowl. Grn.
Tennis Courts
Pav.
West Town
Chelvey
Chelvey Court
The Grove
Burnt House Farm
Brickyard Wood
Warehouse
Kennels & Cattery
Brockley Elm
Brockley Elm Farm
The Spinney
Manor Farm
Brockley Hall
Brockley
Chelvey Batch
Red Walls
Robin's Wood
Carters Way
Chelvey Wood
Reservoir (Covered)
Chelvey Farm
Sores Court
Oldfield
Backwell Hill
Backwell Hill House
Home Farm
Magpie Hill
Quarry
Works
Backwell C. of E. Junior Sch.
Hunters Lodge
White Oak House
Coombe Grange
BS48
Young Wood Farm
Youngwood House Farm
Deerhurst Farm
Grove Jun. Sch.
Hannah House Inf. Sch.
Groves Sports Centre
Playing Field
Health Cen.
Crown Glass Pl.
QUEENS ROAD
STATION ROAD
TRENDLEWOOD ROAD
PERRINGS ROAD
BUCKLANDS LA.
BUCKLANDS END
YOUNGWOOD LANE
WOOD LANE
MOOR LANE
BACKWELL COMMON
FARLEIGH ROAD
WEST TOWN ROAD
CHURCH LANE
DARK LANE
MAIN ROAD
A370
CHELVEY ROAD
CHELVEY WAY
CHELVEY LANE
BROCKLEY LANE
CHELVEY BATCH
BREAKNECK
LONG LANE
PIT LANE
BACKWELL BOW

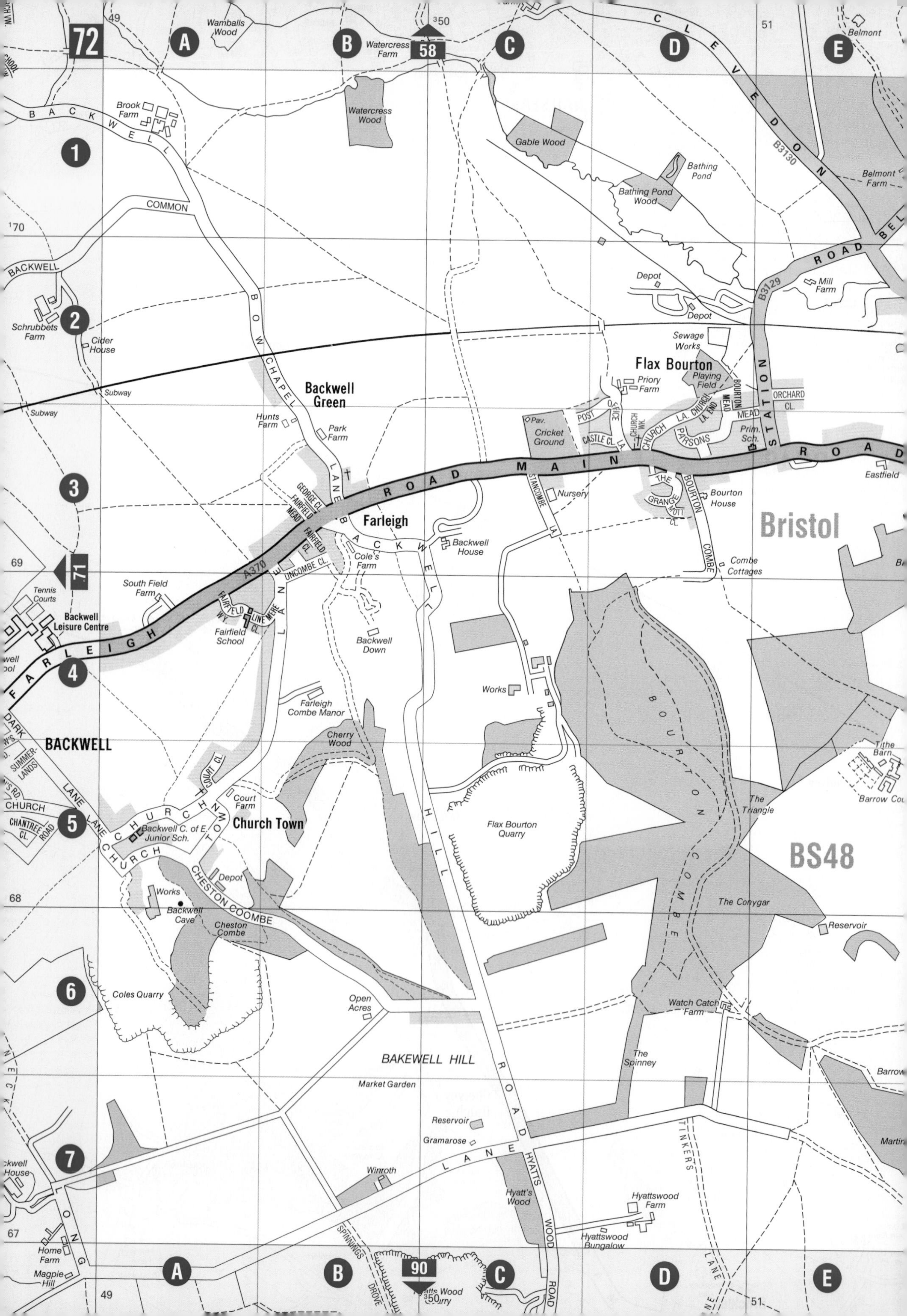
72
58
71
90
A
B
C
D
E
1
2
3
4
5
6
7
49
350
51
70
69
68
67
Wamballs Wood
Watercress Farm
Watercress Wood
Brook Farm
BACKWELL
CLEVEDON
B3130
Belmont
Belmont Farm
Gable Wood
Bathing Pond
Bathing Pond Wood
COMMON
BACKWELL
Schrubbets Farm
Cider House
Subway
Subway
ROAD
B3129
Mill Farm
Depot
Depot
Sewage Works
Flax Bourton
Playing Field
Priory Farm
POST OFFICE LA.
CHURCH WK.
CHURCH LA.
CHURCH LA. END
BOURTON MEAD
MEAD
ORCHARD CL.
STATION
PARSONS MEAD
Prim. Sch.
Pav.
Cricket Ground
CASTLE CL.
BOW CHAPEL LANE
Backwell Green
Hunts Farm
Park Farm
MAIN ROAD
Eastfield
STANCOMBE LA.
Nursery
THE GRANGE
MOTT CL.
BOURTON COMBE
Bourton House
Bristol
Combe Cottages
GEORGE CL.
FAIRFIELD MEAD
FAIRFIELD CL.
Farleigh
BACKWELL HILL
Cole's Farm
Backwell House
A370
UNCOMBE CL.
South Field Farm
Tennis Courts
Backwell Leisure Centre
FAIRFIELD WY.
LINE MERE CL.
Fairfield School
FARLEIGH
Backwell Down
Works
Farleigh Combe Manor
BACKWELL
DARK LANE
SUMMERLANDS
CHURCH
CHANTREE CL.
ROAD
Cherry Wood
COURT CL.
CHURCH TOWN
Court Farm
Church Town
Backwell C. of E. Junior Sch.
Flax Bourton Quarry
The Triangle
Tithe Barn
Barrow Cou
BS48
CHURCH LANE
CHESTON COOMBE
Depot
Works
Backwell Cave
Cheston Combe
The Conygar
Reservoir
Coles Quarry
Open Acres
Watch Catch Farm
BAKEWELL HILL
The Spinney
ROAD
Market Garden
Reservoir
Gramarose
LANE
HYATTS WOOD ROAD
TINKERS LANE
Winroth
Hyatt's Wood
Hyattswood Farm
Hyattswood Bungalow
LONG
Home Farm
Magpie Hill
SPINNINGS DROVE
Hyatts Wood Quarry
Barrow
Martin

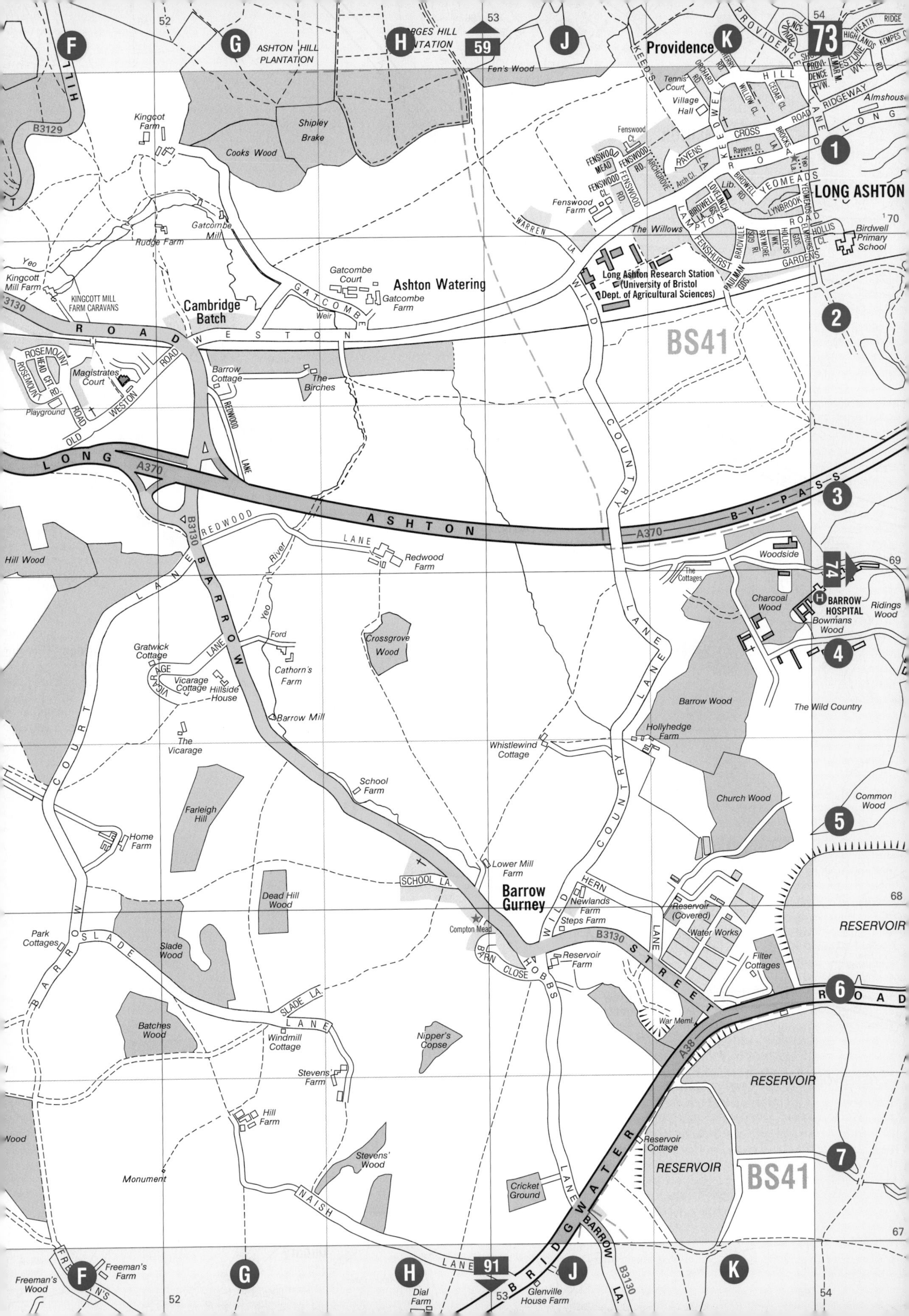

73
Providence
LONG ASHTON
Ashton Watering
Cambridge Batch
Barrow Gurney
BS41
LONG ASHTON BY-PASS
A370
B3130
B3129
A38
WESTON ROAD
BARROW LANE
BRIDGWATER ROAD
Long Ashton Research Station (University of Bristol Dept. of Agricultural Sciences)
BARROW HOSPITAL
RESERVOIR
Shipley Brake
Cooks Wood
Fen's Wood
Kingcot Farm
Gatcombe Mill
Rudge Farm
Kingcott Mill Farm
KINGCOTT MILL FARM CARAVANS
Gatcombe Court
Gatcombe Farm
Magistrates Court
Barrow Cottage
The Birches
Redwood Farm
Hill Wood
Gratwick Cottage
Vicarage Cottage
Hillside House
The Vicarage
Cathorn's Farm
Crossgrove Wood
Barrow Mill
Barrow Wood
The Wild Country
Charcoal Wood
Bowmans Wood
Ridings Wood
Woodside
Hollyhedge Farm
Whistlewind Cottage
School Farm
Farleigh Hill
Home Farm
Church Wood
Common Wood
Lower Mill Farm
Dead Hill Wood
Newlands Farm
Steps Farm
Reservoir Farm
Water Works
Filter Cottages
Park Cottages
Slade Wood
Batches Wood
Windmill Cottage
Nipper's Copse
Stevens' Farm
Hill Farm
Stevens' Wood
Monument
Cricket Ground
Reservoir Cottage
Freeman's Farm
Freeman's Wood
Dial Farm
Glenville House Farm
Birdwell Primary School
Fenswood Farm
The Willows
Village Hall
Tennis Court
Almshouse
59
74
91

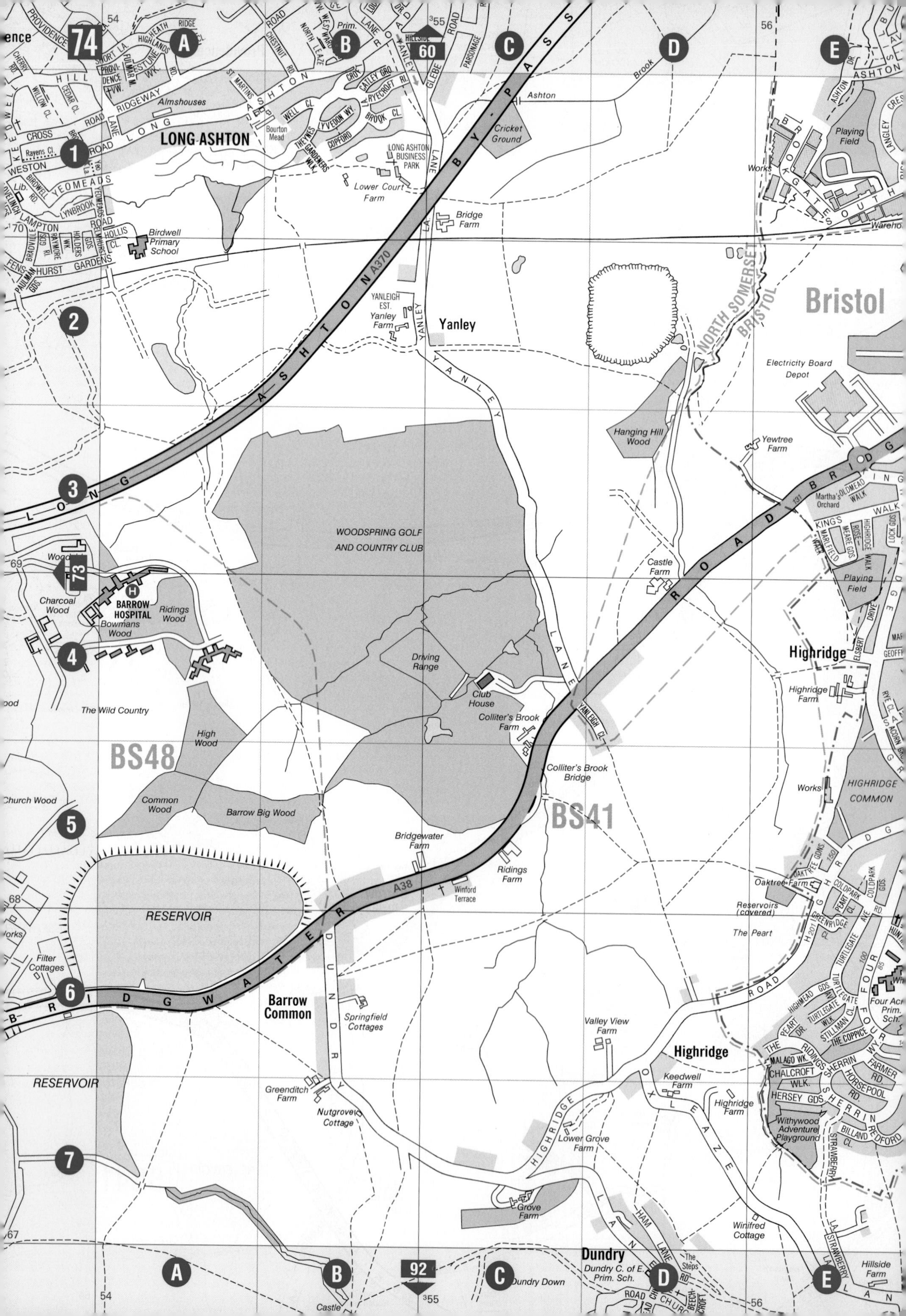

74
60
73
92
LONG ASHTON
Almshouses
Bourton Mead
LONG ASHTON BUSINESS PARK
Lower Court Farm
Bridge Farm
Birdwell Primary School
Ashton
Cricket Ground
Playing Field
Works
Yanleigh Est.
Yanley Farm
Yanley
Bristol
NORTH SOMERSET
BRISTOL
Electricity Board Depot
Hanging Hill Wood
Yewtree Farm
Martha's Orchard
Playing Field
WOODSPRING GOLF AND COUNTRY CLUB
Castle Farm
BARROW HOSPITAL
Charcoal Wood
Ridings Wood
Bowmans Wood
Driving Range
Club House
Colliter's Brook Farm
Colliter's Brook Bridge
Highridge
Highridge Farm
The Wild Country
High Wood
BS48
Common Wood
Barrow Big Wood
Church Wood
BS41
Works
HIGHRIDGE COMMON
Bridgewater Farm
Ridings Farm
Winford Terrace
Oaktree Farm
Reservoirs (covered)
The Peart
RESERVOIR
Filter Cottages
Barrow Common
Springfield Cottages
Valley View Farm
Highridge
Keedwell Farm
Highridge Farm
Four Acres Prim. Sch.
Withywood Adventure Playground
RESERVOIR
Greenditch Farm
Nutgrove Cottage
Lower Grove Farm
Grove Farm
Winifred Cottage
Dundry
Dundry C. of E. Prim. Sch.
The Steps
Dundry Down
Castle
Hillside Farm
LONG ASHTON BY-PASS
A370
BRIDGWATER ROAD
A38
YANLEY LANE
DUNDRY LANE
HIGHRIDGE ROAD
OX LEAZE
Highridge
Yanleigh Cl.
A B C D E
1 2 3 4 5 6 7
54
55
56
67
68
69
70

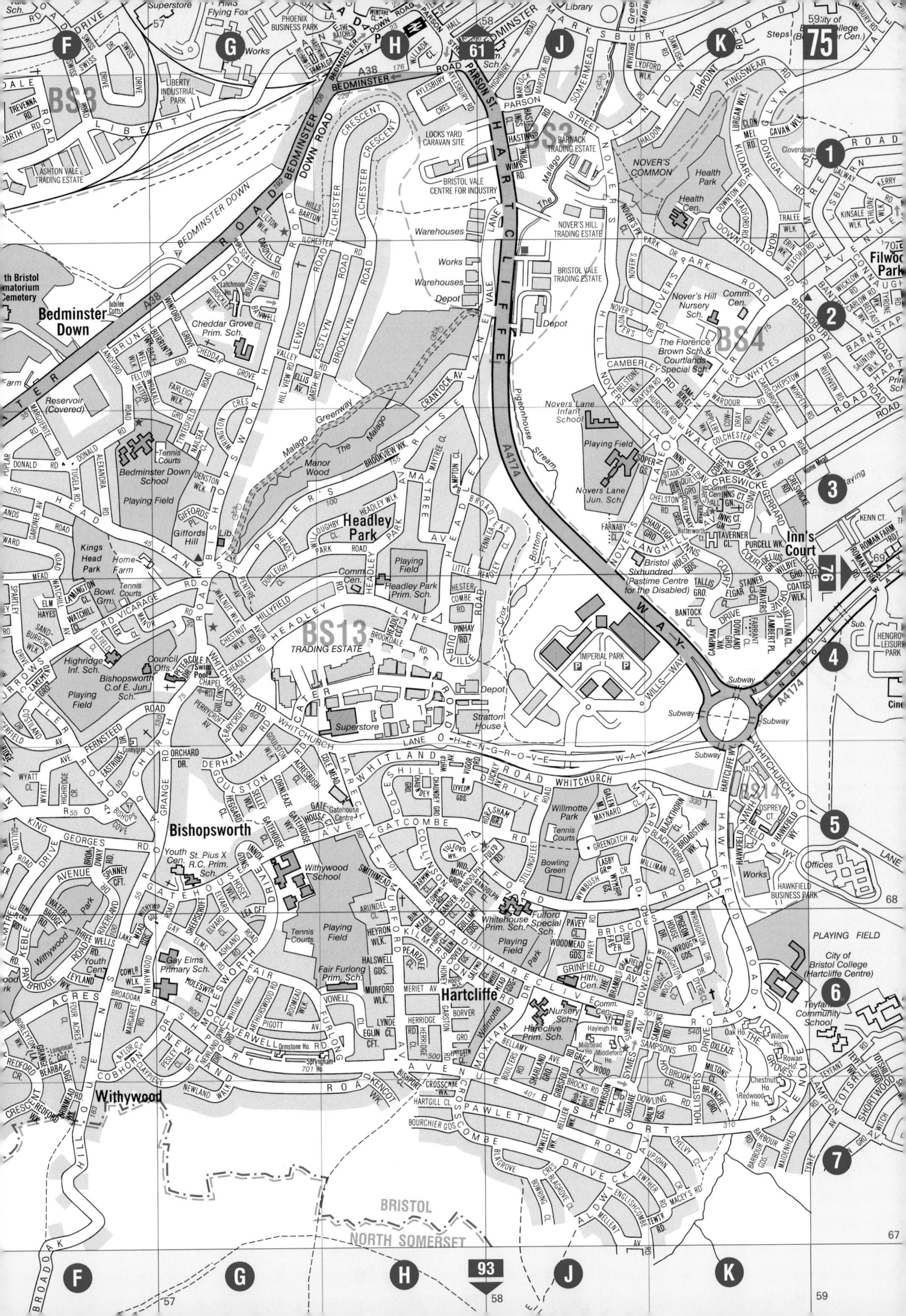

75
76
61
93
F
G
H
J
K
1
2
3
4
5
6
7
BS3
BS4
BS13
BS14
Bedminster Down
Headley Park
Bishopsworth
Hartcliffe
Withywood
Inn's Court
Filwood Park
BRISTOL
NORTH SOMERSET
A38
A4174
BEDMINSTER DOWN ROAD
HARTCLIFFE WAY
PARSON ST.
BEDMINSTER ROAD
WHITCHURCH LANE
HENGROVE WAY
HAREGLIVE RD.
GATCOMBE AV.
BISHOPSWORTH RD.
HEAD LANE
HEADLEY LANE
NOVERS LANE
NOVERS PARK RD.
HAWKFIELD RD.
BISHOPS PORT AVENUE
ASHTON VALE TRADING ESTATE
LIBERTY INDUSTRIAL PARK
PHOENIX BUSINESS PARK
LOCKS YARD CARAVAN SITE
BRISTOL VALE CENTRE FOR INDUSTRY
BARNACK TRADING ESTATE
NOVER'S HILL TRADING ESTATE
BRISTOL VALE TRADING ESTATE
NOVER'S COMMON
Health Park
Health Cen.
Warehouses
Works
Depot
Cheddar Grove Prim. Sch.
Bedminster Down School
Playing Field
Kings Head Park
Home Farm
Gifford's Hill
Manor Wood
Malago Greenway
The Malago
Pigeonhouse Stream
Crox Bottom
Headley Park Prim. Sch.
Comm. Cen.
TRADING ESTATE
Superstore
Stratton House
IMPERIAL PARK
Subway
Nover's Hill Nursery Sch.
The Florence Brown Sch. & Courtlands Special Sch.
Novers Lane Infant School
Novers Lane Jun. Sch.
Bristol Sixhundred (Pastime Centre for the Disabled)
Highridge Inf. Sch.
Bishopsworth C.of E. Jun. Sch.
Council Offs.
Swim. Pool
Reservoir (Covered)
Willmotte Park
Tennis Courts
Bowling Green
Withywood School
Youth Cen.
St. Pius X R.C. Prim. Sch.
Gay Elms Primary Sch.
Fair Furlong Prim. Sch.
Whitehouse Prim. Sch.
Fulford Special Sch.
Hareclive Prim. Sch.
Nursery Sch.
Hlth. Cen.
Lib.
Offices
HAWKFIELD BUSINESS PARK
PLAYING FIELD
City of Bristol College (Hartcliffe Centre)
Teyfant Community School
57
58
59
67
68

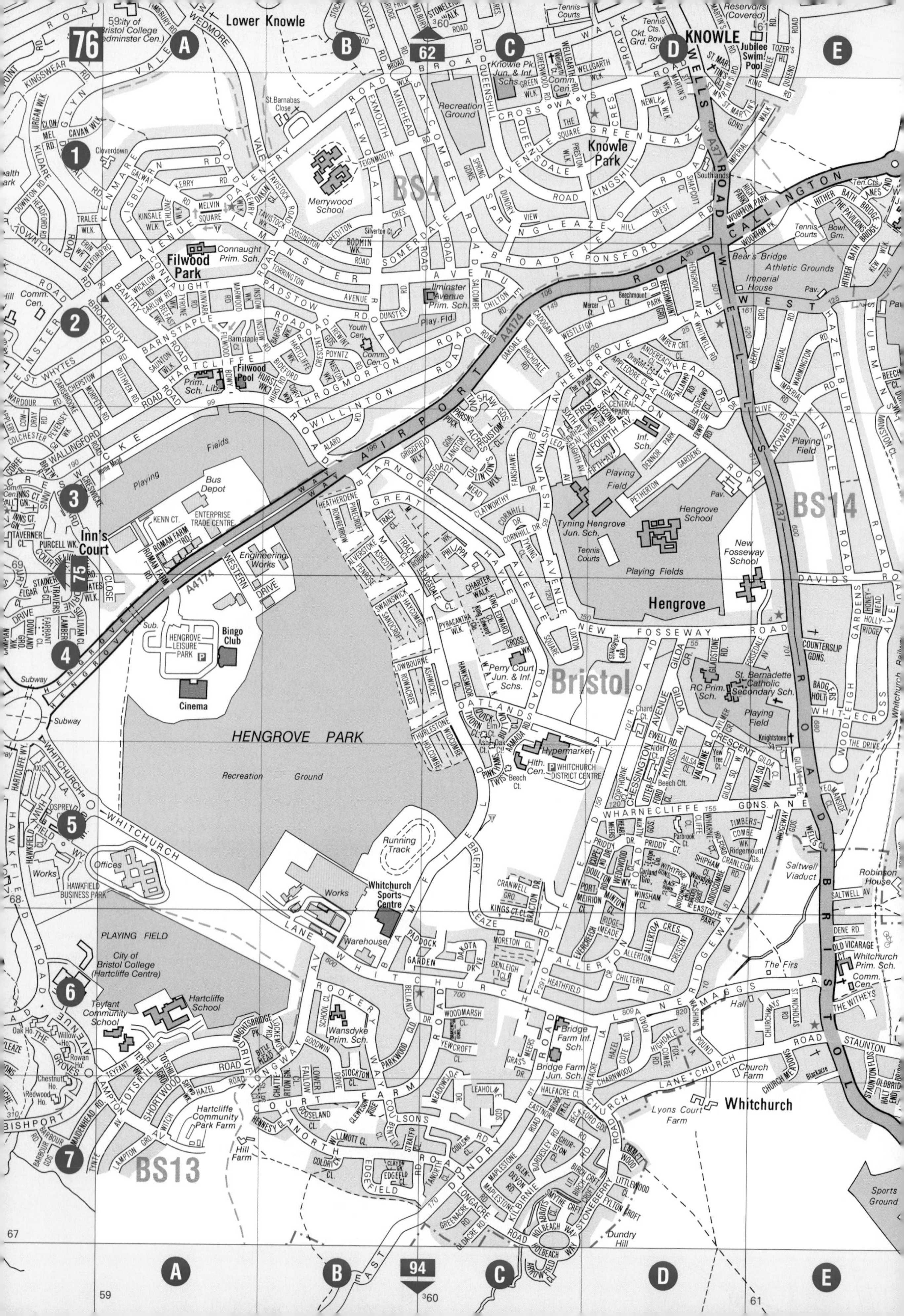

76
Lower Knowle
62
KNOWLE
Jubilee Swim. Pool
Reservoirs (Covered)
Tennis Courts
Recreation Ground
Knowle Park
Knowle Pk. Jun. & Inf. Schs.
Merrywood School
BS4
Filwood Park
Connaught Prim. Sch.
Filwood Pool
Ilminster Avenue Prim. Sch.
Play. Fld.
Youth Cen.
Comm. Cen.
Bear's Bridge Athletic Grounds
Imperial House
Playing Fields
Bus Depot
ENTERPRISE TRADE CENTRE
Inn's Court
75
Engineering Works
A4174
AIRPORT ROAD
A37
WELLS ROAD
BS14
Tyning Hengrove Jun. Sch.
Hengrove School
Tennis Courts
Playing Fields
New Fosseway School
Hengrove
NEW FOSSEWAY ROAD
Hengrove Leisure Park
Bingo Club
Cinema
HENGROVE PARK
Recreation Ground
Perry Court Jun. & Inf. Schs.
Bristol
Hypermarket
Hlth. Cen.
WHITCHURCH DISTRICT CENTRE
St. Bernadette Catholic Secondary Sch.
RC Prim. Sch.
Playing Field
Offices
Works
HAWKFIELD BUSINESS PARK
Running Track
Whitchurch Sports Centre
Warehouse
Saltwell Viaduct
Robinson House
PLAYING FIELD
City of Bristol College (Hartcliffe Centre)
Teyfant Community School
Hartcliffe School
Wansdyke Prim. Sch.
Bridge Farm Inf. Sch.
Bridge Farm Jun. Sch.
The Firs
Whitchurch Prim. Sch.
Comm. Cen.
Church Farm
Lyons Court Farm
Whitchurch
Hartcliffe Community Park Farm
Hill Farm
BS13
Dundry Hill
Sports Ground
94
A
B
C
D
E
1
2
3
4
5
6
7
59
60
61
67
68

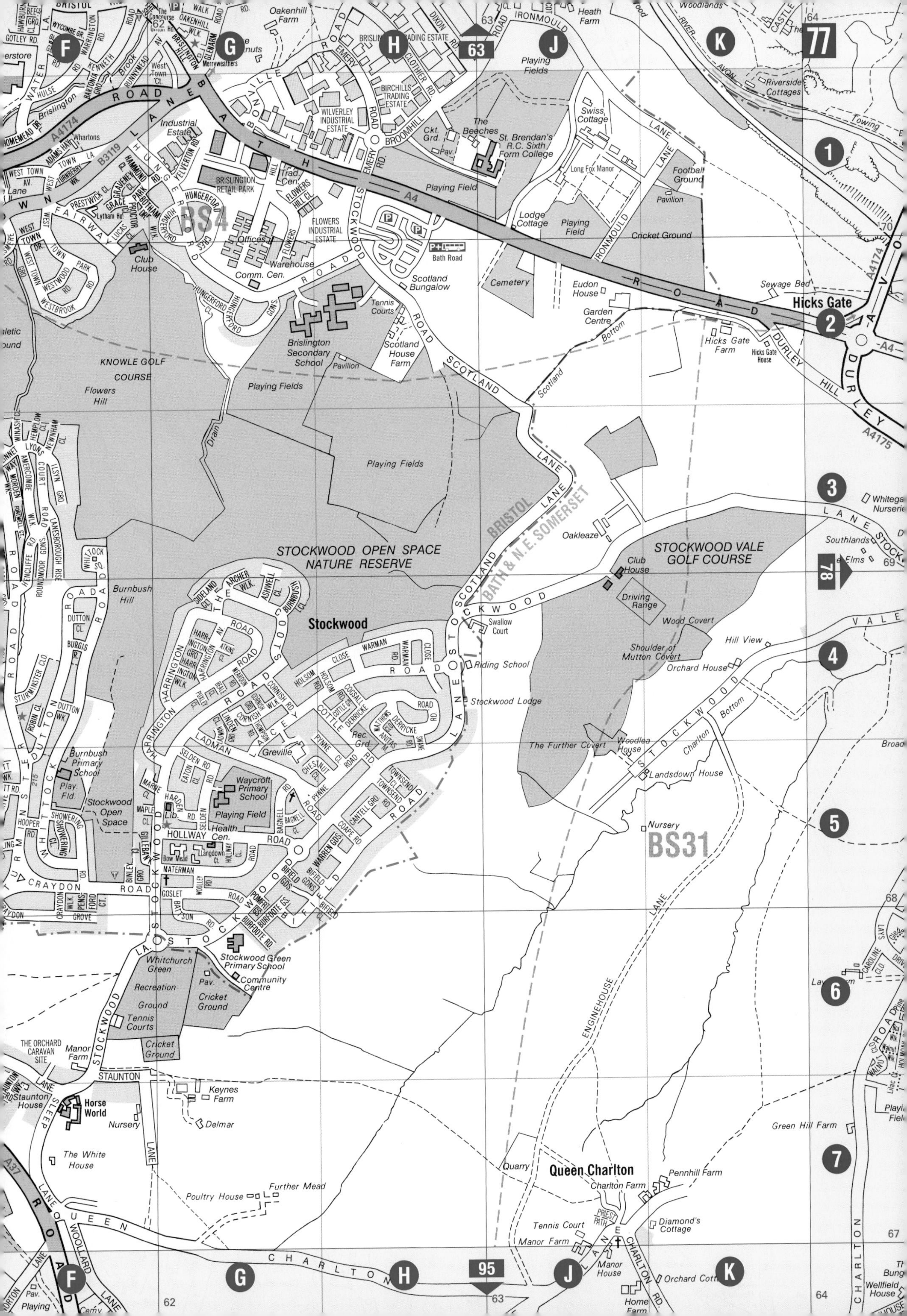

77
63
78
95
BS4
BS31
A4
A4174
A4175
B3119
A37
BATH ROAD
Hicks Gate
Stockwood
Queen Charlton
STOCKWOOD OPEN SPACE
NATURE RESERVE
STOCKWOOD VALE
GOLF COURSE
KNOWLE GOLF
COURSE
Flowers
Hill
Burnbush
Hill
Playing Fields
Playing Field
Cricket Ground
Football
Ground
Pavilion
Cemetery
BRISLINGTON
RETAIL PARK
Industrial
Estate
WILVERLEY
INDUSTRIAL
ESTATE
BIRCHILLS
TRADING
ESTATE
FLOWERS
INDUSTRIAL
ESTATE
The
Beeches
St. Brendan's
R.C. Sixth
Form College
Long Fox Manor
Swiss
Cottage
Lodge
Cottage
Eudon
House
Garden
Centre
Hicks Gate
Farm
Sewage Bed
Riverside
Cottages
Scotland
Bungalow
Scotland
House
Farm
Brislington
Secondary
School
Tennis
Courts
Bath Road
Club
House
Comm. Cen.
Warehouse
Offices
Oakleaze
Driving
Range
Wood Covert
Shoulder of
Mutton Covert
Hill View
Orchard House
The Further Covert
Woodlea
House
Landsdown House
Nursery
Swallow
Court
Riding School
Stockwood Lodge
Burnbush
Primary
School
Stockwood
Open
Space
Waycroft
Primary
School
Health
Cen.
Lib.
Stockwood Green
Primary School
Community
Centre
Whitchurch
Green
Recreation
Ground
Tennis
Courts
Cricket
Ground
THE ORCHARD
CARAVAN
SITE
Manor
Farm
Horse
World
Staunton
House
Keynes
Farm
Delmar
Nursery
The White
House
Poultry House
Further Mead
Quarry
Charlton Farm
Pennhill Farm
Tennis Court
Manor Farm
Diamond's
Cottage
Manor
House
Orchard Cott.
Home
Farm
Green Hill Farm
Wellfield
House
Whitegate
Southlands
Oakenhill
Farm
Heath
Farm
Playing
Fields
BRISTOL
BATH & N.E. SOMERSET
SCOTLAND LANE
STOCKWOOD LANE
STOCKWOOD ROAD
STOCKWOOD VALE
HARRINGTON ROAD
CRAYDON ROAD
HOLLWAY ROAD
STAUNTON LANE
QUEEN CHARLTON LANE
CHARLTON ROAD
ENGINEHOUSE LANE
DURLEY HILL
IRONMOULD LANE
HUNGERFORD ROAD
WHITTOCK ROAD
RIVER AVON
F G H J K
1 2 3 4 5 6 7
62
64
67
68
69
70

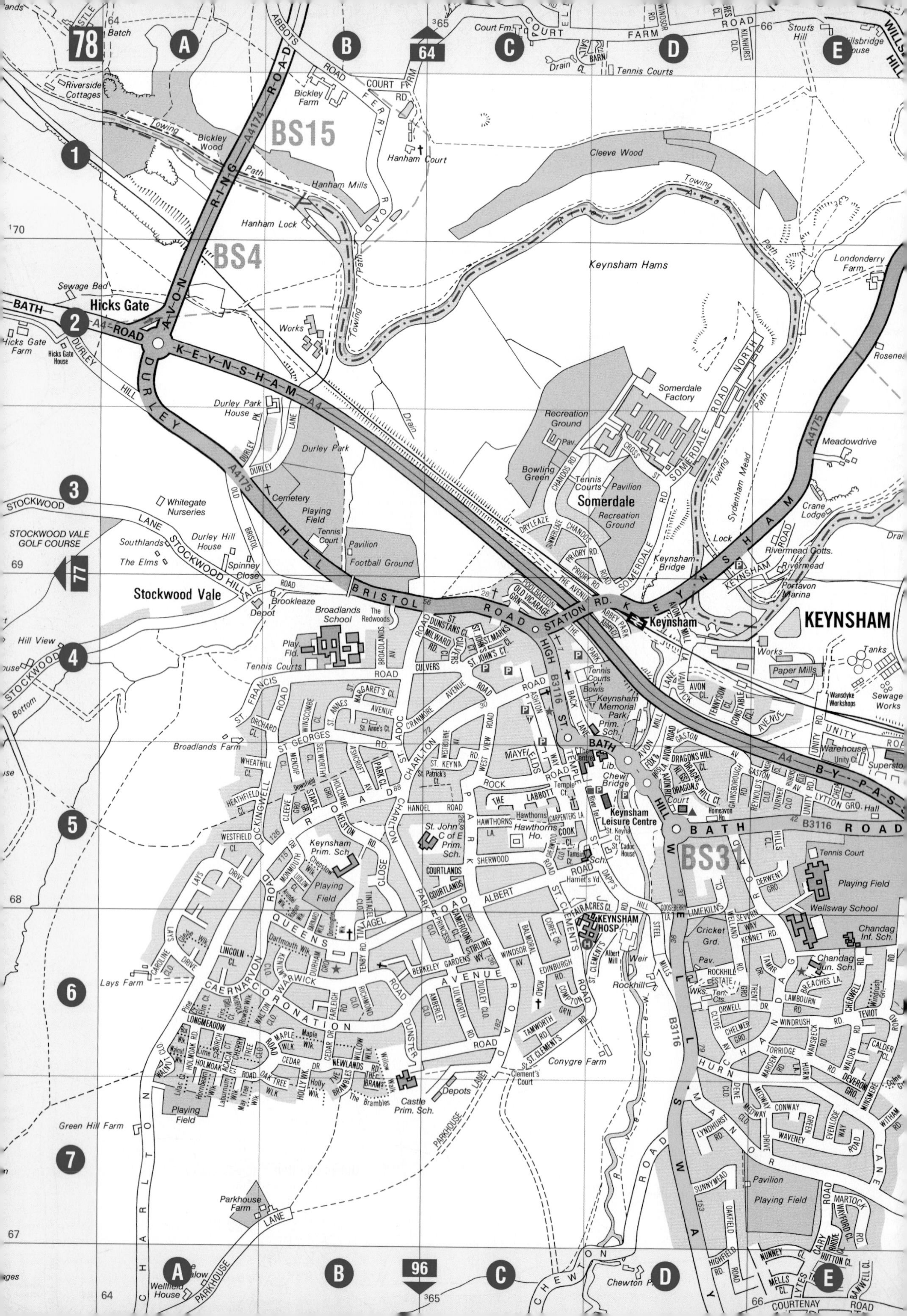
78
64
77
96
A
B
C
D
E
1
2
3
4
5
6
7
BS15
BS4
BS31
KEYNSHAM
Hicks Gate
Stockwood Vale
Somerdale
Keynsham Hams
Cleeve Wood
Hanham Court
Hanham Mills
Hanham Lock
Bickley Wood
Bickley Farm
Riverside Cottages
Batch
Court Fm.
Tennis Courts
Willsbridge House
Stouts Hill
Londonderry Farm
Roseneath
Meadowdrive
Crane Lodge
Rivermead Cotts.
Rivermead
Portavon Marina
Somerdale Factory
Recreation Ground
Bowling Green
Tennis Courts
Pavilion
Sydenham Mead
Keynsham Bridge
Lock
Durley Park House
Durley Park
Cemetery
Playing Field
Tennis Court
Pavilion
Football Ground
Whitegate Nurseries
STOCKWOOD VALE GOLF COURSE
Southlands
The Elms
Durley Hill House
Spinney Close
Brookleaze
Depot
Broadlands School
The Redwoods
Play. Fld.
Tennis Courts
Hill View
Bottom
Broadlands Farm
Sewage Bed
Hicks Gate Farm
Hicks Gate House
Works
Paper Mills
Tanks
Sewage Works
Wandsdyke Workshops
Warehouse
Unity Ct.
Superstore
Hall
Keynsham Memorial Park
Prim. Sch.
Keynsham Leisure Centre
Lib.
The Centre
Chew Bridge
Court
Homeavon Ho.
Hawthorns Ho.
St. John's C of E Prim. Sch.
Keynsham Prim. Sch.
Playing Field
KEYNSHAM HOSP
Albert Mill
Weir
Rockhill
Cricket Grd.
Pav.
ROCKHILL ESTATE
Wks.
Tennis Court
Playing Field
Wellsway School
Chandag Inf. Sch.
Chandag Jun. Sch.
Conygre Farm
Clement's Court
Depots
Castle Prim. Sch.
The Brambles
Lays Farm
Green Hill Farm
Playing Field
Parkhouse Farm
Wellfield House
Chewton P
Pavilion
Playing Field
A4174
A4175
A4
B3116
RING ROAD
AVON RING ROAD
BATH ROAD
KEYNSHAM HILL
DURLEY HILL
BRISTOL ROAD
STATION RD.
HIGH ST.
TEMPLE ST.
KEYNSHAM BY-PASS
WELLSWAY
CHARLTON ROAD
PARK ROAD
ALBERT ROAD
QUEENS ROAD
CORONATION AVENUE
CHEWTON ROAD
PARKHOUSE LANE
STOCKWOOD LANE
STOCKWOOD HILL
SOMERDALE ROAD
SOMERDALE ROAD NORTH
CHANDOS RD.
PRIORY RD.
THE AVENUE
ST. FRANCIS ROAD
ST GEORGES RD.
ST. LADOC
CHARLTON AVENUE
WEST VIEW ROAD
ROCK ROAD
HANDEL ROAD
CULVERS ROAD
MILWARD RD.
HAWTHORNS LA.
SHERWOOD ROAD
WINDSOR AV.
BALMORAL ROAD
EDINBURGH RD
ST. CLEMENTS ROAD
LIMEKILNS CL.
HURN ROAD
MANOR ROAD
CHANDAG ROAD
LAMBOURN RD
WINDRUSH RD.
TORRIDGE
CONWAY
WAVENEY
LYNDHURST RD.
SUNNYMEAD
OAKFIELD
HIGHFIELD RD.
MARTOCK
COURTENAY ROAD
BANWELL CL.
NUNNEY CL.
MELLS CL.
LYTES CARY
HUTTON CL.
WITHAM
LONGMEADOW
MAPLE WLK.
CEDAR DR.
NEWLANDS
DUNSTER ROAD
BERKELEY GARDENS
STIRLING WY.
LINCOLN CL.
CAERNARVON ROAD
WESTFIELD CL.
LAYS DRIVE
HEATHFIELD CL.
WHEATHILL CL.
COURT FARM ROAD
FERRY ROAD
ABBOTS ROAD
GASTON AV
UNITY RD.
LYTTON GRO.
TENNYSON CL.
CONSTABLE CL.
VANDYCK AV.
DRAGONS HILL CT.
AVON MILL LANE
BACK LANE
ASHTON WAY
MAYFIELDS
THE LABBOTT
COOK ST
TAMSIN CT.
STEEL MILLS
HILLS

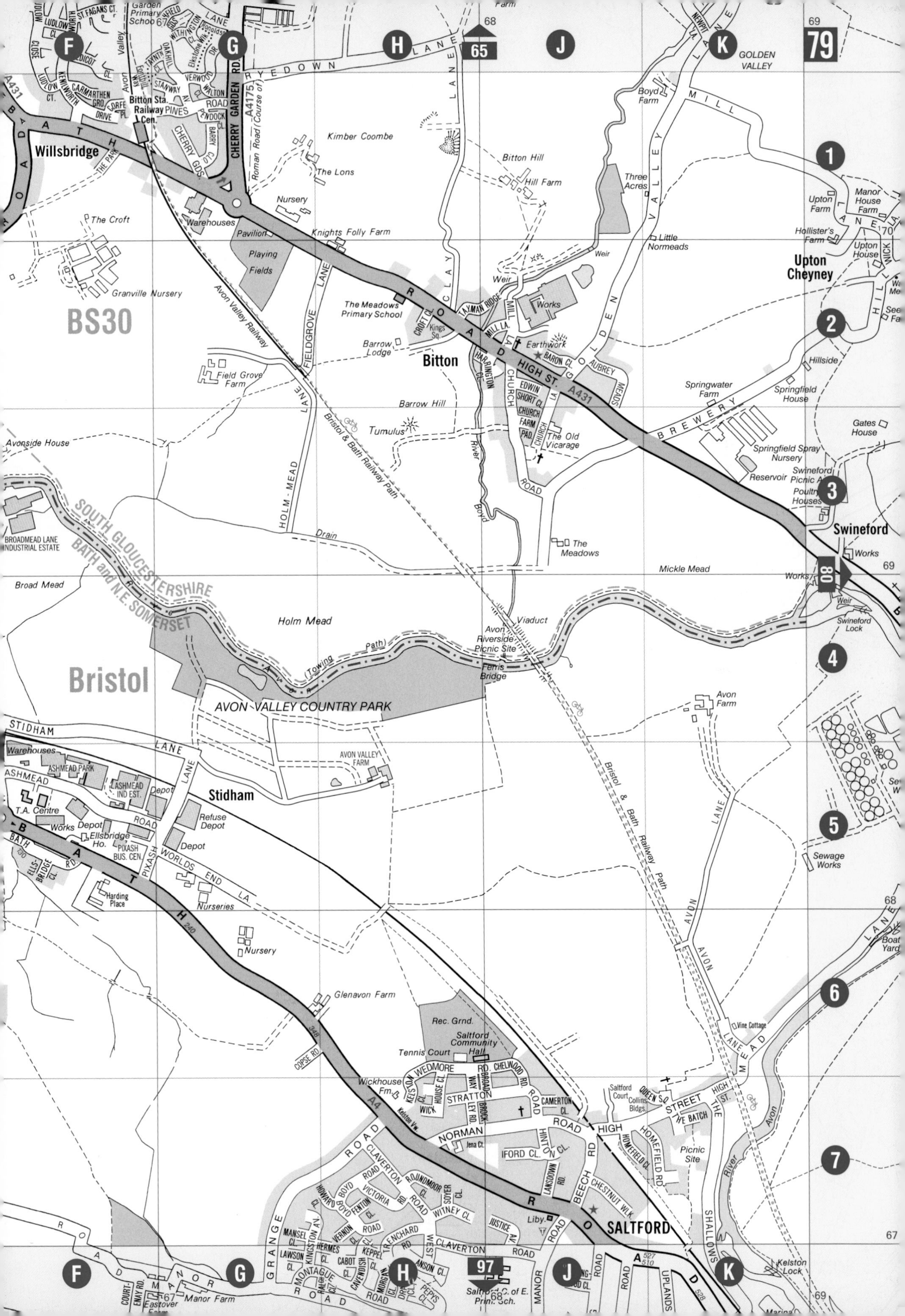

65
97
80
Willsbridge
Bitton
Upton Cheyney
Swineford
Stidham
SALTFORD
BS30
Bristol
SOUTH GLOUCESTERSHIRE
BATH and N.E. SOMERSET
GOLDEN VALLEY
Bitton Sta. Railway Cen.
Kimber Coombe
The Lons
Bitton Hill
Hill Farm
Three Acres
Boyd Farm
Little Normeads
Manor House Farm
Upton Farm
Hollister's Farm
Upton House
Nursery
The Croft
Warehouses
Pavilion
Playing Fields
Knights Folly Farm
Granville Nursery
The Meadows Primary School
Kings Sq.
Barrow Lodge
Works
Weir
Earthwork
Field Grove Farm
Barrow Hill
Tumulus
The Old Vicarage
Springwater Farm
Springfield House
Hillside
Gates House
Springfield Spray Nursery
Reservoir
Swineford Picnic Area
Poultry Houses
Avonside House
BROADMEAD LANE INDUSTRIAL ESTATE
Drain
The Meadows
Mickle Mead
Broad Mead
Holm Mead
Viaduct
Avon Riverside Picnic Site
Ferris Bridge
Towing Path
Swineford Lock
AVON VALLEY COUNTRY PARK
Avon Farm
AVON VALLEY FARM
Warehouses
ASHMEAD PARK
ASHMEAD IND EST.
Depot
T.A. Centre
Works
Ellsbridge Ho.
PIXASH BUS. CEN.
Refuse Depot
Harding Place
Nurseries
Nursery
Sewage Works
Boat Yard
Glenavon Farm
Rec. Grnd.
Saltford Community Hall
Tennis Court
Wickhouse Fm.
Vine Cottage
Saltford Court
Collins Bldgs.
Picnic Site
Jena Ct.
Liby.
Kelston Lock
Manor Farm
Eastover
Saltford C. of E. Prim. Sch.
A431
A4175
A4
BATH ROAD
CHERRY GARDEN RD
Roman Road (Course of)
RYEDOWN LANE
CLAY LANE
MILL LANE
GOLDEN VALLEY
FIELDGROVE LANE
HOLM-MEAD LANE
HIGH ST.
CHURCH ROAD
BREWERY HILL
AUBREY MEADS
Avon Valley Railway
Bristol & Bath Railway Path
River Boyd
River Avon
STIDHAM LANE
ASHMEAD ROAD
PIXASH LANE
WORLDS END LA
COPSE RD
AVON LANE
MEAD LANE
THE SHALLOWS
HIGH STREET
NORMAN ROAD
BEECH RD
GRANGE ROAD
CLAVERTON ROAD
MANOR ROAD
UPLANDS

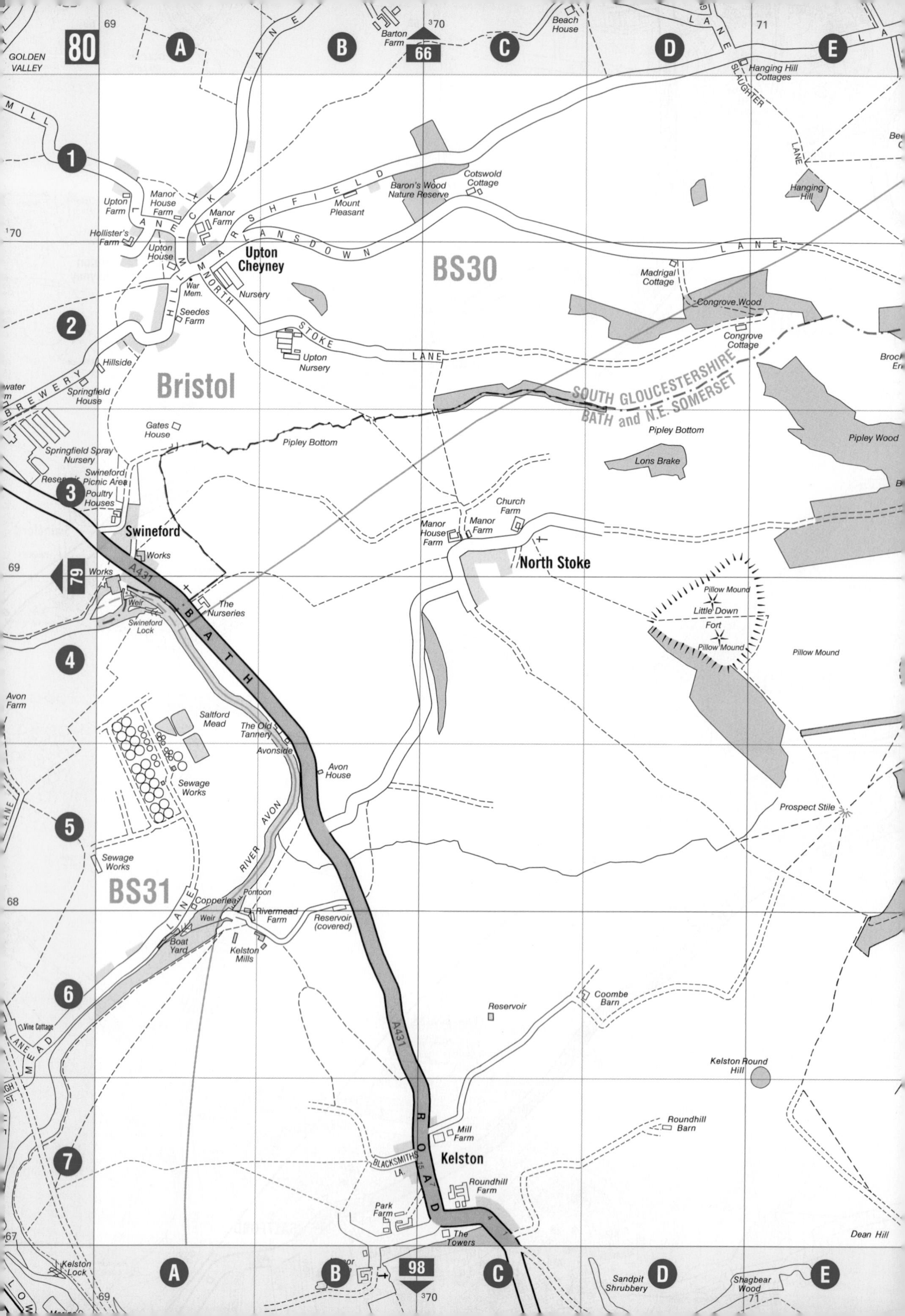

GOLDEN VALLEY
Barton Farm
66
Beach House
Hanging Hill Cottages
SLAUGHTER LANE
Upton Farm
Manor House Farm
Manor Farm
Hollister's Farm
Upton House
Upton Cheyney
Mount Pleasant
Baron's Wood Nature Reserve
Cotswold Cottage
Hanging Hill
LANSDOWN LANE
MARSHFIELD
BS30
Madrigal Cottage
War Mem.
Nursery
Seedes Farm
HILL
NORTH STOKE LANE
Congrove Wood
Congrove Cottage
Upton Nursery
Hillside
BREWERY
Springfield House
Bristol
SOUTH GLOUCESTERSHIRE
BATH and N.E. SOMERSET
Gates House
Pipley Bottom
Pipley Wood
Lons Brake
Springfield Spray Nursery
Swineford Picnic Area
Poultry Houses
Church Farm
Manor House Farm
Manor Farm
Swineford
Works
North Stoke
79
Works
A431
The Nurseries
Weir
Swineford Lock
Pillow Mound
Little Down Fort
Pillow Mound
Pillow Mound
BATH ROAD
Avon Farm
Saltford Mead
The Old Tannery
Avonside
Avon House
Sewage Works
Prospect Stile
RIVER AVON
Sewage Works
BS31
Copperlea
Pontoon
Rivermead Farm
Reservoir (covered)
Weir
Boat Yard
Kelston Mills
Coombe Barn
Reservoir
Vine Cottage
MEAD LANE
A431
Kelston Round Hill
Roundhill Barn
Mill Farm
Kelston
BLACKSMITHS LA.
Roundhill Farm
Park Farm
The Towers
Dean Hill
Kelston Lock
98
Sandpit Shrubbery
Shagbear Wood

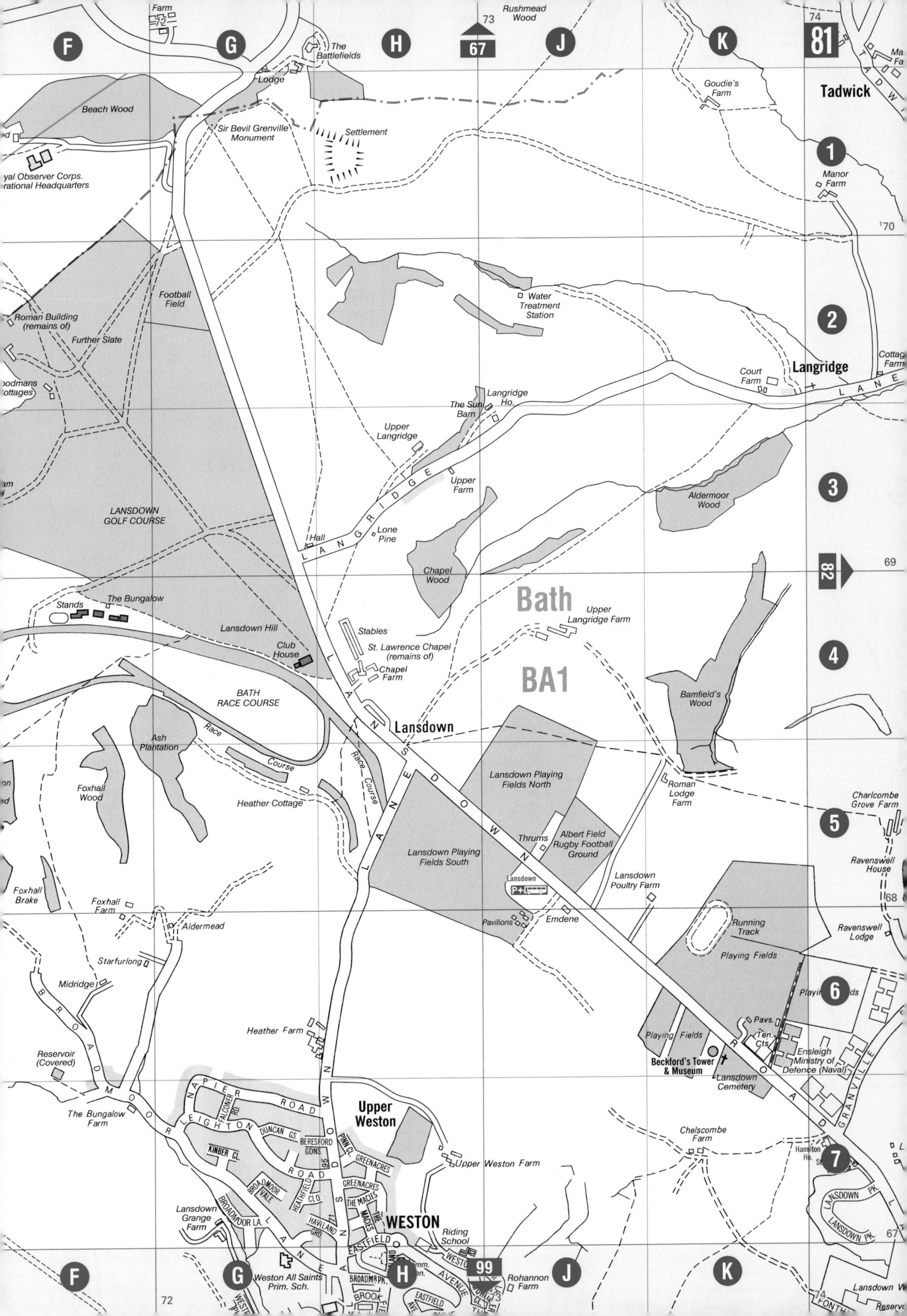

81
67
82
99
F
G
H
J
K
1
2
3
4
5
6
7
Rushmead Wood
The Battlefields
Lodge
Beach Wood
Sir Bevil Grenville Monument
Settlement
Goudie's Farm
Tadwick
Manor Farm
Football Field
Water Treatment Station
Roman Building (remains of)
Further Slate
Court Farm
Langridge
Langridge Ho.
The Sun Barn
Upper Langridge
Upper Farm
Aldermoor Wood
LANSDOWN GOLF COURSE
Hall
Lone Pine
Chapel Wood
Bath
Upper Langridge Farm
Stands
The Bungalow
Lansdown Hill
Stables
St. Lawrence Chapel (remains of)
Chapel Farm
Club House
BA1
BATH RACE COURSE
Bamfield's Wood
Lansdown
Ash Plantation
Race Course
Foxhall Wood
Heather Cottage
Lansdown Playing Fields North
Roman Lodge Farm
Charlcombe Grove Farm
Thrums
Albert Field Rugby Football Ground
Lansdown Playing Fields South
Ravenswell House
Lansdown Poultry Farm
Foxhall Brake
Foxhall Farm
Pavilions
Emdene
Running Track
Ravenswell Lodge
Aldermead
Playing Fields
Starfurlong
Midridge
Heather Farm
Pavs.
Ten. Cts
Ensleigh Ministry of Defence (Naval)
Beckford's Tower & Museum
Lansdown Cemetery
Reservoir (Covered)
The Bungalow Farm
NAPIER ROAD
FALCONER RD.
LEIGHTON ROAD
DUNCAN GS.
BERESFORD GDNS.
KINBER CL.
Upper Weston
PINN CL.
GREENACRES
Upper Weston Farm
Chelscombe Farm
Hamilton Ho.
LANSDOWN PK.
BROADMOOR VALE
HEATHFIELD CLO.
THE MACIES
Lansdown Grange Farm
BROADMOOR LA.
HAVILAND GRO.
WESTON
Riding School
EASTFIELD
Weston All Saints Prim. Sch.
BROADMR PK.
BROOK
AVENUE
Rohannon Farm
Lansdown
Reservoir
72
73
74
70
69
68
67

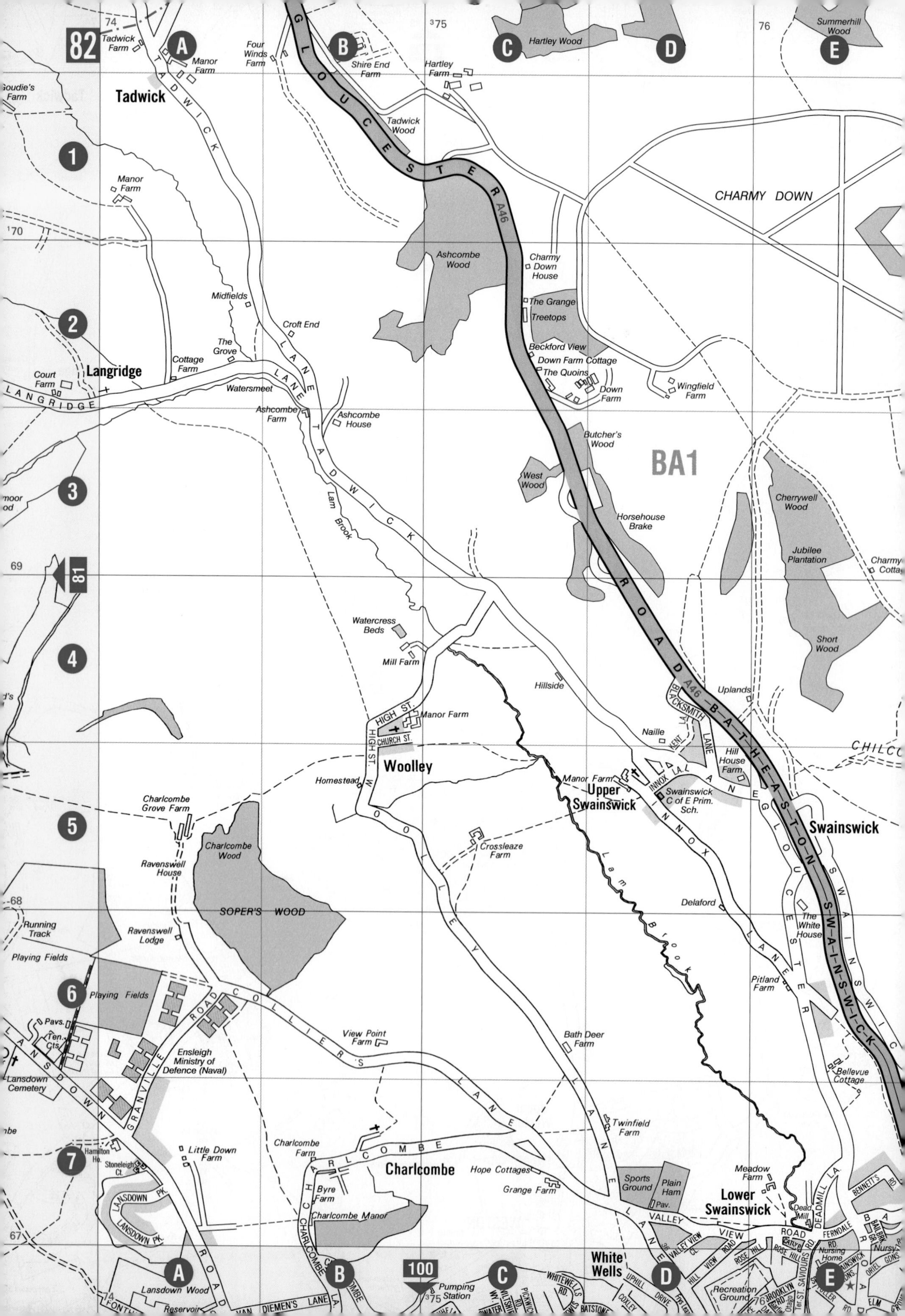
Tadwick Farm
Manor Farm
Tadwick
Tadwick Lane
Four Winds Farm
Shire End Farm
Hartley Farm
Hartley Wood
Summerhill Wood
Gloucester Road
A46
Tadwick Wood
Charmy Down
Manor Farm
Ashcombe Wood
Charmy Down House
The Grange
Treetops
Beckford View
Down Farm Cottage
The Quoins
Down Farm
Wingfield Farm
Midfields
Croft End
The Grove
Cottage Farm
Langridge
Court Farm
Langridge Lane
Watersmeet
Ashcombe Farm
Ashcombe House
Butcher's Wood
BA1
West Wood
Horsehouse Brake
Cherrywell Wood
Jubilee Plantation
Charmy Cottage
Lam Brook
Short Wood
Watercress Beds
Mill Farm
Hillside
Uplands
Bath Easton Road
Blacksmith Lane
High St.
Manor Farm
Church St.
Woolley
Homestead
Nailie
Kent La.
Hill House Farm
Innox La.
Manor Farm
Upper Swainswick
Swainswick C of E Prim. Sch.
Innox Lane
Swainswick
Charlcombe Grove Farm
Charlcombe Wood
Ravenswell House
Crossleaze Farm
Woolley Lane
Soper's Wood
Running Track
Ravenswell Lodge
Delaford
The White House
Playing Fields
Playing Fields
Colliers Lane
Pitland Farm
Pavs.
Ten. Cts.
Ensleigh Ministry of Defence (Naval)
View Point Farm
Bath Deer Farm
Lansdown Cemetery
Lansdown Road
Granville Road
Bellevue Cottage
Twinfield Farm
Hamilton Ho.
Stoneleigh Ct.
Little Down Farm
Charlcombe Farm
Charlcombe Lane
Charlcombe
Hope Cottages
Grange Farm
Sports Ground
Plain Ham
Pav.
Meadow Farm
Lower Swainswick
Byre Farm
Charlcombe Manor
Lansdown Pk.
Valley View Road
Dead Mill
Deadmill La.
Ferndale Rd.
Bennett's Rd.
Nursing Home
White Wells
Uphill Drive
Whitewells Rd.
Pumping Station
Lansdown Wood
Reservoir
Van Diemen's Lane
Recreation Ground
St. Saviours Rd.
Rose Hill
Brooklyn Rd.
Fuller Rd.
Elm
Chilcombe
Swainswick

81
100

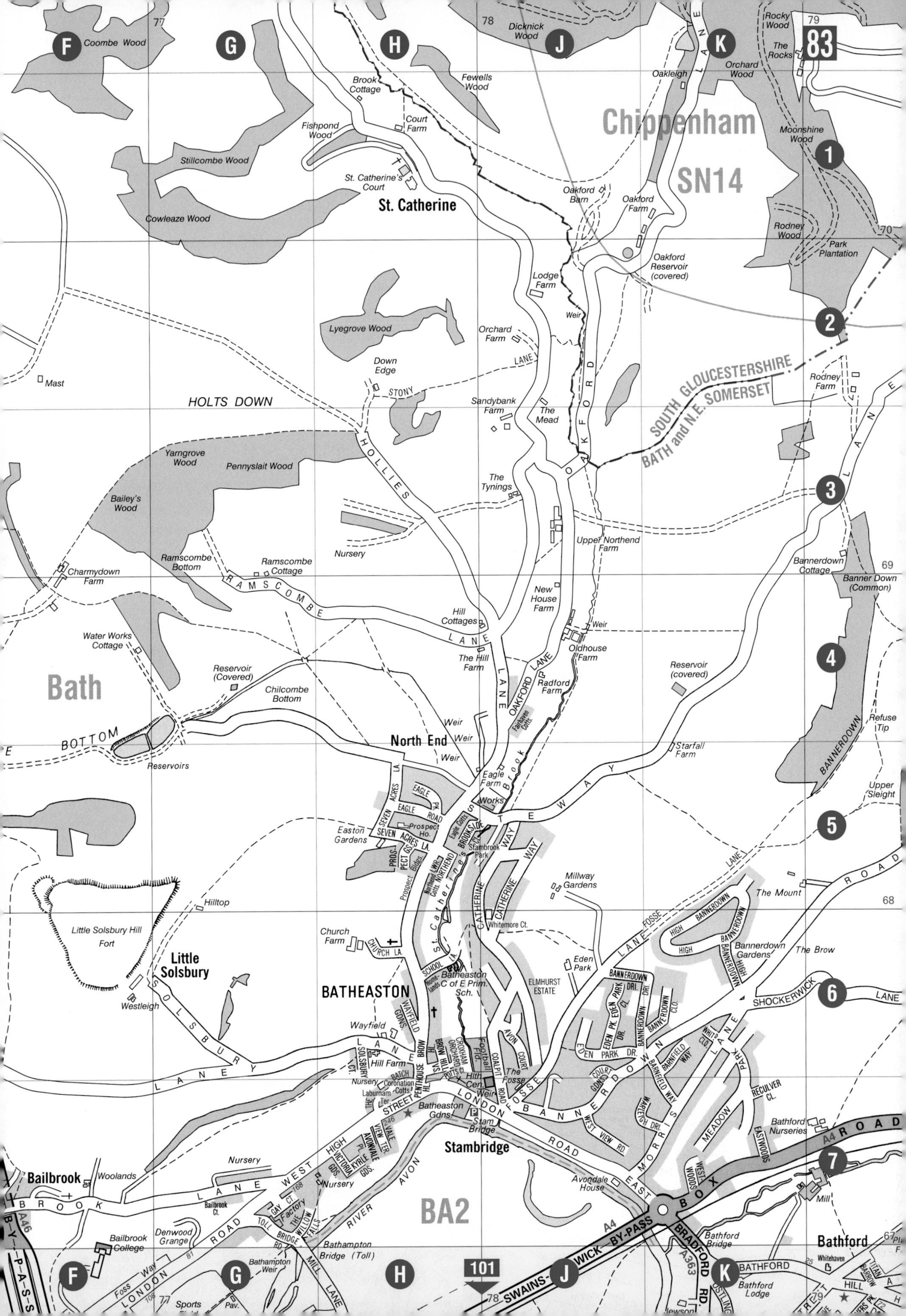

Coombe Wood
Stillcombe Wood
Cowleaze Wood
Dicknick Wood
Fewells Wood
Brook Cottage
Court Farm
Fishpond Wood
St. Catherine's Court
St. Catherine
Chippenham
SN14
Rocky Wood
The Rocks
Orchard Wood
Oakleigh
Moonshine Wood
Oakford Barn
Oakford Farm
Rodney Wood
Park Plantation
Oakford Reservoir (covered)
Lodge Farm
Lyegrove Wood
Orchard Farm
Down Edge
Mast
HOLTS DOWN
Sandybank Farm
The Mead
SOUTH GLOUCESTERSHIRE
BATH and N.E. SOMERSET
Rodney Farm
Yarngrove Wood
Pennyslait Wood
Bailey's Wood
The Tynings
Upper Northend Farm
Nursery
Ramscombe Bottom
Ramscombe Cottage
Charmydown Farm
Bannerdown Cottage
Banner Down (Common)
New House Farm
Hill Cottages
Water Works Cottage
The Hill Farm
Oldhouse Farm
Reservoir (Covered)
Chilcombe Bottom
Radford Farm
Reservoir (covered)
Bath
Refuse Tip
BOTTOM
Reservoirs
North End
Starfall Farm
Eagle Farm
Works
Upper Sleight
Easton Gardens
Prospect Ho.
Stambrook Park
Millway Gardens
The Mount
Hilltop
Little Solsbury Hill Fort
Little Solsbury
Church Farm
Whitemore Ct.
Eden Park
Bannerdown Gardens
The Brow
Westleigh
BATHEASTON
Batheaston C of E Prim. Sch.
ELMHURST ESTATE
SHOCKERWICK LANE
Wayfield
Hill Farm
Nursery
Coronation Cotts.
Laburnam Ter.
The Fosse
Batheaston Gdns.
Stam Bridge
Stambridge
Bathford Nurseries
Nursery
Bailbrook
Woolands
Avondale House
Mill
Bailbrook Ct.
BA2
Bailbrook College
Denwood Grange
Bathampton Weir
Bathampton Bridge (Toll)
Bathford Bridge
Bathford
Whitehaven
Bathford Lodge
Sports
Pav.
101
SWAINSWICK BY-PASS
A4
A46
A363
BRADFORD RD.
BOX ROAD
LONDON ROAD
Foss Way
F G H J K
1 2 3 4 5 6 7
77 78 79 70 69 68 67

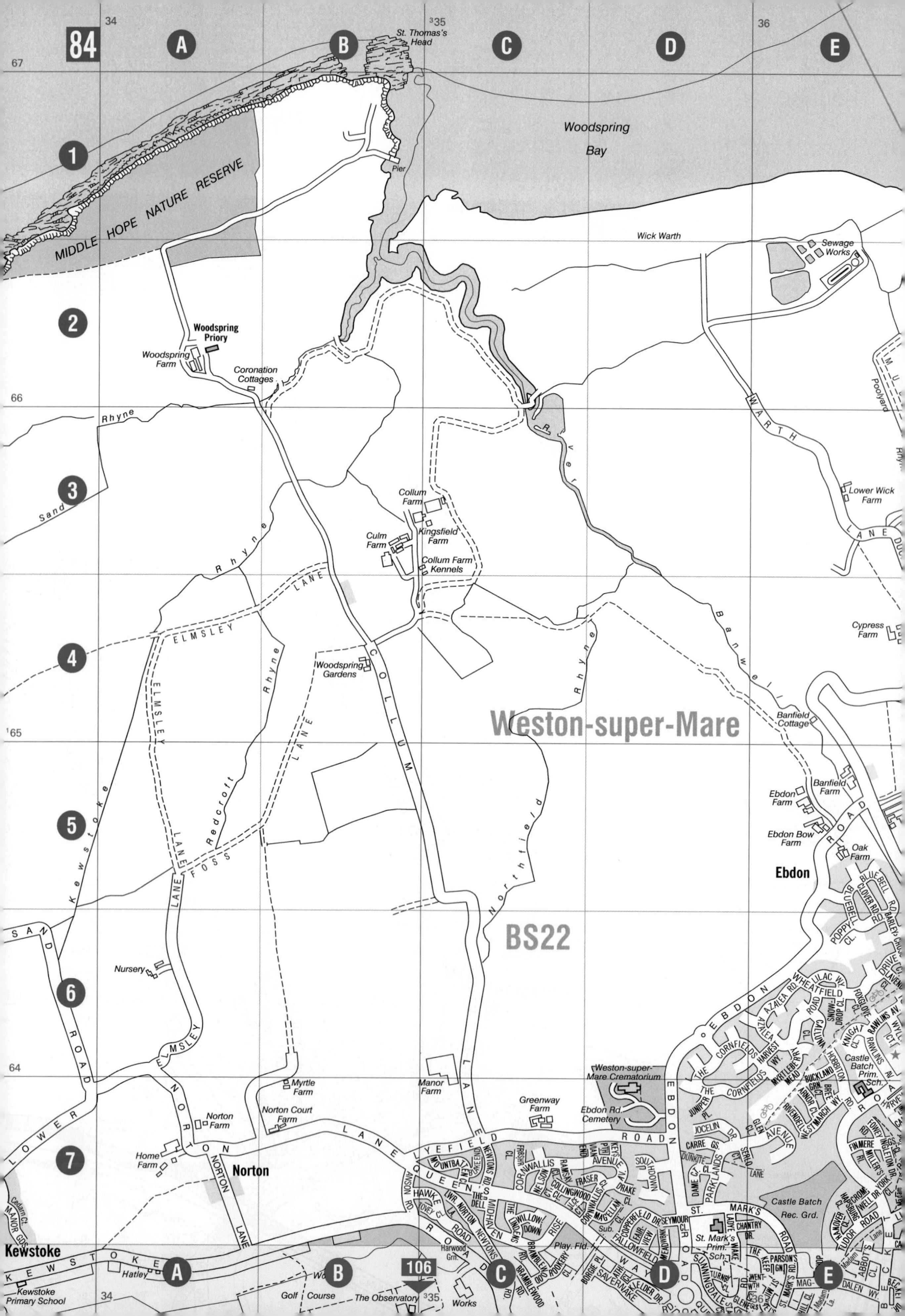

84
A
B
C
D
E
1
2
3
4
5
6
7
St. Thomas's Head
Woodspring Bay
MIDDLE HOPE NATURE RESERVE
Pier
Wick Warth
Sewage Works
Woodspring Priory
Woodspring Farm
Coronation Cottages
Rhyne
Sand
WARTH
Poolyard
Lower Wick Farm
LANE
Collum Farm
Culm Farm
Kingsfield Farm
Collum Farm Kennels
River
Banwell
ELMSLEY LANE
Woodspring Gardens
COLLUM LANE
Cypress Farm
Weston-super-Mare
Banfield Cottage
Banfield Farm
Ebdon Farm
Ebdon Bow Farm
Oak Farm
Ebdon
Kewstoke
Redcroft
FOSS
Northfield
BS22
SAND
LOWER ROAD
Nursery
NORTON LANE
Myrtle Farm
Manor Farm
Norton Farm
Norton Court Farm
Greenway Farm
Weston-super-Mare Crematorium
Ebdon Rd. Cemetery
EBDON ROAD
Home Farm
Norton
LYEFIELD ROAD
QUEEN'S WAY
Kewstoke
KEWSTOKE
Hatley
Kewstoke Primary School
Golf Course
The Observatory
Works
106
St. Mark's Prim. Sch.
Castle Batch Prim. Sch.
Castle Batch Rec. Grd.
Play. Fld.
ST. MARK'S ROAD

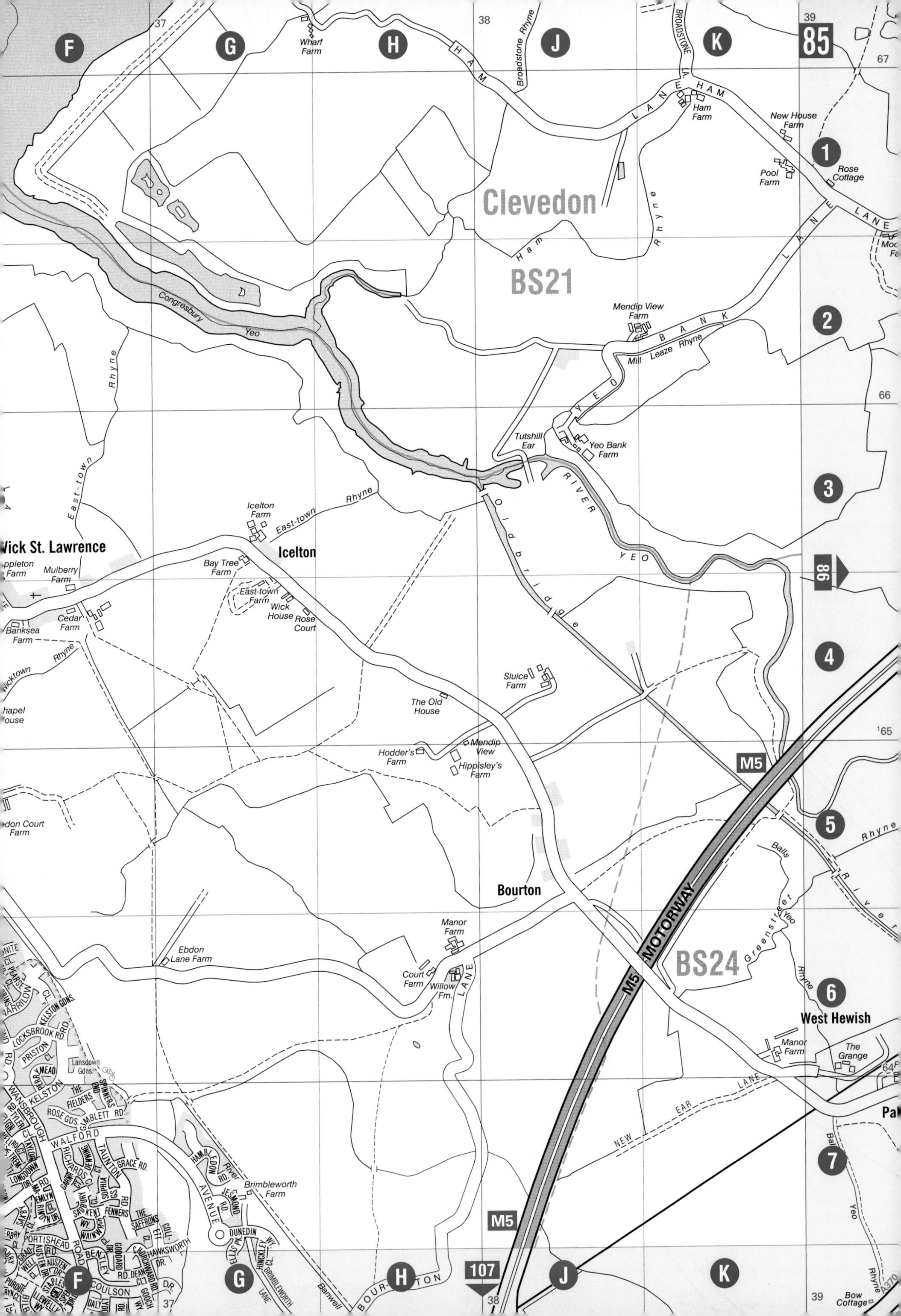
85
Clevedon
BS21
Wick St. Lawrence
Icelton
Bourton
BS24
West Hewish
Ham Farm
New House Farm
Pool Farm
Rose Cottage
Wharf Farm
Mendip View Farm
Mill Leaze Rhyne
Yeo Bank Farm
Tutshill Ear
Congresbury Yeo
River Yeo
Icelton Farm
Bay Tree Farm
Mulberry Farm
Cedar Farm
Banksea Farm
East-town Farm
Wick House
Rose Court
Sluice Farm
The Old House
Hodder's Farm
Mendip View
Hippisley's Farm
Manor Farm
Court Farm
Willow Fm.
Ebdon Lane Farm
Brimbleworth Farm
The Grange
Bow Cottage
M5 MOTORWAY
98
107
Ham Lane
Yeo Bank Lane
Oldbridge
New Ear Lane
Greenstreet Yeo
Bourton Lane
Hambledon Avenue
Dunedin
Walford
Portishead Road
Kelston
Lansdown Gdns.
The Fielders
Saffrons
Hawksworth Dr.
Coulson
Banwell River
Broadstone Rhyne
Broadstone La.
Ham Rhyne
East-town Rhyne
Rhyne

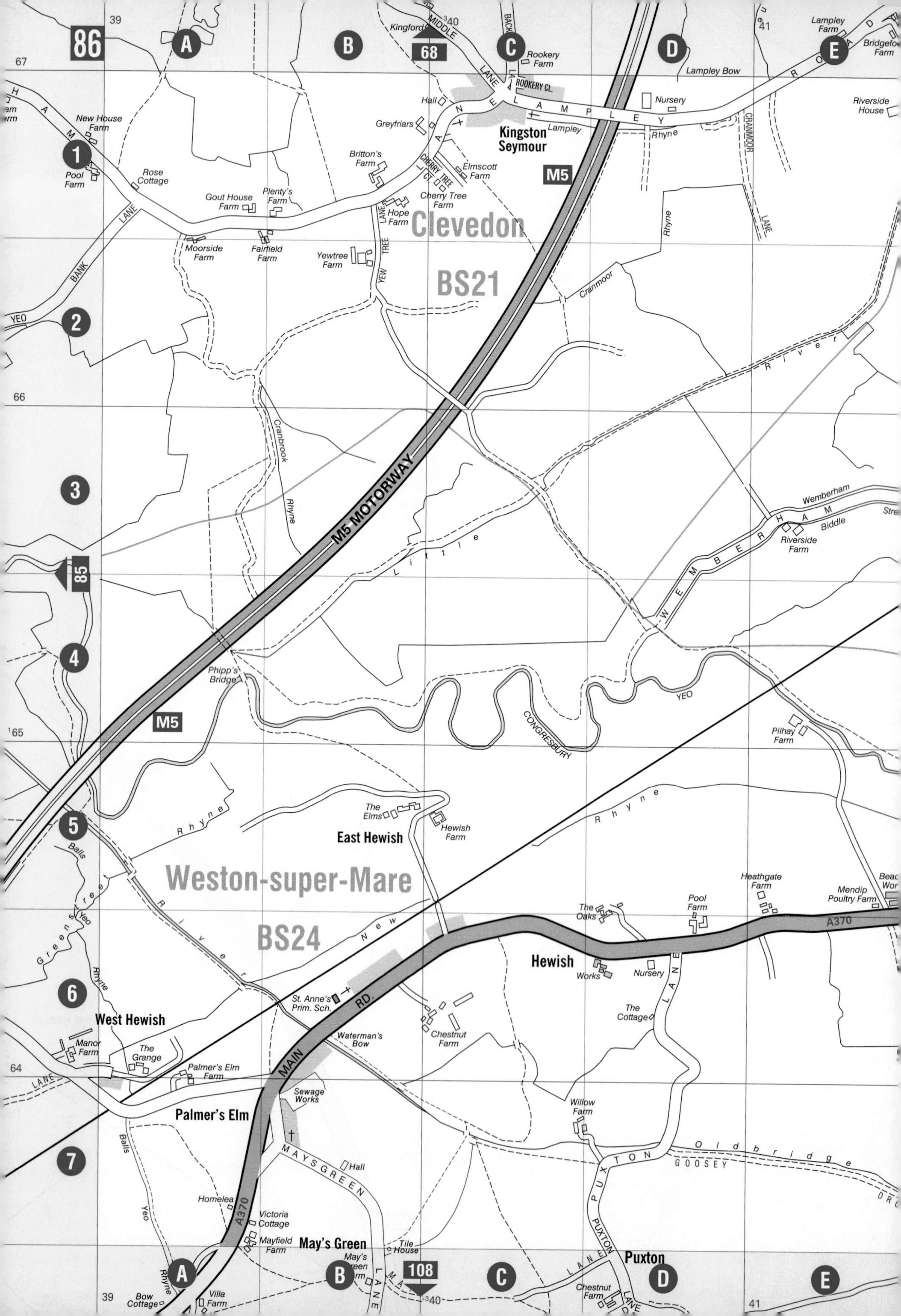

86
68
108
85
Kingston Seymour
Clevedon
BS21
M5 MOTORWAY
M5
Weston-super-Mare
BS24
East Hewish
Hewish
West Hewish
Palmer's Elm
May's Green
Puxton
Kingford
Rookery Farm
Lampley Farm
Bridgeford Farm
Lampley Bow
Nursery
Riverside House
Hall
Greyfriars
Britton's Farm
Elmscott Farm
Cherry Tree Farm
Hope Farm
Yewtree Farm
New House Farm
Pool Farm
Rose Cottage
Gout House Farm
Plenty's Farm
Moorside Farm
Fairfield Farm
Cranmoor
Cranbrook
Rhyne
Little
River
Wemberham
Biddle
Riverside Farm
Phipp's Bridge
YEO
CONGRESBURY
Pilhay Farm
The Elms
Hewish Farm
Balls
Green
New
Heathgate Farm
Mendip Poultry Farm
Pool Farm
The Oaks
A370
Works
Nursery
The Cottage
St. Anne's Prim. Sch.
MAIN RD.
Waterman's Bow
Chestnut Farm
Manor Farm
The Grange
Palmer's Elm Farm
Sewage Works
Willow Farm
Oldbridge
GOOSEY
PUXTON
MAYSGREEN
Hall
Homelea
Victoria Cottage
Mayfield Farm
Tile House
May's Green Farm
Bow Cottage
Villa Farm
Chestnut Farm
LAMPLEY
ROOKERY CL.
LANE
BACK
MIDDLE
CHERRY TREE CT.
YEW TREE LANE
BANK LANE
HAM
CRANMOOR LANE
Lampley Rhyne
39
40
41
67
66
65
64

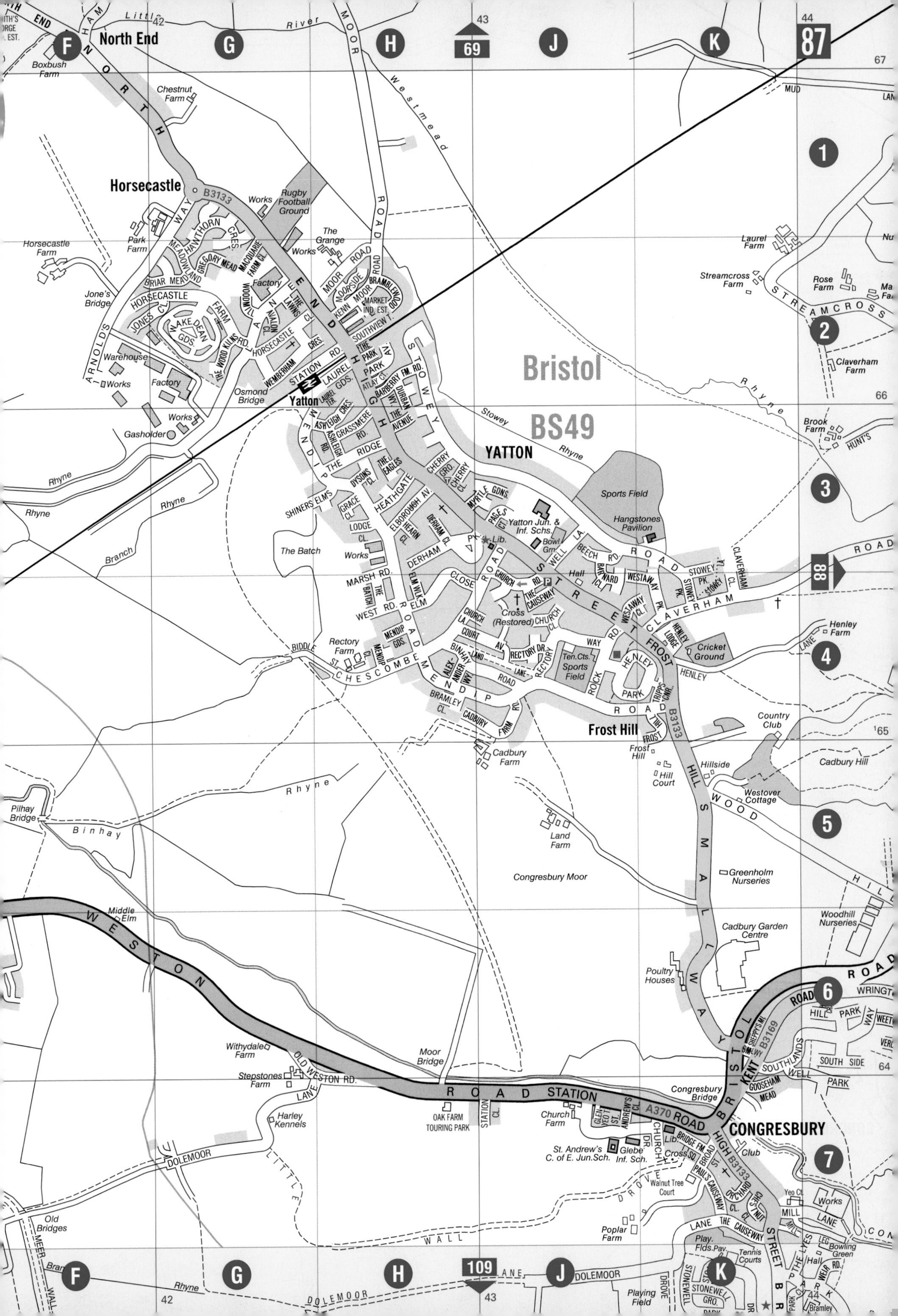

87
69
109
88
North End
Horsecastle
Yatton
YATTON
Bristol
BS49
Frost Hill
CONGRESBURY
Boxbush Farm
Chestnut Farm
Horsecastle Farm
Park Farm
Rugby Football Ground
The Grange
Works
Factory
Warehouse
Gasholder
Jone's Bridge
Osmond Bridge
Laurel Farm
Streamcross Farm
Rose Farm
Claverham Farm
Brook Farm
Sports Field
Hangstones Pavilion
Yatton Jun. & Inf. Schs.
Lib.
Hall
Cross (Restored)
The Batch
Rectory Farm
Cricket Ground
Ten.Cts. Sports Field
Henley Farm
Country Club
Cadbury Hill
Cadbury Farm
Frost Hill
Hill Court
Hillside
Westover Cottage
Land Farm
Congresbury Moor
Greenholm Nurseries
Woodhill Nurseries
Cadbury Garden Centre
Poultry Houses
Pilhay Bridge
Middle Elm
Withydale Farm
Stepstones Farm
Harley Kennels
Moor Bridge
Oak Farm Touring Park
Church Farm
Congresbury Bridge
St. Andrew's C. of E. Jun.Sch.
Glebe Inf. Sch.
Walnut Tree Court
Poplar Farm
Old Bridges
Play. Flds.Pav.
Tennis Courts
Playing Field
Bowling Green
Club
Works
Rhyne
Branch Rhyne
Binhay
Little River
Westmead
WESTON ROAD
STATION ROAD
A370 ROAD
B3133
B3169
NORTH END
HIGH STREET
STATION RD.
STOWEY RD.
FROST HILL
SMALLWAY
MENDIP ROAD
CHESCOMBE RD.
CLAVERHAM ROAD
STREAMCROSS
WOOD HILL
HENLEY LANE
WRINGTON ROAD
DOLEMOOR LANE
LITTLE DROVE
WALL
MOOR ROAD
BRISTOL ROAD
HIGH STREET
BROAD STREET
MILL LANE
THE CAUSEWAY
PAUL'S CAUSEWAY
BRIDGE FM. CL.
CHURCH DR.
OLD WESTON RD.
STATION CL.
MEER WALL

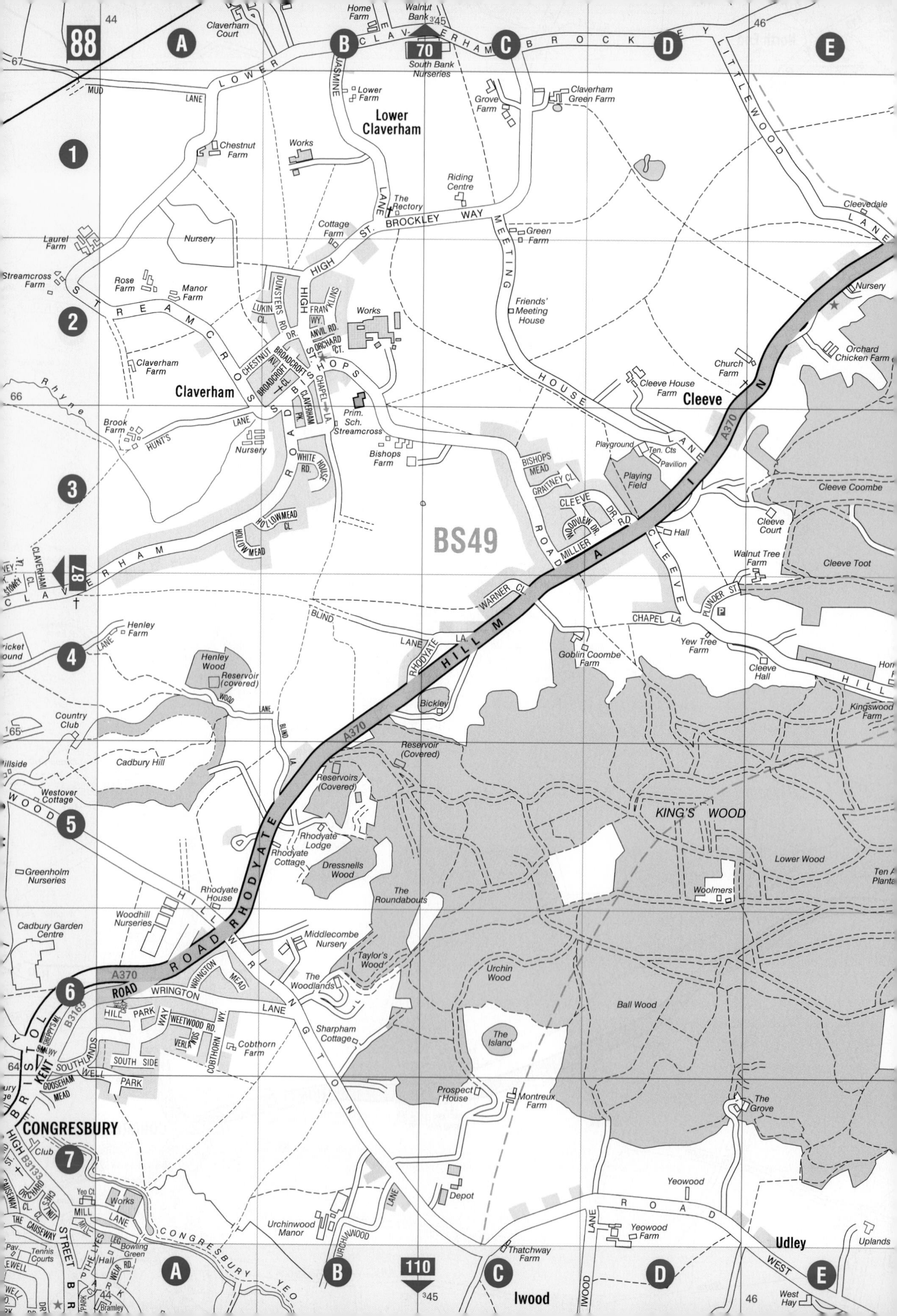

88
70
87
110
A
B
C
D
E
1
2
3
4
5
6
7
44
345
46
67
66
65
64
Home Farm
Walnut Bank
Claverham Court
LOWER CLAVERHAM BROCKLEY
South Bank Nurseries
MUD LANE
JASMINE LANE
Lower Farm
Lower Claverham
Grove Farm
Claverham Green Farm
LITTLEWOOD LANE
Chestnut Farm
Works
Riding Centre
The Rectory
ST. BROCKLEY WAY
Cottage Farm
Cleevedale
Laurel Farm
Nursery
MEETING HOUSE LANE
Green Farm
Streamcross Farm
Rose Farm
Manor Farm
STREAMCROSS
HIGH ST.
DUNSTERS RD.
LUKIN CL.
FRANKLINS WY.
ANVIL RD.
ORCHARD CT.
Friends' Meeting House
Orchard Chicken Farm
Claverham Farm
CHESTNUT AV.
BROADCROFT CL.
BISHOPS ROAD
CHAPEL LA.
CLAVERHAM PK.
Church Farm
Claverham
Prim. Sch.
Streamcross
Cleeve House Farm
Cleeve
Brook Farm
HUNT'S LANE
Nursery
Bishops Farm
Playground
Ten. Cts
Pavilion
BISHOPS MEAD
Playing Field
WHITE HOUSE RD.
GRAITNEY CL.
Cleeve Coombe
CLEEVE DR.
WOODVIEW DR.
MILLIER RD.
Cleeve Court
HOLLOWMEAD CL.
HOLLOW MEAD
BS49
Hall
CLEEVE HILL
Walnut Tree Farm
Cleeve Toot
CLAVERHAM ROAD
CLAVERHAM
WARNER CL.
PLUNDER ST.
MAIN ROAD
A370
BLIND LANE
CHAPEL LA.
Henley Farm
RHODYATE LA.
Yew Tree Farm
Goblin Coombe Farm
Cleeve Hall
Cricket Ground
Henley Wood
Reservoir (covered)
WOOD LANE
Bickley
Kingswood Farm
Country Club
Reservoir (Covered)
Cadbury Hill
Reservoirs (Covered)
Hillside
Westover Cottage
WOODHILL
KING'S WOOD
Rhodyate Lodge
Rhodyate Cottage
Dressnells Wood
Lower Wood
Greenholm Nurseries
The Roundabouts
Woolmers
Rhodyate House
Woodhill Nurseries
RHODYATE HILL
Cadbury Garden Centre
Middlecombe Nursery
Taylor's Wood
Urchin Wood
WRINGTON MEAD
The Woodlands
WRINGTON LANE
Ball Wood
BRISTOL ROAD
B3169
HILL PARK
WAY
WEETWOOD RD.
COBTHORN WY.
Sharpham Cottage
The Island
Cobthorn Farm
SOUTHLANDS
SOUTH SIDE
WELL PARK
KENT
GOOSEHAM MEAD
Prospect House
Montreux Farm
The Grove
CONGRESBURY
HIGH ST.
B3133
Club
Yeowood
Depot
YEOWOOD ROAD
Yeo Ct.
Works
MILL LANE
THE CAUSEWAY
Urchinwood Manor
URCHINWOOD LANE
Yeowood Farm
Udley
Uplands
Tennis Courts
THE LYES
Hall
Bowling Green
WEIR RD.
CONGRESBURY YEO
Thatchway Farm
WEST
IWOOD LANE
Iwood
West Hay
Bramley
STREET

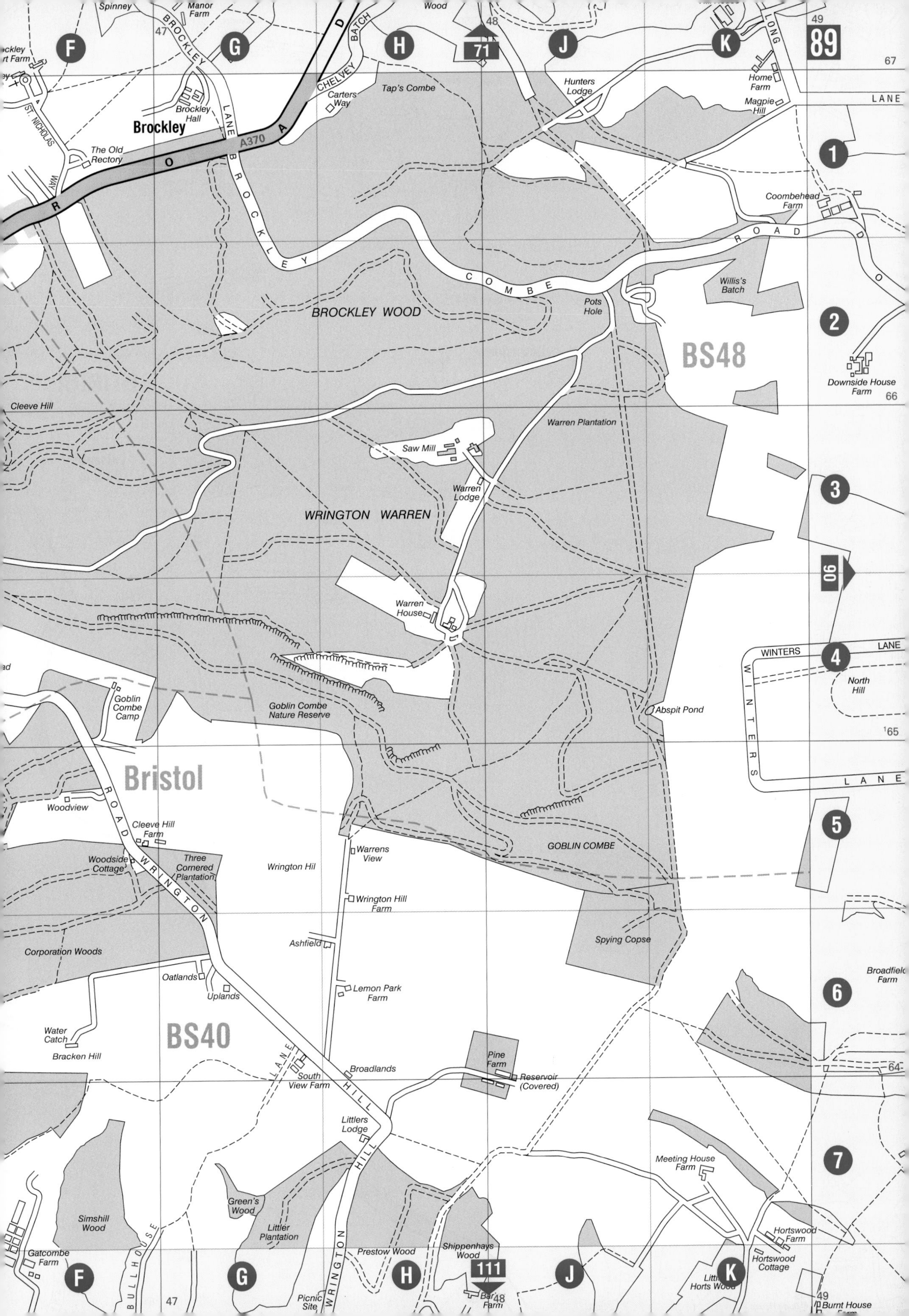
Spinney
Manor Farm
Wood
BROCKLEY
CHELVEY BATCH
LONG
F
G
H
71
J
K
Home Farm
Magpie Hill
LANE
Hunters Lodge
Tap's Combe
Carters Way
Brockley Hall
Brockley
LANE
A370
ST. NICHOLAS
WAY
The Old Rectory
ROAD
BROCKLEY
COMBE ROAD
Coombehead Farm
Willis's Batch
Pots Hole
BROCKLEY WOOD
BS48
Downside House Farm
Cleeve Hill
Warren Plantation
Saw Mill
Warren Lodge
WRINGTON WARREN
90
Warren House
WINTERS LANE
North Hill
Goblin Combe Camp
Goblin Combe Nature Reserve
Abspit Pond
Bristol
WINTERS LANE
Woodview
Cleeve Hill Farm
Woodside Cottage
Three Cornered Plantation
Wrington Hil
Warrens View
GOBLIN COMBE
Wrington Hill Farm
WRINGTON ROAD
Corporation Woods
Ashfield
Spying Copse
Oatlands
Uplands
Lemon Park Farm
Broadfield Farm
Water Catch
Bracken Hill
BS40
Pine Farm
Reservoir (Covered)
LANE
South View Farm
Broadlands
HILL
Littlers Lodge
Meeting House Farm
Green's Wood
Simshill Wood
Littler Plantation
Prestow Wood
Shippenhays Wood
Hortswood Farm
Hortswood Cottage
Gatcombe Farm
BULLHOUSE
WRINGTON
111
Picnic Site
Burnt House
1
2
3
4
5
6
7
47
48
49
67
66
65
64

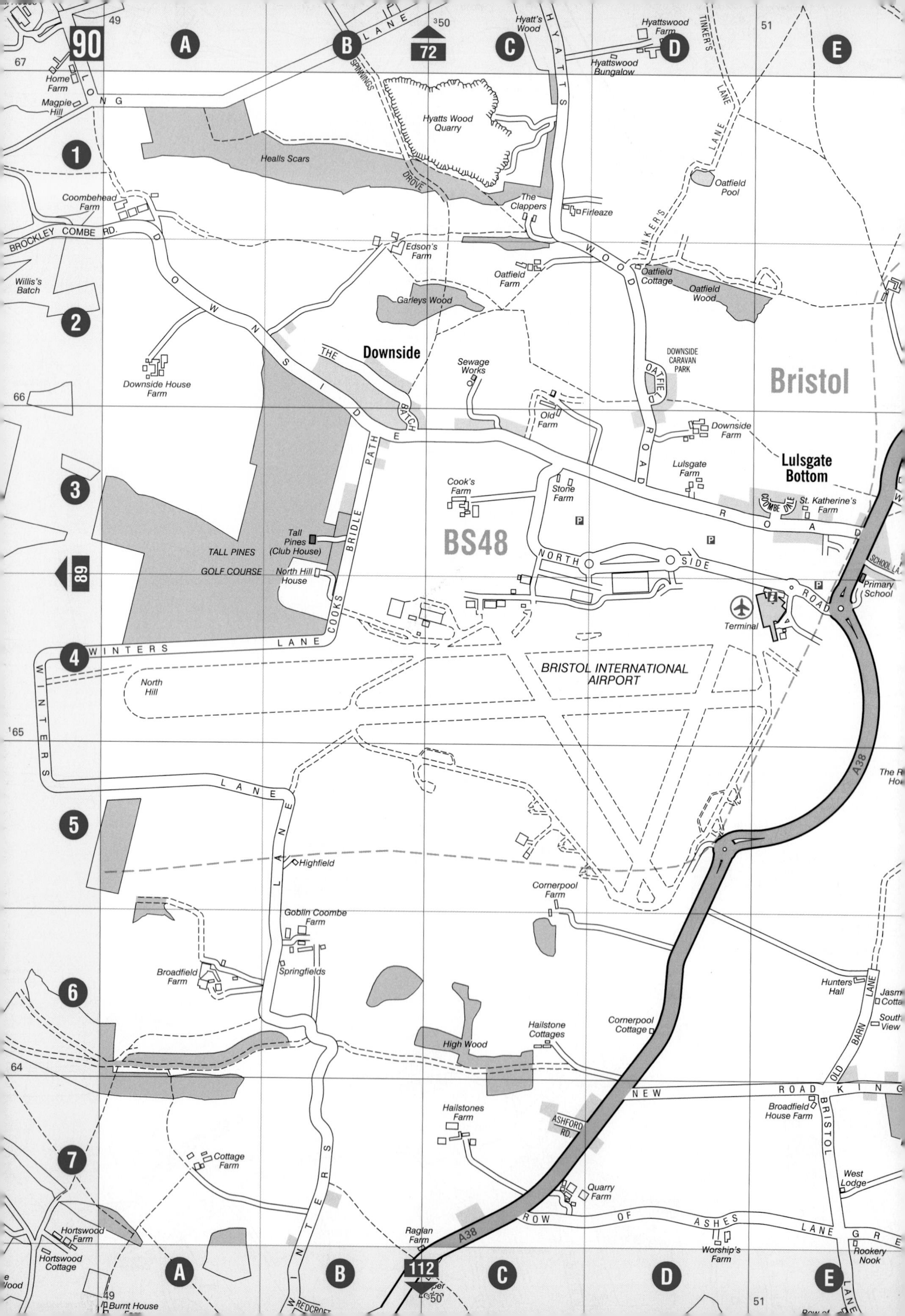

90
72
112
89
A
B
C
D
E
1
2
3
4
5
6
7
49
350
51
67
66
165
64
Downside
Bristol
Lulsgate Bottom
BS48
BRISTOL INTERNATIONAL AIRPORT
Terminal
Hyatts Wood Quarry
Healls Scars
Coombehead Farm
Home Farm
Magpie Hill
Willis's Batch
Downside House Farm
Edson's Farm
Garleys Wood
The Clappers
Firleaze
Oatfield Farm
Oatfield Cottage
Oatfield Wood
Oatfield Pool
Hyattswood Farm
Hyattswood Bungalow
Hyatt's Wood
DOWNSIDE CARAVAN PARK
Downside Farm
Lulsgate Farm
St. Katherine's Farm
Sewage Works
Old Farm
Cook's Farm
Stone Farm
Tall Pines (Club House)
TALL PINES GOLF COURSE
North Hill House
North Hill
Primary School
Highfield
Goblin Coombe Farm
Springfields
Broadfield Farm
Cornerpool Farm
Cornerpool Cottage
Hailstone Cottages
High Wood
Hunters Hall
Broadfield House Farm
Hailstones Farm
Cottage Farm
Quarry Farm
West Lodge
Raglan Farm
Worship's Farm
Rookery Nook
Hortswood Farm
Hortswood Cottage
Burnt House
BROCKLEY COMBE RD.
LONG LANE
DOWNSIDE
THE BATCH
BRIDLE PATH
COOKS LANE
WINTERS LANE
HYATTS WOOD ROAD
TINKER'S LANE
OATFIELD ROAD
NORTH SIDE ROAD
COOMBE DALE
SCHOOL LA.
A38
NEW ROAD
OLD BARN LANE
BRISTOL
ASHFORD RD.
ROW OF ASHES LANE
REDCROFT
SPINNINGS DROVE

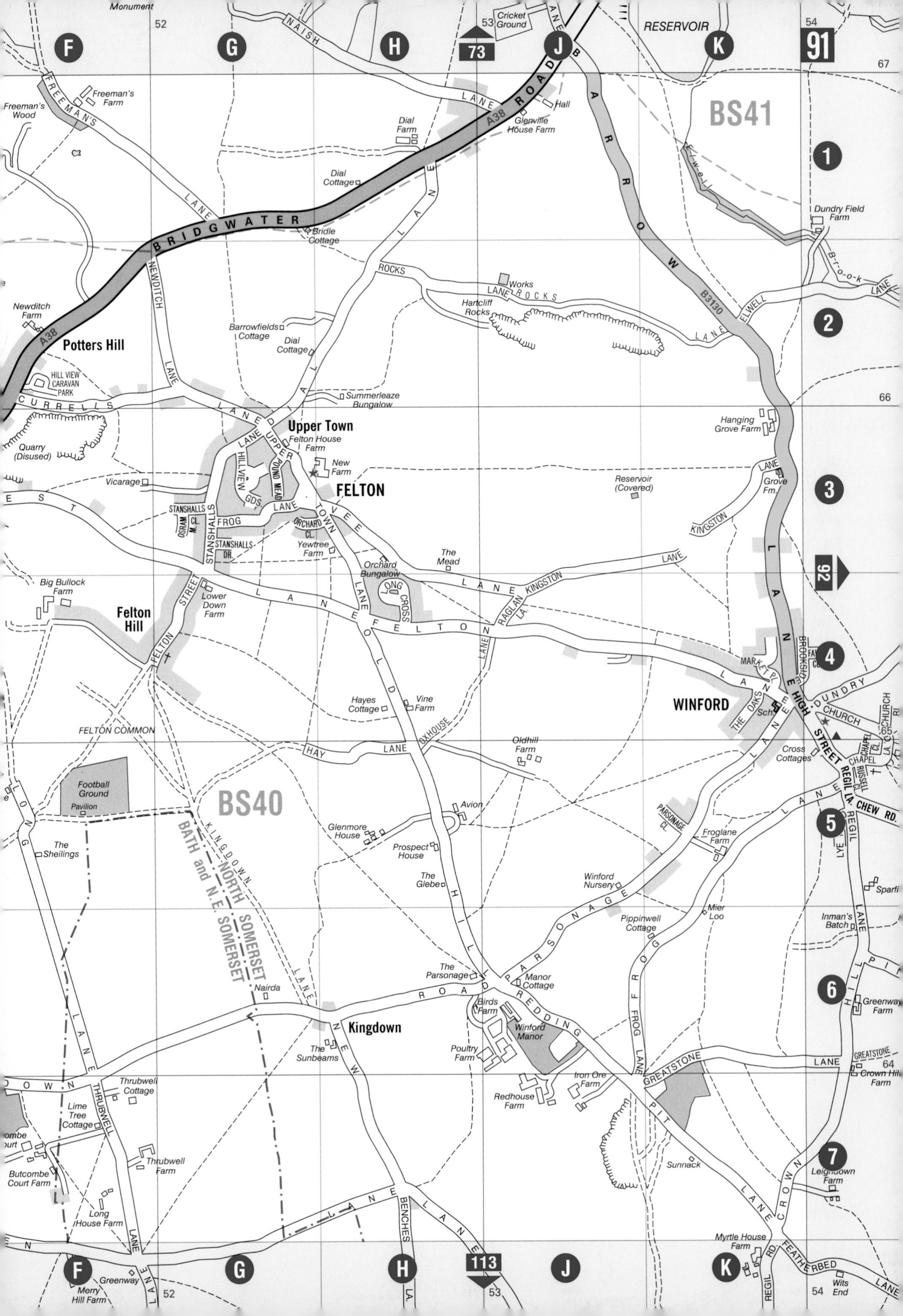

91
73
92
113
F
G
H
J
K
1
2
3
4
5
6
7
52
53
54
67
66
65
64
BS41
BS40
RESERVOIR
Monument
Cricket Ground
Freeman's Farm
Freeman's Wood
FREEMAN'S LANE
BRIDGWATER ROAD
A38
B3130
BARROW LANE
NAISH LANE
Hall
Glenville House Farm
Dial Farm
Dial Cottage
Bridle Cottage
Dundry Field Farm
Brook
ELWELL LANE
Works
ROCKS LANE
Hartcliff Rocks
Newditch Farm
Potters Hill
NEWDITCH LANE
Barrowfields Cottage
HILL VIEW CARAVAN PARK
CURRELLS LANE
Summerleaze Bungalow
Upper Town
Felton House Farm
New Farm
Quarry (Disused)
Hanging Grove Farm
Grove Fm.
Reservoir (Covered)
Vicarage
FELTON
HILLVIEW GDS.
POUND MEAD
FROG LANE
STANSHALLS
STANSHALLS DR.
OSRAM CL.
ORCHARD CL.
TOVEE
Yewtree Farm
The Mead
KINGSTON LANE
Orchard Bungalow
LONG CROSS
Big Bullock Farm
Lower Down Farm
Felton Hill
FELTON STREET
FELTON LANE
RAGLAN LA.
OLD HILL
MARKET
BROOKSIDE
WINFORD
THE OAKS
Sch.
HIGH STREET
DUNDRY LANE
CHURCH
CHAPEL CL.
CHAPEL LA.
RUSSELL CL.
Cross Cottages
REGIL LA.
CHEW RD.
Hayes Cottage
Vine Farm
OXHOUSE
FELTON COMMON
HAY LANE
Oldhill Farm
Football Ground
Pavilion
Avion
Glenmore House
Prospect House
PARSONAGE CL.
Froglane Farm
The Sheilings
KINGDOWN
NORTH SOMERSET
BATH and N.E. SOMERSET
The Glebe
Winford Nursery
Spartfield
LYE
Inman's Batch
Mier Loo
Pippinwell Cottage
PARSONAGE ROAD
FROG LANE
The Parsonage
Manor Cottage
Nairda
Birds Farm
Winford Manor
REDDING
Greenway Farm
Kingdown
NEW LANE
The Sunbeams
Poultry Farm
GREATSTONE LANE
Crown Hill Farm
DOWN
THRUBWELL LANE
Thrubwell Cottage
Lime Tree Cottage
Iron Ore Farm
Redhouse Farm
PIT LANE
Butcombe Court Farm
Thrubwell Farm
Sunnack
Leighdown Farm
CROWN HILL
Long House Farm
LONG LANE
BENCHES LANE
Myrtle House Farm
FEATHERBED LANE
REGIL RD.
Wits End
Greenway
Merry Hill Farm

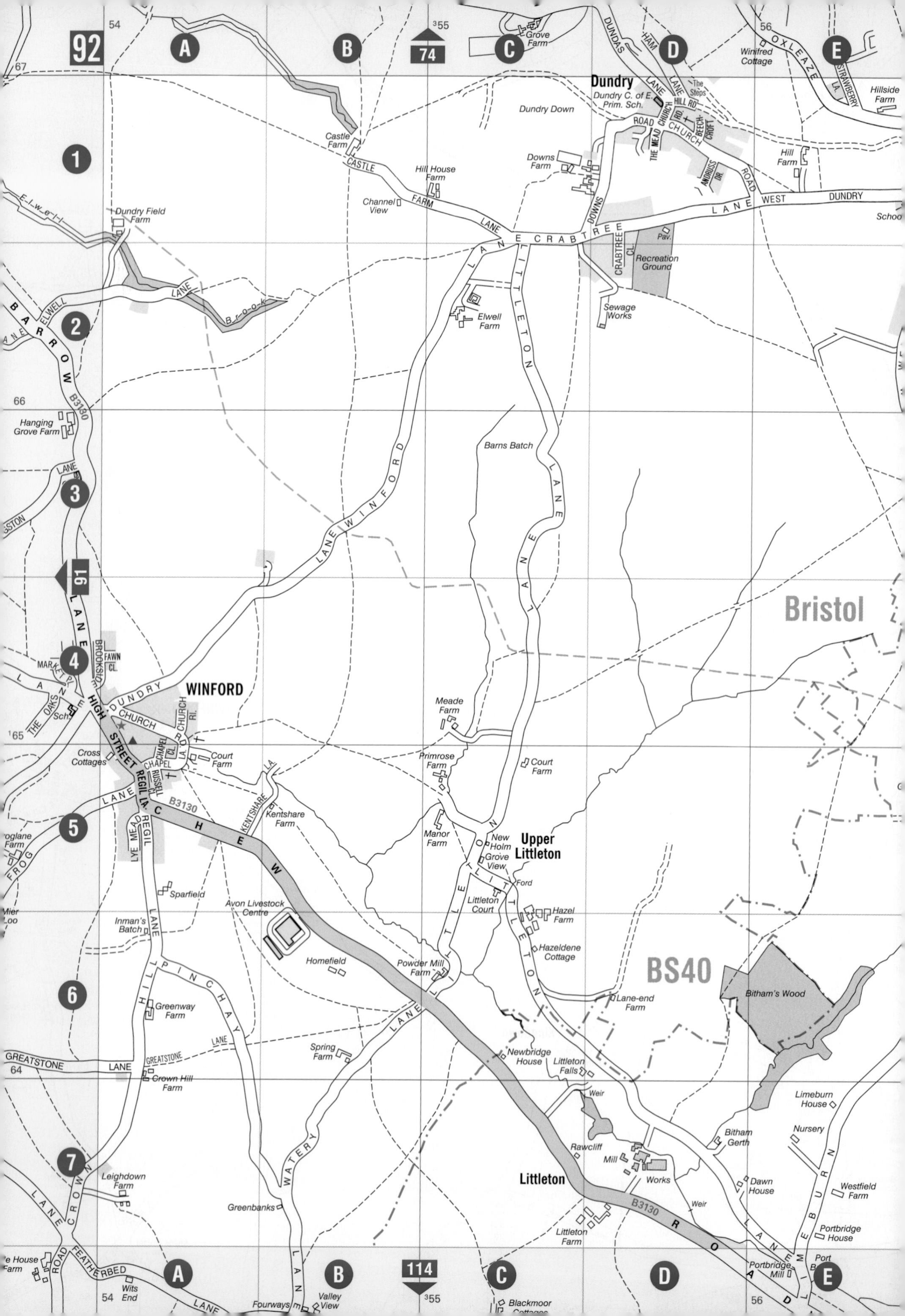
92
A
B
C
D
E
74
114
91
1
2
3
4
5
6
7
54
355
56
67
66
165
64
Grove Farm
Dundas Lane
Ham Lane
Winifred Cottage
Oxleaze La.
Strawberry La.
Dundry
Dundry C. of E. Prim. Sch.
The Steps
Hill Rd
Hillside Farm
Dundry Down
Church Road
The Mead
Church Rd.
Beech-croft
Castle Farm
Castle Farm Lane
Hill House Farm
Downs Farm
Hill Farm
Andruss Dr.
Road
Channel View
Dundry Field Farm
Lane West
Dundry
School
Downs
Crabtree Lane
Crabtree Cl.
Pav.
Recreation Ground
Elwell Lane
Elwell Brook
Barrow Lane
Elwell Farm
Sewage Works
Littleton Lane
B3130
Hanging Grove Farm
Barns Batch
Winford Lane
Bristol
Market Pl.
Brookside
Fawn Cl.
Dundry Lane
WINFORD
The Oaks
Sch.
High Street
Church Rd.
Church Ri.
Chapel Cl.
Chapel La.
Meade Farm
Cross Cottages
Court Farm
Primrose Farm
Court Farm
Russell Cl.
Regil La.
Kentshare La.
Kentshare Farm
Chew Road
Manor Farm
New Holm
Grove View
Upper Littleton
Frog Lane
Froglane Farm
Lye Mead
Regil Lane
Sparfield
Ford
Littleton Court
Hazel Farm
Avon Livestock Centre
Inman's Batch
Hazeldene Cottage
Homefield
Powder Mill Farm
BS40
Bitham's Wood
Lane-end Farm
Hill
Pinchay Lane
Greenway Farm
Spring Farm
Newbridge House
Littleton Falls
Greatstone Lane
Crown Hill Farm
Weir
Limeburn House
Watery Lane
Rawcliff
Bitham Gerth
Nursery
Mill
Works
Leighdown Farm
Littleton
Dawn House
Crown Lane
Westfield Farm
Greenbanks
Weir
Limeburn Lane
Littleton Farm
Portbridge House
Featherbed Lane
Road
Portbridge Mill
Port
Wits End
Valley View
Fourways
Blackmoor Cottages

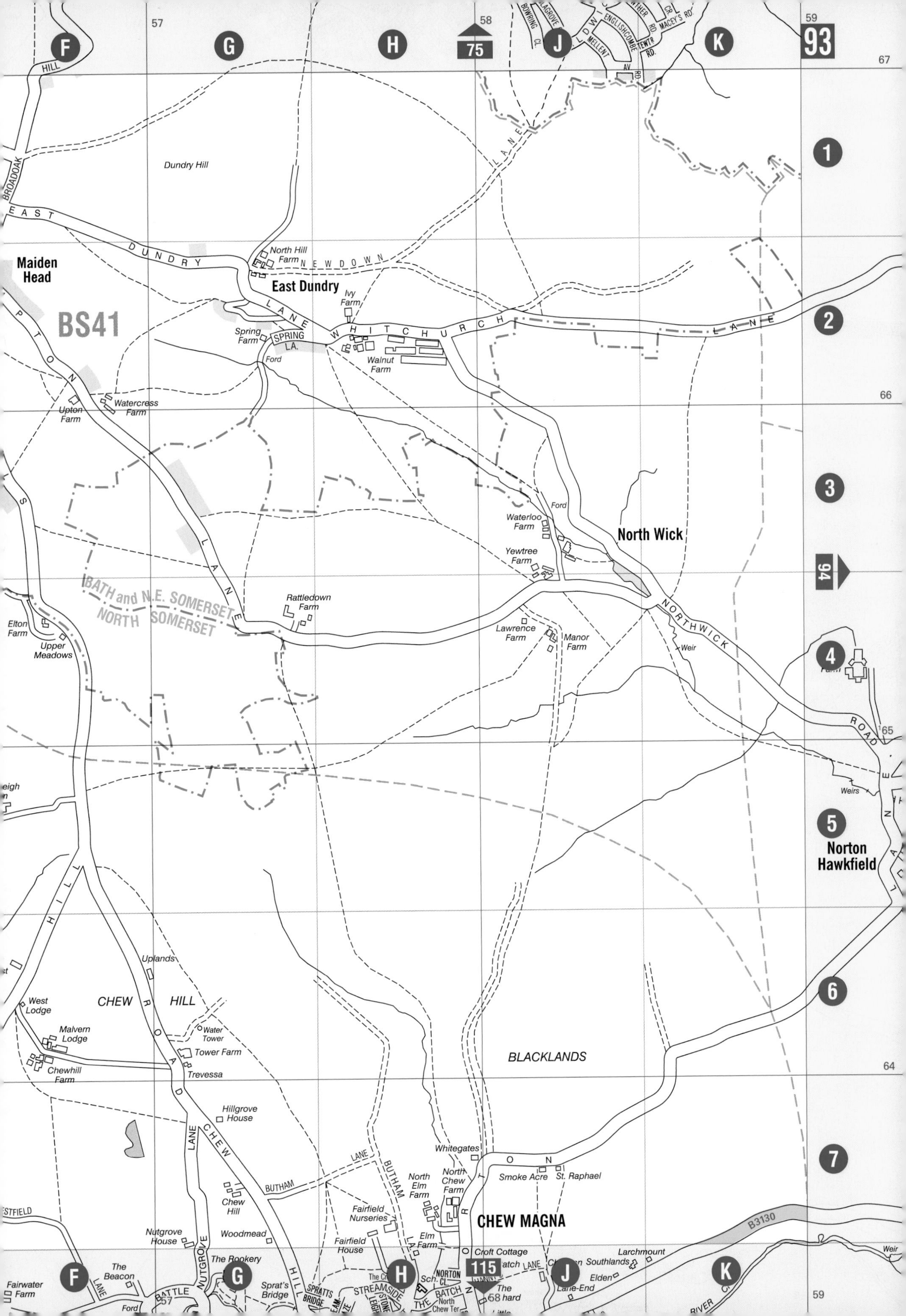
93
75
94
115
F
G
H
J
K
1
2
3
4
5
6
7
57
58
59
67
66
65
64
Dundry Hill
Maiden Head
BS41
East Dundry
North Hill Farm
NEWDOWN
EAST DUNDRY LANE
BROADOAK
Ivy Farm
Spring Farm
SPRING LA.
Ford
Walnut Farm
WHITCHURCH LANE
Watercress Farm
Upton Farm
UPTON LANE
North Wick
Waterloo Farm
Yewtree Farm
Ford
Rattledown Farm
BATH and N.E. SOMERSET
NORTH SOMERSET
Elton Farm
Upper Meadows
Lawrence Farm
Manor Farm
NORTHWICK ROAD
Weir
Weirs
Norton Hawkfield
CHEW HILL
Uplands
West Lodge
Malvern Lodge
Water Tower
Tower Farm
Chewhill Farm
Trevessa
CHEW ROAD
Hillgrove House
BLACKLANDS
BUTHAM LANE
Chew Hill
Nutgrove House
Woodmead
The Rookery
NUTGROVE LANE
The Beacon
Fairwater Farm
BATTLE
Sprat's Bridge
SPRATTS BRIDGE
Fairfield Nurseries
Fairfield House
STREAMSIDE
Whitegates
North Elm Farm
North Chew Farm
Elm Farm
NORTON LANE
Smoke Acre
St. Raphael
CHEW MAGNA
Croft Cottage
NORTON CL.
THE BATCH
North Chew Ter.
Larchmount
Southlands
Elden
Lane-End
B3130
RIVER
Weir
BOWRING CL.
ENGLISHCOMBE
MELLENT
TEWTR RD.
MACEY'S RD.

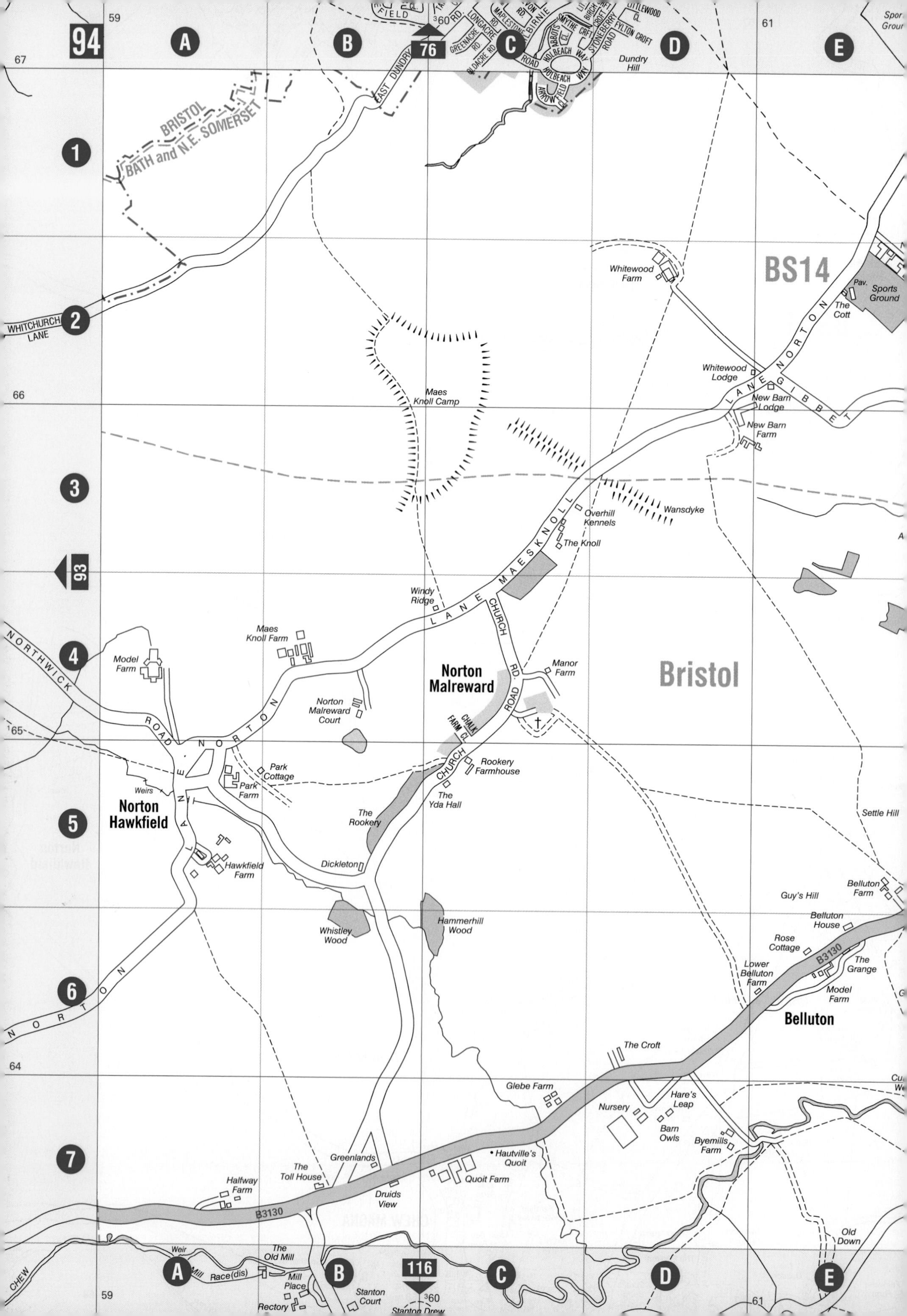

BRISTOL
BATH and N.E. SOMERSET

1

Whitewood
Farm

BS14

Pav.
Sports
Ground

The
Cott

WHITCHURCH
LANE

2

Whitewood
Lodge

New Barn
Lodge

New Barn
Farm

66

Maes
Knoll Camp

3

Overhill
Kennels

Wansdyke

The Knoll

93

Windy
Ridge

Model
Farm

Maes
Knoll Farm

Manor
Farm

Bristol

NORTHWICK

4

Norton
Malreward

Norton
Malreward
Court

65

Park
Cottage

Church
Farmhouse

Settle
Lane

Norton
Hawkfield

5

Park
Farm

The
Rookery

Rookery
Farmhouse

The
Yda Hall

Guy's Hill

Belluton
Farm

Weirs

Dickleton

Belluton
House

Rose
Cottage

The
Grange

Hawkfield
Farm

Whistley
Wood

Hammerhill
Wood

Lower
Belluton
Farm

Model
Farm

B3130

6

NORTON

Belluton

64

The Croft

Glebe Farm

Hare's
Leap

Cu
We

7

Halfway
Farm

The
Toll House

Greenlands

Nursery

Barn
Owls

Byemills
Farm

• Hautville's
Quoit

Druids
View

Quoit Farm

Old
Down

CHEW

Weir
Mill Race (dis)

The
Old Mill

Mill
Place

Stanton
Court

Rectory

Stanton Drew

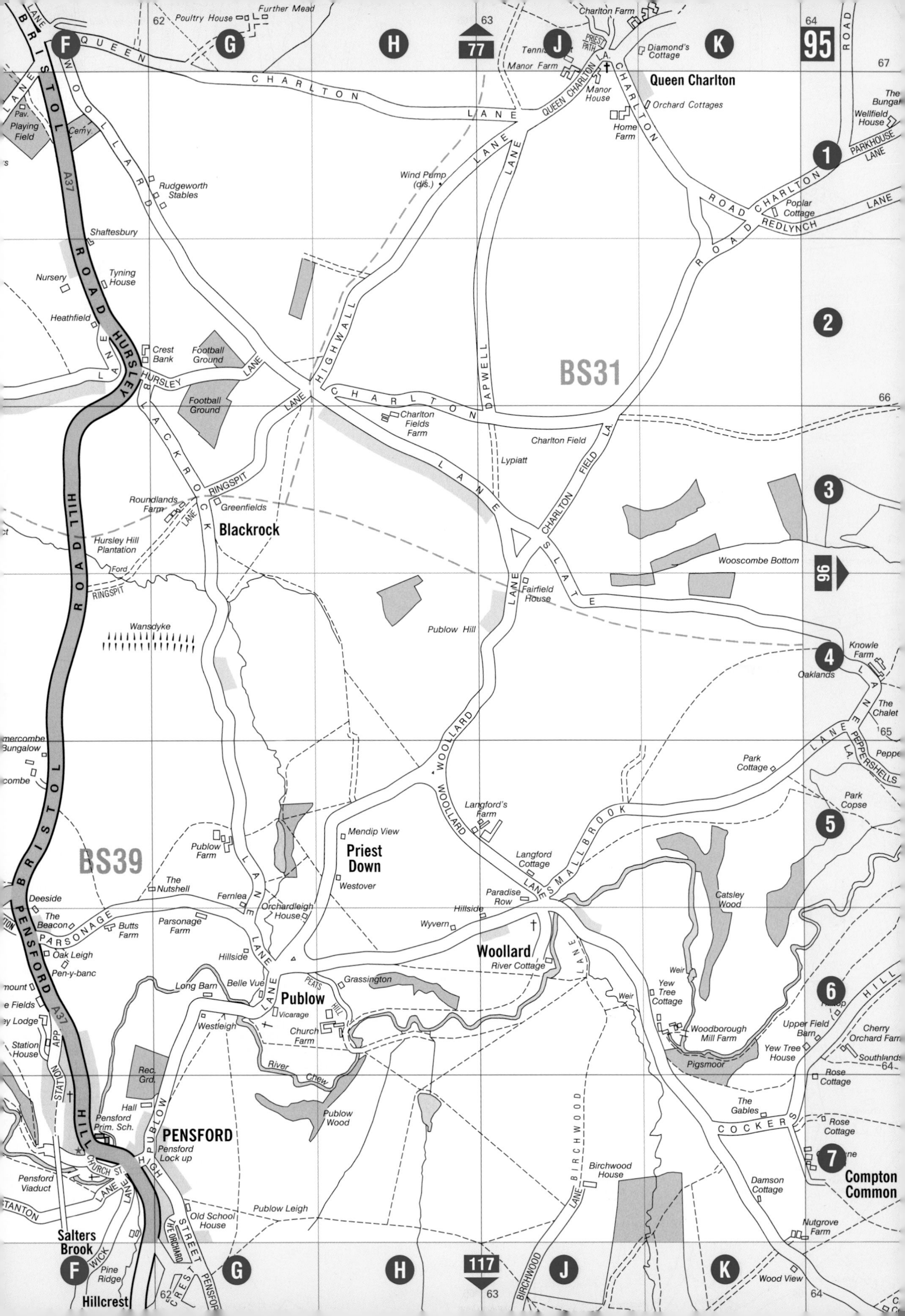
95
F
G
H
J
K
62
63
64
77
117
96
1
2
3
4
5
6
7
67
66
65
64
Further Mead
Poultry House
Charlton Farm
Priest Path
Tennis Court
Manor Farm
Diamond's Cottage
Queen Charlton
Queen Charlton La.
Charlton Road
Manor House
Orchard Cottages
Home Farm
The Bungalow
Wellfield House
Parkhouse Lane
Queen Charlton Lane
Bristol Lane
Woollard Lane
Pav.
Playing Field
Cemy.
A37
Rudgeworth Stables
Wind Pump (dis.)
Highwall Lane
Dapwell Lane
Poplar Cottage
Redlynch Lane
Shaftesbury
Nursery
Tyning House
Heathfield
Hursley Lane
Hursley Hill Road
Crest Bank
Football Ground
BS31
Charlton Lane
Charlton Fields Farm
Charlton Field
Charlton Field La.
Lypiatt
Blackrock Lane
Ringspit Lane
Roundlands Farm
Greenfields
Blackrock
Hursley Hill Plantation
Ford
Ringspit
Wooscombe Bottom
Slate Lane
Fairfield House
Wansdyke
Publow Hill
Knowle Farm
Oaklands
The Chalet
Peppershells La.
Park Cottage
Park Copse
Woollard Lane
Langford's Farm
Smallbrook Lane
Mendip View
Priest Down
Westover
Langford Cottage
Paradise Row
Publow Farm
BS39
The Nutshell
Fernlea
Orchardleigh House
Hillside
Wyvern
Woollard
River Cottage
Catsley Wood
Deeside
The Beacon
Parsonage Road
Butts Farm
Parsonage Farm
Oak Leigh
Pen-y-banc
Hillside
Long Barn
Belle Vue
Peats Hill
Grassington
Publow
Vicarage
Westleigh
Church Farm
Weir
Yew Tree Cottage
Woodborough Mill Farm
Pigsmoor
Upper Field Barn
Hilltop
Cherry Orchard Farm
Yew Tree House
Southlands
Hill
Rose Cottage
Station House
Station App.
Rec. Grd.
River Chew
Publow Wood
Birchwood Lane
The Gables
Cockers
Rose Cottage
Hall
Pensford Prim. Sch.
Publow
High Street
PENSFORD
Pensford Lock up
Church St.
Pensford Viaduct
Stanton
Wick Lane
Birchwood House
Damson Cottage
Compton Common
Pensford Hill
Old School House
Publow Leigh
The Orchard
Nutgrove Farm
Salters Brook
Pine Ridge
Hillcrest
Crest
Pensford
Birchwood
Wood View

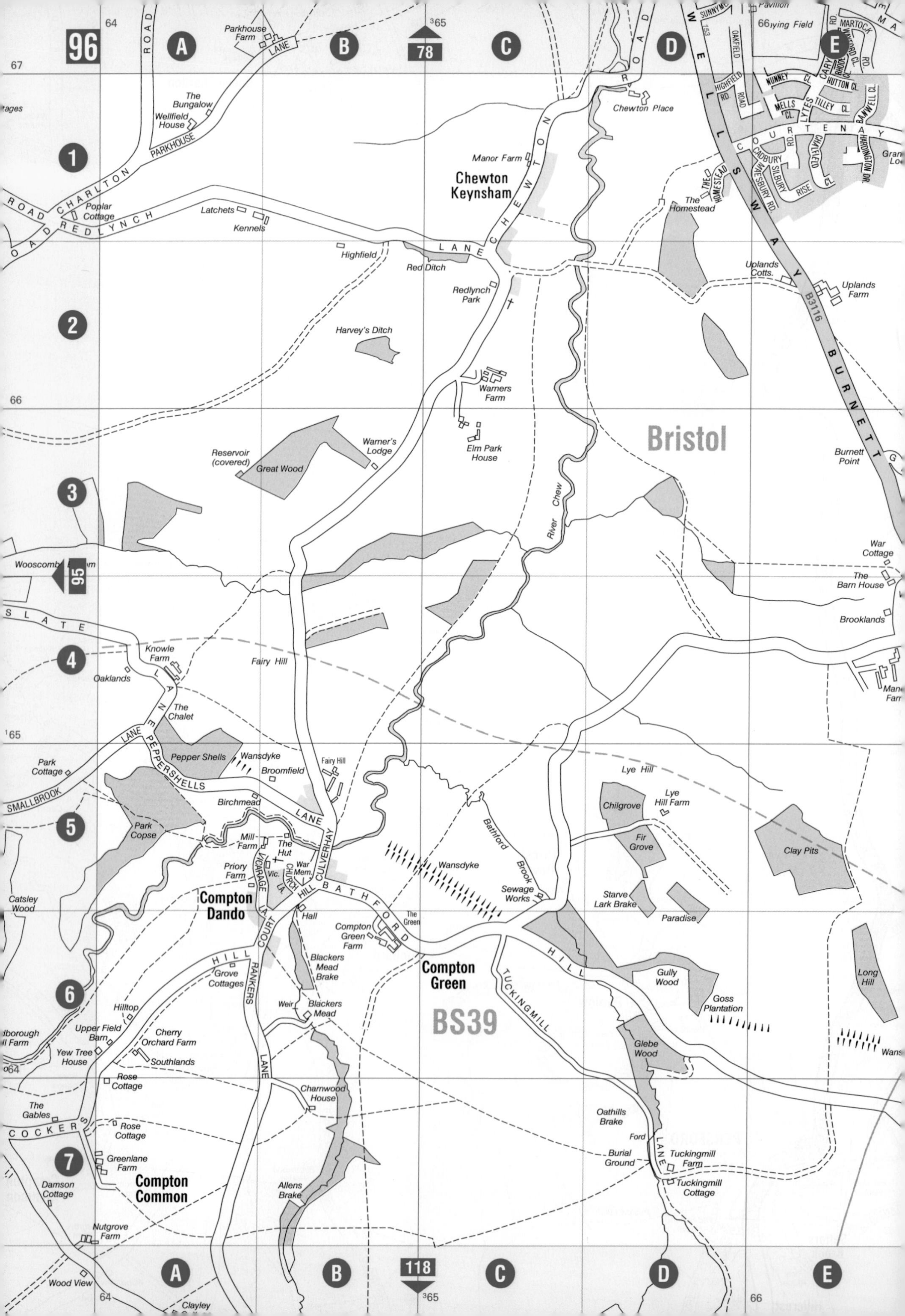

A
B
C
D
E
78
118
95
Parkhouse Farm
The Bungalow
Wellfield House
Parkhouse Lane
Charlton Road
Redlynch Lane
Poplar Cottage
Latchets
Kennels
Highfield
Red Ditch
Chewton Place
Manor Farm
Chewton Keynsham
Chewton Road
Redlynch Park
Harvey's Ditch
Warners Farm
Elm Park House
Warner's Lodge
Reservoir (covered)
Great Wood
Bristol
River Chew
The Homestead
Uplands Cotts.
Uplands Farm
Wells Way
Burnett
B3116
Burnett Point
War Cottage
The Barn House
Brooklands
Slate Lane
Knowle Farm
Oaklands
Fairy Hill
The Chalet
Peppershells Lane
Pepper Shells
Wansdyke
Broomfield
Park Cottage
Smallbrook Lane
Birchmead
Park Copse
Mill Farm
The Hut
Priory Farm
Vicarage La.
Church La.
War Mem.
Culverhay
Compton Dando
Catsley Wood
Hill
Bathford Hill
Hall
Compton Green Farm
The Green
Compton Green
Bathford Brook
Sewage Works
Lye Hill
Lye Hill Farm
Chilgrove
Fir Grove
Clay Pits
Starve Lark Brake
Paradise
Gully Wood
Goss Plantation
Long Hill
Glebe Wood
Tuckingmill Lane
Court Lane
Rankers Lane
Hill Lane
Grove Cottages
Blackers Mead Brake
Weir
Blackers Mead
BS39
Hilltop
Upper Field Barn
Cherry Orchard Farm
Southlands
Yew Tree House
Rose Cottage
The Gables
Cockers
Greenlane Farm
Compton Common
Damson Cottage
Charnwood House
Allens Brake
Oathills Brake
Ford
Burial Ground
Tuckingmill Farm
Tuckingmill Cottage
Nutgrove Farm
Wood View
Clayley
Highfield Rd.
Oakfield Road
Nunney Cl.
Hutton Cl.
Mells Cl.
Lytes Cary Rd.
Tilley Cl.
Banwell Cl.
Courtenay Rd.
Cadbury Rd.
Silbury Rise
Chalfield Cl.
Hardington Dr.
Waesbury Rd.
The Homestead
Martock Rd.
Pavilion
Playing Field
Wansdyke
64
365
66
67
165

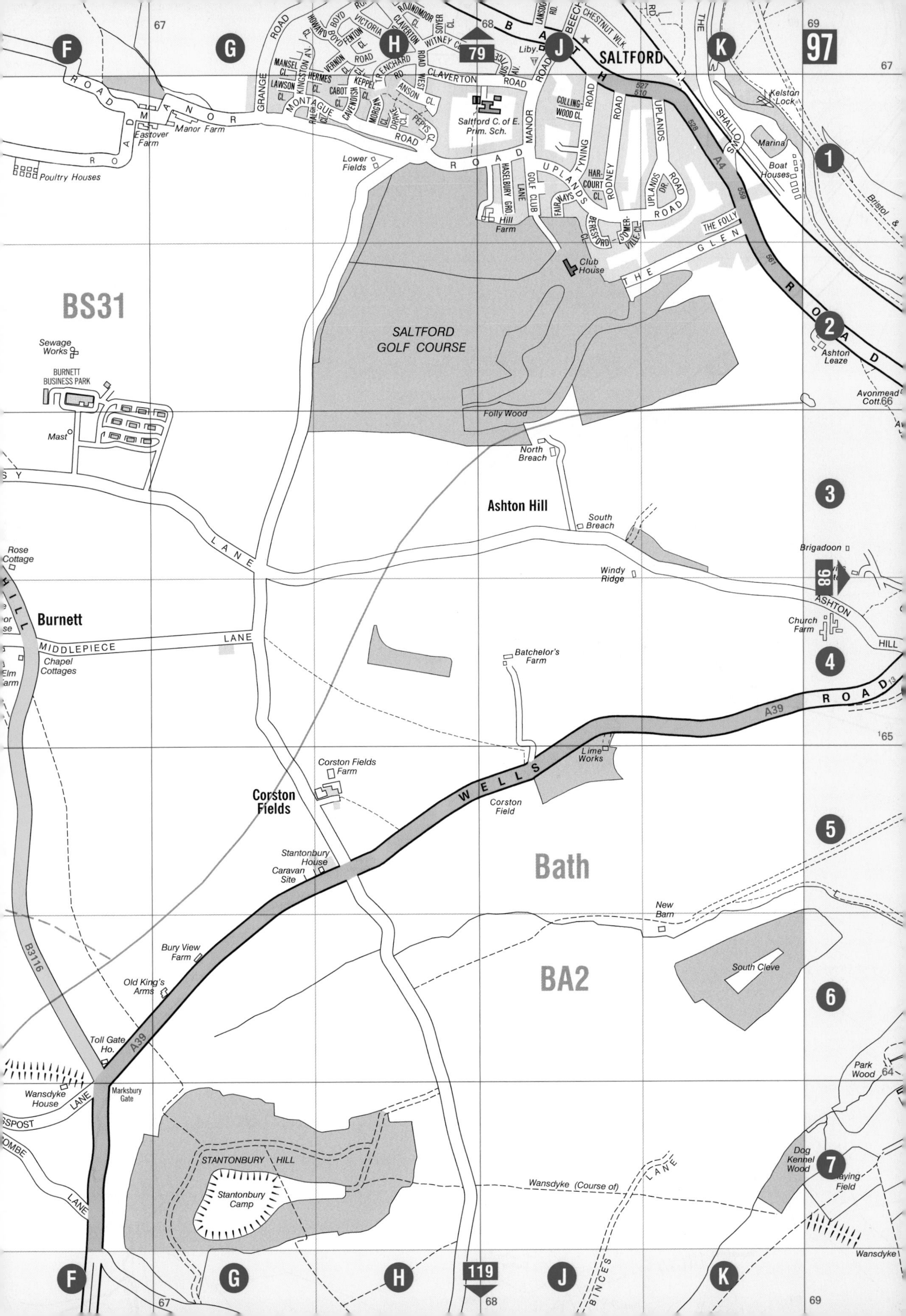
SALTFORD
BS31
SALTFORD GOLF COURSE
Saltford C. of E. Prim. Sch.
Club House
Folly Wood
North Breach
Ashton Hill
South Breach
Windy Ridge
Brigadoon
Church Farm
Batchelor's Farm
Burnett
BURNETT BUSINESS PARK
Sewage Works
Mast
Rose Cottage
Chapel Cottages
MIDDLEPIECE LANE
Poultry Houses
Eastover Farm
Manor Farm
MANOR ROAD
Lower Fields
Hill Farm
Kelston Lock
Marina
Boat Houses
Ashton Leaze
Avonmead Cott.
Lime Works
Corston Field
Corston Fields
Corston Fields Farm
Stantonbury House
Caravan Site
WELLS ROAD
A39
A4
B3116
Bath
BA2
New Barn
South Cleve
Bury View Farm
Old King's Arms
Toll Gate Ho.
Marksbury Gate
Wansdyke House
STANTONBURY HILL
Stantonbury Camp
Wansdyke (Course of)
Park Wood
Dog Kennel Wood
Playing Field
Wansdyke
THE GLEN
THE FOLLY
UPLANDS ROAD
CLAVERTON ROAD
GOLF CLUB LANE
HASELBURY GRO.
ASHTON HILL
BINCES LANE
Liby.

79
98
119

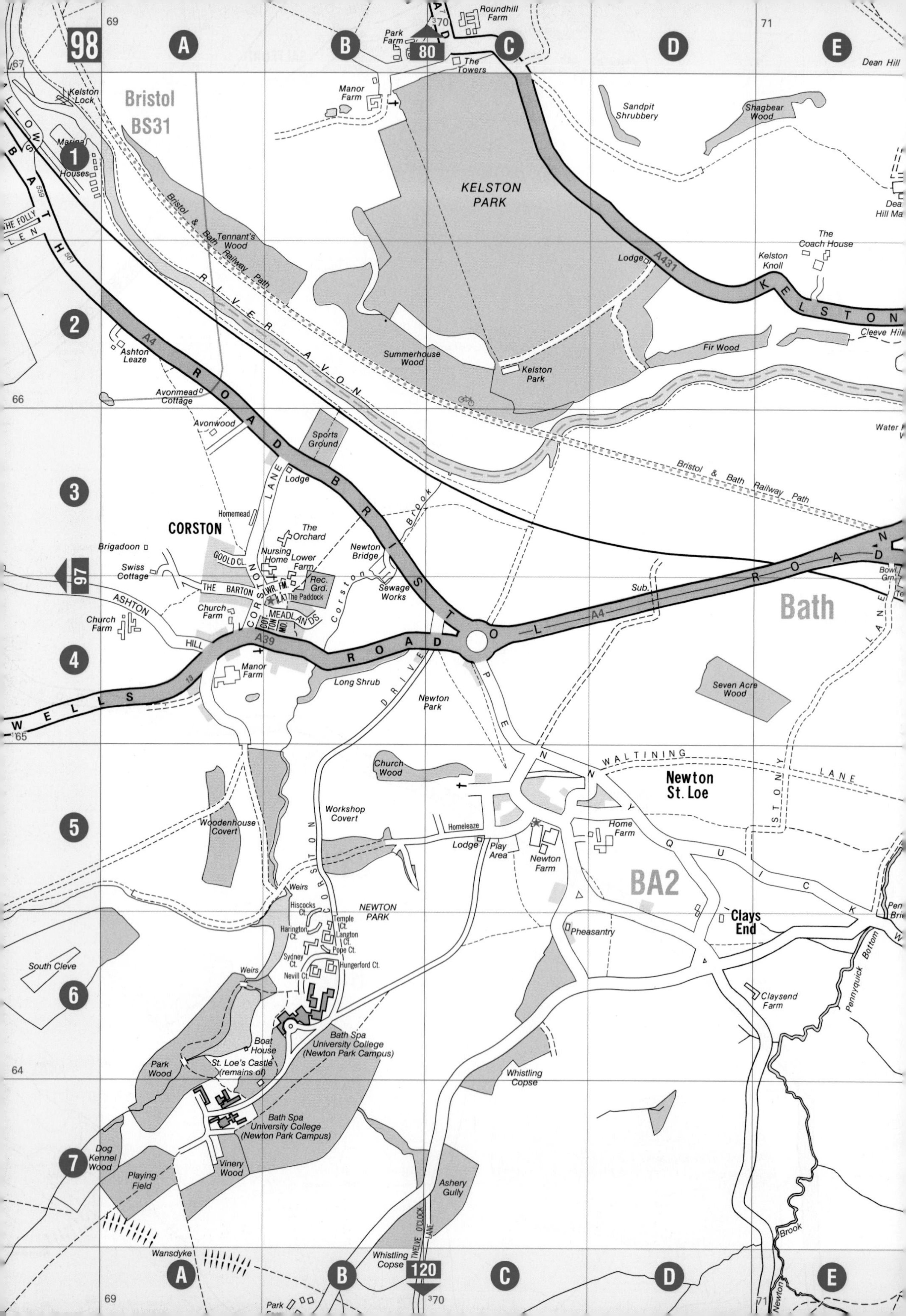

98
80
97
120
A
B
C
D
E
1
2
3
4
5
6
7
Bristol BS31
Bath
BA2
KELSTON PARK
CORSTON
Newton St. Loe
Clays End
Roundhill Farm
Park Farm
The Towers
Manor Farm
Kelston Lock
Marina
Houses
Sandpit Shrubbery
Shagbear Wood
Dean Hill
Tennant's Wood
Bristol & Bath Railway Path
RIVER AVON
Summerhouse Wood
Kelston Park
Lodge
A431
KELSTON
Kelston Knoll
The Coach House
Fir Wood
Cleeve Hill
Ashton Leaze
Avonmead Cottage
Avonwood
Sports Ground
A4
BRISTOL ROAD
Homemead
Brigadoon
Swiss Cottage
GOULD CL.
THE BARTON
The Orchard
Nursing Home
Lower Farm
Rec. Grd.
The Paddock
Newton Bridge
Sewage Works
Church Farm
ASHTON HILL
MEADLANDS
A39
WELLS ROAD
Manor Farm
Long Shrub
Newton Park
Sub.
Seven Acre Wood
WALTINING LANE
STONY LANE
Church Wood
Workshop Covert
Woodenhouse Covert
Homeleaze
Lodge
Play Area
Newton Farm
Home Farm
QUICK
Weirs
Hiscocks Ct.
Harington Ct.
Temple Ct.
Langton Ct.
Pope Ct.
Sydney Ct.
Nevill Ct.
Hungerford Ct.
NEWTON PARK
Pheasantry
Claysend Farm
Pennyquick Bottom
South Cleve
Boat House
St. Loe's Castle (remains of)
Bath Spa University College (Newton Park Campus)
Park Wood
Whistling Copse
Dog Kennel Wood
Playing Field
Vinery Wood
Ashery Gully
TWELVE O'CLOCK LANE
Wansdyke
Brook
Newton
69
370
71
67
66
65
64

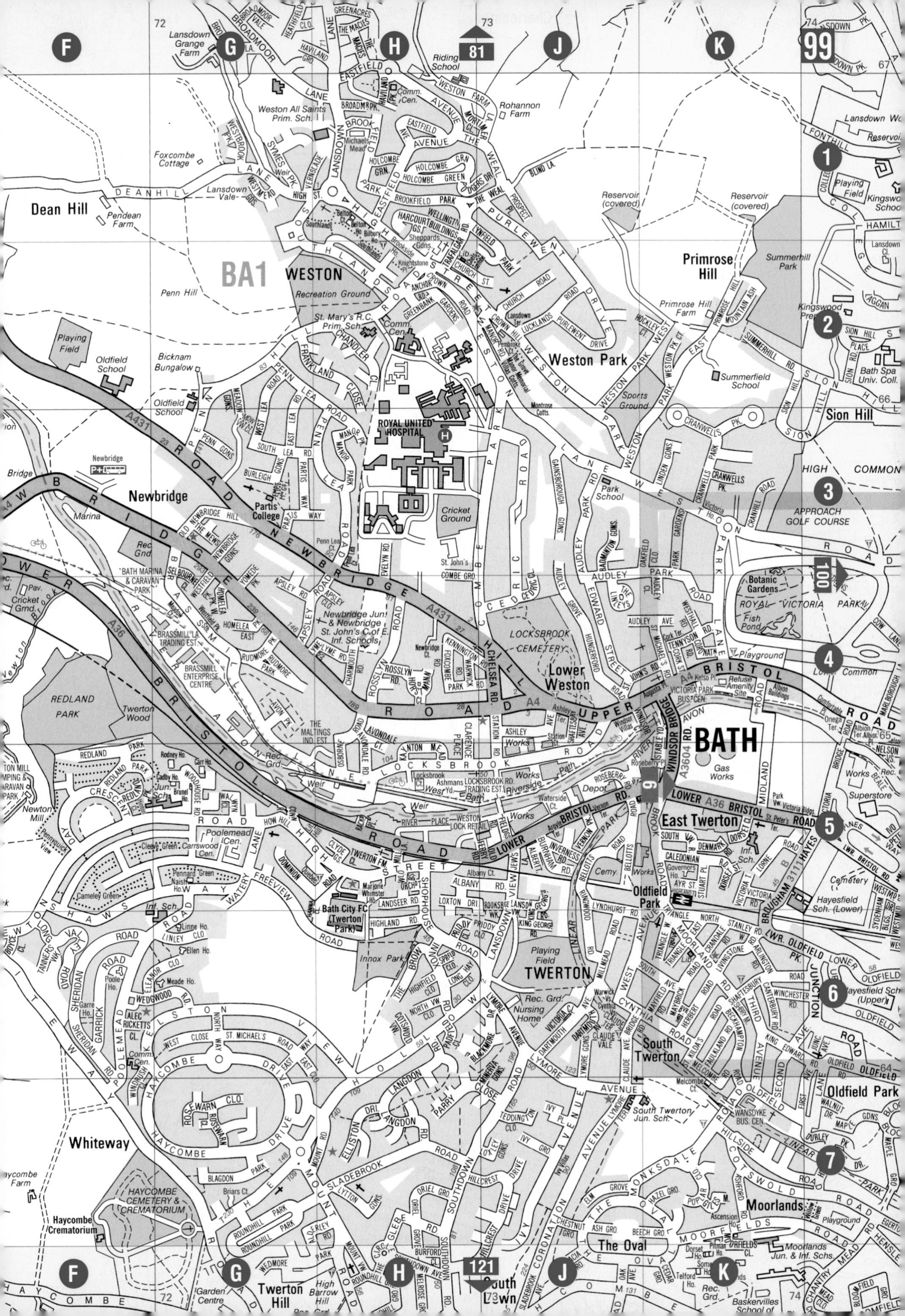

99
81
100
121
F
G
H
J
K
1
2
3
4
5
6
7
72
73
74
BA1
WESTON
BATH
Dean Hill
Weston Park
Primrose Hill
Sion Hill
Newbridge
Lower Weston
East Twerton
Oldfield Park
TWERTON
South Twerton
Whiteway
The Oval
Moorlands
Twerton Hill
South Down
ROYAL UNITED HOSPITAL
Recreation Ground
Cricket Ground
LOCKSBROOK CEMETERY
Botanic Gardens
ROYAL VICTORIA PARK
HIGH COMMON
APPROACH GOLF COURSE
REDLAND PARK
Twerton Wood
HAYCOMBE CEMETERY & CREMATORIUM
Haycombe Crematorium
Bath City FC (Twerton Park)
Innox Park
Playing Field
Summerhill Park
Sports Ground
Gas Works
Partis College
Oldfield School
Weston All Saints Prim. Sch.
St. Mary's R.C. Prim. Sch.
Summerfield School
Park School
Bath Spa Univ. Coll.
Kingswood School
Hayesfield Sch. (Lower)
Hayesfield Sch. (Upper)
South Twerton Jun. Sch.
Moorlands Jun. & Inf. Schs.
Pendean Farm
Foxcombe Cottage
Rohannon Farm
Primrose Hill Farm
Lansdown Grange Farm
Riding School
Penn Hill
Bicknam Bungalow
"BATH MARINA & CARAVAN PARK
BRASSMILL LA TRADING EST.
BRASSMILL ENTERPRISE CENTRE
THE MALTINGS IND. EST.
LOCKSBROOK TRADING EST.
WESTON LOCK RETAIL
Superstore
UPPER BRISTOL ROAD
LOWER BRISTOL RD.
NEWBRIDGE ROAD
NEWBRIDGE HILL
WINDSOR BRIDGE
LOCKSBROOK ROAD
WESTON PARK
HIGH STREET
LANSDOWN LANE
DEANHILL LANE
A4
A36
A431
A3604

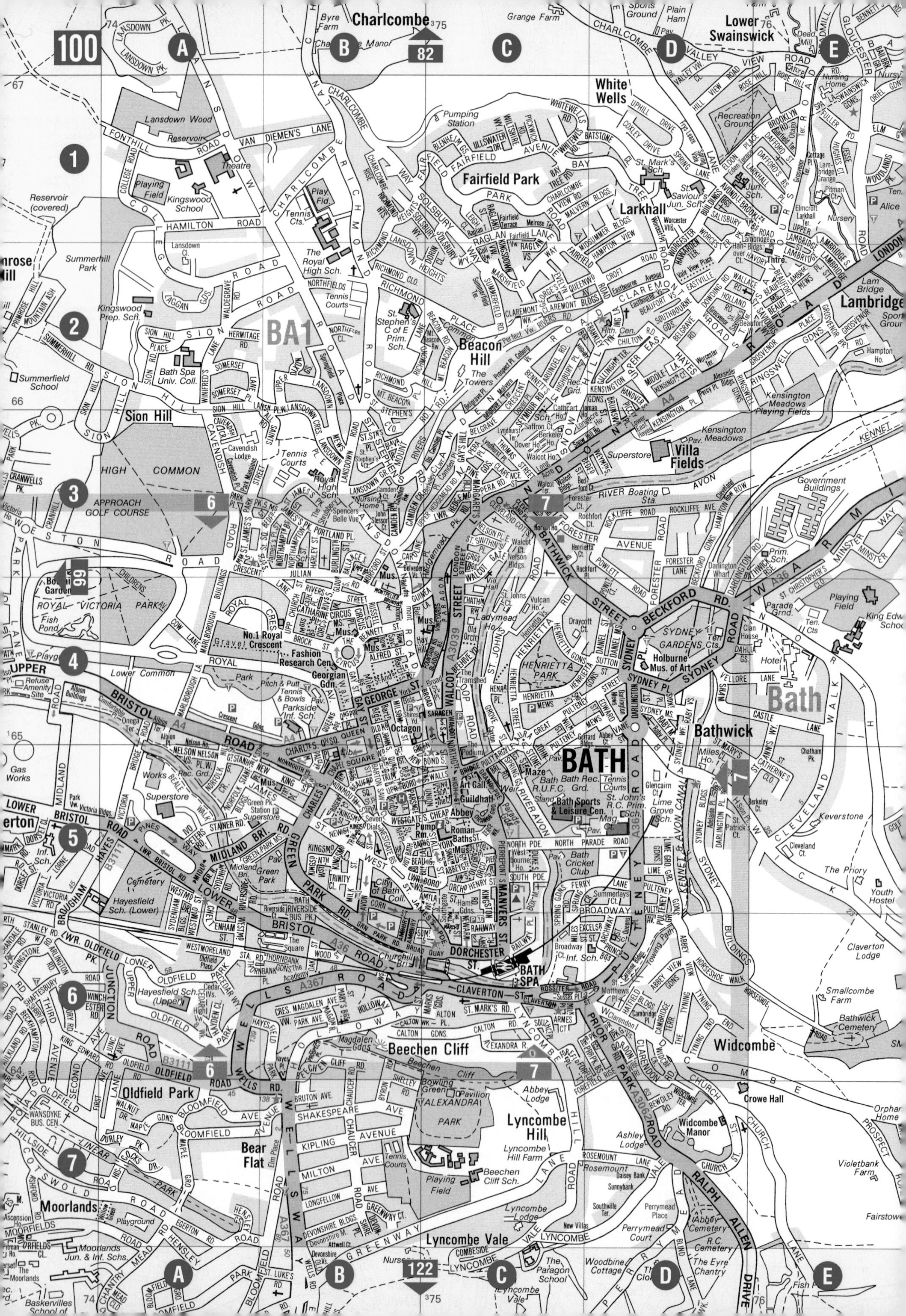
100
A
B
C
D
E
82
Charlcombe
Byre Farm
Charlcombe Manor
Grange Farm
Lower Swainswick
Plain Ham
Sports Ground
Dead Mill
1
2
3
4
5
6
7
67
66
65
64
74
75
76
Lansdown Wood
Reservoir
Theatre
Playing Field
Kingswood School
Reservoir (covered)
Summerhill Park
Kingswood Prep. Sch.
Summerfield School
Bath Spa Univ. Coll.
BA1
Sion Hill
HIGH COMMON
APPROACH GOLF COURSE
Botanic Gardens
ROYAL VICTORIA PARK
Fish Pond
No.1 Royal Crescent
Fashion Research Cen.
Georgian Gdn.
Lower Common
Refuse Amenity Site
Gas Works
Superstore
Cemetery
Hayesfield Sch. (Lower)
Hayesfield Sch. (Upper)
Green Park
City of Bath Coll.
Pumping Station
White Wells
Fairfield Park
Larkhall
Recreation Ground
Nursing Home
Lambridge
Beacon Hill
The Towers
The Royal High Sch.
St. Stephen's C of E Prim. Sch.
Villa Fields
Superstore
Kensington Meadows
Kensington Meadows Playing Fields
Government Buildings
Boating Sta.
Playing Field
Holburne Mus. of Art
SYDNEY GARDENS
Bath
Bathwick
BATH
Octagon
Mus.
Art Gall.
Guildhall
Abbey
Pump Rm.
Roman Baths
Bath Rec. Grd.
Bath R.U.F.C. Grd.
Bath Sports & Leisure Cen.
Bath Cricket Club
Broadway
BATH SPA
DORCHESTER ST.
Beechen Cliff
ALEXANDRA PARK
Oldfield Park
Bear Flat
Lyncombe Hill
Lyncombe Hill Farm
Beechen Cliff Sch.
Playing Field
Lyncombe Vale
Widcombe
Widcombe Manor
Crowe Hall
Abbey Cemetery
R.C. Cemetery
The Eyre Chantry
Youth Hostel
Claverton Lodge
Smallcombe Farm
Bathwick Cemetery
The Priory
Orphan Home
Violetbank Farm
Fairstowe
Moorlands
Moorlands Jun. & Inf. Schs.
Playground
The Paragon School
122
LONDON ROAD
BRISTOL ROAD
WELLS ROAD
CLAVERTON ST.
PRIOR PARK ROAD
RALPH ALLEN DRIVE
SYDNEY ROAD
BECKFORD RD.
GREENWAY
A4
A36
A367
A3039
A3062
B3111

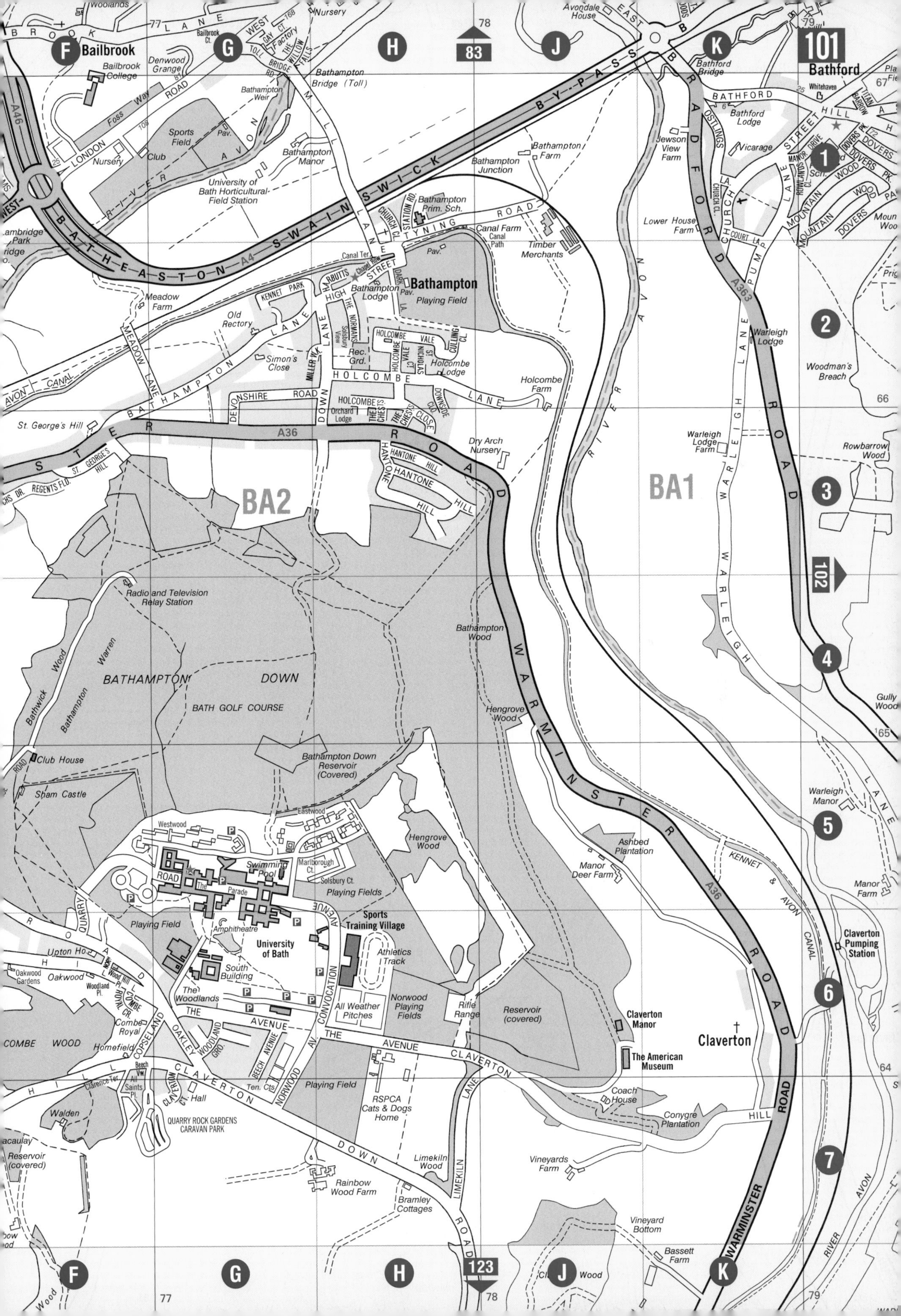

101
83
123
102
F
G
H
J
K
1
2
3
4
5
6
7
77
78
79
64
65
66
67
BA1
BA2
Bailbrook
Bailbrook College
Denwood Grange
Bathford
Bathford Bridge
Bathford Lodge
Vicarage
Avondale House
Bathampton Weir
Bathampton Bridge (Toll)
Bathampton Manor
Sports Field
Pav.
Club
Nursery
University of Bath Horticultural Field Station
Bathampton Junction
Bathampton Farm
Jewson View Farm
Bathampton Prim. Sch.
Canal Farm
Canal Path
Timber Merchants
Lower House Farm
Bathampton
Playing Field
Bathampton Lodge
Meadow Farm
Old Rectory
Simon's Close
Rec. Grd.
Holcombe Lodge
Holcombe Farm
Warleigh Lodge
Woodman's Breach
Orchard Lodge
St. George's Hill
Dry Arch Nursery
Warleigh Lodge Farm
Rowbarrow Wood
Radio and Television Relay Station
Bathampton Wood
BATHAMPTON DOWN
BATH GOLF COURSE
Bathwick Wood
Bathampton Warren
Hengrove Wood
Gully Wood
Club House
Bathampton Down Reservoir (Covered)
Sham Castle
Warleigh Manor
Eastwood
Westwood
Swimming Pool
Marlborough Ct.
Solsbury Ct.
Playing Fields
Hengrove Wood
Ashbed Plantation
Manor Deer Farm
Manor Farm
The Parade
Amphitheatre
Sports Training Village
University of Bath
Athletics Track
Claverton Pumping Station
Playing Field
South Building
The Woodlands
All Weather Pitches
Norwood Playing Fields
Rifle Range
Reservoir (covered)
Claverton Manor
The American Museum
Claverton
Upton Ho.
Oakwood
Oakwood Gardens
Combe Royal
COMBE WOOD
Homefield
Walden
Hall
QUARRY ROCK GARDENS CARAVAN PARK
Ten. Cts.
RSPCA Cats & Dogs Home
Coach House
Conygre Plantation
Reservoir (covered)
Vineyards Farm
Limekiln Wood
Rainbow Wood Farm
Bramley Cottages
Vineyard Bottom
Bassett Farm
Wood
BATHEASTON SWAINSWICK BY-PASS
A4
A46
A36
A363
WARMINSTER ROAD
BRADFORD ROAD
RIVER AVON
KENNET & AVON CANAL
LONDON ROAD
BATHAMPTON LANE
HOLCOMBE LANE
DEVONSHIRE ROAD
TYNING ROAD
HIGH STREET
MILL LANE
WARLEIGH LANE
CLAVERTON DOWN
CLAVERTON HILL
THE AVENUE
LIMEKILN ROAD

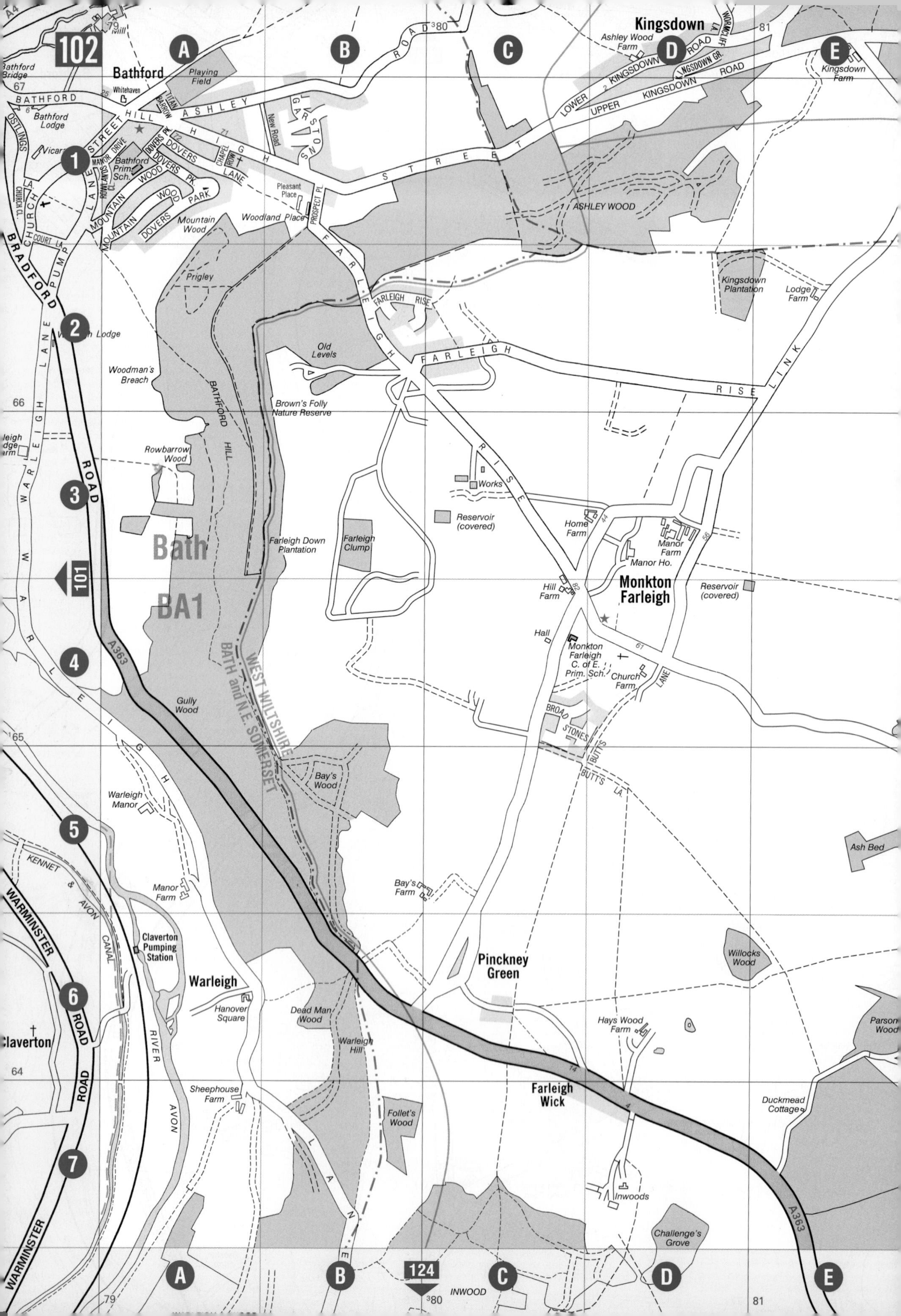
102
Bathford Bridge
Bathford
Playing Field
Whitehaven
BATHFORD HILL
Bathford Lodge
Vicarage
STREET
MANOR DRIVE
Bathford Prim. Sch.
ROWLANDS CL.
DOVERS PK.
DOVERS LANE
CHAPEL ROW
HIGH STREET
ASHLEY
TITAN BARROW
New Road
GARSTONS
Pleasant Place
PROSPECT PL.
Woodland Place
MOUNTAIN WOOD
DOVERS PARK
Mountain Wood
CHURCH LA.
CHURCH CL.
COURT LA.
PUMP LANE
BRADFORD ROAD
Prigley
Warleigh Lodge
Woodman's Breach
BATHFORD HILL
Old Levels
Brown's Folly Nature Reserve
Rowbarrow Wood
Bath
BA1
101
Farleigh Down Plantation
Farleigh Clump
WARLEIGH LANE
A363
Gully Wood
WEST WILTSHIRE
BATH and N.E. SOMERSET
Bay's Wood
Warleigh Manor
KENNET & AVON CANAL
Manor Farm
Claverton Pumping Station
Warleigh
Hanover Square
Dead Man Wood
Warleigh Hill
Claverton
WARMINSTER ROAD
RIVER AVON
Sheephouse Farm
Follet's Wood
LANE
Kingsdown
Ashley Wood Farm
LOWER KINGSDOWN ROAD
UPPER KINGSDOWN ROAD
KINGSDOWN GR.
WORMCLIFF LA.
Kingsdown Farm
ASHLEY WOOD
FARLEIGH RISE
Kingsdown Plantation
Lodge Farm
LINK
Works
Reservoir (covered)
Home Farm
Manor Farm
Manor Ho.
Hill Farm
Monkton Farleigh
Reservoir (covered)
Hall
Monkton Farleigh C. of E. Prim. Sch.
Church Farm
LANE
BROAD STONES
BUTTS
BUTT'S LA.
Ash Bed
Bay's Farm
Pinckney Green
Willocks Wood
Hays Wood Farm
Parsons Wood
Farleigh Wick
Duckmead Cottage
Inwoods
Challenge's Grove
124
INWOOD
A B C D E
1 2 3 4 5 6 7
79 380 81
67 66 65 64

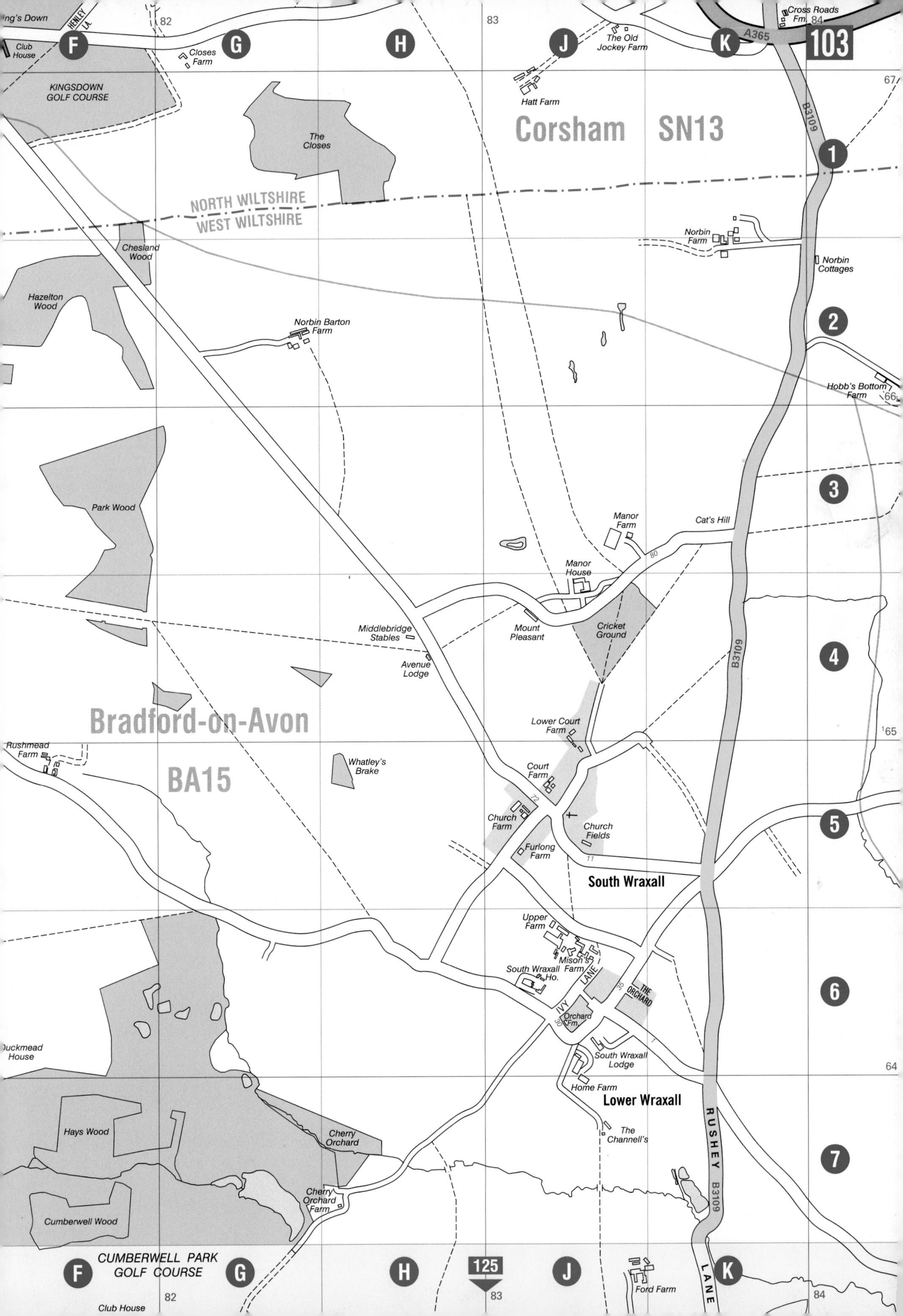
Corsham SN13
NORTH WILTSHIRE
WEST WILTSHIRE
Bradford-on-Avon
BA15
KINGSDOWN GOLF COURSE
Club House
Closes Farm
The Closes
The Old Jockey Farm
Cross Roads Fm.
Hatt Farm
A365
B3109
Chesland Wood
Hazelton Wood
Norbin Farm
Norbin Cottages
Norbin Barton Farm
Hobb's Bottom Farm
Park Wood
Manor Farm
Cat's Hill
Manor House
Mount Pleasant
Cricket Ground
Middlebridge Stables
Avenue Lodge
Lower Court Farm
Court Farm
Rushmead Farm
Whatley's Brake
Church Farm
Church Fields
Furlong Farm
South Wraxall
Upper Farm
Mison's Farm
South Wraxall Ho.
IVY LANE
THE ORCHARD
Orchard Fm.
South Wraxall Lodge
Home Farm
Lower Wraxall
The Channell's
Duckmead House
Hays Wood
Cherry Orchard
Cherry Orchard Farm
Cumberwell Wood
CUMBERWELL PARK GOLF COURSE
Club House
RUSHEY LANE
Ford Farm
Henley La.
ng's Down
F G H J K
1 2 3 4 5 6 7
82 83 84
67 66 65 64

125

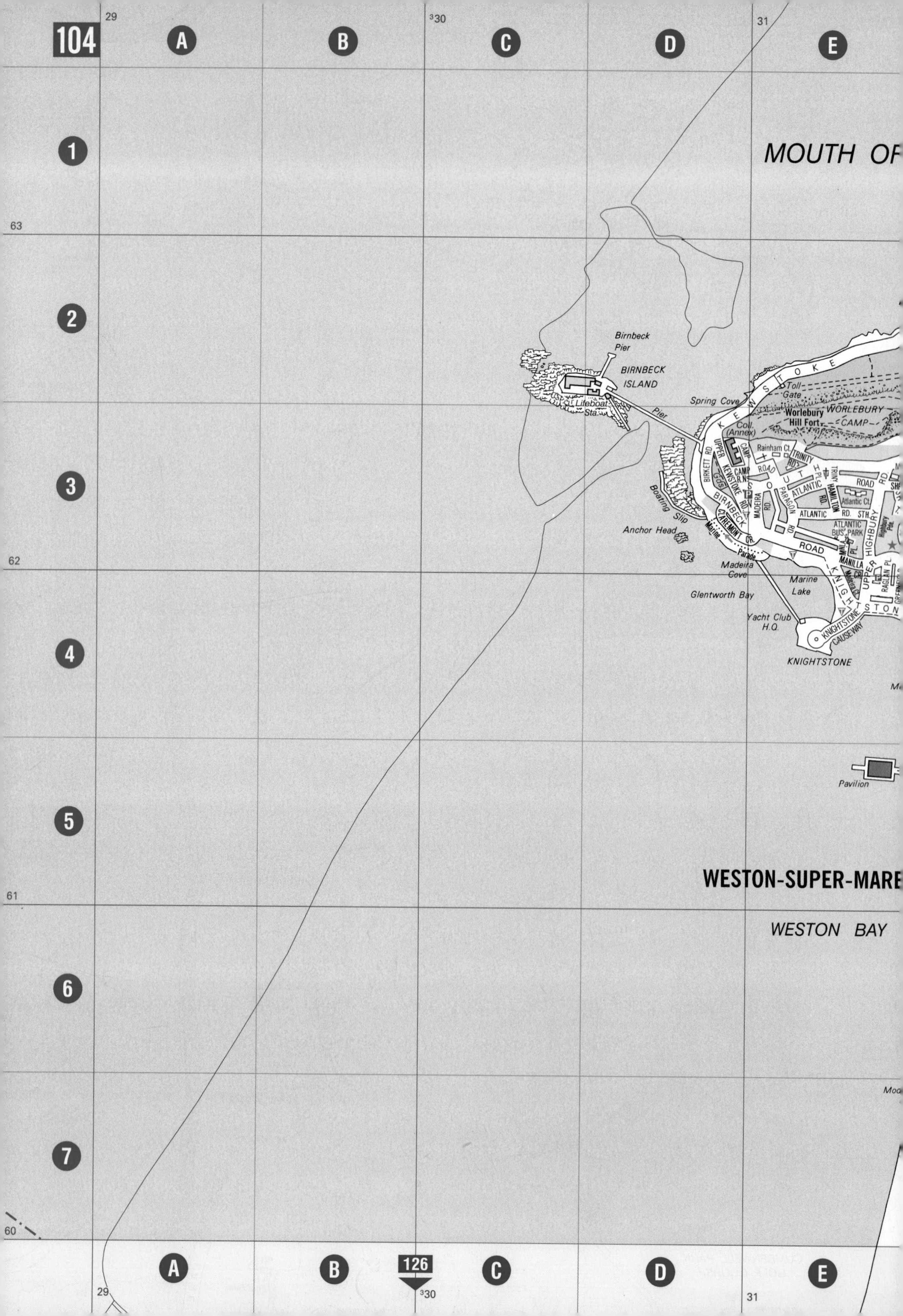

A   B   C   D   E

29   ³30   31

1   **MOUTH OF**

63

2
Birnbeck
Pier
BIRNBECK
ISLAND
Toll-
Gate
Spring Cove
Worlebury WORLEBURY
Hill Fort CAMP
Lifeboat
Sta.
Coll.
(Annex)
Pier
Rainham Ct TRINITY

3
Boating Slip
Anchor Head
Atlantic Ct.
ATLANTIC RD. STH.
ATLANTIC
BUS PARK
ROAD
Madeira
Cove
MANILLA
Parade

4
Glentworth Bay
Marine
Lake
Yacht Club
H.Q.
KNIGHTSTONE
CAUSEWAY
KNIGHTSTONE
Me

5
Pavilion

61   **WESTON-SUPER-MARE**

WESTON BAY

6

7
Moo

60

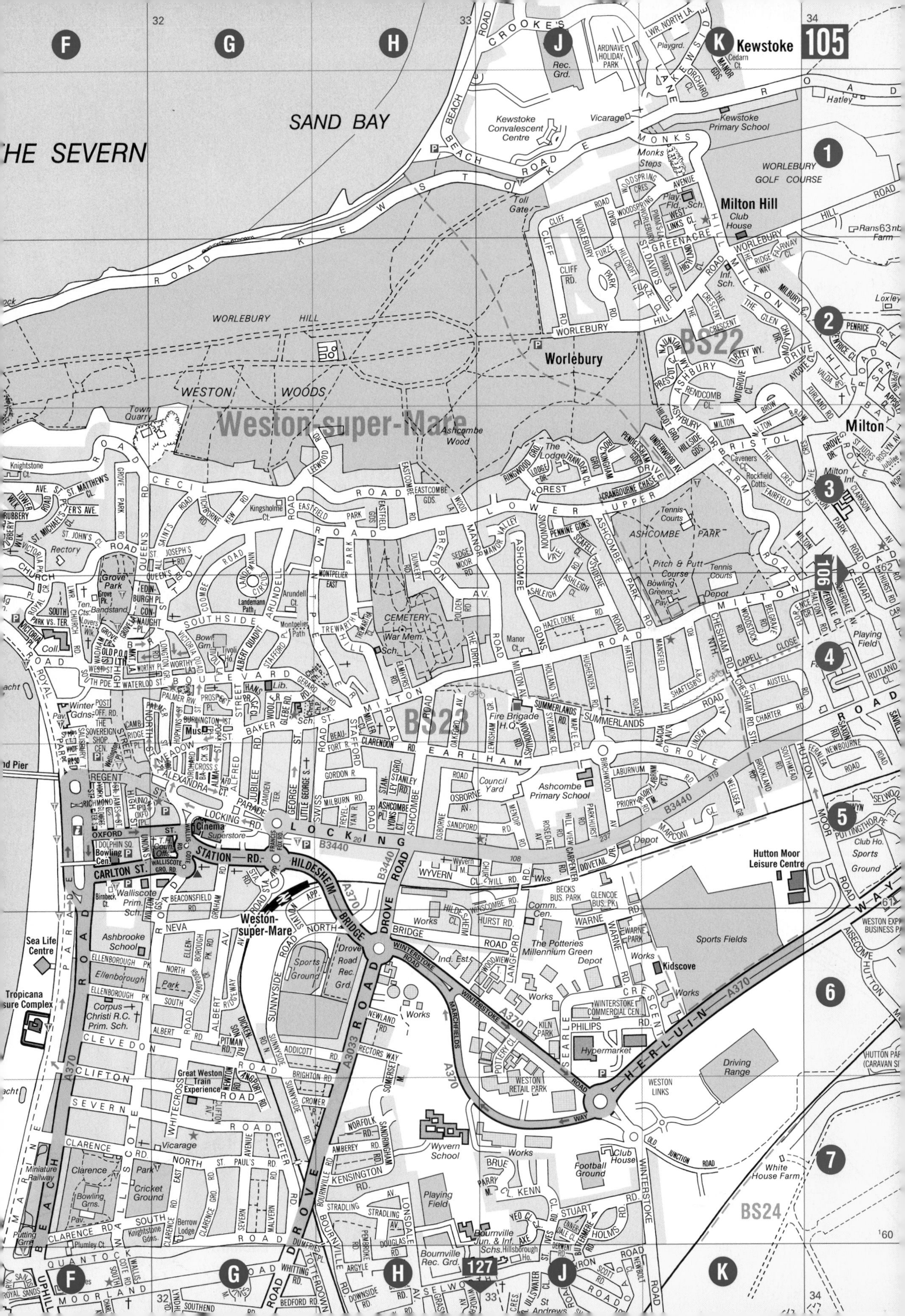
105
Kewstoke
THE SEVERN
SAND BAY
WORLEBURY HILL
WESTON WOODS
Weston-super-Mare
Worlebury
Milton Hill
Milton
BS22
BS23
BS24
WORLEBURY GOLF COURSE
Kewstoke Convalescent Centre
Kewstoke Primary School
ARDNAVE HOLIDAY PARK
Monks Steps
Toll Gate
Town Quarry
Ashcombe Wood
ASHCOMBE PARK
CEMETERY
War Mem.
Ashcombe Primary School
Fire Brigade H.Q.
Council Yard
Hutton Moor Leisure Centre
Sports Fields
Sports Ground
Playing Field
Driving Range
WESTON LINKS
Weston-super-Mare
Drove Road Rec. Grd.
The Potteries Millennium Green
Hypermarket
WESTON RETAIL PARK
Wyvern School
Football Ground
Bournville Rec. Grd.
Bournville Jun. & Inf. Schs.
Great Weston Train Experience
Ashbrooke School
Ellenborough Park
Corpus Christi R.C. Prim. Sch.
Walliscote Prim. Sch.
Clarence Park
Cricket Ground
Miniature Railway
Sea Life Centre
Tropicana Leisure Complex
Winter Gdns.
Grove Park
Rectory
Vicarage
White House Farm
Kidscove
HERLUIN WAY
LOCKING ROAD
B3440
A370
A3033
DROVE ROAD
MILTON ROAD
BRISTOL ROAD
KEWSTOKE ROAD
BEACH ROAD
MARINE PARADE
106
127

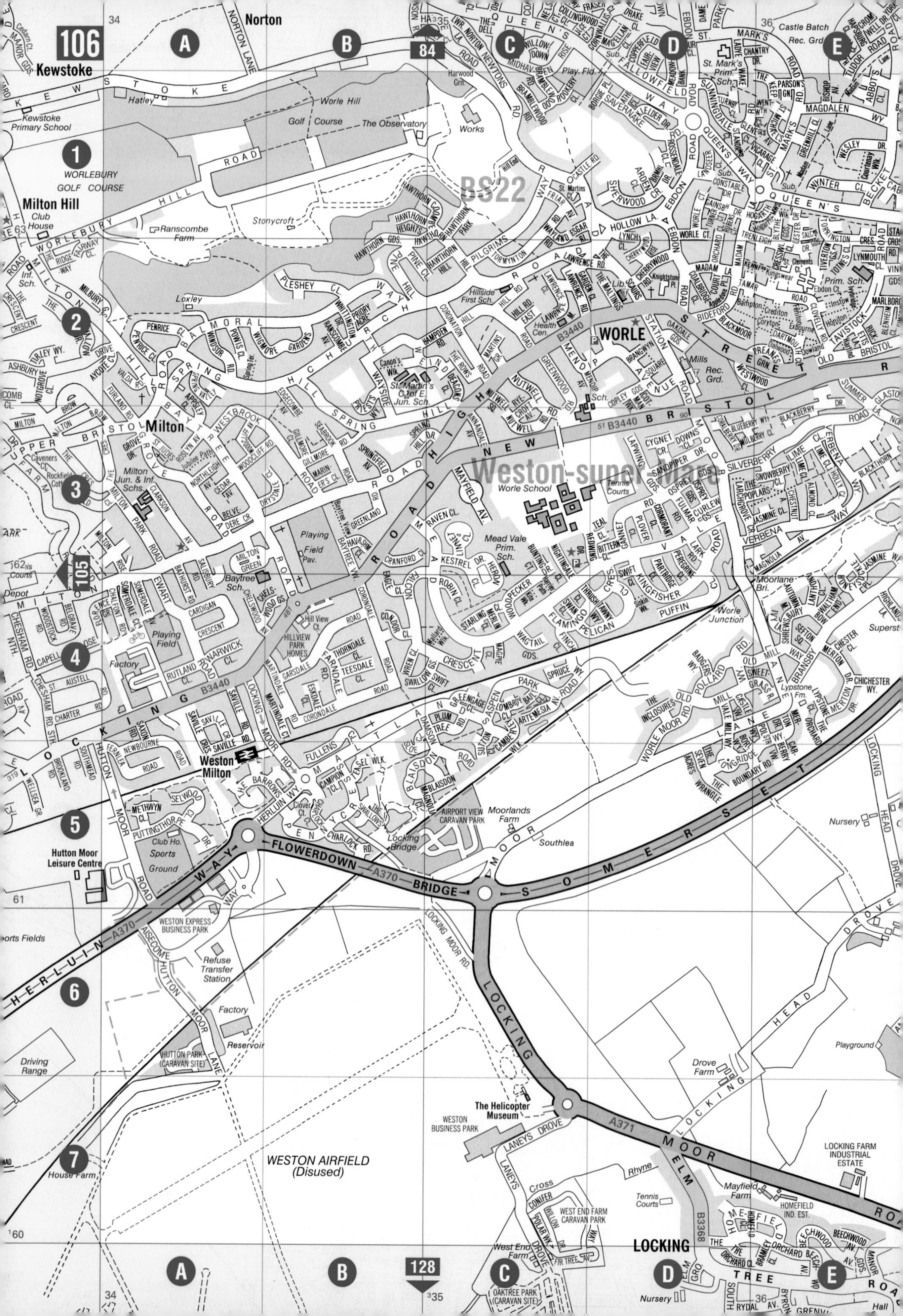

106
Kewstoke
Norton
84
105
128
A
B
C
D
E
1
2
3
4
5
6
7
34
35
36
Kewstoke Primary School
WORLEBURY GOLF COURSE
Milton Hill
Club House
Worle Hill
Golf Course
The Observatory
Works
Harwood Grn.
Hatley
Ranscombe Farm
Stonycroft
Loxley
BS22
KEWSTOKE ROAD
WORLEBURY HILL ROAD
NORTON LANE
QUEEN'S WAY
QUEEN'S RISE
ST. MARK'S RD.
FALLOWFIELD
EBDON ROAD
Castle Batch Rec. Grd.
St. Mark's Prim. Sch.
MAGDALEN WY.
WINTER CL.
HOLLOW LA.
LAWRENCE RD.
WORLE
Weston-super-Mare
Milton
Worle School
Mead Vale Prim. Sch.
Hillside First Sch.
Health Cen.
Lib.
Knightstone Pl.
Mills Rec. Grd.
Prim. Sch.
Ebdon Ct.
HIGH STREET
B3440
NEW BRISTOL ROAD
OLD BRISTOL ROAD
SPRING HILL
BALMORAL WAY
CHURCH ROAD
UPPER BRISTOL RD.
St. Martin's C. of E. Jun. Sch.
Playing Field
Pav.
Baytree Sch.
Milton Jun. & Inf. Schs.
MILTON ROAD
LOCKING ROAD
Factory
Playing Field
HILLVIEW PARK HOMES
MEAD VALE
KINGFISHER
PUFFIN
Worle Junction
Moorlane Bri.
MOOR LANE
Lypstone Fm.
Superst
Nursery
Weston Milton
Hutton Moor Leisure Centre
Club Ho.
Sports Ground
FLOWERDOWN BRIDGE
A370
HERLUIN WAY
SOMERSET AVENUE
AIRPORT VIEW CARAVAN PARK
Moorlands Farm
Southlea
Locking Bridge
WESTON EXPRESS BUSINESS PARK
Refuse Transfer Station
Factory
Reservoir
HUTTON PARK (CARAVAN SITE)
Driving Range
Sports Fields
House Farm
WESTON AIRFIELD (Disused)
The Helicopter Museum
WESTON BUSINESS PARK
LANEYS DROVE
LOCKING MOOR RD.
LOCKING HEAD DROVE
A371
MOOR ROAD
Drove Farm
Playground
LOCKING FARM INDUSTRIAL ESTATE
Mayfield Farm
HOMEFIELD IND. EST.
Tennis Courts
WEST END FARM CARAVAN PARK
West End Farm
OAKTREE PARK (CARAVAN SITE)
LOCKING
B3368
ELM TREE ROAD
Nursery
Hall

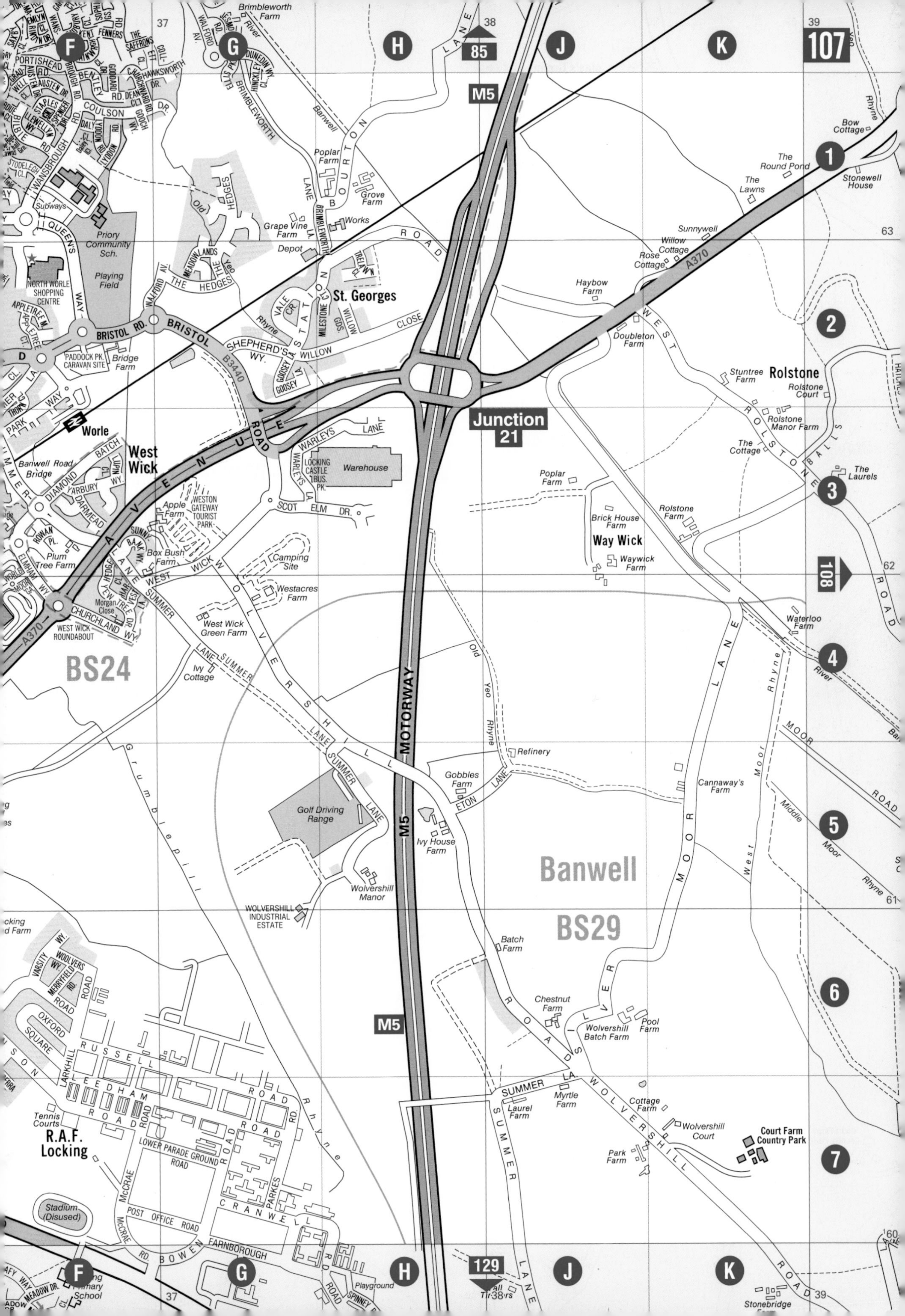
F
G
H
J
K
37
38
39
85
M5
Brimbleworth Farm
River
Banwell
Bourton Lane
Poplar Farm
Grove Farm
Works
Grape Vine Farm
Depot
Brimbleworth La.
Road
St. Georges
Station
Vale Cr.
Milestone Cl.
Willow Gds.
Close
Willow
Shepherd's Wy.
Goosey La
Rhyne
The Hedges
Meadowlands
Walford Av.
Hedges
Old
Yeo
Portishead Rd.
Bentley
Goddard Dr.
Dean Cl.
Hawksworth
Coulson
Gooch Wy.
Daly
Lyddon Rd.
Wansbrough Rd.
Stodeleigh Cl.
Subways
Queen's Way
Priory Community Sch.
Playing Field
North Worle Shopping Centre
Appletree M.
Bristol Rd.
Bristol
B3440
Paddock Pk. Caravan Site
Bridge Farm
Worle
Park Way
West Wick
Banwell Road Bridge
Diamond Batch
Lupin Wy.
Yarbury
Darmead
Rowan Pl.
Plum Tree Farm
Elmham Wy.
Avenue
Road
A370
West Wick Roundabout
Churchland Wy.
Morgan Close
Apple Farm
Weston Gateway Tourist Park
Box Bush Farm
Sunny Bank Wy.
Hedgerow Cl.
Yew Tree Dr.
Lane
West Wick
Summer Lane
Warleys Lane
Warleys La
Locking Castle Bus. Pk.
Warehouse
Scot Elm Dr.
Camping Site
Westacres Farm
West Wick Green Farm
Ivy Cottage
Summer Lane
BS24
Wolvershill
Lane
Summer Lane
Golf Driving Range
Grumblepill
Rhyne
Wolvershill Manor
Wolvershill Industrial Estate
Motorway
M5
Junction 21
The Round Pond
Bow Cottage
Rhyne
Stonewell House
The Lawns
Sunnywell
Willow Cottage
Rose Cottage
A370
Haybow Farm
West
Doubleton Farm
Stuntree Farm
Rolstone
Rolstone Court
Rolstone Manor Farm
The Cottage
Rolstone
Balls
The Laurels
Poplar Farm
Brick House Farm
Way Wick
Waywick Farm
Rolstone Farm
108
Road
Waterloo Farm
River
Moor Lane
Moor Road
Middle Moor Rhyne
West Moor Rhyne
Old Yeo Rhyne
Refinery
Gobbles Farm
Eton Lane
Ivy House Farm
Cannaway's Farm
Banwell
BS29
Batch Farm
Silver
Chestnut Farm
Wolvershill Batch Farm
Pool Farm
Wolvershill Road
Summer La.
Myrtle Farm
Laurel Farm
Summer Lane
Cottage Farm
Wolvershill Court
Court Farm Country Park
Park Farm
Stonebridge
Road
1
2
3
4
5
6
7
63
62
61
60
Varsity Wy.
Woolvers Wy.
Merryfield Rd.
Road
Oxford Square
Russell
Larkhill
Leedham Road
Road
Tennis Courts
R.A.F. Locking
Lower Parade Ground Road
Road
Parkes
Cranwell
McCrae
McCrae Rd.
Post Office Road
Bowen
Farnborough
Stadium (Disused)
Meadow Dr.
Primary School
Playground
Spinney
129

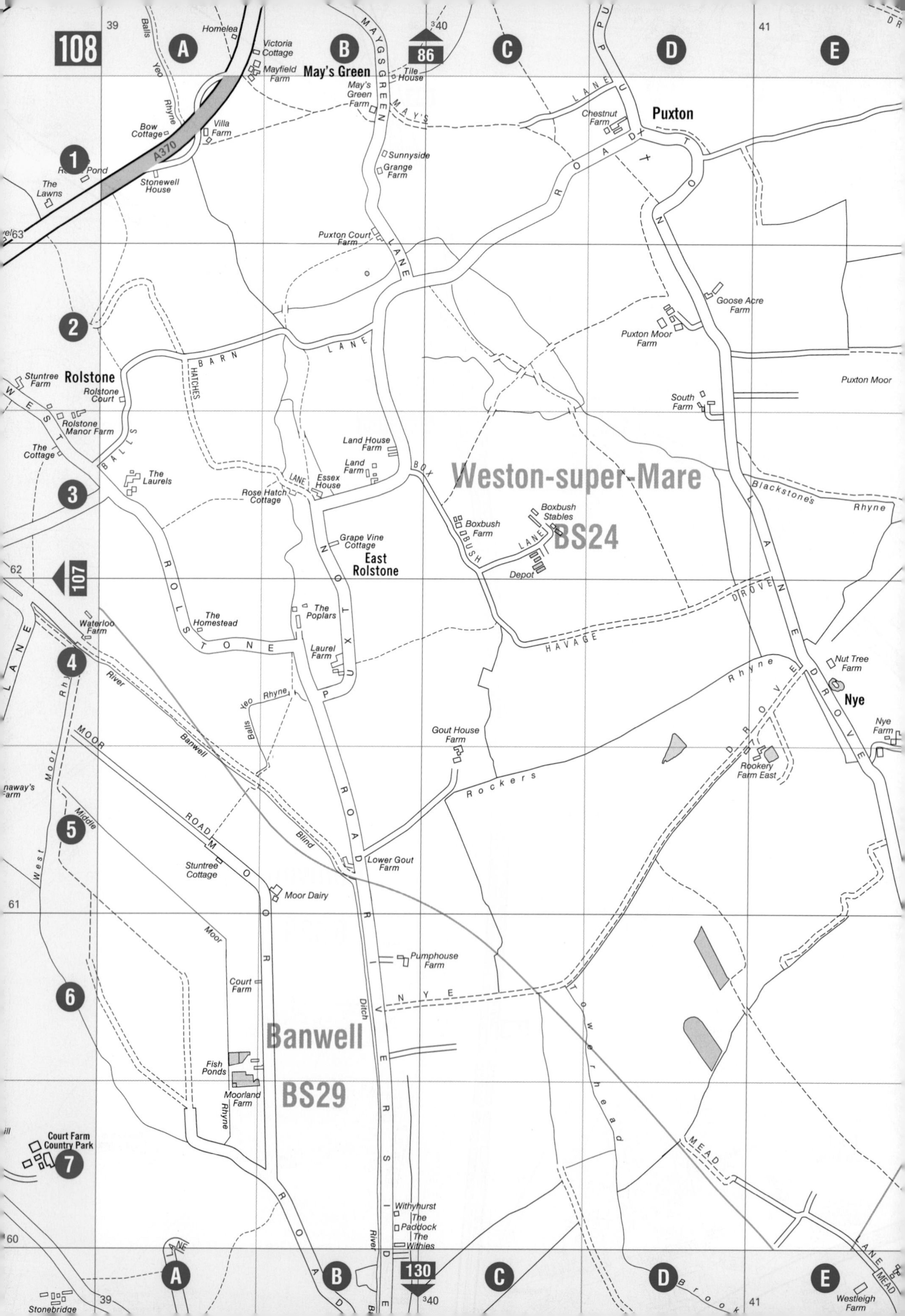
A
B
C
D
E
86
May's Green
Puxton
Homelea
Victoria Cottage
Mayfield Farm
Tile House
May's Green Farm
Bow Cottage
Villa Farm
Chestnut Farm
Sunnyside
Grange Farm
Stonewell House
The Lawns
Puxton Court Farm
Goose Acre Farm
Puxton Moor Farm
Puxton Moor
Rolstone
Stuntree Farm
Rolstone Court
Rolstone Manor Farm
The Cottage
South Farm
Land House Farm
Land Farm
The Laurels
Essex House
Rose Hatch Cottage
Weston-super-Mare
Blackstone's Rhyne
Boxbush Stables
Boxbush Farm
BS24
Grape Vine Cottage
East Rolstone
Depot
107
The Homestead
The Poplars
Waterloo Farm
Laurel Farm
Havage Drove
Nut Tree Farm
Nye
Nye Farm
Gout House Farm
Rookery Farm East
Rockers Rhyne
Lower Gout Farm
Stuntree Cottage
Moor Dairy
Pumphouse Farm
Court Farm
Banwell
BS29
Fish Ponds
Moorland Farm
Court Farm Country Park
Withyhurst
The Paddock
The Withies
130
Westleigh Farm
Stonebridge
A370
Puxton Road
Puxton Lane
Maysgreen Lane
Barn Lane
Hatches Lane
Balls Lane
Rolstone Lane
Box Bush Lane
Nye Road
Moor Road
Banwell River
Middle Moor
West Moor
Towerhead Brook
Mead Lane
Riverside
1
2
3
4
5
6
7
39
340
41
60
61
62
63

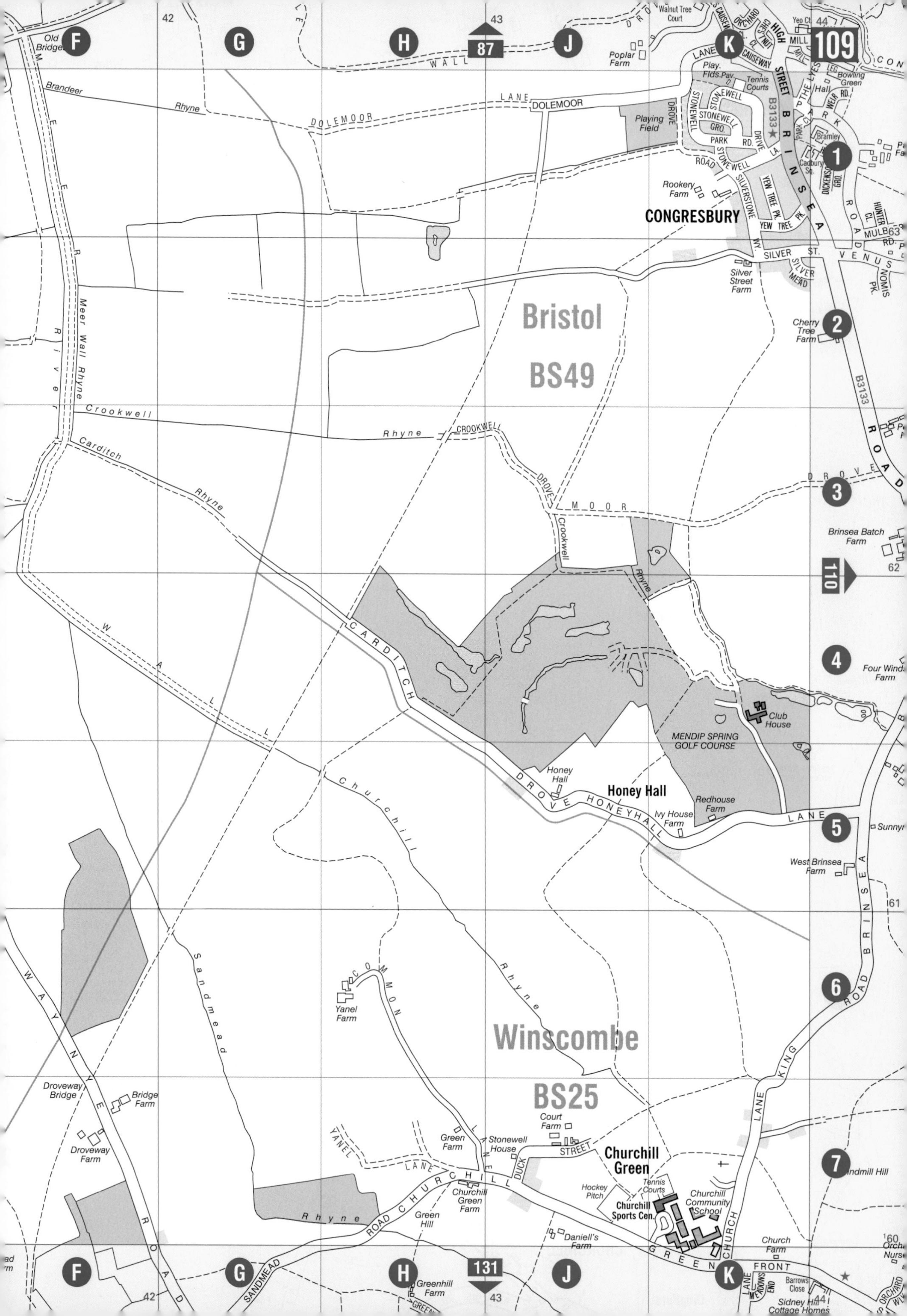

87
110
131
Bristol
BS49
Winscombe
BS25
CONGRESBURY
Honey Hall
Churchill Green
Old Bridge
Brandeer Rhyne
DOLEMOOR LANE
Playing Field
Poplar Farm
Walnut Tree Court
Rookery Farm
Silver Street Farm
Cherry Tree Farm
Meer Wall Rhyne
River
Crookwell Rhyne
Carditch Rhyne
CARDITCH DROVE
MOOR DROVE
Brinsea Batch Farm
MENDIP SPRING GOLF COURSE
Club House
Honey Hall
Redhouse Farm
Ivy House Farm
HONEYHALL LANE
West Brinsea Farm
BRINSEA ROAD
Four Winds Farm
Churchill Rhyne
Sandmead
Yanel Farm
COMMON
Droveway Bridge
Bridge Farm
Droveway Farm
WAYNE ROAD
Court Farm
Green Farm
Stonewell House
DUCK STREET
YANEL LANE
CHURCHILL ROAD
Churchill Green Farm
Green Hill
Hockey Pitch
Tennis Courts
Churchill Sports Cen.
Churchill Community School
Daniell's Farm
Church Farm
GREEN
FRONT
CHURCH LANE
KING LANE
Greenhill Farm
SANDMEAD ROAD
Barrows Close
Sidney Hill Cottage Homes
MEADOWS END
Windmill Hill
HIGH STREET
B3133
YEW TREE PK.
SILVER ST.
SILVER MEAD
STONEWELL
SILVERSTONE WY.
VENUS

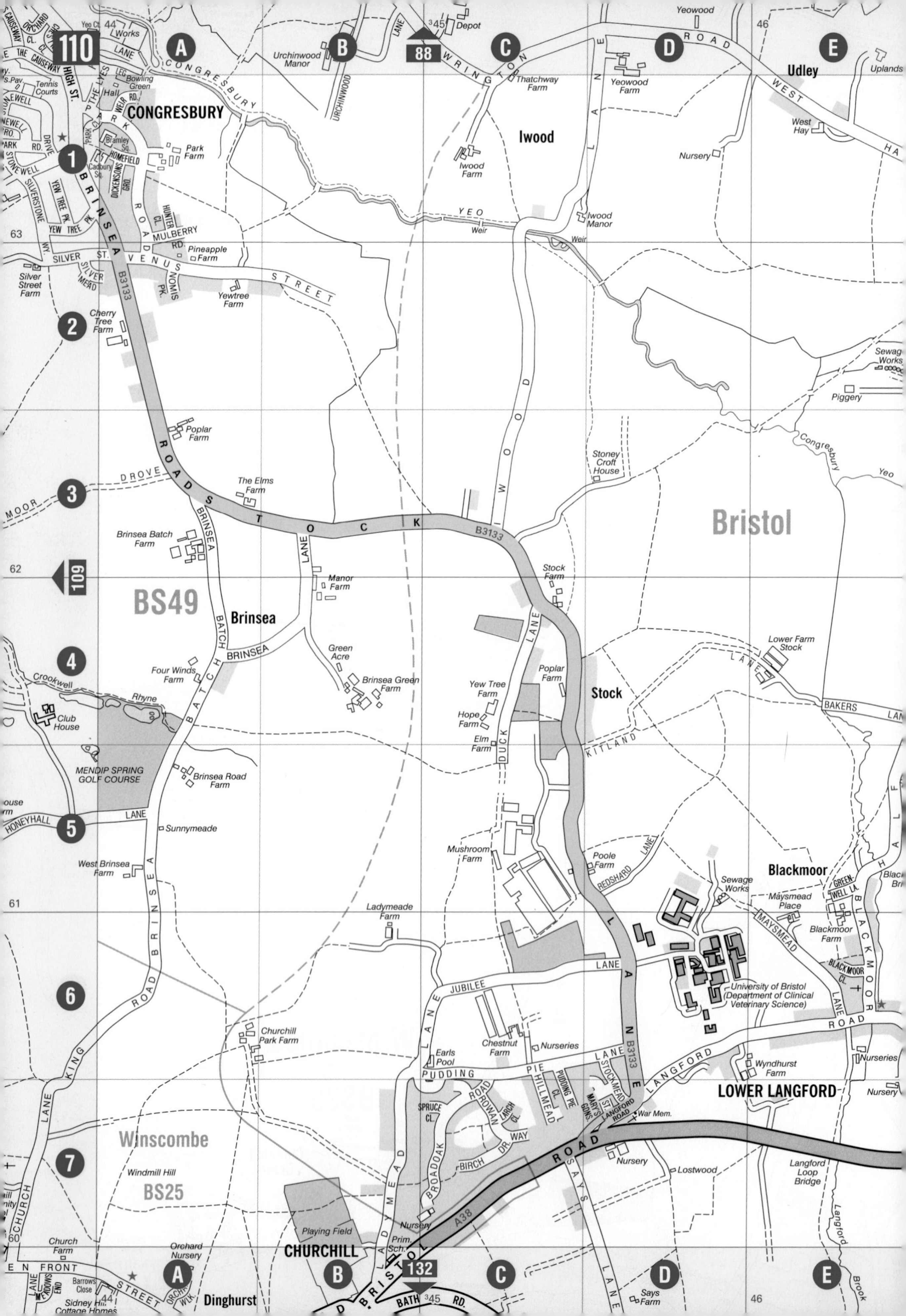

110
88
109
132
A
B
C
D
E
1
2
3
4
5
6
7
CONGRESBURY
Iwood
Udley
Bristol
BS49
Brinsea
Stock
Blackmoor
LOWER LANGFORD
Winscombe
BS25
CHURCHILL
Dinghurst
Urchinwood Manor
Depot
Yeowood
Yeowood Farm
Thatchway Farm
West Hay
Uplands
Nursery
Park Farm
Iwood Farm
Iwood Manor
Weir
Pineapple Farm
Yewtree Farm
Silver Street Farm
Cherry Tree Farm
Sewage Works
Piggery
Poplar Farm
Stoney Croft House
The Elms Farm
Brinsea Batch Farm
Manor Farm
Stock Farm
Green Acre
Brinsea Green Farm
Four Winds Farm
Lower Farm Stock
Yew Tree Farm
Hope Farm
Elm Farm
Club House
MENDIP SPRING GOLF COURSE
Brinsea Road Farm
Sunnymeade
Mushroom Farm
Poole Farm
West Brinsea Farm
Maysmead Place
Blackmoor Farm
Ladymeade Farm
University of Bristol (Department of Clinical Veterinary Science)
Churchill Park Farm
Chestnut Farm
Nurseries
Earls Pool
Wyndhurst Farm
War Mem.
Lostwood
Langford Loop Bridge
Windmill Hill
Playing Field
Prim. Sch.
Church Farm
Orchard Nursery
Barrows Close
Sidney Hill Cottage Homes
Says Farm
Langford Brook
B3133
A38
STOCK ROAD
BRINSEA ROAD
BRINSEA BATCH
WRINGTON LANE
WOOD LANE
DUCK LANE
LANE
BAKERS LANE
KITLAND
REDSHARD LANE
JUBILEE LANE
PUDDING PIE LANE
LANGFORD ROAD
BRISTOL ROAD
BATH RD.
SAYS LANE
KING LANE
CHURCH LANE
HONEYHALL LANE
DROVE
MOOR
VENUS STREET
SILVER ST.
CONGRESBURY
YEO
Congresbury Yeo
Crookwell Rhyne
WEST HAY ROAD
MAYSMEAD LANE
BLACKMOOR
HALF
GREENWELL LA.
BLACKMOOR CL.
LADYMEAD
BROADOAK
BIRCH DR.
ROWAN WAY
LARCH CL.
SPRUCE CL.
HILLMEAD
PUDDING PIE CL.
ST. MARY'S GDNS.
STOCKMEAD
URCHINWOOD
HIGH ST.
THE CAUSEWAY
ORCHARD CL.
THE LYES
PARK RD.
WEIR RD.
Bowling Green
Hall
Tennis Courts
Bramley Sq.
HOMEFIELD
Cadbury Sq.
DICKENSONS GRO.
HUNTER CL.
MULBERRY RD.
NOMIS PK.
YEW TREE PK.
YEW TREE DRIVE
SILVERSTONE WY.
STONEWELL
SILVER MEAD
Works
EN FRONT
MEADOWS END
ORCHARD WLK.
STREET
63
62
61
60
44
345
46

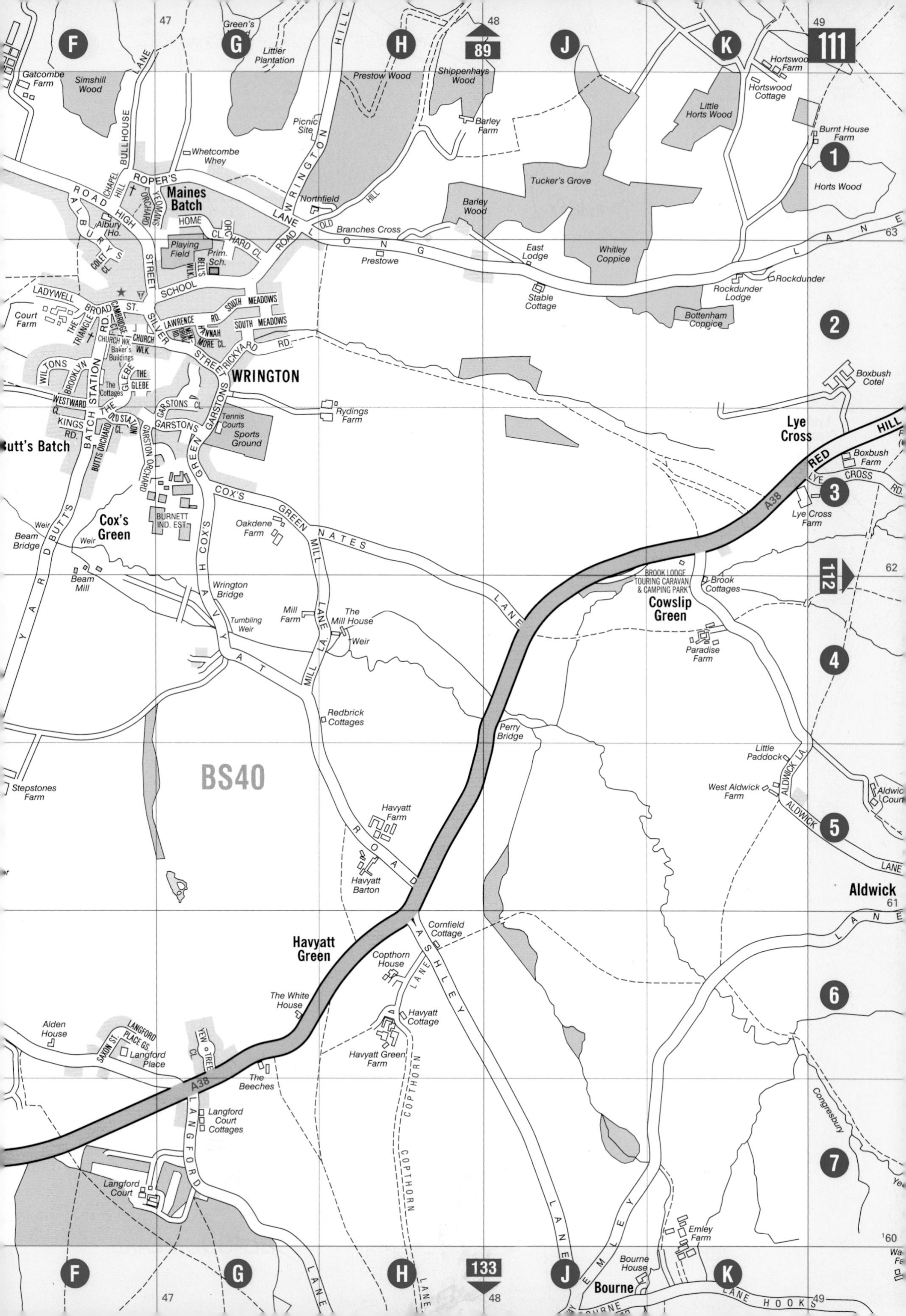
WRINGTON
Maines Batch
Butt's Batch
Cox's Green
Havyatt Green
Cowslip Green
Lye Cross
Aldwick
Bourne
BS40
A38
Gatcombe Farm
Simshill Wood
Littler Plantation
Prestow Wood
Shippenhays Wood
Picnic Site
Barley Farm
Whetcombe Whey
Northfield
Tucker's Grove
Barley Wood
Little Horts Wood
Hortswood Farm
Hortswood Cottage
Burnt House Farm
Horts Wood
Branches Cross
Prestowe
East Lodge
Whitley Coppice
Stable Cottage
Rockdunder Lodge
Rockdunder
Bottenham Coppice
Boxbush Cotel
Boxbush Farm
Lye Cross Farm
Albury Ho.
Court Farm
Playing Field
Prim. Sch.
Baker's Buildings
The Cottages
Tennis Courts
Sports Ground
Rydings Farm
Burnett Ind. Est.
Oakdene Farm
Beam Bridge
Beam Mill
Weir
Wrington Bridge
Tumbling Weir
Mill Farm
The Mill House
Brook Lodge Touring Caravan & Camping Park
Brook Cottages
Paradise Farm
Redbrick Cottages
Perry Bridge
Little Paddock
West Aldwick Farm
Aldwick Court
Stepstones Farm
Havyatt Farm
Havyatt Barton
Cornfield Cottage
Copthorn House
The White House
Havyatt Cottage
Havyatt Green Farm
Alden House
Langford Place
The Beeches
Langford Court Cottages
Langford Court
Emley Farm
Bourne House
Congresbury Yeo
Long Lane
Red Hill
Lye Cross Rd.
Cox's Green
Nates Lane
Mill Lane
Havyatt Road
Ashley Lane
Copthorn Lane
Emley Lane
Hooks Lane
Aldwick Lane
Yard Lane
Silver Street
High Street
School Road
Roper's Lane
Wrington Hill
Langford Road
Bullhouse Lane
89
112
133
F G H J K
1 2 3 4 5 6 7
47 48 49
60 61 62 63

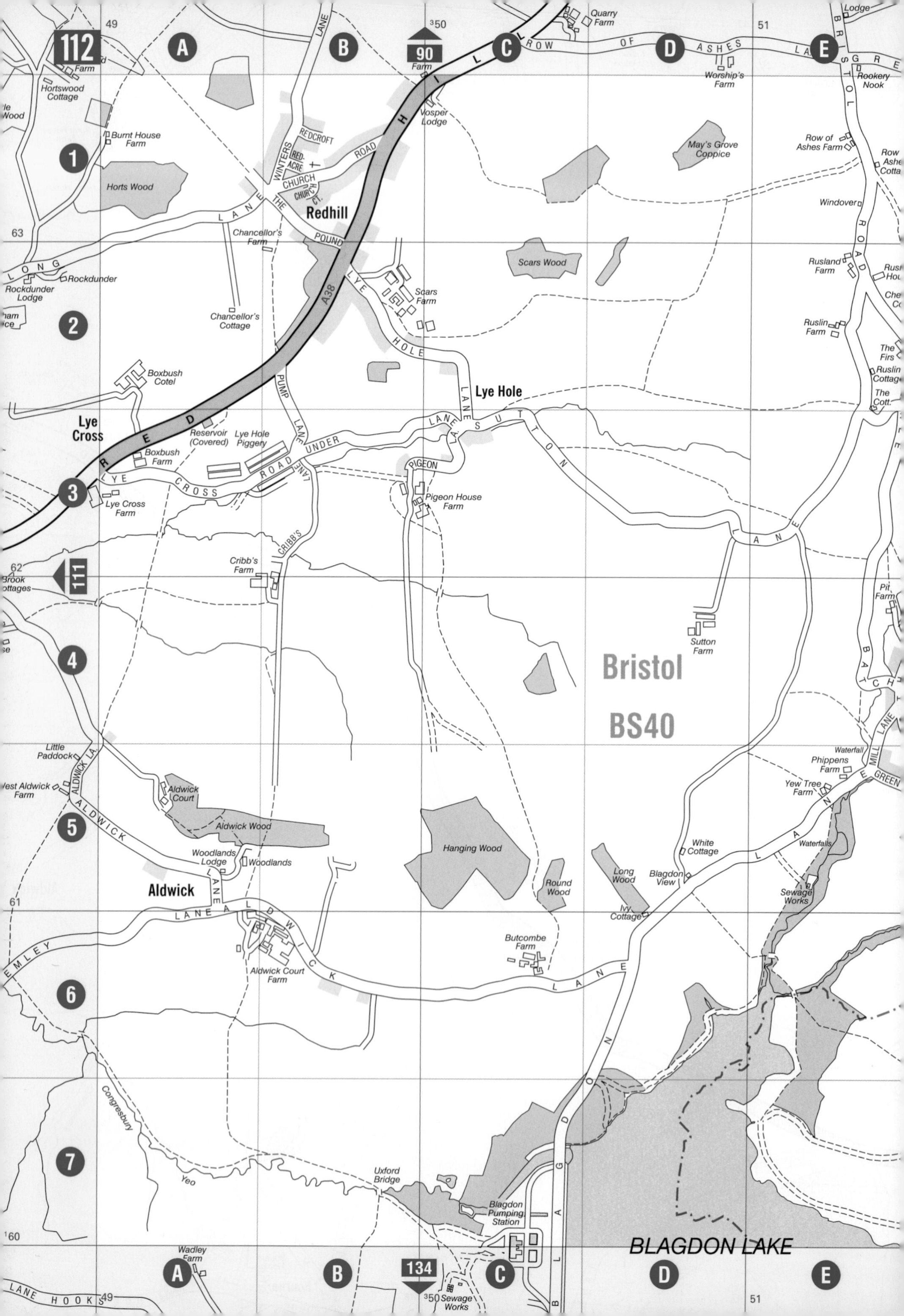

112
90
134
111
A
B
C
D
E
1
2
3
4
5
6
7
49
350
51
63
62
61
160
Quarry Farm
Lodge
ROW OF ASHES LANE
BRISTOL ROAD
GREEN
Farm
Hortswood Cottage
Burnt House Farm
Horts Wood
Vosper Lodge
Worship's Farm
Rookery Nook
May's Grove Coppice
Row of Ashes Farm
REDCROFT
WINTERS
RED-ACRE
CHURCH
CHURCH CT.
ROAD
THE POUND
LANE
Redhill
Chancellor's Farm
LONG
Rockdunder
Rockdunder Lodge
Windover
Scars Wood
Rusland Farm
Scars Farm
Chancellor's Cottage
A38
Ruslin Farm
The Firs
Ruslin Cottage
The Cott.
LYE HOLE LANE
Lye Hole
Boxbush Cotel
Lye Cross
RED HILL
Reservoir (Covered)
Lye Hole Piggery
PUMP LANE
UNDER ROAD
SUTTON LANE
LA.
PIGEON LANE
Boxbush Farm
LYE CROSS
Lye Cross Farm
Pigeon House Farm
CRIBB'S
Cribb's Farm
Brook Cottages
Pit Farm
Sutton Farm
Bristol
BS40
BATCH
MILL LANE
Little Paddock
ALDWICK LA.
West Aldwick Farm
Aldwick Court
Aldwick Wood
ALDWICK
Waterfall
Phippens Farm
Yew Tree Farm
Hanging Wood
Woodlands Lodge
Woodlands
Waterfalls
White Cottage
Aldwick
Long Wood
Blagdon View
Round Wood
Sewage Works
Ivy Cottage
ALDWICK LANE
EMLEY
Butcombe Farm
Aldwick Court Farm
BLAGDON
Congresbury
Yeo
Uxford Bridge
Blagdon Pumping Station
BLAGDON LAKE
Wadley Farm
LANE HOOKS
Sewage Works

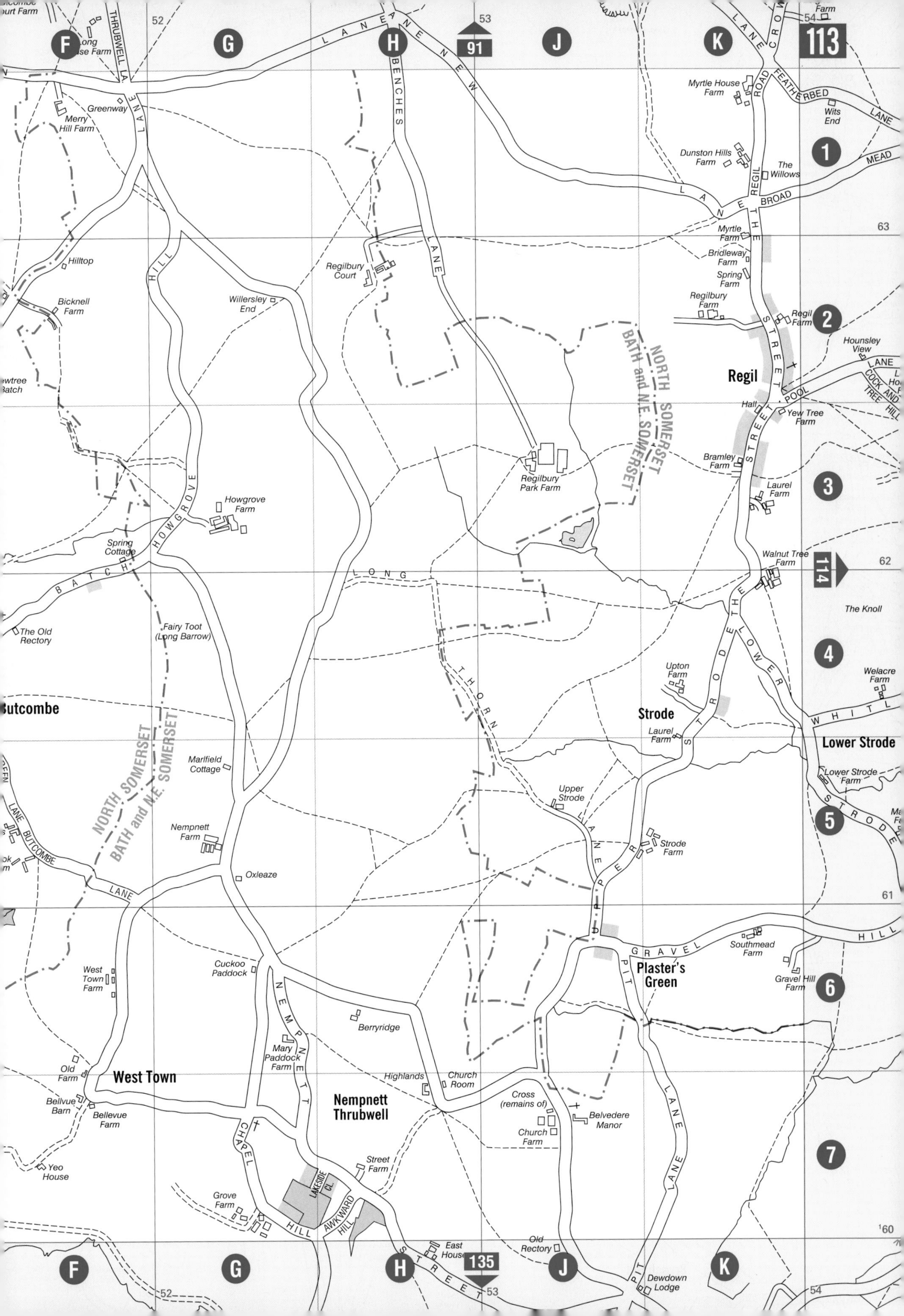

Regil
Strode
Lower Strode
Plaster's Green
West Town
Nempnett Thrubwell
Butcombe
NORTH SOMERSET
BATH and N.E. SOMERSET
Myrtle House Farm
Wits End
Dunston Hills Farm
The Willows
Myrtle Farm
Bridleway Farm
Spring Farm
Regilbury Farm
Regil Farm
Hounsley View
Hall
Yew Tree Farm
Bramley Farm
Laurel Farm
Walnut Tree Farm
The Knoll
Upton Farm
Welacre Farm
Laurel Farm
Lower Strode Farm
Upper Strode
Strode Farm
Southmead Farm
Gravel Hill Farm
Regilbury Court
Regilbury Park Farm
Willersley End
Merry Hill Farm
Greenway
Hilltop
Bicknell Farm
Howgrove Farm
Spring Cottage
The Old Rectory
Fairy Toot (Long Barrow)
Marlfield Cottage
Nempnett Farm
Oxleaze
Cuckoo Paddock
West Town Farm
Berryridge
Mary Paddock Farm
Highlands
Church Room
Cross (remains of)
Belvedere Manor
Church Farm
Old Farm
Bellvue Barn
Bellevue Farm
Yeo House
Grove Farm
Street Farm
Old Rectory
Dewdown Lodge
THRUBWELL LA.
NEW LANE
BENCHES LANE
CROW LANE
REGIL ROAD
FEATHERBED LANE
BROAD LANE
MEAD
THE STREET
POOL LANE
COCK AND HEN HILL
HOWGROVE HILL
BATCH
LONG THORN
THE STRODE
LOWER STRODE
WHITL
UPPER LANE
GRAVEL HILL
PIT LANE
BUTCOMBE LANE
NEMPNETT STREET
CHAPEL HILL
LAKESIDE CL.
AWKWARD HILL
F G H J K
1 2 3 4 5 6 7
52 53 54
60 61 62 63
91
114
135

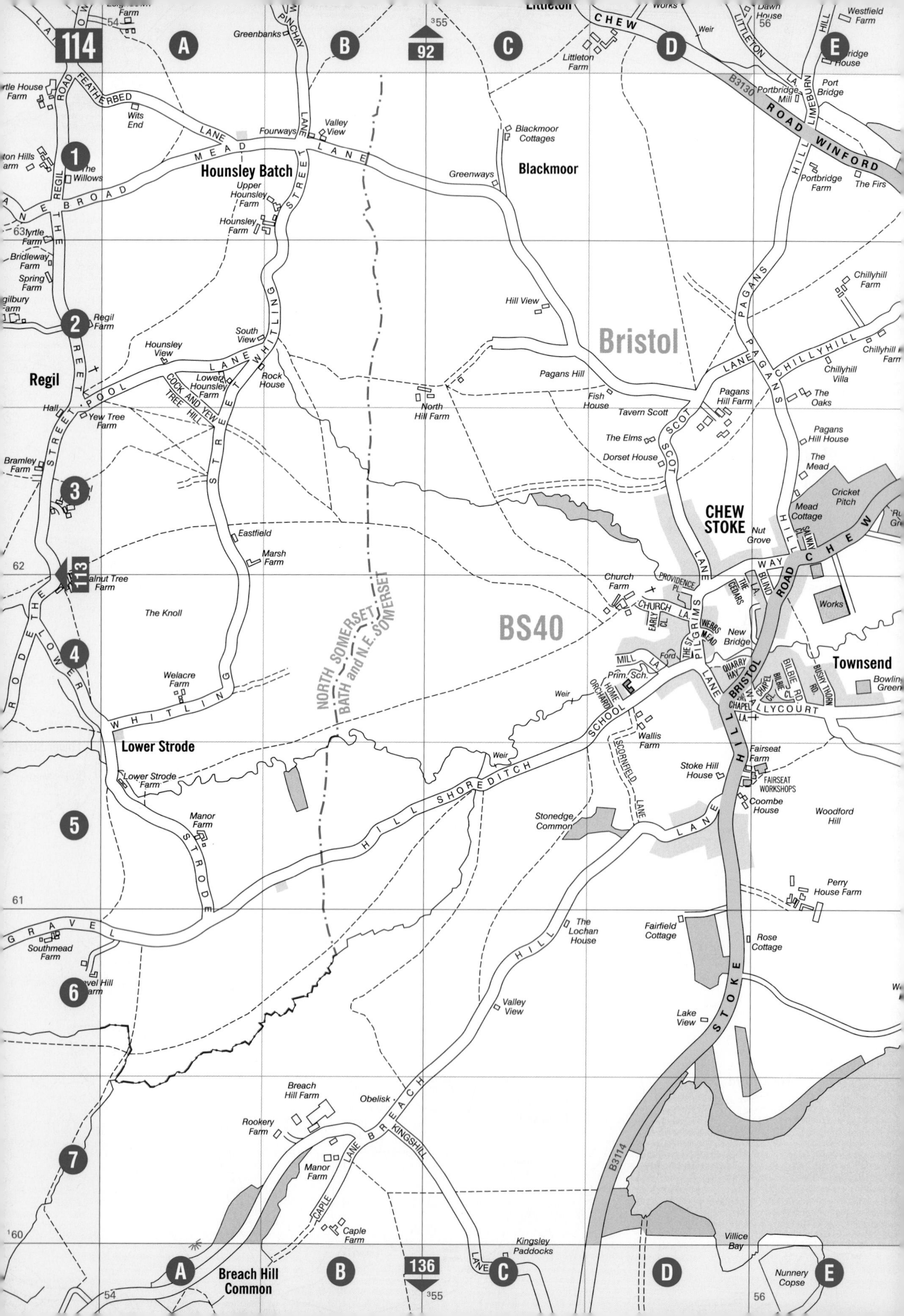

114
92
113
136
A
B
C
D
E
1
2
3
4
5
6
7
Littleton
Littleton Farm
Greenbanks
Weir
Westfield Farm
Dawn House
Port Bridge
Portbridge Mill
B3130
ROAD WINFORD
CHEW
LIMEBURN HILL
LITTLETON LA.
Portbridge Farm
The Firs
FEATHERBED LANE
Wits End
Fourways
Valley View
Blackmoor Cottages
Blackmoor
Hounsley Batch
MEAD LANE
BROAD LANE
REGIL
The Willows
Upper Hounsley Farm
Hounsley Farm
STREET LANE
PINCHAY LANE
Greenways
Spring Farm
Bridleway Farm
Regil Farm
Regil
Hill View
Bristol
Chillyhill Farm
Chillyhill Villa
CHILLYHILL
PAGANS HILL
Pagans Hill
Pagans Hill Farm
Pagans Hill House
The Oaks
The Mead
Cricket Pitch
Mead Cottage
South View
Hounsley View
WHITLING STREET
POOL LANE
COCK AND YEW TREE HILL
Lower Hounsley Farm
Rock House
North Hill Farm
Fish House
Tavern Scott
The Elms
Dorset House
SCOT LANE
Hall
Yew Tree Farm
Bramley Farm
CHEW STOKE
Nut Grove
Eastfield
Marsh Farm
Walnut Tree Farm
The Knoll
RODE
LOWER
BS40
Church Farm
PROVIDENCE PL.
CHURCH LA.
EARLY CL.
PILGRIMS WAY
WEBBS MEAD
THE CEDARS
BLIND LA.
CHEW ROAD
SALWAY CL.
Works
New Bridge
Townsend
Bowling Green
Ford
MILL LA.
Prim. Sch.
HOME ORCHARD
QUARRY HAY
BRISTOL
CHAPEL
BILBIE RD.
BILBIE CL.
BUSHY THORN RD.
WALLYCOURT
NORTH SOMERSET
BATH and N.E. SOMERSET
Welacre Farm
WHITLING
Lower Strode
Lower Strode Farm
Manor Farm
STRODE
SCHOOL
SHOREDITCH
HILL
Wallis Farm
SCORNFIELD LANE
Fairseat Farm
FAIRSEAT WORKSHOPS
Stoke Hill House
Coombe House
Woodford Hill
Stonedge Common
Perry House Farm
GRAVEL
Southmead Farm
The Lochan House
Fairfield Cottage
Rose Cottage
STOKE HILL
Valley View
Lake View
B3114
Breach Hill Farm
Obelisk
Rookery Farm
BREACH
KINGSHILL
Manor Farm
CAPLE LANE
Caple Farm
Kingsley Paddocks
LANE
Villice Bay
Nunnery Copse
Breach Hill Common
54
55
56
60
61
62
63

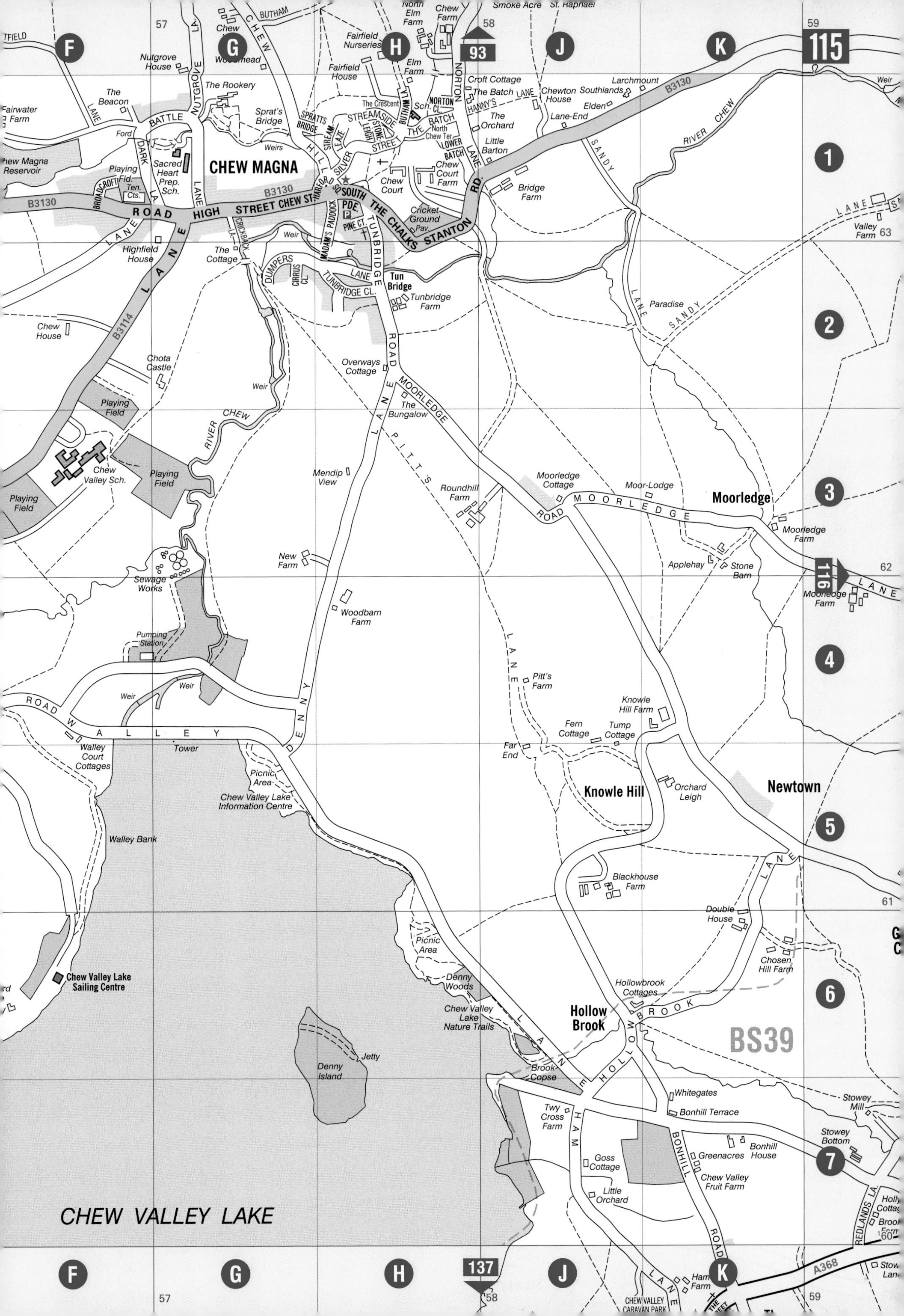

F
G
H
J
K
57
58
59
93
115
116
137
1
2
3
4
5
6
7
60
61
62
63
CHEW MAGNA
Chew Woodmead
Nutgrove House
The Rookery
The Beacon
Fairwater Farm
Chew Magna Reservoir
Sprat's Bridge
Weirs
Ford
Sacred Heart Prep. Sch.
Playing Fld.
Ten. Cts.
Fairfield Nurseries
Fairfield House
Elm Farm
North Elm Farm
Chew Farm
Smoke Acre
St. Raphael
Croft Cottage
The Batch
Chewton House
Southlands
Larchmount
Elden
Lane-End
The Orchard
Little Barton
North Chew Ter.
Chew Court Farm
Chew Court
Cricket Ground
Pav.
Bridge Farm
B3130
B3114
ROAD
HIGH STREET
CHEW ST.
SOUTH PDE.
THE CHALKS
STANTON RD.
NORTON LANE
BUTHAM
BATTLE
NUTGROVE LA.
DARK LA.
BROADCROFT
SPRATTS BRIDGE
SILVER ST.
HARFORD SQ.
STREAMSIDE
STREAM LEAZE
STONE LEIGH
THE STREET
BUTHAM LA.
NORTON CL.
HANNY'S LANE
THE BATCH
LOWER BATCH
The Crescent
Sch.
MADAM'S PADDOCK
PINE CT.
TUNBRIDGE ROAD
DUMPERS LANE
CIRRUS CL.
TUNBRIDGE CL.
CRICKBACK LA.
Highfield House
The Cottage
Weir
Tun Bridge
Tunbridge Farm
RIVER CHEW
SANDY LANE
Paradise
Valley Farm
Chew House
Chota Castle
Overways Cottage
The Bungalow
MOORLEDGE ROAD
Playing Field
Chew Valley Sch.
Mendip View
Roundhill Farm
Moorledge Cottage
Moor-Lodge
Moorledge
Moorledge Farm
Applehay
Stone Barn
New Farm
Sewage Works
Woodbarn Farm
PITT'S LANE
Pumping Station
Pitt's Farm
Knowle Hill Farm
Fern Cottage
Tump Cottage
Far End
DENNY LANE
VALLEY ROAD
Walley Court Cottages
Tower
Picnic Area
Chew Valley Lake Information Centre
Knowle Hill
Orchard Leigh
Newtown
Walley Bank
Blackhouse Farm
Double House
Chosen Hill Farm
Chew Valley Lake Sailing Centre
Denny Woods
Chew Valley Lake Nature Trails
Hollowbrook Cottages
Hollow Brook
HOLLOW BROOK
BS39
Jetty
Denny Island
Brook Copse
Whitegates
Bonhill Terrace
Stowey Mill
Stowey Bottom
Twy Cross Farm
HAM LANE
BONHILL ROAD
Goss Cottage
Greenacres
Bonhill House
Chew Valley Fruit Farm
Little Orchard
CHEW VALLEY LAKE
REDLANDS LA.
A368
Ham Farm
CHEW VALLEY CARAVAN PARK

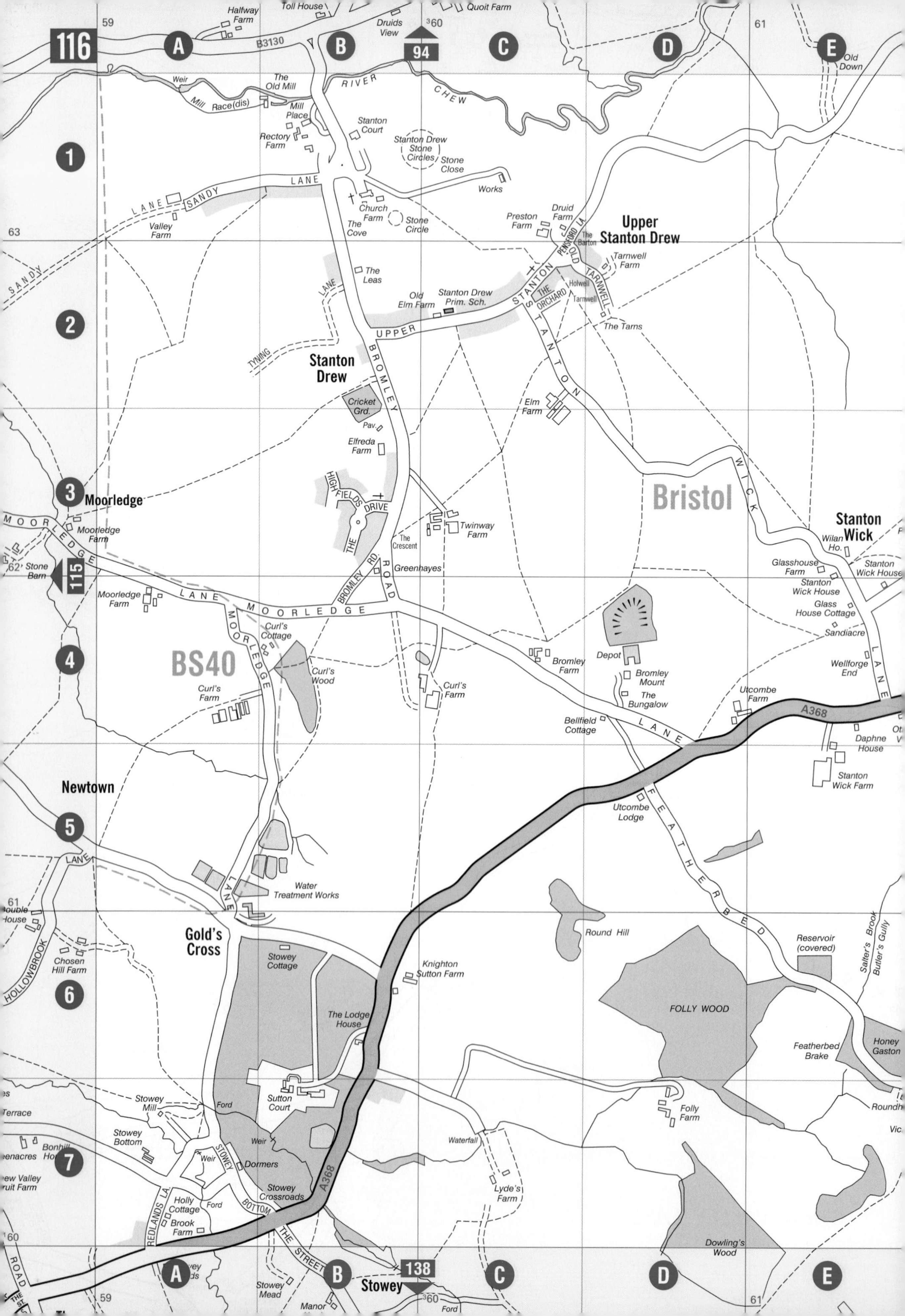
116
94
115
138
A
B
C
D
E
1
2
3
4
5
6
7
59
360
61
63
62
Halfway Farm
Toll House
Quoit Farm
Druids View
B3130
Old Down
Weir
The Old Mill
RIVER CHEW
Mill Race(dis)
Mill Place
Stanton Court
Rectory Farm
Stanton Drew Stone Circles
Stone Close
SANDY LANE
Works
Valley Farm
Church Farm
The Cove
Stone Circle
Preston Farm
Druid Farm
PENSFORD LA.
Upper Stanton Drew
The Barton
Tarnwell Farm
The Leas
Old Elm Farm
Stanton Drew Prim. Sch.
STANTON
THE ORCHARD
Holwell
Tarnwell
TARNWELL
The Tarns
UPPER
TYNING
Stanton Drew
BROMLEY
Cricket Grd.
Pav.
Elm Farm
Elfreda Farm
HIGHFIELDS
THE DRIVE
WICK
Bristol
Moorledge
Moorledge Farm
The Crescent
Twinway Farm
Stanton Wick
Wilan Ho.
Glasshouse Farm
Stanton Wick House
Glass House Cottage
Sandiacre
Stone Barn
Greenhayes
BROMLEY RD.
ROAD
MOORLEDGE LANE
Moorledge Farm
Curl's Cottage
BS40
Curl's Wood
Curl's Farm
Bromley Farm
Depot
Bromley Mount
The Bungalow
Wellforge End
LANE
Utcombe Farm
A368
Bellfield Cottage
Daphne House
Stanton Wick Farm
Newtown
Utcombe Lodge
FEATHERBED
Water Treatment Works
Round Hill
Gold's Cross
Double House
HOLLOWBROOK
Chosen Hill Farm
Stowey Cottage
Knighton Sutton Farm
Reservoir (covered)
Salter's Brook
Butler's Gully
FOLLY WOOD
The Lodge House
Featherbed Brake
Honey Gaston
Stowey Mill
Ford
Sutton Court
Folly Farm
Terrace
Stowey Bottom
Weir
Waterfall
Bonhill Ho
STOWEY
Dormers
Lyde's Farm
Stowey Crossroads
REDLANDS LA.
Holly Cottage
Brook Farm
BOTTOM
THE STREET
Dowling's Wood
Stowey Mead
Stowey
Manor
Ford
ROAD
THE ST

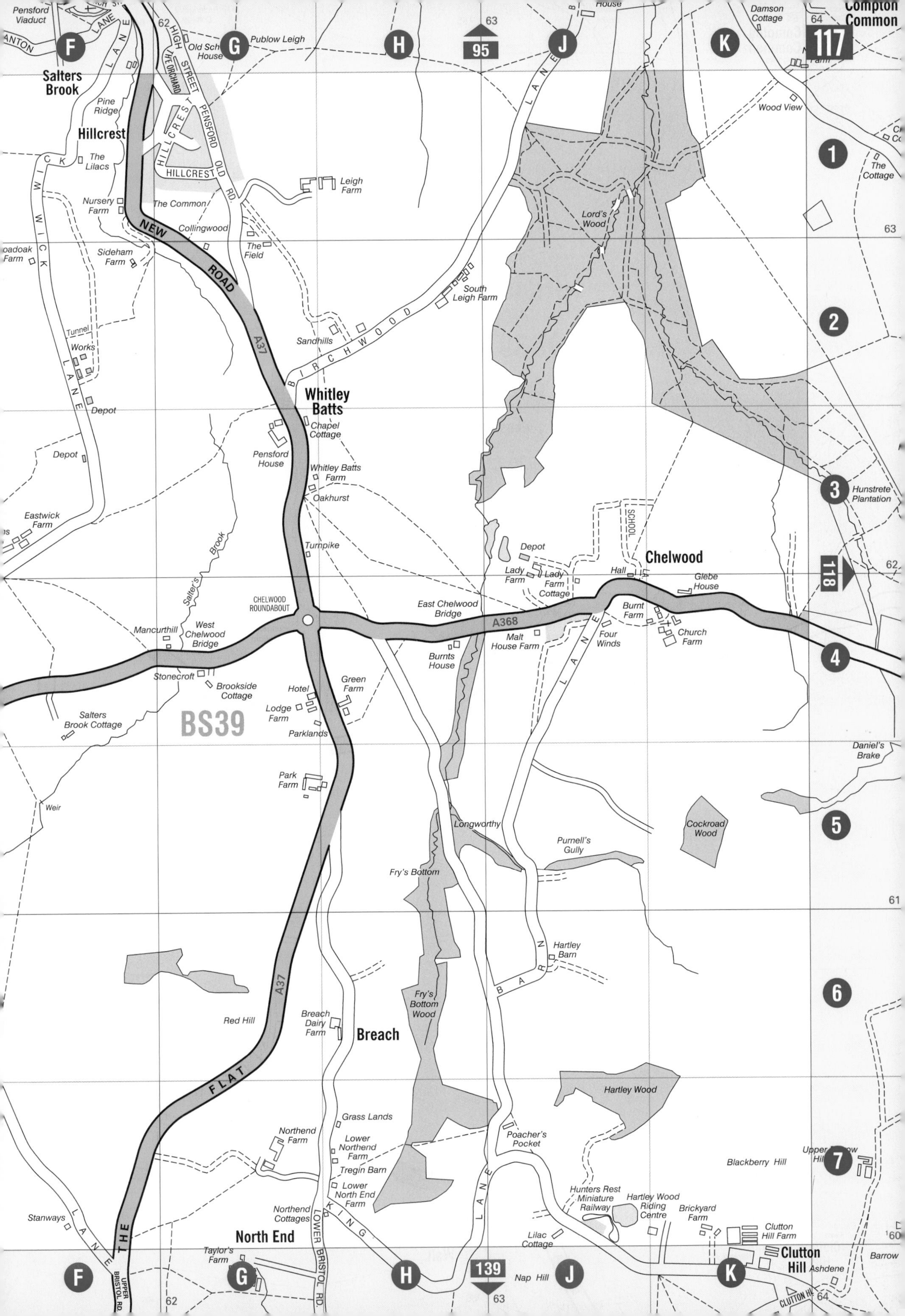
Pensford Viaduct
Salters Brook
Pine Ridge
Hillcrest
The Lilacs
Nursery Farm
Sideham Farm
Tunnel
Works
Depot
Eastwick Farm
Old Sch House
Publow Leigh
HIGH STREET
THE ORCHARD
PENSFORD OLD RD.
HILLCREST
The Common
Collingwood
The Field
Leigh Farm
NEW ROAD
A37
South Leigh Farm
BIRCHWOOD
Sandhills
Whitley Batts
Chapel Cottage
Pensford House
Whitley Batts Farm
Oakhurst
Turnpike
Salter's Brook
Mancurthill
West Chelwood Bridge
CHELWOOD ROUNDABOUT
Stonecroft
Brookside Cottage
Salters Brook Cottage
BS39
Hotel
Lodge Farm
Green Farm
Parklands
Park Farm
Weir
Damson Cottage
Compton Common
Wood View
The Cottage
Lord's Wood
East Chelwood Bridge
A368
Malt House Farm
Burnts House
Depot
Lady Farm
Lady Farm Cottage
SCHOOL
Hall
Chelwood
Glebe House
Burnt Farm
Four Winds
Church Farm
Hunstrete Plantation
Daniel's Brake
Longworthy
Purnell's Gully
Cockroad Wood
Fry's Bottom
Hartley Barn
BARN LANE
Fry's Bottom Wood
Red Hill
Breach Dairy Farm
Breach
THE FLAT
Hartley Wood
Grass Lands
Northend Farm
Lower Northend Farm
Tregin Barn
Lower North End Farm
Poacher's Pocket
Hunters Rest Miniature Railway
Hartley Wood Riding Centre
Brickyard Farm
Clutton Hill Farm
Blackberry Hill
Upper Barrow Hill
Stanways
Northend Cottages
North End
Taylor's Farm
LOWER BRISTOL RD.
KING LANE
UPPER BRISTOL RD.
Lilac Cottage
Nap Hill
Clutton Hill
Ashdene
Barrow
CLUTTON HILL
F G H J K
1 2 3 4 5 6 7
62 63 64 60 61

95
118
139

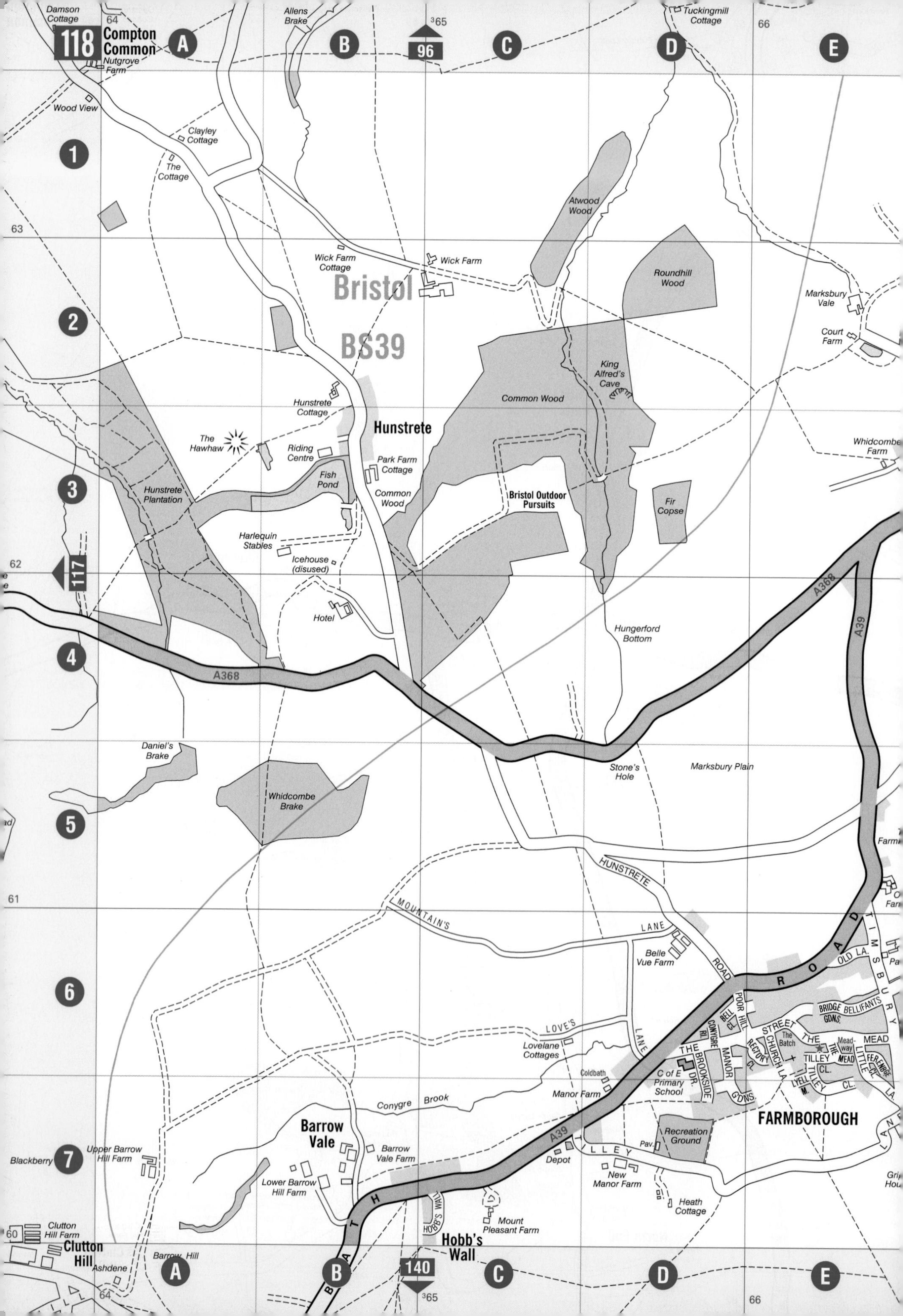

118
Compton Common
96
117
140
A
B
C
D
E
1
2
3
4
5
6
7
Damson Cottage
Nutgrove Farm
Wood View
Allens Brake
Tuckingmill Cottage
Clayley Cottage
The Cottage
Atwood Wood
Roundhill Wood
Wick Farm Cottage
Wick Farm
Bristol
BS39
Marksbury Vale
Court Farm
King Alfred's Cave
Common Wood
Hunstrete Cottage
Hunstrete
The Hawhaw
Riding Centre
Park Farm Cottage
Whidcombe Farm
Fish Pond
Hunstrete Plantation
Common Wood
Bristol Outdoor Pursuits
Fir Copse
Harlequin Stables
Icehouse (disused)
Hotel
Hungerford Bottom
A368
A39
Daniel's Brake
Stone's Hole
Marksbury Plain
Whidcombe Brake
HUNSTRETE ROAD
MOUNTAIN'S LANE
Belle Vue Farm
TIMSBURY ROAD
OLD LA.
BRIDGE GDNS.
BELLIFANTS
LOVE'S LANE
POOR HILL
BELL CL.
Lovelane Cottages
THE BROOKSIDE
CONYGRE RI.
MANOR GDNS.
RECTORY CL.
STREET
CHURCH LA.
The Batch
THE MEAD
Mead-way
TILLEY
TILLEY CL.
LYELL M.
LITTLE MEAD
FERNDALE CL.
Coldbath
C of E Primary School
Manor Farm
Conygre Brook
Barrow Vale
FARMBOROUGH
Recreation Ground
Pav.
TILLEY LANE
Upper Barrow Hill Farm
Barrow Vale Farm
Depot
New Manor Farm
Blackberry
Lower Barrow Hill Farm
BATH ROAD
HOBB'S WALL
Heath Cottage
Mount Pleasant Farm
Clutton Hill Farm
Clutton Hill
Hobb's Wall
Barrow Hill
Ashdene
64
365
66
63
62
61
60

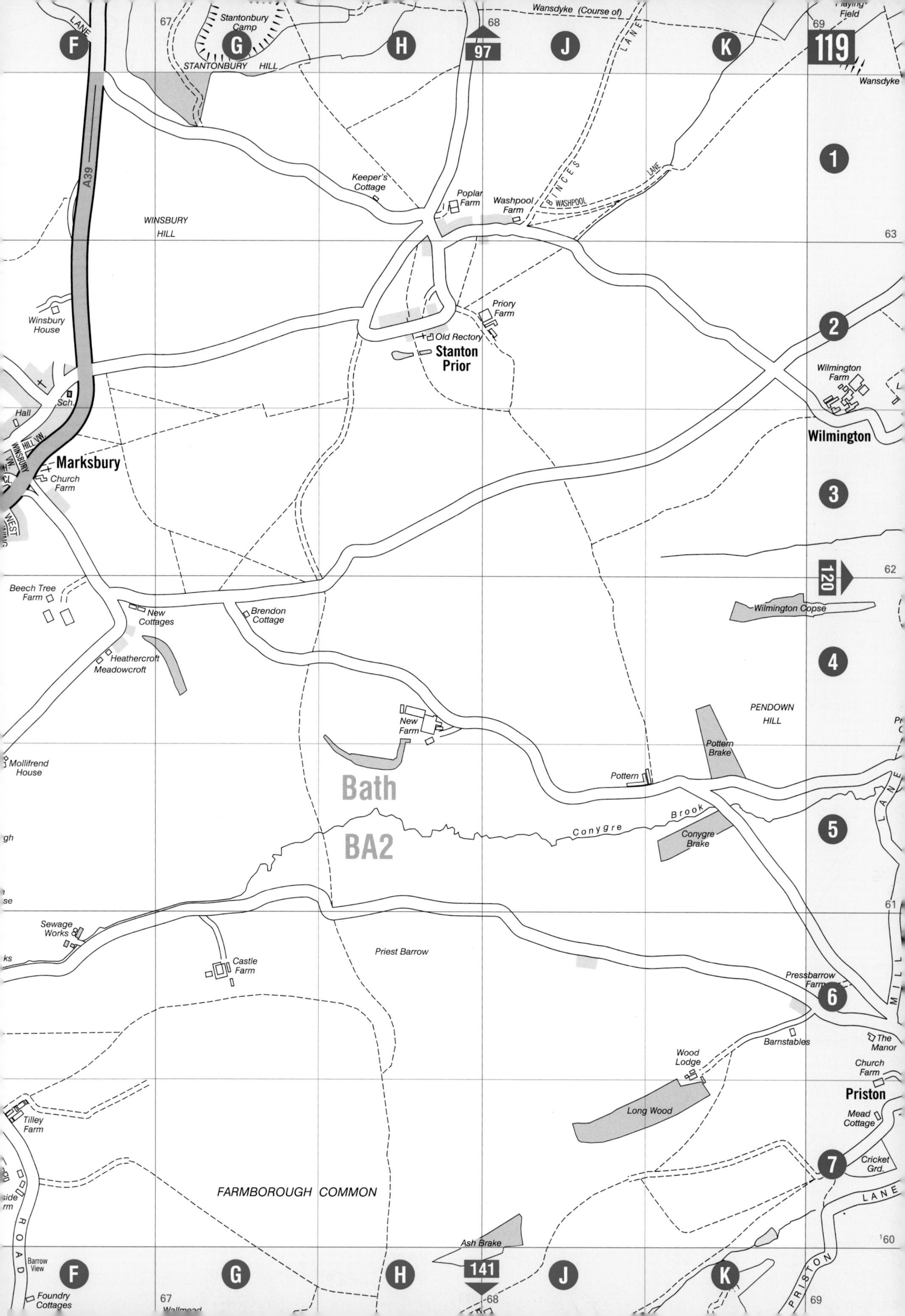

119
97
120
141
F
G
H
J
K
1
2
3
4
5
6
7
67
68
69
63
62
61
60
Wansdyke (Course of)
Playing Field
Wansdyke
Stantonbury Camp
STANTONBURY HILL
LANE
A39
Keeper's Cottage
Poplar Farm
Washpool Farm
BINCES
WASHPOOL
LANE
WINSBURY HILL
Winsbury House
Priory Farm
Old Rectory
Stanton Prior
Sch.
Hall
HILL VW.
WINSBURY VW.
Marksbury
Church Farm
WEST
Wilmington Farm
Wilmington
Beech Tree Farm
New Cottages
Brendon Cottage
Wilmington Copse
Heathercroft
Meadowcroft
New Farm
PENDOWN HILL
Pottern Brake
Mollifrend House
Pottern
Bath
BA2
Conygre Brook
Conygre Brake
LANE
Sewage Works
Castle Farm
Priest Barrow
Pressbarrow Farm
MILL
Barnstables
The Manor
Wood Lodge
Church Farm
Priston
Long Wood
Mead Cottage
Tilley Farm
Cricket Grd.
FARMBOROUGH COMMON
LANE
ROAD
Ash Brake
PRISTON
Barrow View
Foundry Cottages

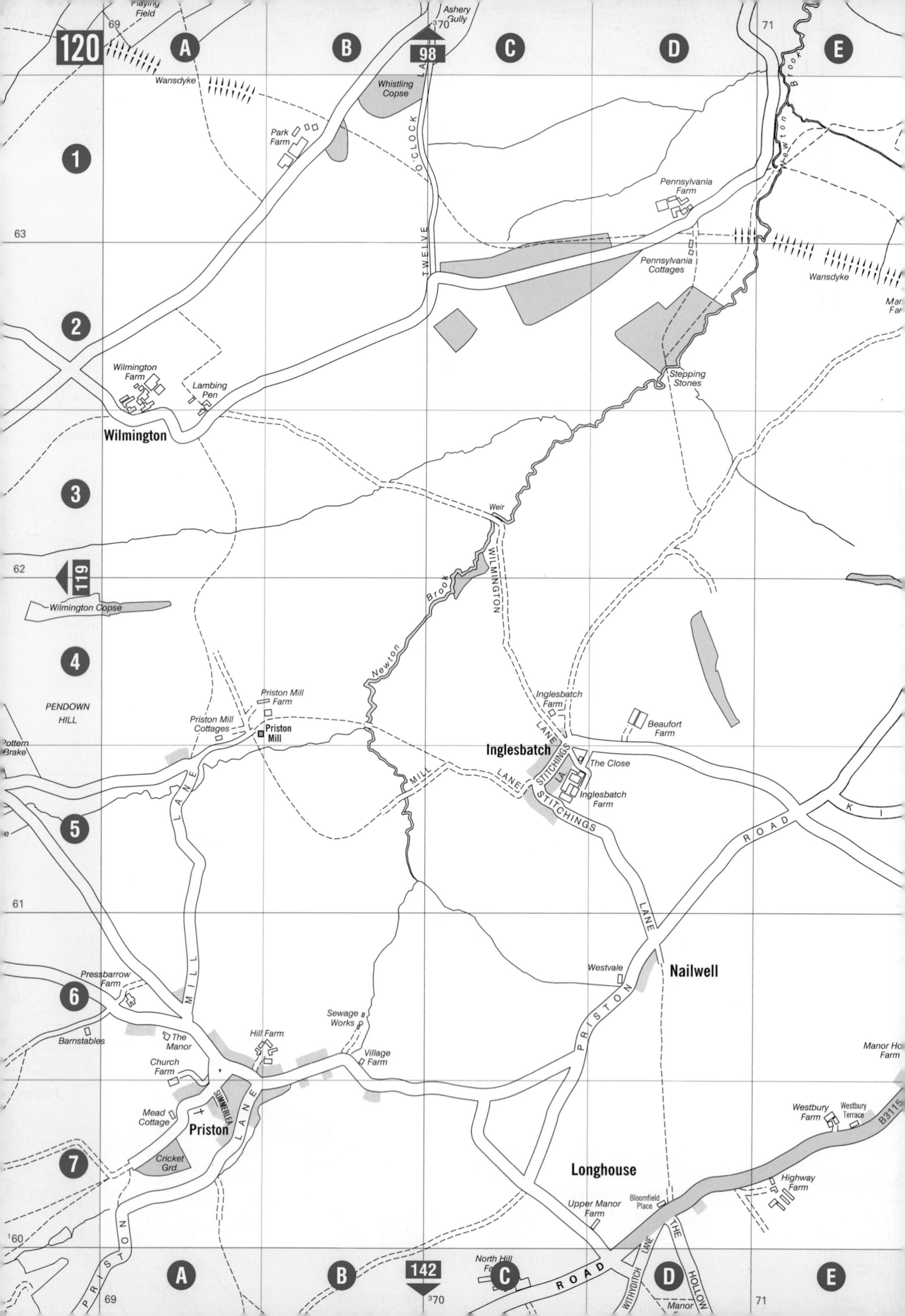
120
98
119
142
A
B
C
D
E
1
2
3
4
5
6
7
Wansdyke
Whistling Copse
Park Farm
TWELVE O'CLOCK LANE
Ashery Gully
Pennsylvania Farm
Pennsylvania Cottages
Newton Brook
Wilmington Farm
Lambing Pen
Wilmington
Stepping Stones
Weir
WILMINGTON
Wilmington Copse
PENDOWN HILL
Priston Mill Farm
Priston Mill Cottages
Priston Mill
Inglesbatch Farm
Beaufort Farm
Inglesbatch
The Close
STITCHINGS LANE
MILL LANE
ROAD
Westvale
Nailwell
PRISTON
Pressbarrow Farm
Barnstables
The Manor
Church Farm
Hill Farm
Sewage Works
Village Farm
Mead Cottage
Priston
SUMMERLEA
LANE
Cricket Grd.
Longhouse
Upper Manor Farm
Bloomfield Place
Westbury Farm
Westbury Terrace
B3115
Highway Farm
Manor House Farm
WITHYDITCH LANE
THE HOLLOW
North Hill Farm
Manor
69
370
71
63
62
61
60

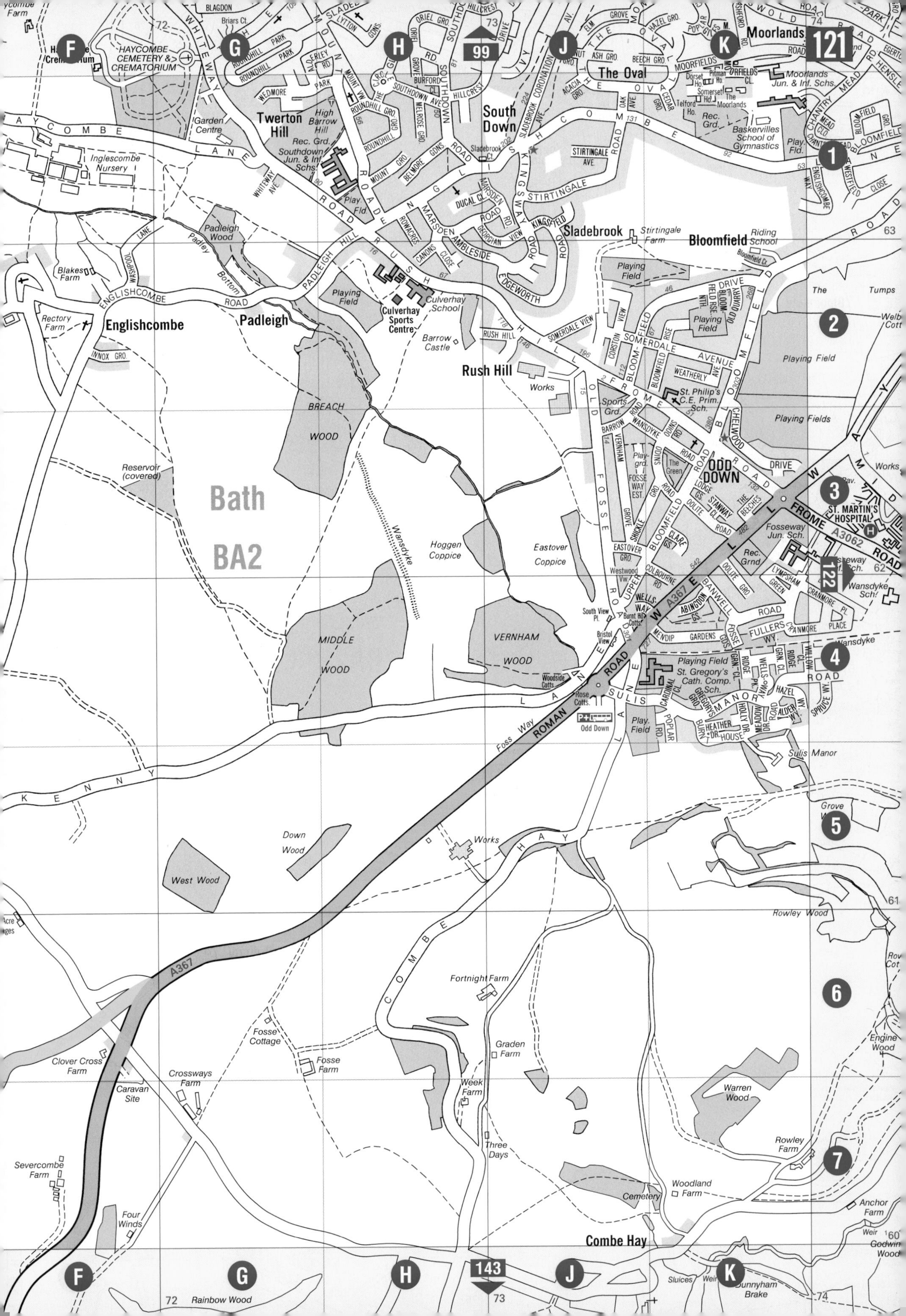

121
99
143
122
Moorlands
The Oval
South Down
Twerton Hill
Haycombe Cemetery & Crematorium
Haycombe Lane
Inglescombe Nursery
Garden Centre
Padleigh Wood
Blakes Farm
Rectory Farm
Englishcombe
Englishcombe Road
Padleigh
Culverhay School
Culverhay Sports Centre
Barrow Castle
Rush Hill
Sladebrook
Stirtingale Farm
Bloomfield
Riding School
The Tumps
Playing Field
Playing Fields
Odd Down
St. Philip's C.E. Prim. Sch.
St. Martin's Hospital
Fosseway Jun. Sch.
Wansdyke Sch.
Breach Wood
Bath
BA2
Reservoir (covered)
Wansdyke
Hoggen Coppice
Eastover Coppice
Middle Wood
Vernham Wood
Roman Road
A367
A3062
Frome Road
Wellsway
Kenny Lane
Foss Way
St. Gregory's Cath. Comp. Sch.
Sulis Manor
Odd Down
Down Wood
West Wood
Works
Combe Hay Lane
Fortnight Farm
Fosse Cottage
Fosse Farm
Clover Cross Farm
Crossways Farm
Caravan Site
Graden Farm
Week Farm
Three Days
Severcombe Farm
Four Winds
Warren Wood
Rowley Wood
Rowley Farm
Woodland Farm
Cemetery
Combe Hay
Anchor Farm
Engine Wood
Sluices
Weir
Dunnyham Brake
Rainbow Wood
Grove Wood
72
73
74
F G H J K
1 2 3 4 5 6 7

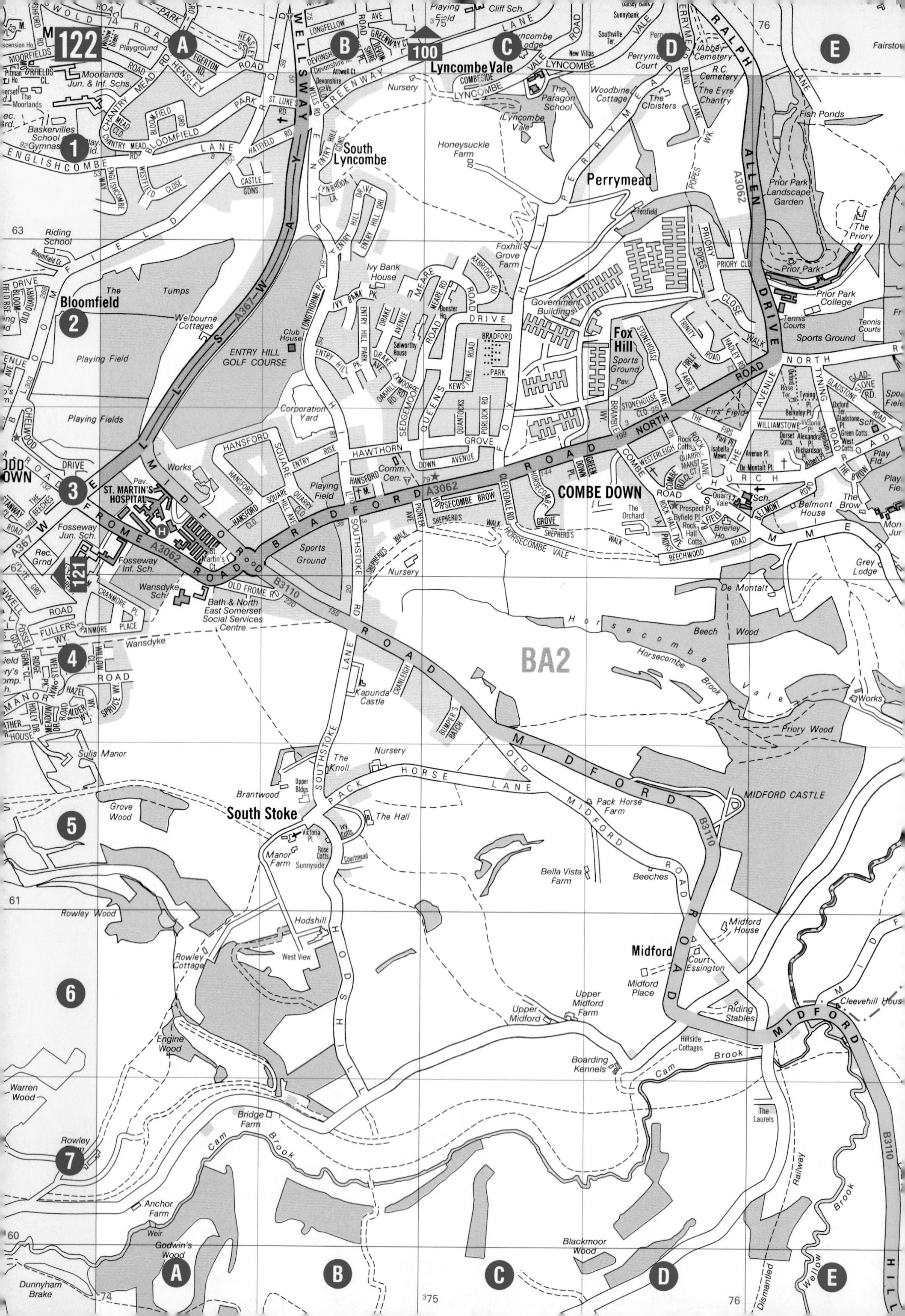

122
100
121
A
B
C
D
E
1
2
3
4
5
6
7
63
61
60
62
74
375
76
BA2
Lyncombe Vale
South Lyncombe
Perrymead
Bloomfield
Fox Hill
Combe Down
South Stoke
Midford
MIDFORD CASTLE
WELLSWAY
RALPH ALLEN DRIVE
A3062
A367
B3110
NORTH ROAD
BRADFORD ROAD
MIDFORD ROAD
FROME ROAD
ENTRY HILL
ENTRY HILL GOLF COURSE
ST. MARTIN'S HOSPITAL
Prior Park Landscape Garden
Prior Park College
Prior Park
The Priory
Fish Ponds
Sports Ground
Playing Field
Playing Fields
The Tumps
Welbourne Cottages
Corporation Yard
Ivy Bank House
Foxhill Grove Farm
Government Buildings
Honeysuckle Farm
The Paragon School
Perrymead Court
Abbey Cemetery
R.C. Cemetery
The Eyre Chantry
Woodbine Cottage
The Cloisters
Moorlands Jun. & Inf. Schs.
Baskervilles School
Riding School
Fosseway Jun. Sch.
Fosseway Inf. Sch.
Wansdyke Sch.
Bath & North East Somerset Social Services Centre
Wansdyke
Kapunda Castle
Nursery
The Knoll
Upper Bldgs.
Brantwood
Sulis Manor
Grove Wood
Rowley Wood
Rowley Cottage
Engine Wood
Warren Wood
Rowley Farm
Anchor Farm
Weir
Godwin's Wood
Dunnyham Brake
Bridge Farm
Cam Brook
Manor Farm
Sunnyside
The Hall
Courtmead
Hodshill
West View
HODSHILL
PACK HORSE LANE
Pack Horse Farm
Bella Vista Farm
Beeches
Upper Midford
Upper Midford Farm
Midford Place
Court Essington
Midford House
Riding Stables
Hillside Cottages
Boarding Kennels
The Laurels
Blackmoor Wood
Dismantled Railway
Wellow Brook
Cleevehill House
Horsecombe Vale
Horsecombe Brook
Beech Wood
De Montalt
Grey Lodge
Priory Wood
Works
Belmont House
The Brow
Play Fld.
The Orchard
Brierley Ho.
Rock Hall Cotts.
Firs' Field
Williamstowe
Tennis Courts

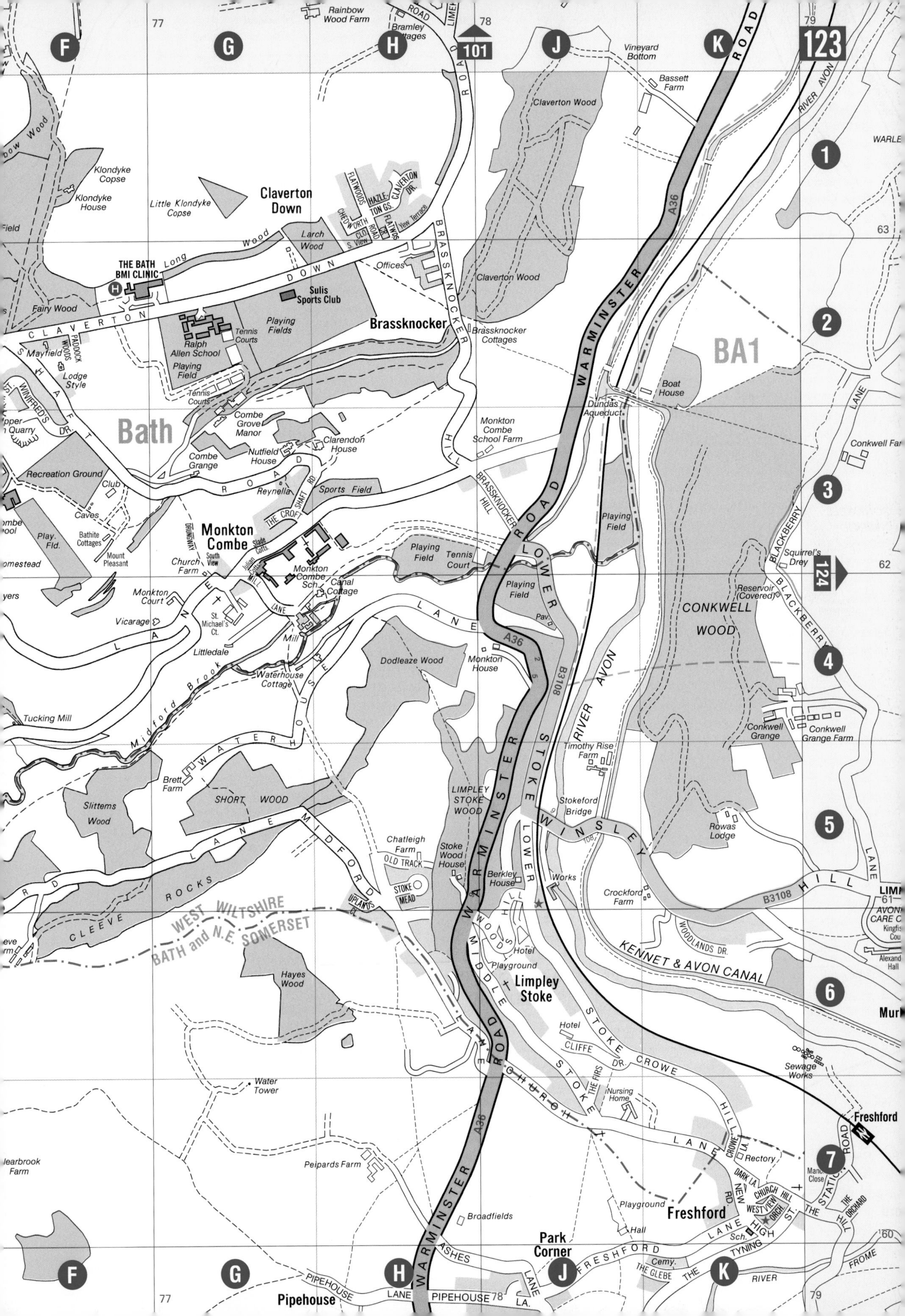

123
101
124
F
G
H
J
K
1
2
3
4
5
6
7
77
78
79
63
62
61
60
Rainbow Wood Farm
Bramley Cottages
Vineyard Bottom
Bassett Farm
Claverton Wood
RIVER AVON
WARLE
Klondyke Copse
Klondyke House
Little Klondyke Copse
Claverton Down
FLATWOODS
HAZLETON GS.
CLAVERTON DR.
CHEDWORTH CLO.
FLATWOODS ROAD
Yew Terrace
S. View
Larch Wood
Long Wood
THE BATH BMI CLINIC
Offices
BRASSKNOCKER
CLAVERTON DOWN
Sulis Sports Club
Playing Fields
Brassknocker
Brassknocker Cottages
Fairy Wood
Tennis Courts
Ralph Allen School
Playing Field
Mayfield
PADDOCK WOODS
Lodge Style
SHAFT
ST. WINIFRED'S DR.
Bath
BA1
Boat House
Dundas Aqueduct
WARMINSTER
A36
Combe Grove Manor
Clarendon House
Monkton Combe School Farm
Conkwell Farm
LANE
Upper Quarry
Recreation Ground
Club
Combe Grange
Nutfield House
ROAD
Reynella
SHAFT RD
Sports Field
BRASSKNOCKER HILL
Playing Field
BLACKBERRY
Caves
THE CROFT
Monkton Combe
DRUNGWAY
Slade Cotts
South View
Playing Field
Tennis Court
LOWER
Squirrel's Drey
Bathite Cottages
Play. Fld.
Mount Pleasant
Church Farm
Julian Cotts
MILL
Monkton Combe Sch.
Canal Cottage
Playing Field
Reservoir (Covered)
CONKWELL WOOD
Monkton Court
LANE
Pav.
Vicarage
St. Michael's Ct.
Mill
Littledale
Dodleaze Wood
Monkton House
B3108
RIVER AVON
Waterhouse Cottage
Midford Brook
WATERHOUSE
Tucking Mill
STOKE
Conkwell Grange
Conkwell Grange Farm
Timothy Rise Farm
Brett Farm
Slittems Wood
SHORT WOOD
LIMPLEY STOKE WOOD
Stokeford Bridge
WINSLEY
Rowas Lodge
LANE
MIDFORD
Chatleigh Farm
OLD TRACK
Stoke Wood House
Berkley House
Works
Crockford Farm
HILL
LIMPLEY
AVON CARE
Kingfis
ROCKS
CLEEVE
STOKE MEAD
UPLANDS CL.
WOODS HILL
WOODLANDS DR.
WEST WILTSHIRE
BATH and N.E. SOMERSET
Hotel
Playground
KENNET & AVON CANAL
Alexand Hall
Hayes Wood
MIDDLE
Limpley Stoke
Murh
Hotel
CLIFFE DR.
CROWE
Sewage Works
THE FIRS
Nursing Home
CHURCH
Water Tower
Freshford
STATION ROAD
CROWE LA.
Rectory
Manor Close
Peipards Farm
DARK LA.
NEW RD.
CHURCH HILL
WEST VIEW
ORCH.
THE HILL
THE ORCHARD
Clearbrook Farm
Playground
Freshford
HIGH ST.
Broadfields
Hall
Sch.
Park Corner
FRESHFORD
TYNING
ASHES
Cemy.
THE GLEBE
FROME
RIVER
PIPEHOUSE
Pipehouse
PIPEHOUSE LA.

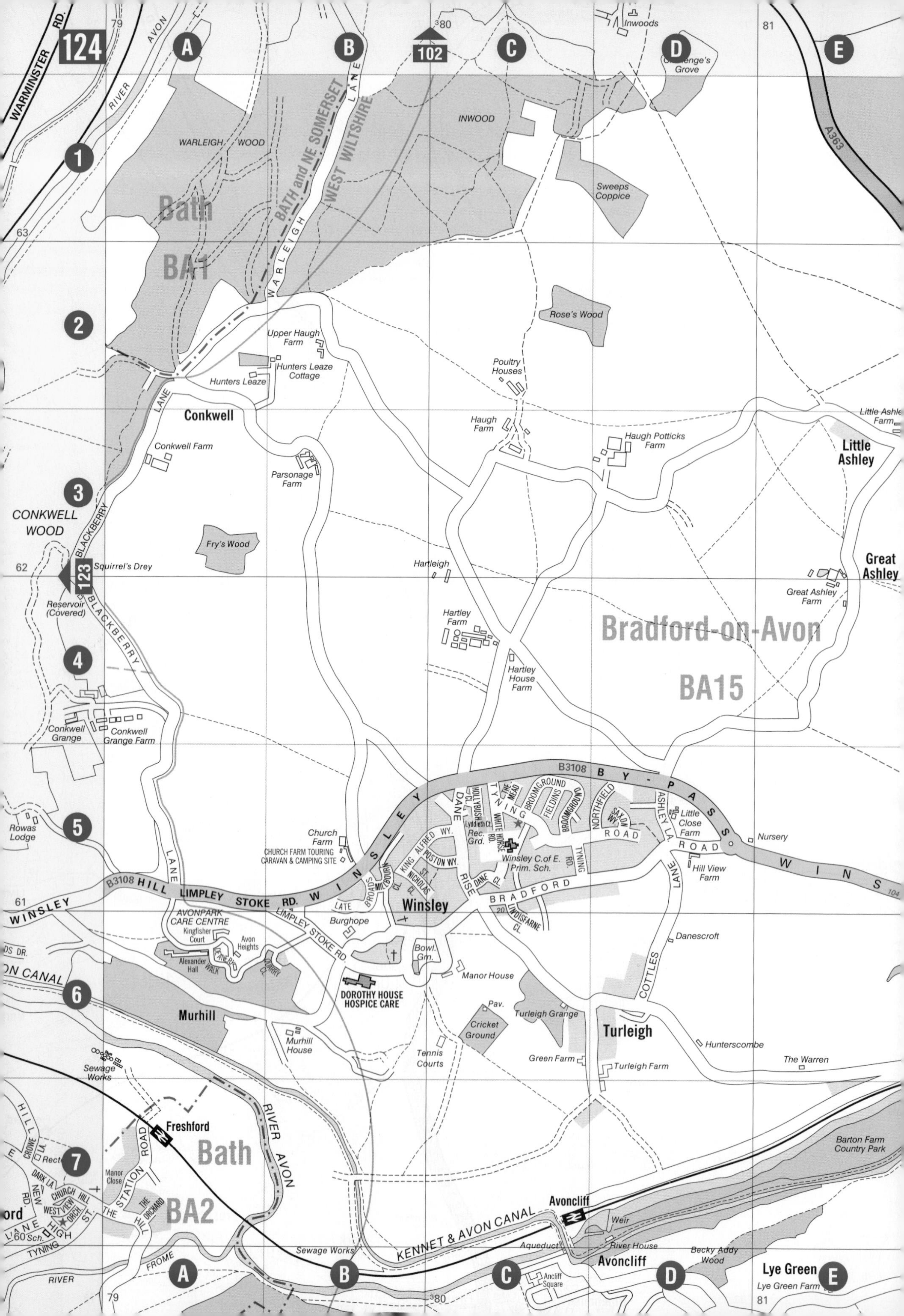
124
102
123
104
WARMINSTER RD.
RIVER AVON
Warleigh Wood
Bath
BA1
BATH and NE SOMERSET
WEST WILTSHIRE
WARLEIGH LANE
Inwood
Inwoods
Challenge's Grove
Sweeps Coppice
A363
Rose's Wood
Upper Haugh Farm
Hunters Leaze Cottage
Hunters Leaze
Poultry Houses
Conkwell
Conkwell Farm
Parsonage Farm
Haugh Farm
Haugh Potticks Farm
Little Ashley Farm
Little Ashley
CONKWELL WOOD
BLACKBERRY LANE
Fry's Wood
Squirrel's Drey
Reservoir (Covered)
Hartleigh
Great Ashley
Great Ashley Farm
Hartley Farm
Bradford-on-Avon
BA15
Hartley House Farm
Conkwell Grange
Conkwell Grange Farm
B3108 BY-PASS
Rowas Lodge
Church Farm
CHURCH FARM TOURING CARAVAN & CAMPING SITE
Rec. Grd.
Winsley C.of E. Prim. Sch.
Little Close Farm
Nursery
Hill View Farm
WINSLEY ROAD
B3108 HILL LIMPLEY STOKE RD.
WINSLEY
Winsley
BRADFORD ROAD
AVONPARK CARE CENTRE
Kingfisher Court
Avon Heights
Burghope
Danescroft
Alexander Hall
Bowl. Grn.
Manor House
DOROTHY HOUSE HOSPICE CARE
Murhill
Pav.
Cricket Ground
Turleigh Grange
Turleigh
Hunterscombe
Murhill House
Tennis Courts
Green Farm
Turleigh Farm
The Warren
Sewage Works
Freshford
Bath
BA2
RIVER AVON
Barton Farm Country Park
Manor Close
STATION ROAD
CHURCH HILL
Avoncliff
KENNET & AVON CANAL
Weir
Aqueduct
River House
Becky Addy Wood
Avoncliff
Ancliff Square
Lye Green
Lye Green Farm
FROME
RIVER
Sch.
79
380
81
63
62
61
60

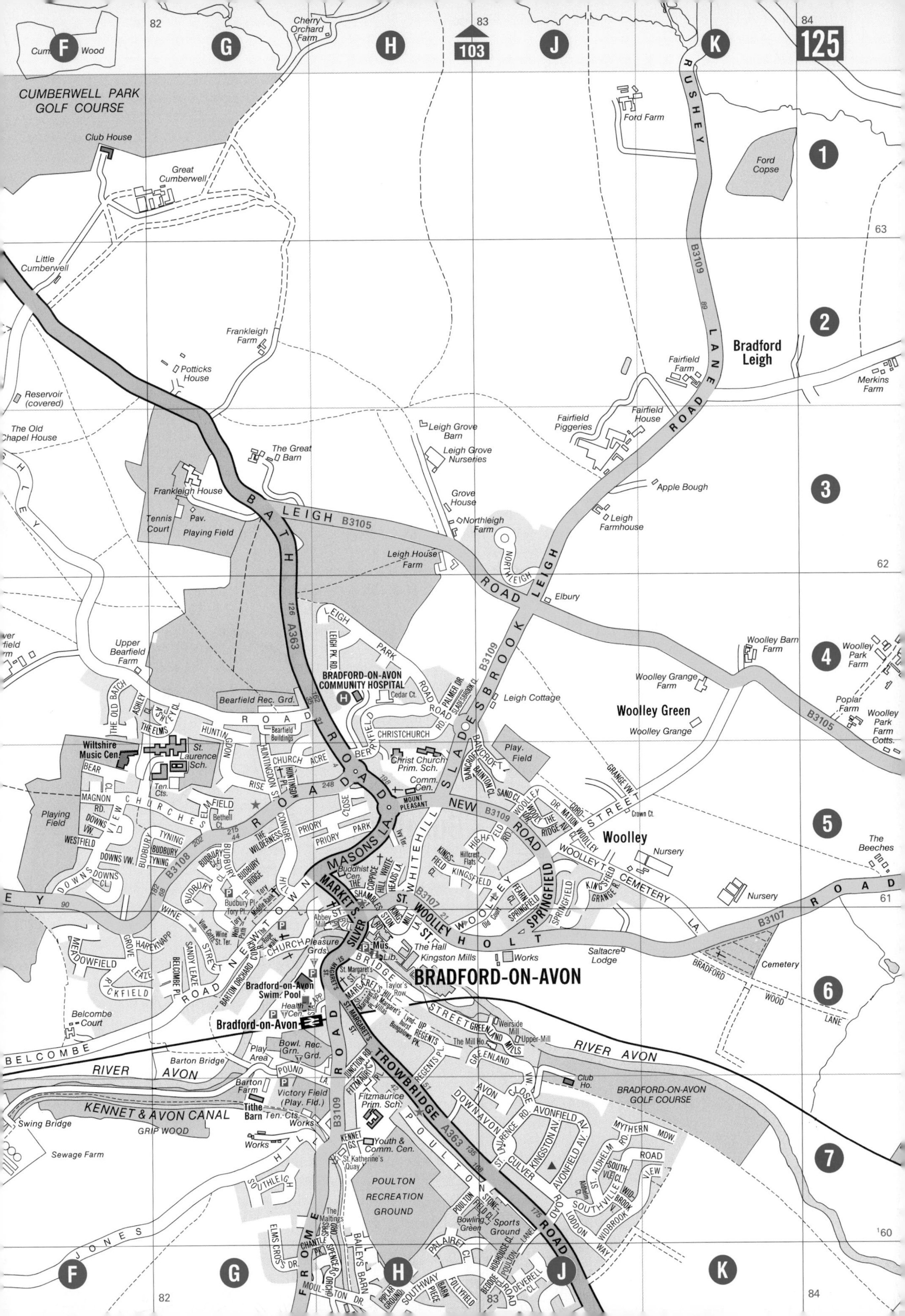
103
F
G
H
J
K
1
2
3
4
5
6
7
82
83
84
63
62
61
60
Cumberwell Wood
CUMBERWELL PARK GOLF COURSE
Club House
Great Cumberwell
Cherry Orchard Farm
Little Cumberwell
Frankleigh Farm
Potticks House
Reservoir (covered)
The Old Chapel House
The Great Barn
Frankleigh House
Tennis Court
Pav.
Playing Field
Ford Farm
Ford Copse
RUSHEY LANE
B3109
Bradford Leigh
Fairfield Farm
Merkins Farm
Fairfield House
Fairfield Piggeries
Leigh Grove Barn
Leigh Grove Nurseries
Grove House
Northleigh Farm
Apple Bough
Leigh Farmhouse
LEIGH ROAD
B3105
Leigh House Farm
NORTHLEIGH
Elbury
BATH ROAD
A363
SLADESBROOK
Woolley Barn Farm
Woolley Park Farm
Woolley Grange Farm
Leigh Cottage
Woolley Green
Woolley Grange
Poplar Farm
Woolley Park Farm Cotts.
Upper Bearfield Farm
BRADFORD-ON-AVON COMMUNITY HOSPITAL
Cedar Ct.
LEIGH PARK ROAD
LEIGH PK. RD.
PALMER DR.
SLADESBROOK CL.
Bearfield Rec. Grd.
THE OLD BATCH
ASHLEY CL.
ASHLEY RD.
THE ELMS
HUNTINGDON
Bearfield Buildings
CHRISTCHURCH
RYFIELD
Play. Field
BANCROFT
RAINTON CL.
Wiltshire Music Cen.
St. Laurence Sch.
BEAR CL.
CHURCH ACRE
Christ Church Prim. Sch.
Comm. Cen.
Ten. Cts.
HUNTINGDON ST.
HUNTINGDON PL.
RISE
MAGNON RD.
Playing Field
DOWNS VW.
WESTFIELD
CHURCHES
ELMFIELD
Bethell Ct.
MOUNT PLEASANT
NEW ROAD
SAND CL.
WOOLLEY DR.
CORONATION AV.
THE RIDGE
Crown Ct.
STREET
GRANGE VW.
Woolley
Nursery
The Beeches
TYNING
BUDBURY
THE WILDERNESS
CONIGRE
PRIORY PARK
PRIORY CL.
CLOSE
MASONS LA.
WHITEHILL
HIGHFIELD RD.
Hillcrest Flats
KINGSFIELD CL.
KINGSFIELD
SPRINGFIELD
WOOLLEY TER.
CEMETERY
KINGSFIELD GRANGE
Nursery
ROAD
DOWNS VW.
DOWNS CL.
B3108
BUDBURY CL.
BUDBURY RIDGE
BUDBURY PL.
Budbury Pl.
Tory Pl.
Tory
Middle Rank
Buddhist Cen.
THE SHAMBLES
COPPICE HILL
WHITEHEADS LA.
MARKET ST.
ST. MARGARET'S ST.
WOOLLEY ST.
B3107
Old Court
WOOLLEY
FEARNLEIGH CL.
HOLT ROAD
LA.
Abbey Mill
SILVER ST.
Mus.
Lib.
The Hall
Kingston Mills
Works
Saltacre Lodge
Cemetery
WINE STREET
Vine Cotts.
Wine St. Ter.
NEWTOWN
CHURCH ST.
Pleasure Grds.
BRIDGE
BRADFORD-ON-AVON
BRADFORD WOOD LANE
MEADOWFIELD
GROVE LEAZE
HAREKNAPP
SANDY LEAZE
BELCOMBE PL.
RICKFIELD
BARTON ORCHARD
Bradford-on-Avon Swim. Pool
Health Cen.
Taylor's Row
Lynd-hurst
Bungalows
UP REGENTS PK.
Belcombe Court
Bradford-on-Avon
STREET
GREENLAND MILLS
Weirside Mill
Upper Mill
The Mill Ho.
BELCOMBE
Play Area
Bowl. Grn.
Rec. Grd.
Barton Bridge
RIVER AVON
POUND LA.
ROAD
JUNCTION RD.
FITZMAURICE PL.
TROWBRIDGE ROAD
REGENTS PL.
GREENLAND VW.
RIVER AVON
Club Ho.
BRADFORD-ON-AVON GOLF COURSE
Barton Farm
Victory Field (Play. Fld.)
Tithe Barn
Ten. Cts.
Works
KENNET & AVON CANAL
Swing Bridge
GRIP WOOD
Sewage Farm
Works
HILL
Fitzmaurice Prim. Sch.
AVON CLOSE
DOWNAVON
AVONFIELD AV.
MYTHERN MDW.
KINGSTON AV.
ST. LAURENCE RD.
AVONFIELD AV.
ST. ALDHELM RD.
SOUTHVIEW CL.
WIDBROOK VW.
SOUTHVILLE CL.
KENNET GDNS.
Youth & Comm. Cen.
St. Katherine's Quay
POULTON
CULVER
SOUTHLEIGH
POULTON RECREATION GROUND
The Maltings
STONEFIELD CL.
Sports Ground
Bowling Green
LODDON WAY
WIDBROOK
SOUTHVILLE
JONES HILL
ELMS CROSS DR.
CHANTLER
FROME ROAD
SPENCERS ORCHARD
BAILEYS BARN
PALAIRET CL.
POULTON LANE
HOBHOUSE CL.
DEVERELL CL.
BEDDOE
SOUTHWAY
FOLLYFIELD
BARN PIECE
PIPPLAR GROUND
MOULTON DR.

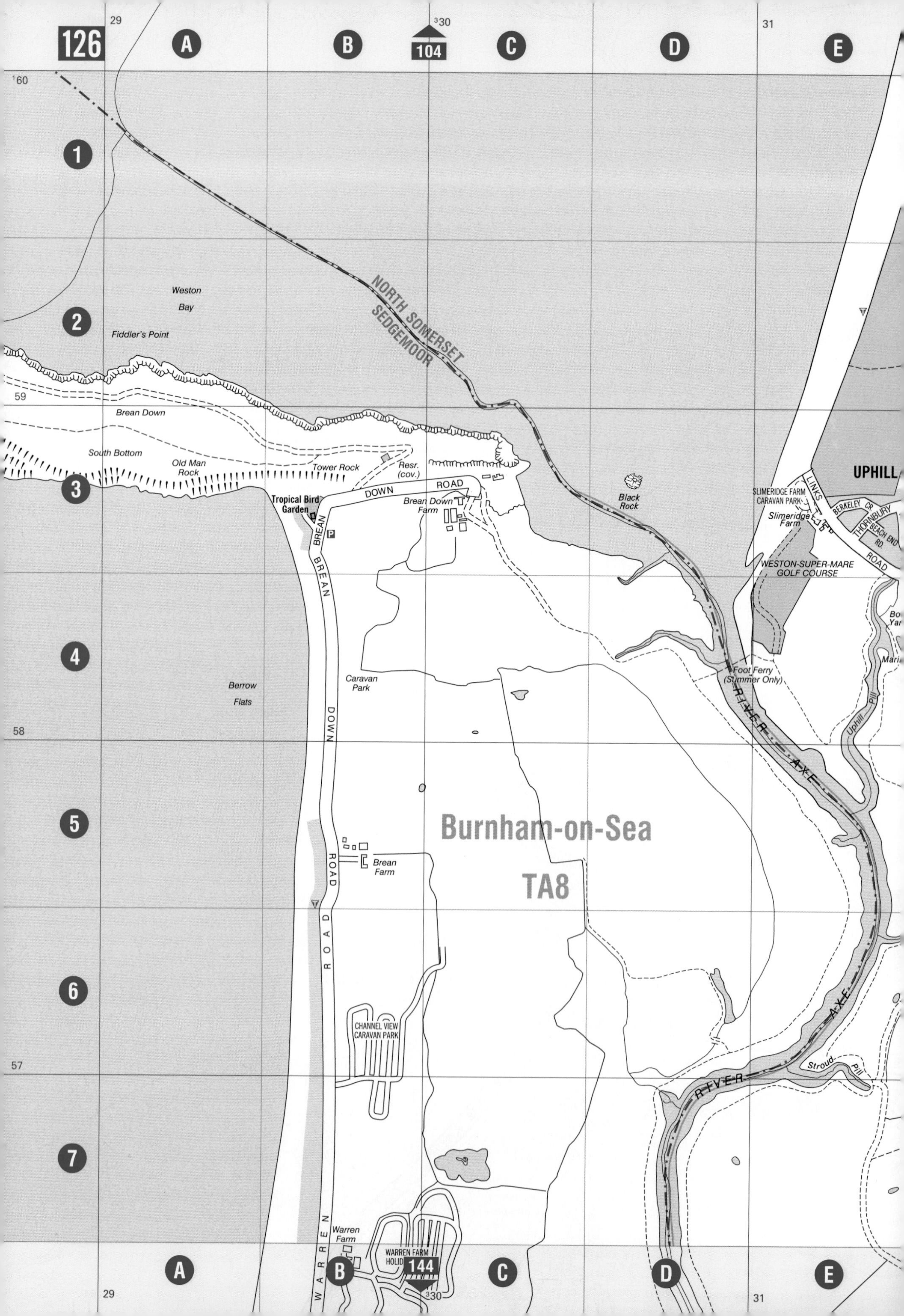

A   B   C   D   E

104

1

2

Weston
Bay

Fiddler's Point

NORTH SOMERSET
SEDGEMOOR

59

Brean Down

3

South Bottom

Old Man
Rock

Tower Rock

Resr.
(cov.)

DOWN   ROAD

Tropical Bird
Garden

BREAN

P

Brean Down
Farm

Black
Rock

Slimeridge Farm
CARAVAN PARK

Slimeridge
Farm

LINKS

BERKELEY

CR

THORNBURY END

UPHILL

WESTON-SUPER-MARE
GOLF COURSE

ROAD

Bow
Yar

Mari

4

Berrow
Flats

Caravan
Park

Foot Ferry
(Summer Only)

RIVER

AXE

Uphill Pill

58

5

Burnham-on-Sea

TA8

Brean
Farm

ROAD

6

CHANNEL VIEW
CARAVAN PARK

AXE

RIVER

57

7

Stroud
Pill

Warren
Farm

WARREN FARM
HOLID

144

ROAD

WARREN

A   B   C   D   E

29   30   31

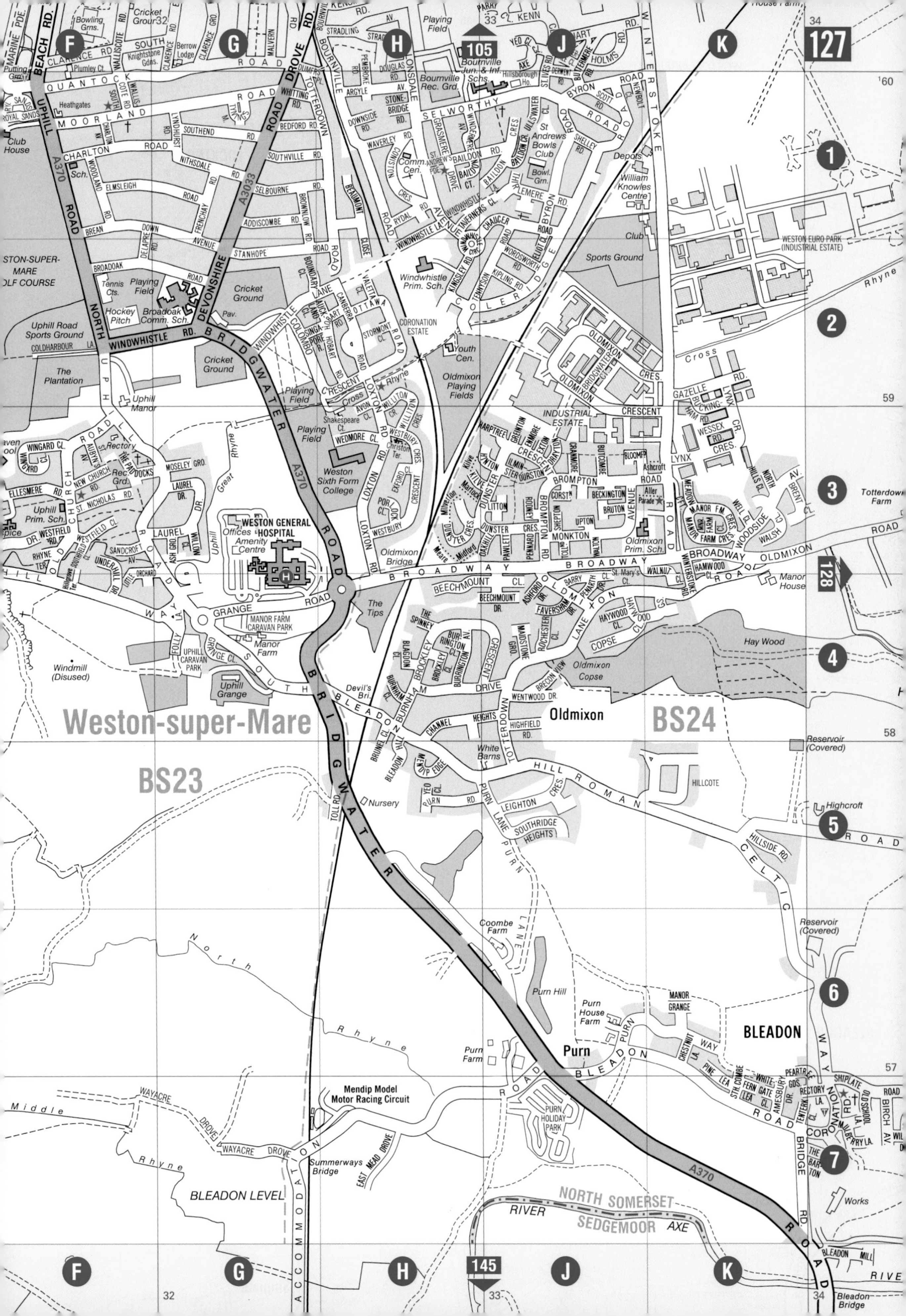
127
105
128
145
F
G
H
J
K
1
2
3
4
5
6
7
32
33
34
60
59
58
57
Weston-super-Mare
BS23
BS24
Oldmixon
BLEADON
Purn
WESTON GENERAL HOSPITAL
Offices
Amenity Centre
Weston Sixth Form College
Windwhistle Prim. Sch.
Oldmixon Prim. Sch.
Uphill Prim. Sch.
Broadoak Comm. Sch.
Bournville Jun. & Inf. Schs.
Bournville Rec. Grd.
St Andrews Bowls Club
William Knowles Centre
Sports Ground
WESTON EURO PARK (INDUSTRIAL ESTATE)
INDUSTRIAL ESTATE
CORONATION ESTATE
Youth Cen.
Oldmixon Playing Fields
Playing Field
Cricket Ground
Hockey Pitch
Tennis Cts.
Uphill Road Sports Ground
The Plantation
Uphill Manor
Rectory
Rec. Grd.
The Tips
MANOR FARM CARAVAN PARK
Manor Farm
UPHILL CARAVAN PARK
Uphill Grange
Windmill (Disused)
Devil's Bri.
Oldmixon Copse
Hay Wood
Manor House
Totterdown Farm
White Barns
HILLCOTE
Highcroft
Reservoir (Covered)
Nursery
Coombe Farm
Purn Hill
Purn House Farm
Purn Farm
MANOR GRANGE
PURN HOLIDAY PARK
Mendip Model Motor Racing Circuit
Summerways Bridge
BLEADON LEVEL
NORTH SOMERSET
SEDGEMOOR
RIVER AXE
Works
Bleadon Bridge
BROADWAY
OLDMIXON ROAD
BRIDGWATER ROAD
A370
A3033
DEVONSHIRE ROAD
DROVE ROAD
NORTH ROAD
UPHILL ROAD
BEACH RD.
WINDWHISTLE RD.
WINDWHISTLE LANE
MOORLAND ROAD
QUANTOCK ROAD
CHARLTON ROAD
SOUTH ROAD
CLARENCE RD
SELWORTHY ROAD
BYRON ROAD
COLERIDGE
WINTERSTOKE ROAD
OLDMIXON CRES.
BROMPTON ROAD
ALLER AVENUE
LOXTON RD.
WESTBURY CRES.
BEECHMOUNT CL.
BURNHAM DRIVE
TOTTERDOWN ROAD
LANE
HILL ROMAN ROAD
CELTIC WAY
PURN LANE
BLEADON HILL
SOUTH BLEADON
GRANGE ROAD
LAUREL DR.
OLD CHURCH ROAD
WAYACRE DROVE
Middle Rhyne
North Rhyne
ACCOMMODATION ROAD
EAST MEAD DROVE
TOLL RD.
PURN WAY
BLEADON ROAD
CORONATION ROAD
BRIDGE RD
Cross Rhyne
Great Rhyne
Rhyne
Depots
Club
Club House
STON-SUPER-MARE OLF COURSE

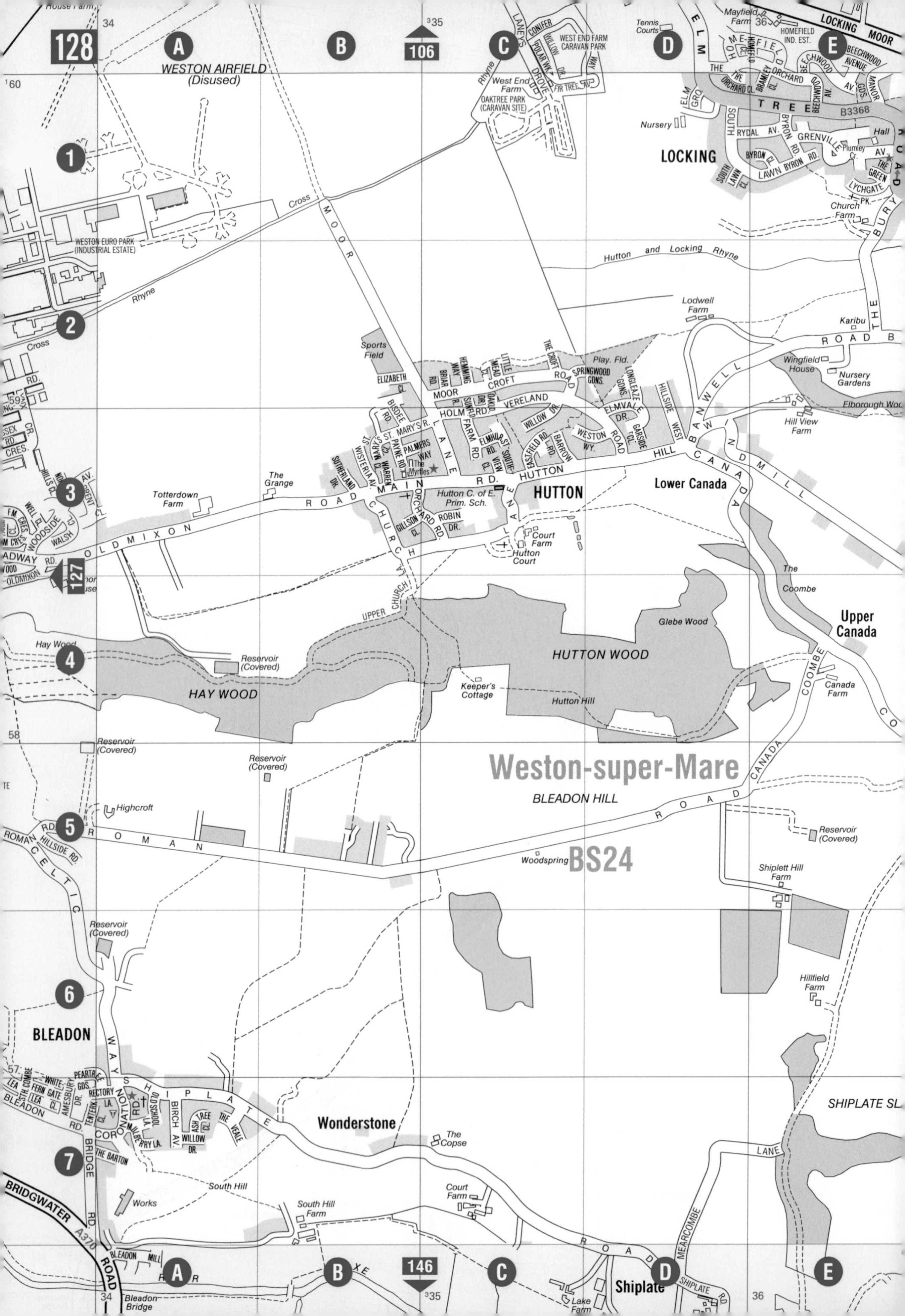
WESTON AIRFIELD (Disused)
WESTON EURO PARK (INDUSTRIAL ESTATE)
LOCKING
HUTTON
Lower Canada
Upper Canada
HUTTON WOOD
HAY WOOD
Glebe Wood
Hutton Hill
Weston-super-Mare
BLEADON HILL
BS24
BLEADON
Wonderstone
Shiplate
SHIPLATE SL
Hutton and Locking Rhyne
Lodwell Farm
Totterdown Farm
The Grange
Hutton C. of E. Prim. Sch.
Court Farm
Hutton Court
Keeper's Cottage
Reservoir (Covered)
Highcroft
Woodspring
Shiplett Hill Farm
Hillfield Farm
Canada Farm
The Coombe
Wingfield House
Nursery Gardens
Hill View Farm
Elborough Wood
Karibu
Church Farm
Mayfield Farm
HOMEFIELD IND. EST.
LOCKING MOOR
WEST END FARM CARAVAN PARK
West End Farm
OAKTREE PARK (CARAVAN SITE)
Tennis Courts
Nursery
Sports Field
Play. Fld.
The Copse
Court Farm
South Hill Farm
South Hill
Works
Lake Farm
Bleadon Bridge
OLDMIXON ROAD
MAIN ROAD
HUTTON HILL
ROMAN ROAD
CANADA ROAD
SHIPLATE ROAD
BRIDGWATER ROAD
A370
B3368
MOOR LANE
CHURCH LANE
UPPER CHURCH LA.
BANWELL ROAD
WINDMILL
CORONATION RD.
BRIDGE RD.
MEARCOMBE LANE
COOMBE
CELTIC WAY
Hay Wood
The Myrtles
106
127
146

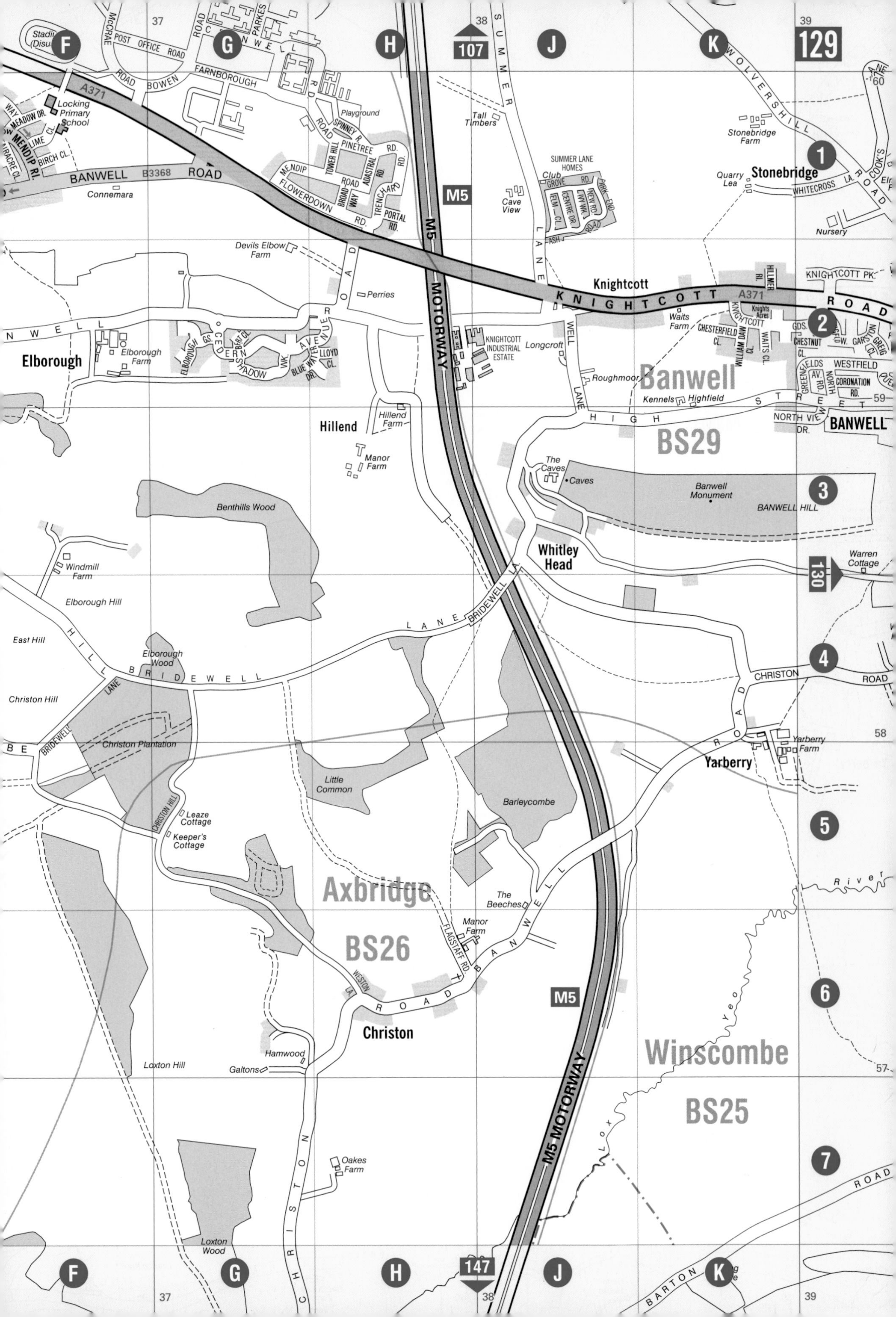

107
147
130
M5
M5 MOTORWAY
A371
B3368
Banwell
BS29
Axbridge
BS26
Winscombe
BS25
Elborough
Hillend
Knightcott
Stonebridge
Whitley Head
Yarberry
Christon
BANWELL
KNIGHTCOTT ROAD
BANWELL ROAD
HIGH STREET
CHRISTON ROAD
BRIDEWELL LANE
BARTON ROAD
SUMMER LANE
WELL LANE
FLAGSTAFF RD.
WESTON LA.
CHRISTON HILL
WOLVERSHILL ROAD
WHITECROSS LA.
FARNBOROUGH ROAD
BOWEN ROAD
POST OFFICE ROAD
Locking Primary School
Connemara
Devils Elbow Farm
Perries
Elborough Farm
Hillend Farm
Manor Farm
Benthills Wood
Windmill Farm
Elborough Hill
East Hill
Elborough Wood
Christon Hill
Christon Plantation
Little Common
Leaze Cottage
Keeper's Cottage
Barleycombe
The Beeches
Hamwood
Galtons
Loxton Hill
Oakes Farm
Loxton Wood
Tall Timbers
Cave View
SUMMER LANE HOMES
Stonebridge Farm
Quarry Lea
Nursery
KNIGHTCOTT INDUSTRIAL ESTATE
Longcroft
Waits Farm
Roughmoor
Kennels
Highfield
The Caves
Caves
Banwell Monument
BANWELL HILL
Warren Cottage
Yarberry Farm
River Yeo
Lox
KNIGHTCOTT PK.
WESTFIELD
CORONATION RD.
NORTH VIEW DR.
CHESTERFIELD CL.
WILLIAM DAW CL.
WAITS CL.
MENDIP RD.
FLOWERDOWN RD.
PINETREE RD.
TOWER HILL
ADASTRAL RD.
TRENCHARD RD.
PORTAL RD.
BROAD WAY
SPINNEY R.
ELBOROUGH GS.
CEDERN
SHADOW WK.
BLUE WATER DR.
LLOYD CL.
MEADOW DR.
LIME CL.
BIRCH CL.
MENDIP RI.
GROVE
ELM CL.
CENTRE DR.
NEW RD.
PARK END
ASH
Playground
F G H J K
1 2 3 4 5 6 7
37 38 39
56 57 58 59 60

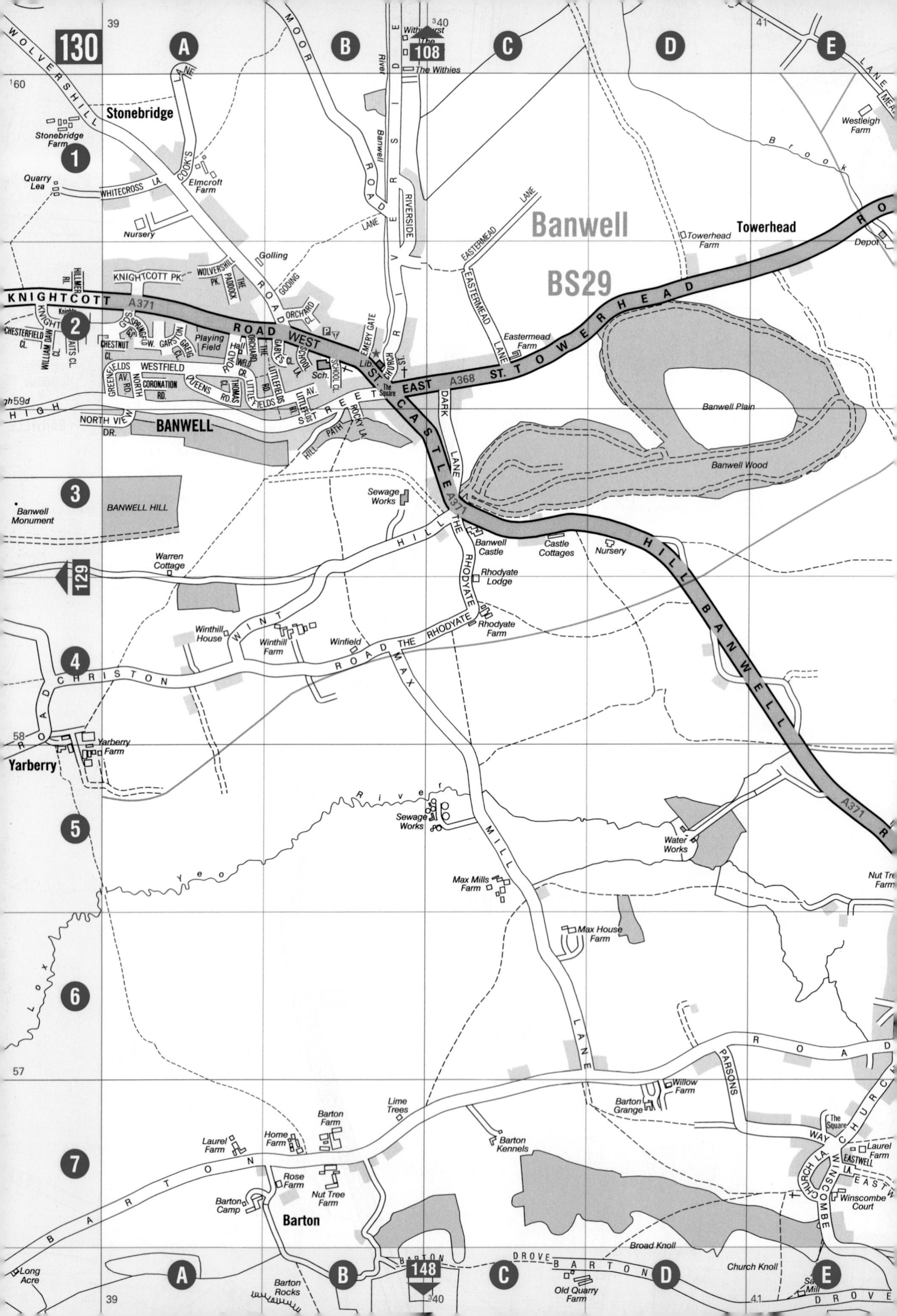
A
B
C
D
E
1
2
3
4
5
6
7
Stonebridge
Stonebridge Farm
Quarry Lea
Elmcroft Farm
Nursery
Golling
Banwell
BS29
Towerhead
Towerhead Farm
Westleigh Farm
Depot
Eastermead Farm
Playing Field
Hall
Sch.
Lib.
The Square
BANWELL
Banwell Plain
Banwell Wood
Banwell Monument
BANWELL HILL
Sewage Works
Banwell Castle
Castle Cottages
Nursery
Rhodyate Lodge
Rhodyate Farm
Warren Cottage
Winthill House
Winthill Farm
Winfield
Yarberry Farm
Yarberry
Water Works
Nut Tree Farm
Max Mills Farm
Max House Farm
Willow Farm
Barton Grange
Lime Trees
Barton Farm
Home Farm
Laurel Farm
Rose Farm
Nut Tree Farm
Barton Camp
Barton
Barton Kennels
Broad Knoll
Church Knoll
Laurel Farm
Winscombe Court
Long Acre
Barton Rocks
Old Quarry Farm
The Withies
108
129
148
A371
A368
KNIGHTCOTT ROAD WEST
EAST ST.
TOWERHEAD ROAD
CASTLE ST.
BANWELL HILL
CHRISTON ROAD
WINTHILL
THE RHODYATE
MAX MILL LANE
BARTON ROAD
BARTON DROVE
PARSONS WAY
WINSCOMBE
River Yeo
Lox

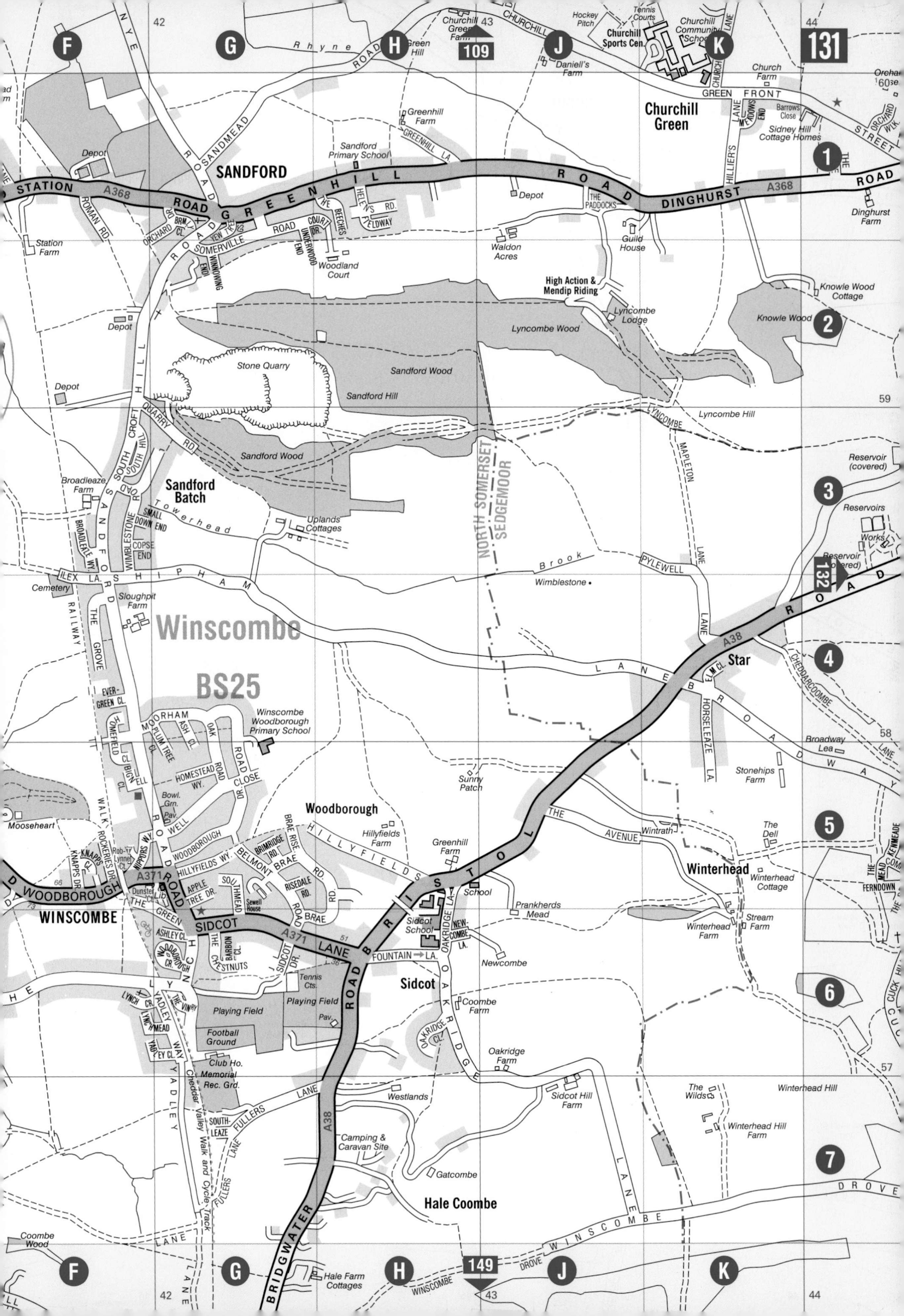
131
109
132
149
Churchill Green
SANDFORD
Sandford Batch
Winscombe
BS25
WINSCOMBE
Woodborough
Sidcot
Star
Winterhead
Hale Coombe
STATION ROAD
GREENHILL ROAD
DINGHURST ROAD
A368
A38
A371
BRISTOL ROAD
BRIDGWATER ROAD
SIDCOT LANE
WOODBOROUGH ROAD
SHIPHAM LANE
BROADWAY
WINSCOMBE DROVE
Churchill Sports Cen.
Churchill Community School
Sandford Primary School
Winscombe Woodborough Primary School
Sidcot School
Lyncombe Wood
Knowle Wood
Sandford Wood
Sandford Hill
Stone Quarry
Lyncombe Hill
Winterhead Hill
NORTH SOMERSET
SEDGEMOOR
High Action & Mendip Riding
Cheddar Valley Walk and Cycle Track
Camping & Caravan Site
Playing Field
Football Ground
Memorial Rec. Grd.
Mooseheart
Cemetery
Wimblestone
Towerhead Brook

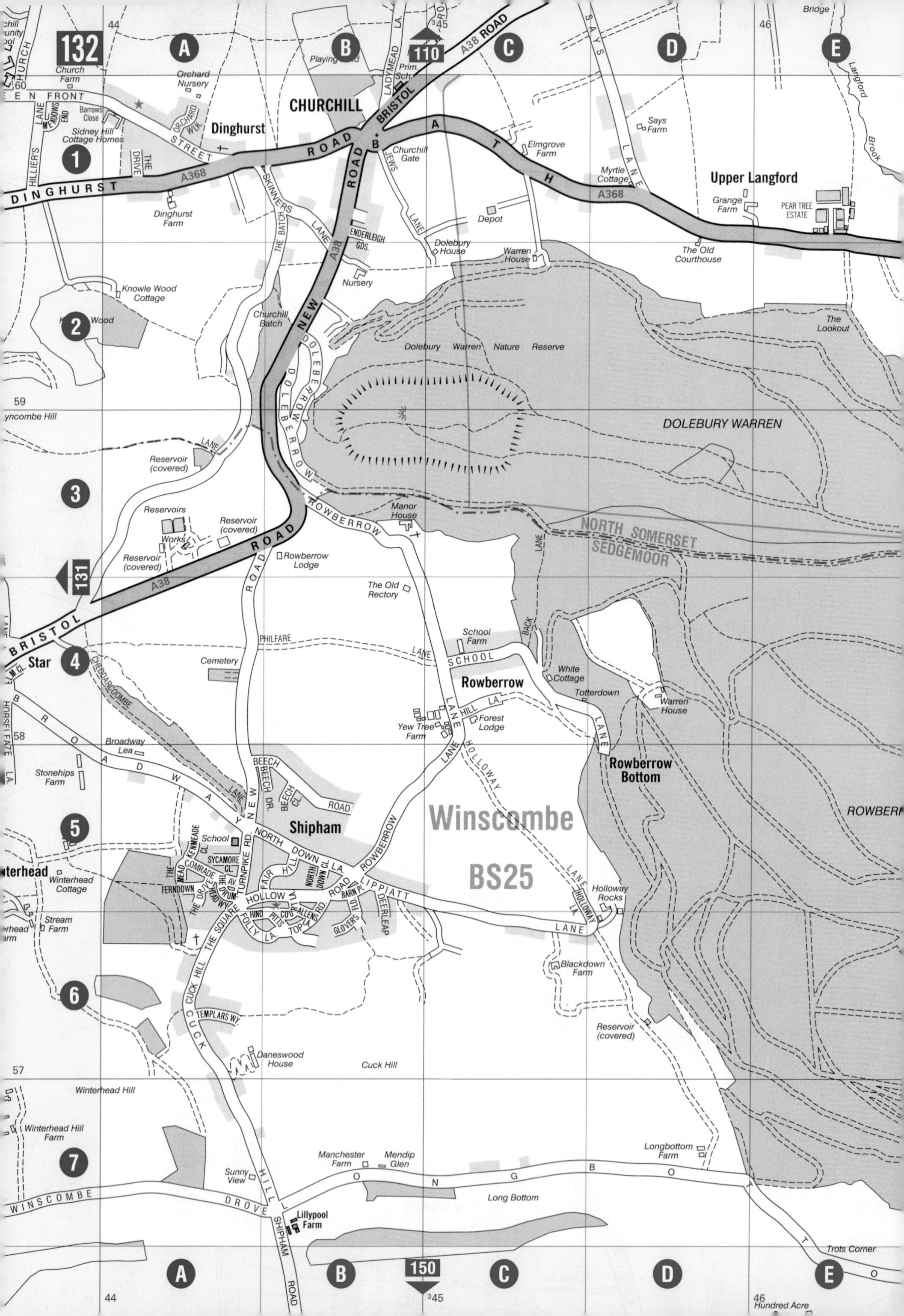

132
A
B
C
D
E
110
CHURCHILL
Dinghurst
Upper Langford
Dolebury Warren Nature Reserve
DOLEBURY WARREN
NORTH SOMERSET
SEDGEMOOR
Rowberrow
Rowberrow Bottom
Shipham
Winscombe
BS25
Star
131
Long Bottom
Cuck Hill
Winterhead Hill
150

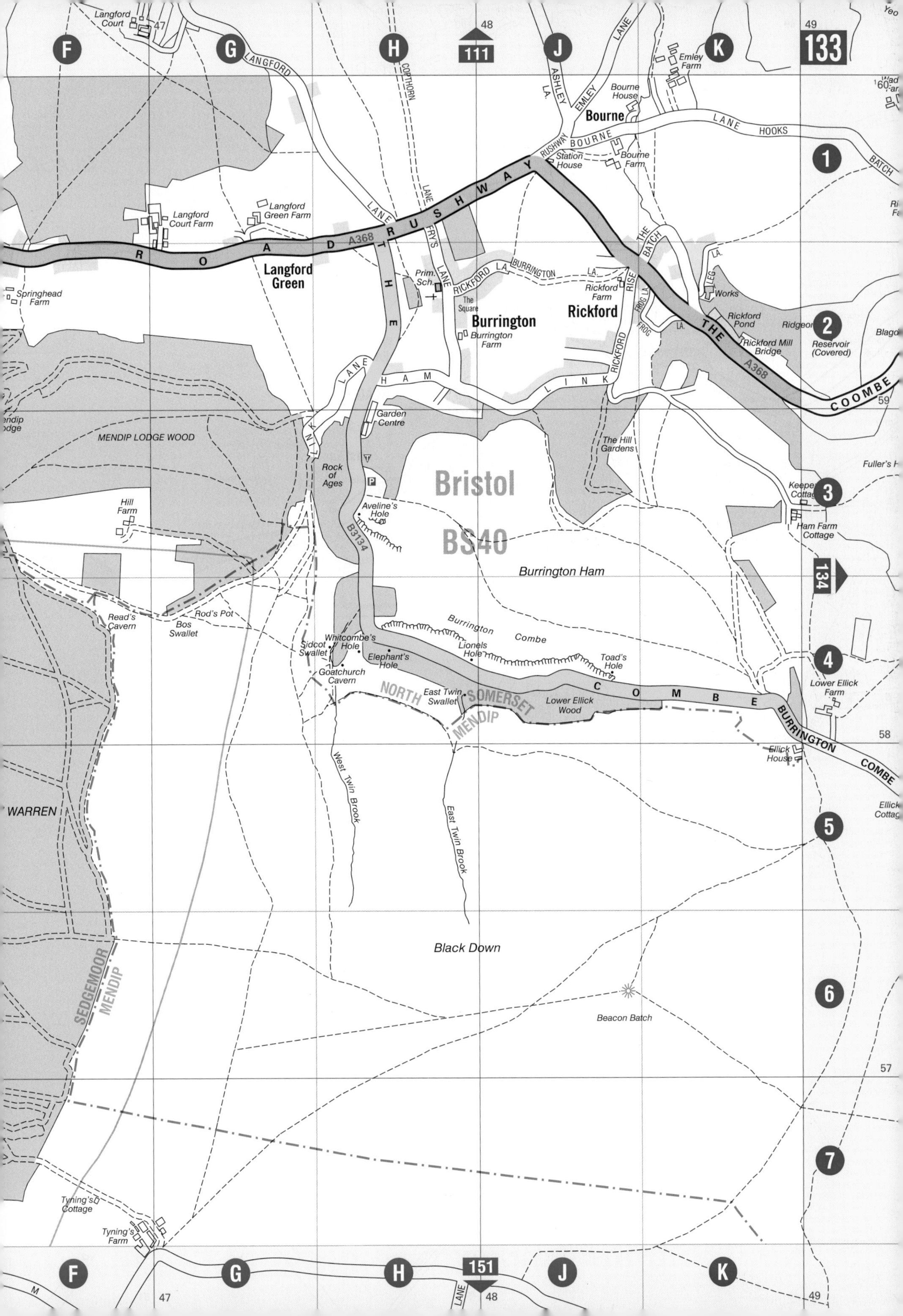
Langford Court
Langford Court Farm
Langford Green Farm
Langford Green
Springhead Farm
ROAD RUSHWAY
A368
LANGFORD LANE
COPTHORN LANE
FRY'S LANE
THE LINK
Prim. Sch.
RICKFORD LA.
BURRINGTON LA.
The Square
Burrington
Burrington Farm
Rickford Farm
Rickford
RICKFORD RISE
FROG LA.
HAM LANE
LINK
ASHLEY LA.
EMLEY LANE
Emley Farm
Bourne House
Bourne
BOURNE LANE
HOOKS BATCH
Station House
Bourne Farm
THE BATCH
LEG LA.
Works
Rickford Pond
Rickford Mill Bridge
Ridgeon
Reservoir (Covered)
THE COOMBE
Garden Centre
MENDIP LODGE WOOD
Rock of Ages
Bristol
BS40
Aveline's Hole
B3134
The Hill Gardens
Keeper's Cottage
Ham Farm Cottage
Burrington Ham
Hill Farm
Read's Cavern
Rod's Pot
Bos Swallet
Sidcot Swallet
Whitcombe's Hole
Elephant's Hole
Goatchurch Cavern
Burrington Combe
Lionels Hole
Toad's Hole
COMBE
Lower Ellick Farm
Lower Ellick Wood
East Twin Swallet
NORTH SOMERSET
MENDIP
BURRINGTON COMBE
Ellick House
West Twin Brook
East Twin Brook
WARREN
Black Down
Beacon Batch
SEDGEMOOR
MENDIP
Tyning's Cottage
Tyning's Farm
F
G
H
J
K
1
2
3
4
5
6
7
47
48
49
57
58
59
60
111
134
151
LANE

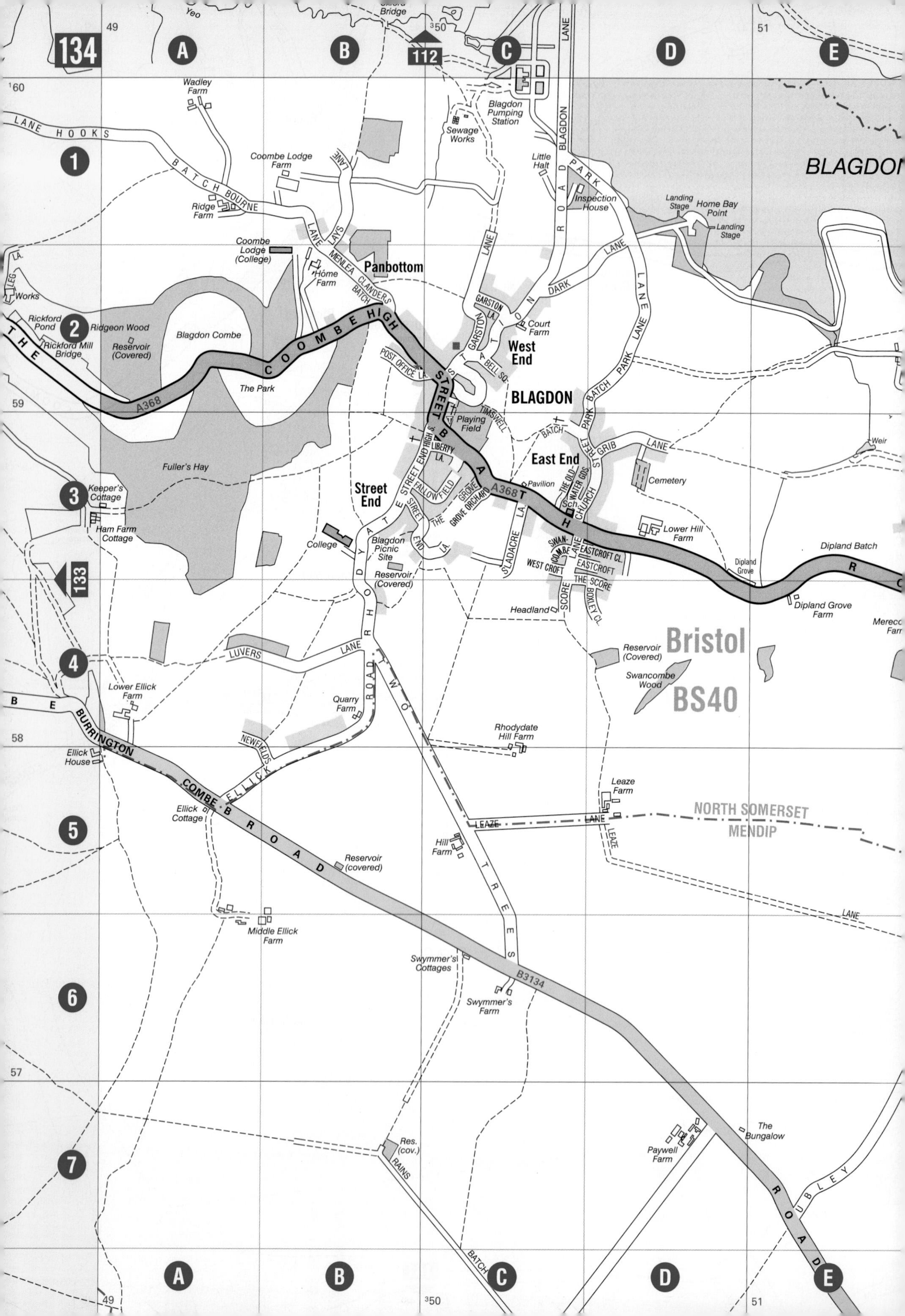
134
112
133
A
B
C
D
E
1
2
3
4
5
6
7
49
350
51
60
59
58
57
Yeo
Oxford Bridge
Wadley Farm
HOOKS LANE
BATCH BOURNE
Coombe Lodge Farm
Ridge Farm
Coombe Lodge (College)
LAYS LANE
MENLEA
CLANDERS BATCH
Panbottom
Home Farm
Sewage Works
Blagdon Pumping Station
LANE
BLAGDON ROAD
PARK
Little Halt
Inspection House
BLAGDON
Landing Stage
Home Bay Point
Landing Stage
DARK LANE
GARSTON LANE
GARSTON LA.
STATION
Court Farm
West End
BELL SQ.
LEG LA.
Works
Rickford Pond
Rickford Mill Bridge
Ridgeon Wood
Reservoir (Covered)
Blagdon Combe
THE
COOMBE
HIGH
The Park
A368
POST OFFICE LA.
STREET
Playing Field
TIMSWELL
BLAGDON
PARK BATCH
PARK LANE
BATCH
East End
GRIB LANE
Weir
Cemetery
Fuller's Hay
Keeper's Cottage
Ham Farm Cottage
HIGH
LIBERTY LA.
STREET END
FALLOWFIELD
THE GROVE
GROVE ORCHARD
Pavilion
THE OLD
WATER GDS.
CHURCH STREET
Sch.
Street End
College
Blagdon Picnic Site
Reservoir (Covered)
RHODYATE
END LA.
SLADACRE LA.
SWAN-COMBE
WEST CROFT
EASTCROFT CL.
EASTCROFT
THE SCORE
SCORE
BOXLEY CL.
Lower Hill Farm
Dipland Batch
Dipland Grove
Dipland Grove Farm
Merecombe Farm
Headland
Bristol
BS40
Reservoir (Covered)
Swancombe Wood
LUVERS LANE
Lower Ellick Farm
Quarry Farm
ROAD
TWO TREES
Rhodydate Hill Farm
BURRINGTON
Ellick House
NEWFIELDS
ELLICK
COMBE
ROAD
Leaze Farm
NORTH SOMERSET
MENDIP
LEAZE LANE
LEAZE
Ellick Cottage
Hill Farm
Reservoir (covered)
LANE
Middle Ellick Farm
Swymmer's Cottages
B3134
Swymmer's Farm
The Bungalow
Paywell Farm
Res. (cov.)
RAINS BATCH
ROAD
UBLEY

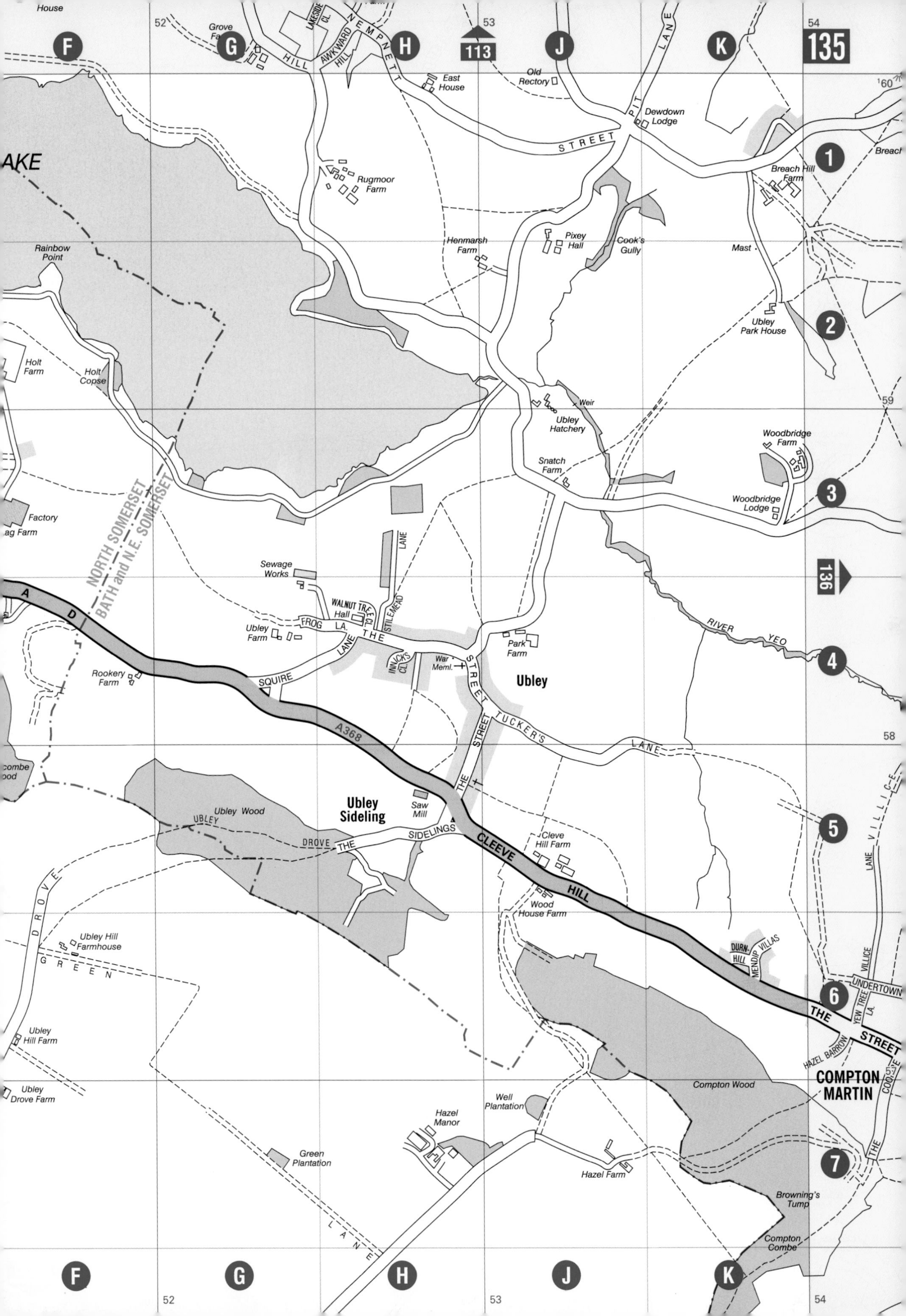

House

52

Grove
Farm

LAKESIDE CL.

NEMPNETT

AWKWARD HILL

HILL

East
House

53

113

Old
Rectory

54

PIT

STREET

Dewdown
Lodge

Breach Hill
Farm

Breach

1

AKE

Rainbow
Point

Rugmoor
Farm

Henmarsh
Farm

Pixey
Hall

Cook's
Gully

Mast

Ubley
Park House

2

Holt
Farm

Holt
Copse

'60

NORTH SOMERSET
BATH and N.E. SOMERSET

Factory

g Farm

Weir

Ubley
Hatchery

Snatch
Farm

Woodbridge
Farm

Woodbridge
Lodge

59

3

Sewage
Works

LANE

STILEMEAD

WALNUT TRE.
Hall

FROG LA.

Ubley
Farm

SQUIRE

LANE

THE

INNICKS CL.

War
Meml.

Park
Farm

Ubley

STREET

136

RIVER

YEO

4

Rookery
Farm

A368

TUCKER'S

LANE

58

combe
ood

Ubley Wood

UBLEY

**Ubley
Sideling**

DROVE

THE

SIDELINGS

Saw
Mill

THE

STREET

Cleve
Hill Farm

CLEVE

HILL

LANE

VILLICE

5

Ubley Hill
Farmhouse

GREEN

DROVE

Wood
House Farm

DURN-
HILL

MENDIP VILLAS

UNDERTOWN

VILLICE

YEW TREE LA.

6

Ubley
Hill Farm

THE

STREET

HAZEL BARROW

THE COOMBE

Ubley
Drove Farm

Green
Plantation

Hazel
Manor

Well
Plantation

Compton Wood

**COMPTON
MARTIN**

LANE

Hazel Farm

Browning's
Tump

7

Compton
Combe

52

53

54

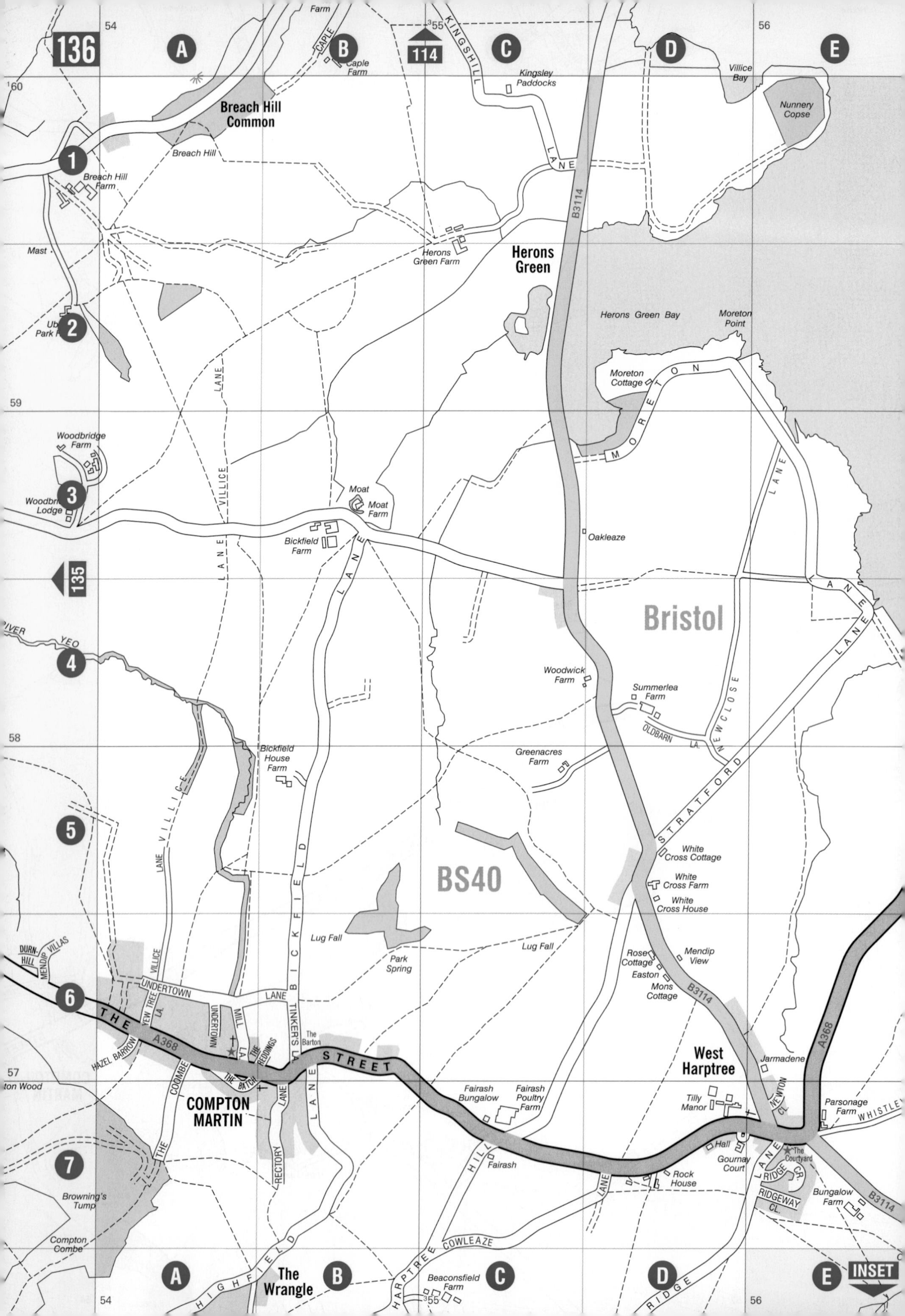

114
135
A
B
C
D
E
1
2
3
4
5
6
7
54
55
56
60
59
58
57
Farm
Caple
Caple Farm
Kingshill
Kingsley Paddocks
Villice Bay
Nunnery Copse
Breach Hill Common
Breach Hill
Breach Hill Farm
Lane
B3114
Mast
Herons Green Farm
Herons Green
Herons Green Bay
Moreton Point
Moreton Cottage
Moreton
Woodbridge Farm
Lane
Villice
Moat
Moat Farm
Bickfield Farm
Oakleaze
Bristol
River Yeo
Woodwick Farm
Summerlea Farm
Oldbarn La.
Newclose
Greenacres Farm
Bickfield House Farm
Stratford
White Cross Cottage
White Cross Farm
White Cross House
BS40
Bickfield
Lug Fall
Park Spring
Rose Cottage
Easton
Mons Cottage
Mendip View
Durn Hill
Mendip Villas
Undertown
Yew Tree La.
Mill La.
The Reddings
Tinker's La
The Barton
The Street
A368
Hazel Barrow
The Batch
Coombe
Compton Martin
Rectory
Fairash Bungalow
Fairash Poultry Farm
Fairash
Hill
West Harptree
Jarmadene
Tilly Manor
Newton Cl.
Parsonage Farm
Whistley
Hall
Gournay Court
The Courtyard
Ridge Cr.
Ridgeway Cl.
Rock House
Bungalow Farm
ton Wood
Browning's Tump
Compton Combe
Highfield
The Wrangle
Harptree
Cowleaze
Beaconsfield Farm
Ridge
INSET

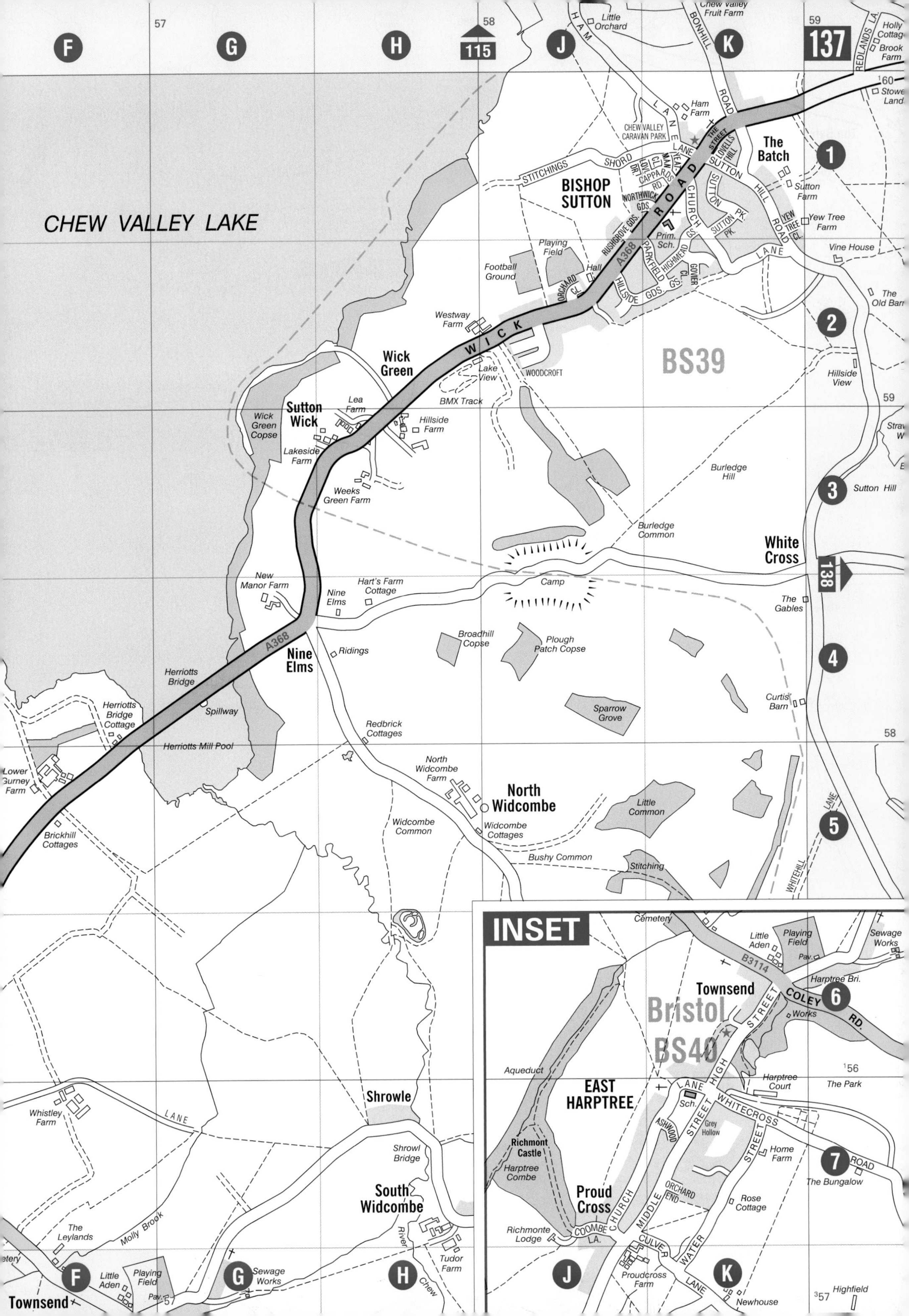
137
115
138
CHEW VALLEY LAKE
BISHOP SUTTON
The Batch
Wick Green
Sutton Wick
Wick Green Copse
Lea Farm
Hillside Farm
Lakeside Farm
Weeks Green Farm
Westway Farm
Lake View
BMX Track
WOODCROFT
WICK ROAD
A368
BS39
Playing Field
Football Ground
Hall
Prim. Sch.
Ham Farm
CHEW VALLEY CARAVAN PARK
STITCHINGS SHORD LANE
Sutton Farm
Yew Tree Farm
Vine House
The Old Barn
Hillside View
Burledge Hill
Burledge Common
Sutton Hill
White Cross
Camp
The Gables
New Manor Farm
Nine Elms
Hart's Farm Cottage
Broadhill Copse
Plough Patch Copse
Ridings
Herriotts Bridge
Herriotts Bridge Cottage
Spillway
Herriotts Mill Pool
Sparrow Grove
Curtis' Barn
Redbrick Cottages
Lower Gurney Farm
Brickhill Cottages
North Widcombe Farm
North Widcombe
Widcombe Common
Widcombe Cottages
Little Common
Bushy Common
Stitching
WHITEHILL LANE
Whistley Farm
LANE
Shrowle
Shrowl Bridge
South Widcombe
River Chew
Tudor Farm
The Leylands
Molly Brook
Little Aden
Playing Field
Pav.
Sewage Works
Townsend
INSET
Cemetery
Little Aden
Playing Field
Sewage Works
Harptree Bri.
B3114
Townsend
COLEY RD.
Works
Bristol BS40
Aqueduct
EAST HARPTREE
Sch.
Grey Hollow
Harptree Court
The Park
WHITECROSS ROAD
Home Farm
The Bungalow
Richmont Castle
Harptree Combe
Proud Cross
Rose Cottage
Richmonte Lodge
COOMBE LA.
CHURCH
MIDDLE
CULVER
WATER LANE
Proudcross Farm
Newhouse
Highfield

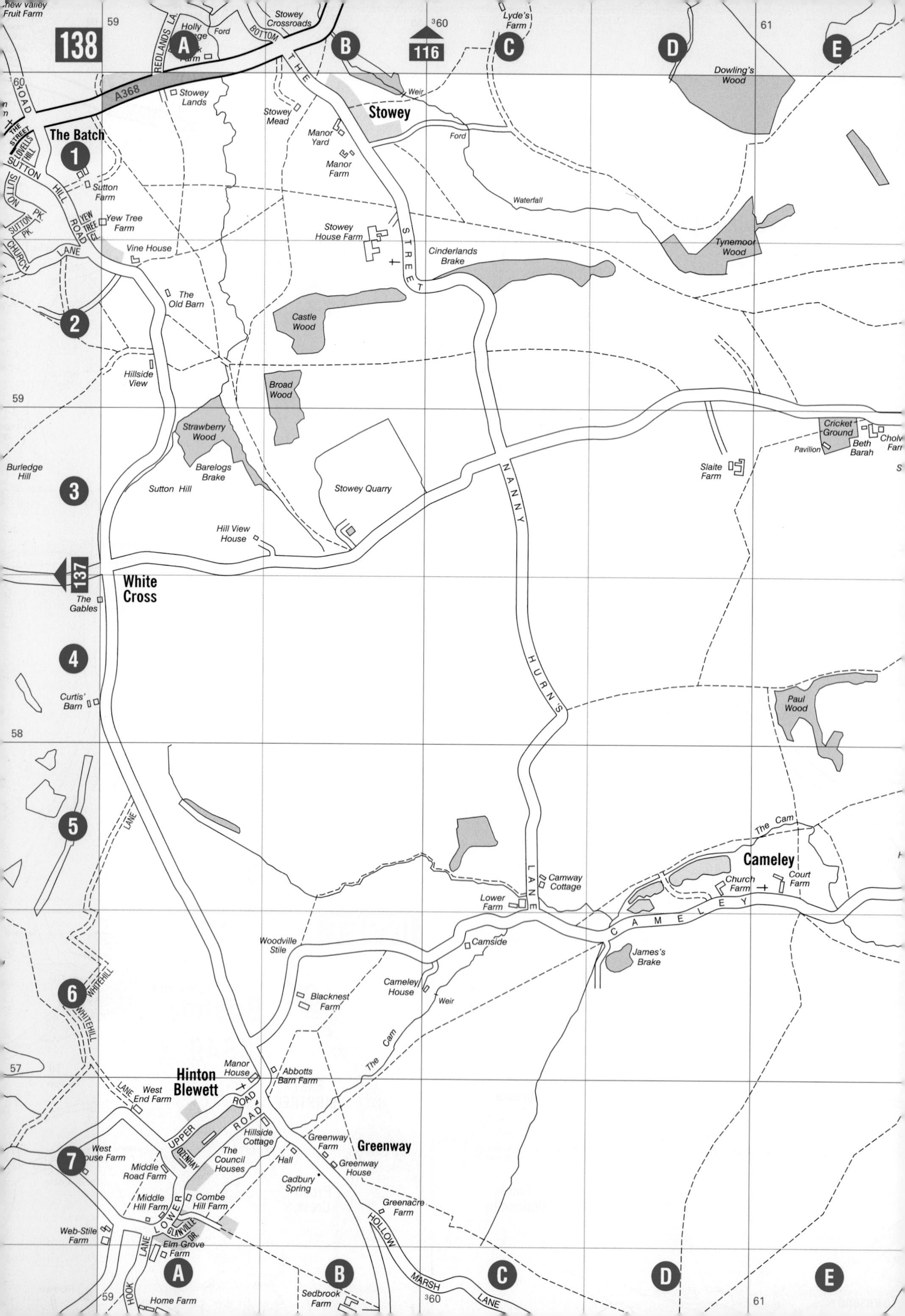

138
116
137
A
B
C
D
E
1
2
3
4
5
6
7
59
60
61
Chew Valley Fruit Farm
Holly Cottage
Ford
Stowey Crossroads
BOTTOM
REDLANDS LA.
Lyde's Farm
Dowling's Wood
A368
Stowey Lands
Stowey Mead
Weir
Stowey
Ford
Manor Yard
Manor Farm
The Batch
THE STREET
LOVELLS HILL
SUTTON HILL ROAD
SUTTON PK.
CHURCH LANE
YEW TREE CL.
Sutton Farm
Yew Tree Farm
Vine House
Waterfall
Stowey House Farm
STREET
Cinderlands Brake
Tynemoor Wood
The Old Barn
Castle Wood
Hillside View
Broad Wood
Strawberry Wood
Barelogs Brake
Sutton Hill
Burledge Hill
Stowey Quarry
NANNY HURN'S LANE
Cricket Ground
Pavilion
Beth Barah
Slaite Farm
Hill View House
White Cross
The Gables
Curtis' Barn
Paul Wood
58
LANE
The Cam
Cameley
Camway Cottage
Lower Farm
Church Farm
Court Farm
CAMELEY
Woodville Stile
Camside
James's Brake
Cameley House
Weir
Blacknest Farm
WHITEHILL
The Cam
57
Manor House
Abbotts Barn Farm
Hinton Blewett
West End Farm
UPPER ROAD
Hillside Cottage
Greenway Farm
Greenway
West House Farm
Middle Road Farm
OZENHAY
The Council Houses
Hall
Greenway House
Cadbury Spring
Middle Hill Farm
LOWER
Combe Hill Farm
GLANVILLE DR.
Greenacre Farm
Web-Stile Farm
Elm Grove Farm
HOOK LANE
HOLLOW
MARSH LANE
Home Farm
Sedbrook Farm

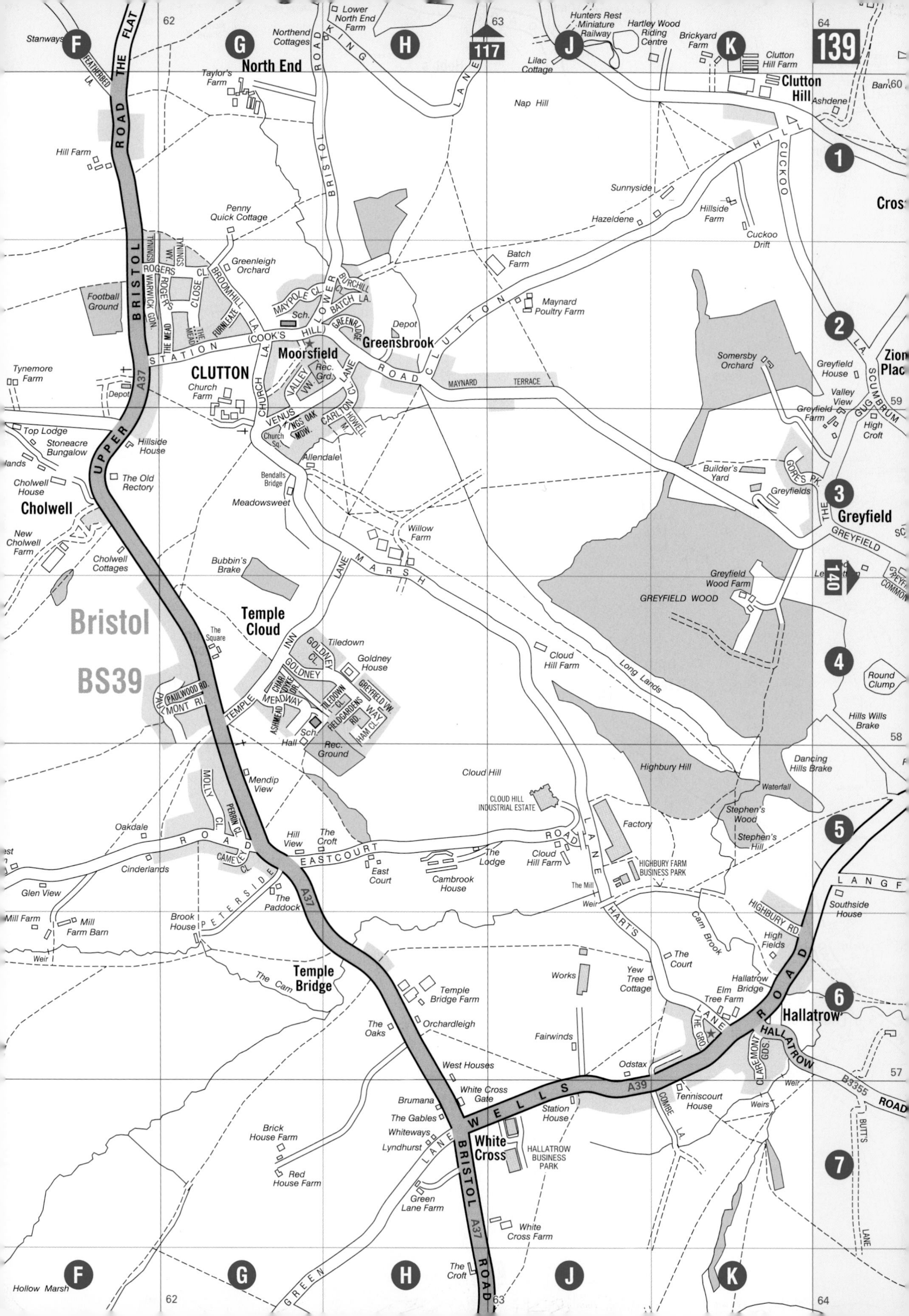
F
G
H
J
K
62
63
64
117
Stanways
FEATHERBED LA.
THE FLAT
ROAD
North End
Northend Cottages
Lower North End Farm
KING
ROAD
LANE
Hunters Rest Miniature Railway
Hartley Wood Riding Centre
Brickyard Farm
Lilac Cottage
Clutton Hill Farm
Clutton Hill
Ashdene
Barn
60
Taylor's Farm
Nap Hill
CUCKOO
HILL
1
Cros
Hill Farm
BRISTOL
Sunnyside
Hazeldene
Hillside Farm
Cuckoo Drift
Penny Quick Cottage
Greenleigh Orchard
Batch Farm
Maynard Poultry Farm
TYNINGS
TYNINGS WY.
ROGERS
ROGERS
WARWICK GDN.
CLOSE
CL.
BROOMHILL LA.
Football Ground
THE MEAD
THE MEAD
FURNLEAZE
MAYPOLE CL.
Sch.
LOWER
BURCHILL CL.
BATCH LA.
GREENRIDGE
Depot
Greensbrook
CLUTTON
2
LA.
Zion Place
STATION
(COOK'S HILL)
Moorsfield
Somersby Orchard
Greyfield House
SCUMBRUM
Tynemore Farm
A37
CLUTTON
Church Farm
CHURCH LA.
VALLEY VW.
Rec. Grd.
LANE
ROAD
MAYNARD
TERRACE
Valley View
GUG
59
Depot
Greyfield Farm
High Croft
Top Lodge
Stoneacre Bungalow
UPPER
Hillside House
VENUS
KINGS OAK MDW.
CARLTON CL.
HOWELL M.
Church Sq.
Allendale
Builder's Yard
GORE'S PK.
Cholwell House
The Old Rectory
Bendalls Bridge
Greyfields
3
Cholwell
Meadowsweet
THE
Greyfield
GREYFIELD
New Cholwell Farm
Willow Farm
Cholwell Cottages
Bubbin's Brake
MARSH
LANE
140
Greyfield Wood Farm
GREYFIELD WOOD
COMMON
Bristol
BS39
Temple Cloud
The Square
Tiledown
GOLDNEY CL.
Goldney House
Cloud Hill Farm
Long Lands
4
Round Clump
INN
GOLDNEY
PAULWOOD RD.
PAULMONT RI.
TEMPLE
CHARLTON DR.
MEADWAY
ASHMEAD
TILEDOWN CL.
FIELDGARDENS RD.
GREYFIELD VW.
WAY
HAM CL.
Hills Wills Brake
Sch.
Hall
Rec. Ground
58
Dancing Hills Brake
Highbury Hill
Cloud Hill
Mendip View
MOLLY CL.
PERRIN CL.
CLOUD HILL INDUSTRIAL ESTATE
Waterfall
Stephen's Wood
Factory
Stephen's Hill
5
Oakdale
ROAD
Hill View
The Croft
ROAD
Cloud Hill Farm
EASTCOURT
The Lodge
LANE
Cinderlands
CAMELEY CL.
East Court
Cambrook House
HIGHBURY FARM BUSINESS PARK
LANGF
The Mill
Southside House
Glen View
A37
The Paddock
PETERSIDE
Weir
HART'S
HIGHBURY RD.
Mill Farm
Mill Farm Barn
Brook House
Cam Brook
High Fields
The Court
Weir
Temple Bridge
Works
Yew Tree Cottage
Hallatrow Bridge
The Cam
Temple Bridge Farm
Elm Tree Farm
6
ROAD
LANE
Hallatrow
The Oaks
Orchardleigh
THE GRO.
HALLATROW
Fairwinds
CLAREMONT GDS.
West Houses
Odstax
57
Weir
B3355
ROAD
WELLS
A39
Tenniscourt House
Weirs
White Cross Gate
Brumana
Station House
COMBE LA.
The Gables
Whiteways
White Cross
BUTT'S
Brick House Farm
Lyndhurst
LANE
HALLATROW BUSINESS PARK
7
BRISTOL
Red House Farm
Green Lane Farm
White Cross Farm
LANE
A37
GREEN
ROAD
The Croft
Hollow Marsh
F
G
H
J
K
62
63
64

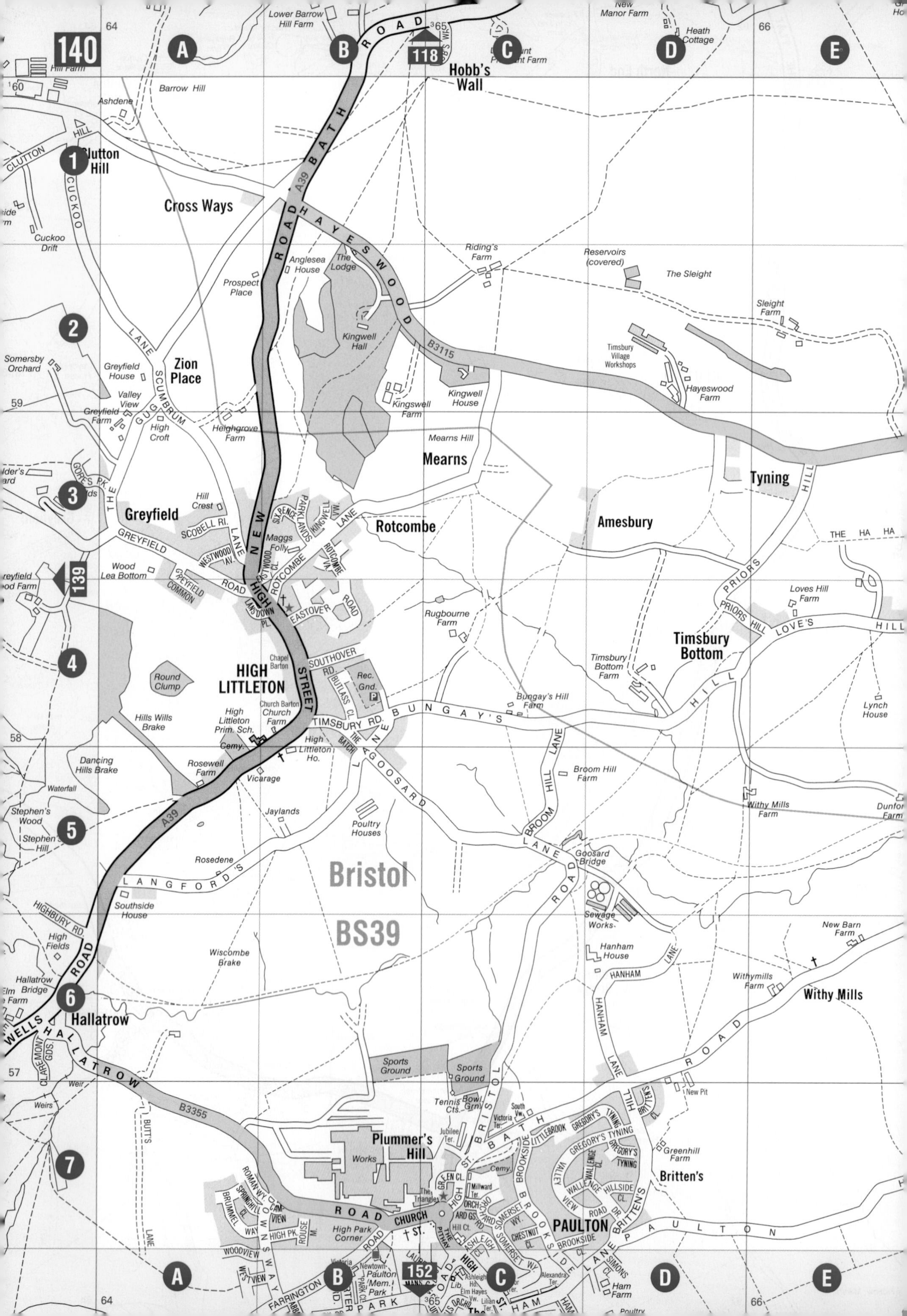

A
B
C
D
E
1
2
3
4
5
6
7
64
65
66
60
59
58
57
118
139
152
Lower Barrow Hill Farm
New Manor Farm
Heath Cottage
Hill Farm
Hobb's Wall
Barrow Hill
Ashdene
Clutton Hill
CLUTTON HILL
CUCKOO
Cuckoo Drift
Cross Ways
BATH ROAD
A39
HAYESWOOD ROAD
Anglesea House
The Lodge
Riding's Farm
Reservoirs (covered)
The Sleight
Prospect Place
Sleight Farm
Kingwell Hall
B3115
Timsbury Village Workshops
Hayeswood Farm
Somersby Orchard
Greyfield House
Zion Place
LANE
SCUMBRUM
Valley View
Greyfield Farm
GUG
High Croft
Heighgrove Farm
Kingswell Farm
Kingwell House
Mearns Hill
Mearns
Tyning
GORE'S PK.
THE
Hill Crest
Greyfield
SCOBELL RI.
LANE
NEW
PARKLANDS
KINGWELL VW.
SIXPENCE
Rotcombe
Amesbury
THE HA HA
Maggs Folly
GREYFIELD ROAD
WESTWOOD AV.
EASTWOOD CL.
ROTCOMBE LA.
ROTCOMBE VA.
Wood Lea Bottom
GREYFIELD COMMON
HIGH
LANSDOWN PL.
EASTOVER ROAD
Rugbourne Farm
PRIORS HILL
Loves Hill Farm
LOVE'S HILL
Timsbury Bottom
Timsbury Bottom Farm
Round Clump
Chapel Barton
SOUTHOVER RD.
BUTLASS CL.
Rec. Gnd.
P
HIGH LITTLETON
STREET
Hills Wills Brake
High Littleton Prim. Sch.
Church Barton
Church Farm
BUNGAY'S HILL
Bungay's Hill Farm
Lynch House
TIMSBURY RD.
THE BATCH
LANE
Cemy.
High Littleton Ho.
Dancing Hills Brake
Rosewell Farm
Vicarage
GOOSARD LANE
BROOM HILL LANE
Broom Hill Farm
Waterfall
Withy Mills Farm
Stephen's Wood
Jaylands
Poultry Houses
Stephen's Hill
Rosedene
Goosard Bridge
Bristol
LANGFORD'S LANE
ROAD
HIGHBURY RD.
Southside House
Sewage Works
BS39
High Fields
New Barn Farm
Wiscombe Brake
Hanham House
HANHAM LANE
Hallatrow Bridge
Withymills Farm
Withy Mills
Hallatrow
WELLS
HALLATROW
CLAREMONT GDS.
Weir
Weirs
B3355
Sports Ground
BRISTOL
New Pit
Tennis Cts.
Bowl Grn.
Victoria Ter.
South Vw.
Jubilee Ter.
LITTLEBROOK
GREGORY'S TYNING
BRITTEN'S HILL
BRITTEN'S CL.
BUTT'S
Plummer's Hill
Works
Cemy.
Greenhill Farm
Britten's
ROMAN WY.
SPRINGHILL
CAM VIEW
BRUMMEL WAY
HIGH PK.
ROUSE RD.
The Triangle
Millward Ter.
ORCHARD
SOMERSET WY.
BROOKSIDE
VALLEY VIEW
WALLENGE CL.
HILLSIDE CL.
PAULTON
CHESTNUT CL.
High Park Corner
CHURCH ST.
THE PITHAY
ASHLEIGH CL.
PAULTON ROAD
LANE
WOODVIEW
Victoria
Newtown
Paulton Mem. Park
Alexandra Ter.
SIMONS
Ham Farm
FARRINGTON
PARK
Elm Hayes
Lilian Ter.
HAM
Poultry

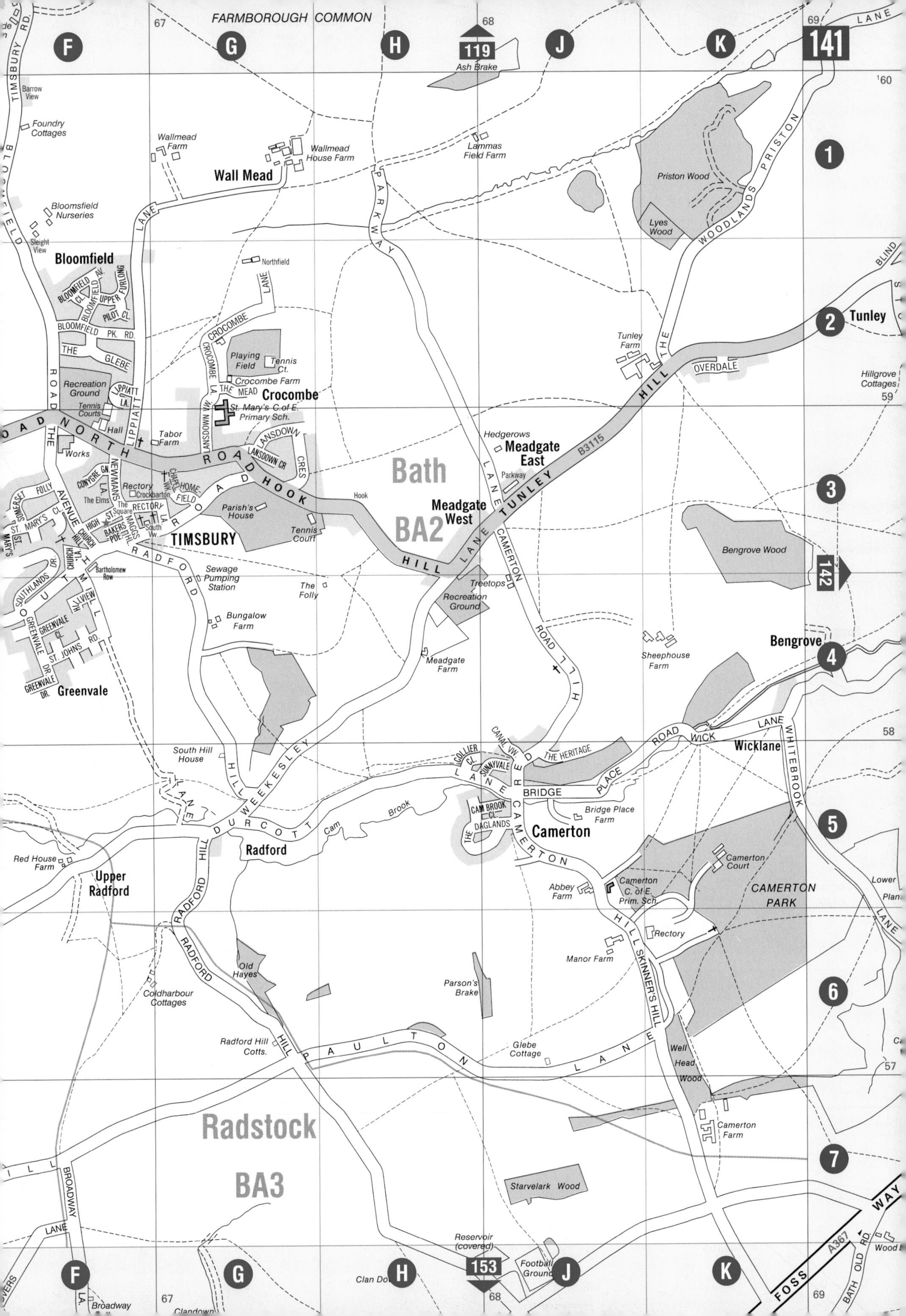

FARMBOROUGH COMMON
141
119
153
142
Ash Brake
Wallmead Farm
Wallmead House Farm
Wall Mead
Lammas Field Farm
Priston Wood
Lyes Wood
Foundry Cottages
Barrow View
Bloomsfield Nurseries
Sleight View
Bloomfield
Northfield
Crocombe
Playing Field
Tennis Ct.
Crocombe Farm
St. Mary's C.of E. Primary Sch.
Recreation Ground
Tennis Courts
Hall
Tabor Farm
Works
Rectory
Crockbarton
The Elms
The Square
South Vw.
TIMSBURY
Parish's House
Tennis Court
Hook
Bath
BA2
Hedgerows
Meadgate East
Parkway
Meadgate West
Tunley
Tunley Farm
OVERDALE
Hillgrove Cottages
B3115
Bengrove Wood
Bartholomew Row
Sewage Pumping Station
The Folly
Treetops
Recreation Ground
Bungalow Farm
Meadgate Farm
Sheephouse Farm
Bengrove
Greenvale
South Hill House
Wicklane
THE HERITAGE
Bridge Place Farm
Camerton
Radford
Upper Radford
Red House Farm
Cam Brook
Camerton Court
CAMERTON PARK
Camerton C. of E. Prim. Sch
Abbey Farm
Rectory
Manor Farm
Lower Plan
Old Hayes
Coldharbour Cottages
Parson's Brake
Radford Hill Cotts.
Glebe Cottage
Well Head Wood
Camerton Farm
Radstock
BA3
Starvelark Wood
Reservoir (covered)
Football Ground
Clan Do
Broadway
Clandown
Wood
FOSS WAY
A367
BATH OLD RD
TIMSBURY RD.
BLOOMFIELD ROAD
LANE
PARKWAY
CROCOMBE LANE
LANSDOWN VW.
LANSDOWN CR.
NORTH ROAD
HOOK ROAD
HILL
TUNLEY HILL
MEADGATE LANE
CAMERTON ROAD
THE HILL
WOODLANDS
PRISTON
BLIND
WICK LANE
WHITEBROOK LANE
BRIDGE PLACE ROAD
CAMERTON HILL
SKINNER'S HILL
PAULTON LANE
RADFORD HILL
DURCOTT
WEEKESLEY
BROADWAY
F G H J K
1 2 3 4 5 6 7
67 68 69
60 59 58 57

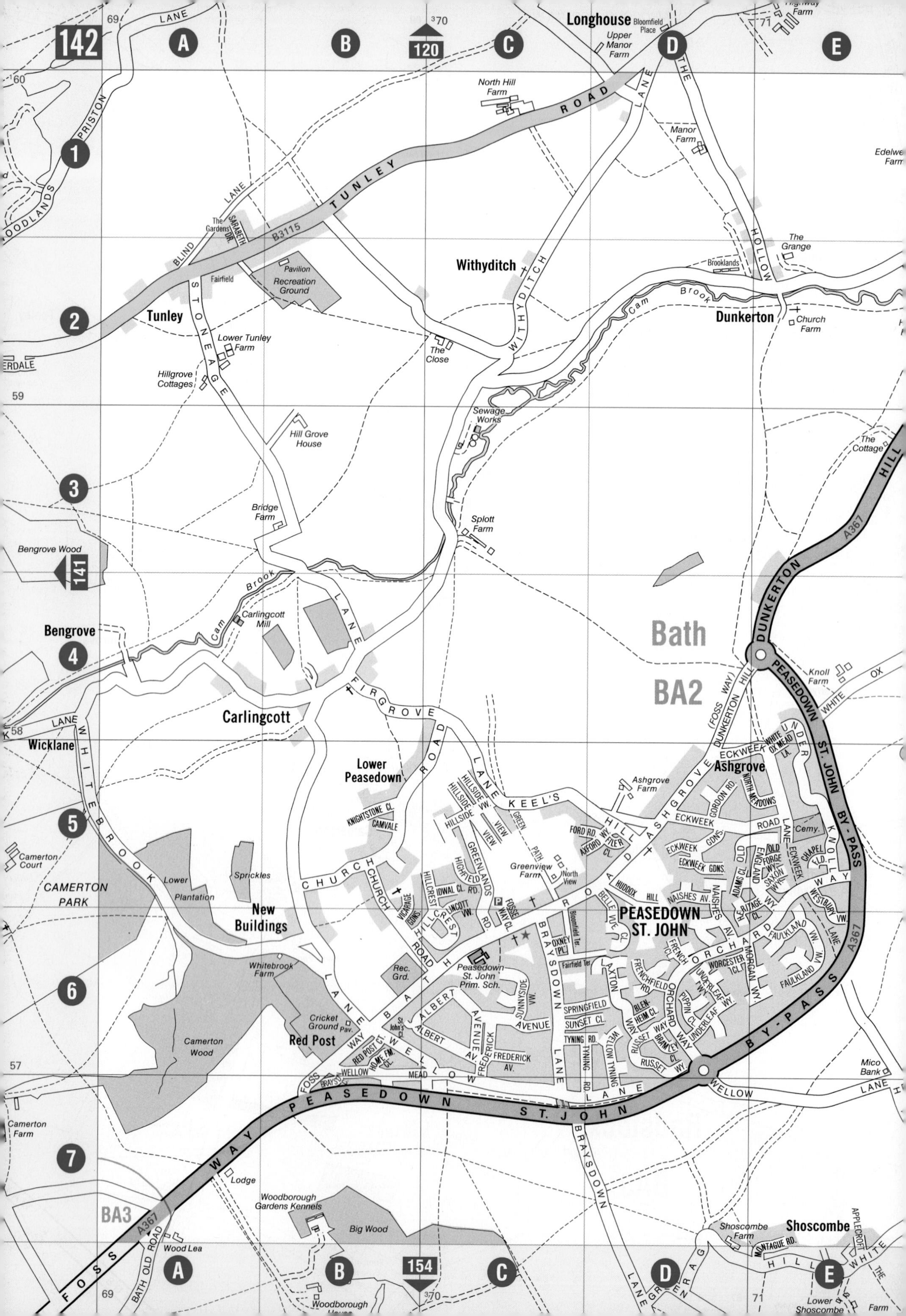

142
120
154
141
Longhouse
Bloomfield Place
Upper Manor Farm
North Hill Farm
Manor Farm
Edelweiss Farm
TUNLEY ROAD
B3115
PRISTON
WOODLANDS
BLIND LANE
The Gardens
SARABETH DR.
Fairfield
Pavilion
Recreation Ground
Tunley
STONEAGE
Lower Tunley Farm
Hillgrove Cottages
The Close
Withyditch
WITHYDITCH LANE
THE HOLLOW
The Grange
Brooklands
Cam Brook
Dunkerton
Church Farm
Sewage Works
Hill Grove House
Bridge Farm
Splott Farm
The Cottage
Bengrove Wood
Bengrove
Carlingcott Mill
Carlingcott
FIRGROVE LANE
Bath
BA2
DUNKERTON HILL
(FOSS WAY)
Knoll Farm
WHITE OX MEAD
Wicklane
WHITEBROOK LANE
Lower Peasedown
Ashgrove
Ashgrove Farm
ECKWEEK
NORTH MEADOWS
GORDON RD.
UNDER KNOLL
KEEL'S HILL
HILLSIDE VW.
HILLSIDE
GREENLANDS
GREEN PATH
FORD RD.
AXFORD WY.
FILER CL.
KNIGHTSTONE CL.
CAMVALE
Camerton Court
CAMERTON PARK
Lower Plantation
Sprickles
Greenview Farm
North View
HUDDOX HILL
NAISHES AV.
ECKWEEK GDNS.
OLD ENGLAND WY.
OLD FORGE WY.
SAXON WY.
CHAPEL FLD.
ADAMS CL.
HERITAGE CL.
WESTBURY VW.
Cemy.
CHURCH ROAD
VICARAGE GDNS.
HILLCREST
IDWAL CL.
HIGHFIELD RD.
UNCOTT VW.
FOSSE WAY CL.
New Buildings
PEASEDOWN ST. JOHN
BATH ROAD
BRAYSDOWN LANE
OXNEY PL.
Bloomfield Ter.
BELLE VUE CL.
FRENCH CL.
ORCHARD
WORCESTER CL.
MORGAN WY.
FAULKLAND VW.
FAULKLAND LANE
Whitebrook Farm
Rec. Grd.
Peasedown St. John Prim. Sch.
SUNNYSIDE VW.
Fairfield Ter.
LAXTON WAY
FRENCHFIELD RD.
BLENHEIM CL.
UNDERLEAF WY.
PIPPIN CL.
Cricket Ground Pav.
Camerton Wood
Red Post
RED POST CT.
ST. JOHN'S CL.
ALBERT AVENUE
ALBERT
FREDERICK AVENUE
FREDERICK AV.
SPRINGFIELD
SUNSET CL.
TYNING RD.
WELLOW TYNING
RUSSET WAY
BRAMLEY CL.
WELLOW MEAD
HOME FM. CL.
BRAYSDOWN CL.
FOSS WAY
PEASEDOWN ST. JOHN BY-PASS
A367
WELLOW LANE
Mico Bank
Camerton Farm
Lodge
Woodborough Gardens Kennels
Big Wood
BA3
Wood Lea
BATH OLD ROAD
Woodborough House
BRAYSDOWN LANE
GREEN LANE
Shoscombe Farm
Shoscombe
MONTAGUE RD.
APPLECROFT
WHITE HILL
Lower Shoscombe
Farm
A B C D E
1 2 3 4 5 6 7
69 370 71
60 59 58 57

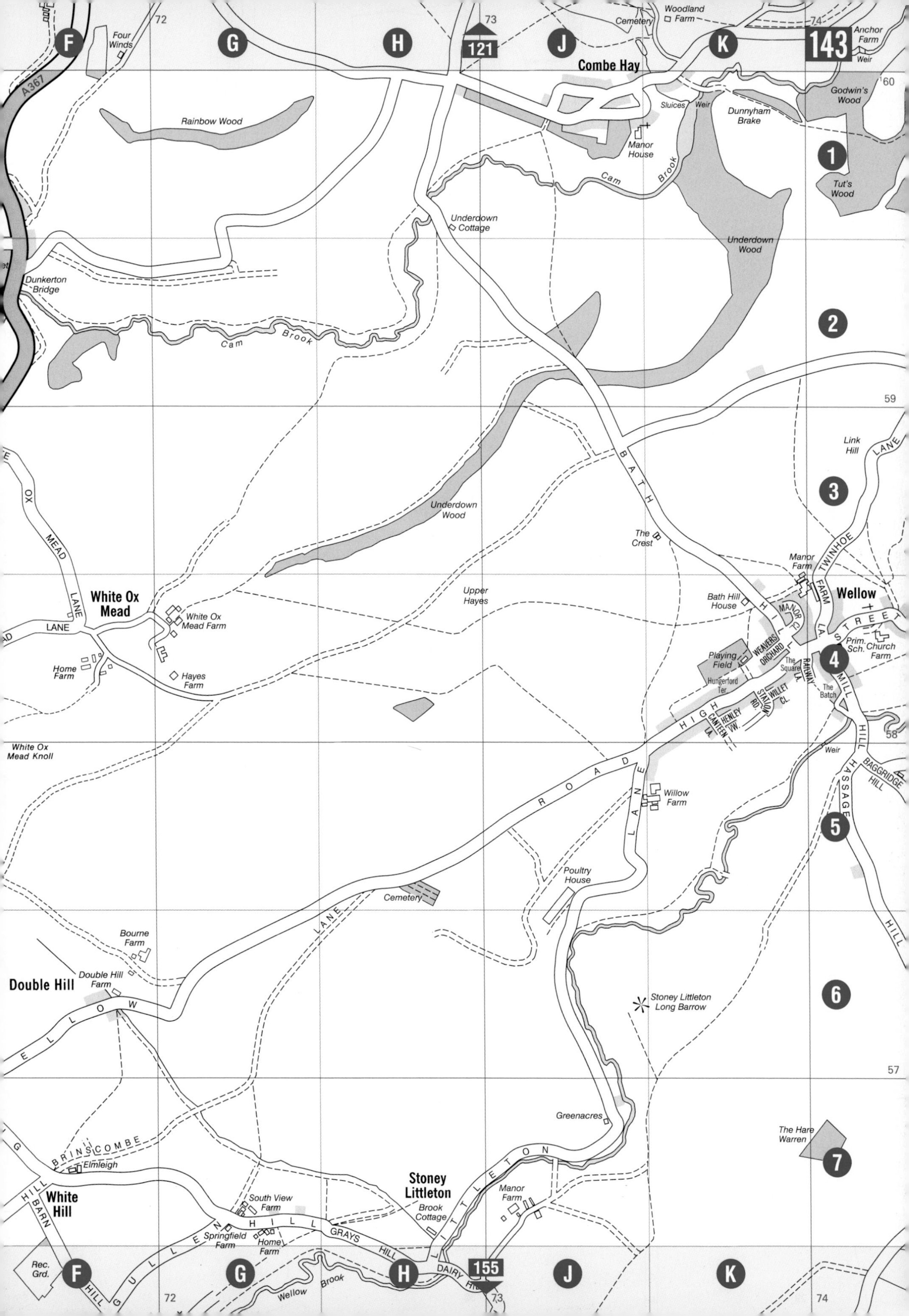

F   G   H   **121**   J   K

Combe Hay

Four Winds
Rainbow Wood

Woodland Farm
Cemetery

Anchor Farm
Weir

Godwin's Wood

1

Manor House
Sluices   Weir
Dunnyham Brake

Cam   Brook

Tut's Wood

Underdown Cottage

Underdown Wood

2

Dunkerton Bridge

Cam   Brook

59

Link Hill

3

Underdown Wood

BATH

HILL

TWINHOE

The Crest

Manor Farm

Wellow

Bath Hill House

MANOR LA.

STREET

White Ox Mead

White Ox Mead Farm

Upper Hayes

Playing Field
WEAVERS ORCHARD

Prim. Sch.

Church Farm

4

OX MEAD LANE

Home Farm

Hayes Farm

HIGH

Hungerford Ter.

STATION RD.

HENLEY VW.

CAMERTON LA.

The Square
WILLET CL.

RAINBOW

The Batch

58

MILL HILL

White Ox Mead Knoll

ROAD

LANE

Willow Farm

Weir

HASSAGE

BAGGRIDGE HILL

5

Bourne Farm

Cemetery

Poultry House

Double Hill

Double Hill Farm

YELLOW

LANE

LITTLETON

6

57

HILL

Greenacres

The Hare Warren

7

BRINSCOMBE

Elmleigh

South View Farm

Stoney Littleton

Brook Cottage

Manor Farm

Stoney Littleton Long Barrow

White Hill

BARN HILL

GULLEN

HILL

Springfield Farm

Home Farm

HILL

GRAYS

DAIRY

LITTLETON

155

Rec. Grd.

F   G   H   J   K

72   73   74

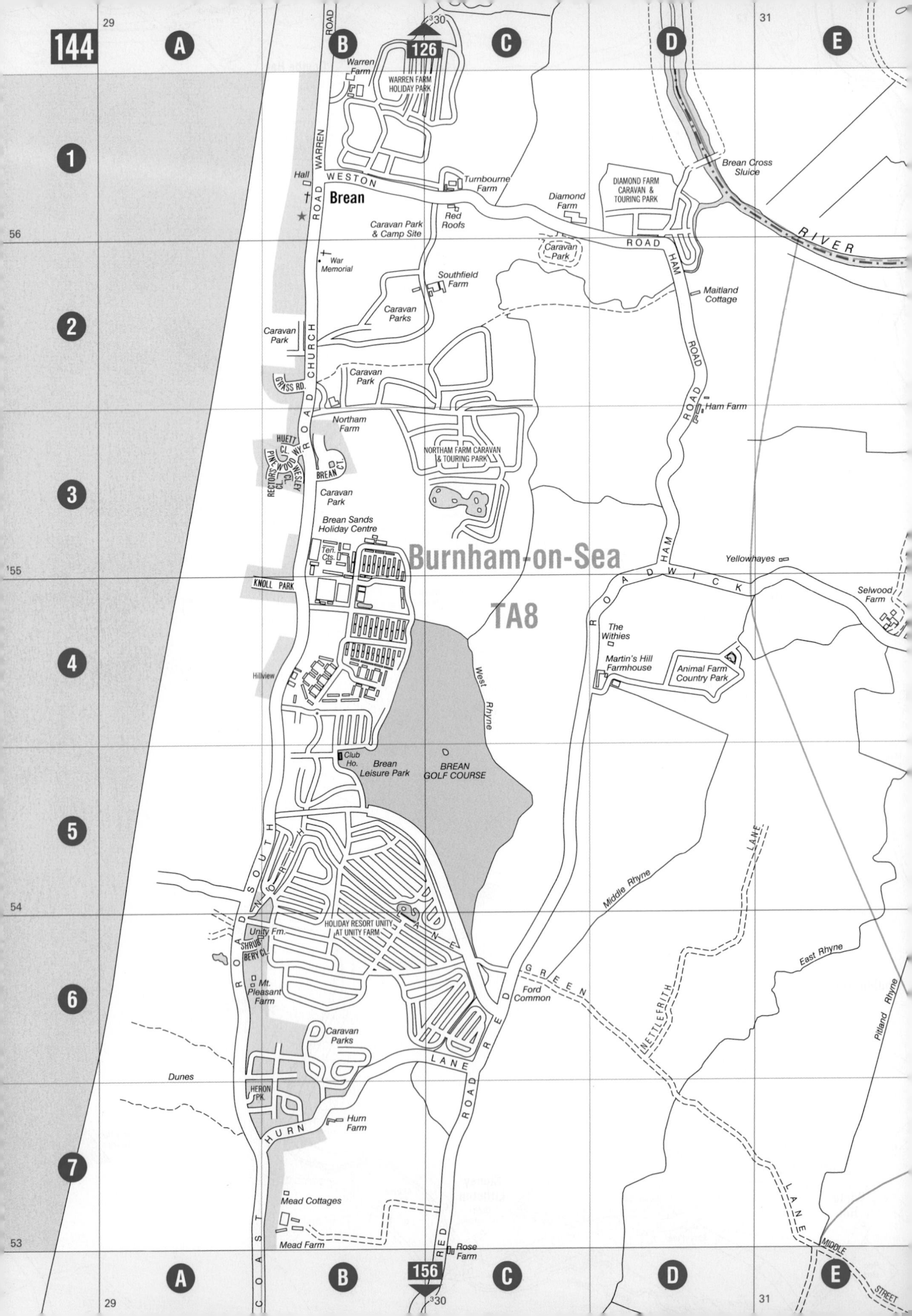

29
31

A
B
126
C
D
E

1

Warren
Farm

WARREN FARM
HOLIDAY PARK

Brean Cross
Sluice

Hall
WESTON
Brean
ROAD
WARREN
Turnbourne
Farm

DIAMOND FARM
CARAVAN &
TOURING PARK

Diamond
Farm

RIVER

56

Red
Roofs

Caravan
Park

ROAD

HAM

Caravan Park
& Camp Site

ROAD

Maitland
Cottage

War
Memorial

Southfield
Farm

2

Caravan
Park

Caravan
Parks

Ham Farm

GRASS RD.

Caravan
Park

CHURCH

Northam
Farm

ROAD

Northam
Farm

HUETT
CL.

NORTHAM FARM CARAVAN
& TOURING PARK

3

RECTOR'S WK.
PK.
WESLEY
WOOD

BREAN CT.

Caravan
Park

HAM

Yellowhayes

55

Brean Sands
Holiday Centre

Burnham-on-Sea

ROAD

Selwood
Farm

Ter.
Cts.

TA8

WICK

KNOLL PARK

The
Withies

4

Hillview

Martin's Hill
Farmhouse

Animal Farm
Country Park

West
Rhyne

5

Club
Ho.

Brean
Leisure Park

BREAN
GOLF COURSE

LANE

Middle Rhyne

54

East Rhyne

SOUTH

NORTH

Holiday Resort Unity
At Unity Farm

LANE

RED

GREEN

NETTLEFRITH

ROAD

6

Unity Fm.
SHRUB
BERY CL.

Ford
Common

Pitland Rhyne

Mt.
Pleasant
Farm

Caravan
Parks

LANE

ROAD

LANE

Dunes

HERON
PK.

Hurn
Farm

7

HURN

COAST

ROAD

Mead Cottages

53

Mead Farm

156

Rose
Farm

MIDDLE
STREET

A
B
156
C
D
E

29
30
31

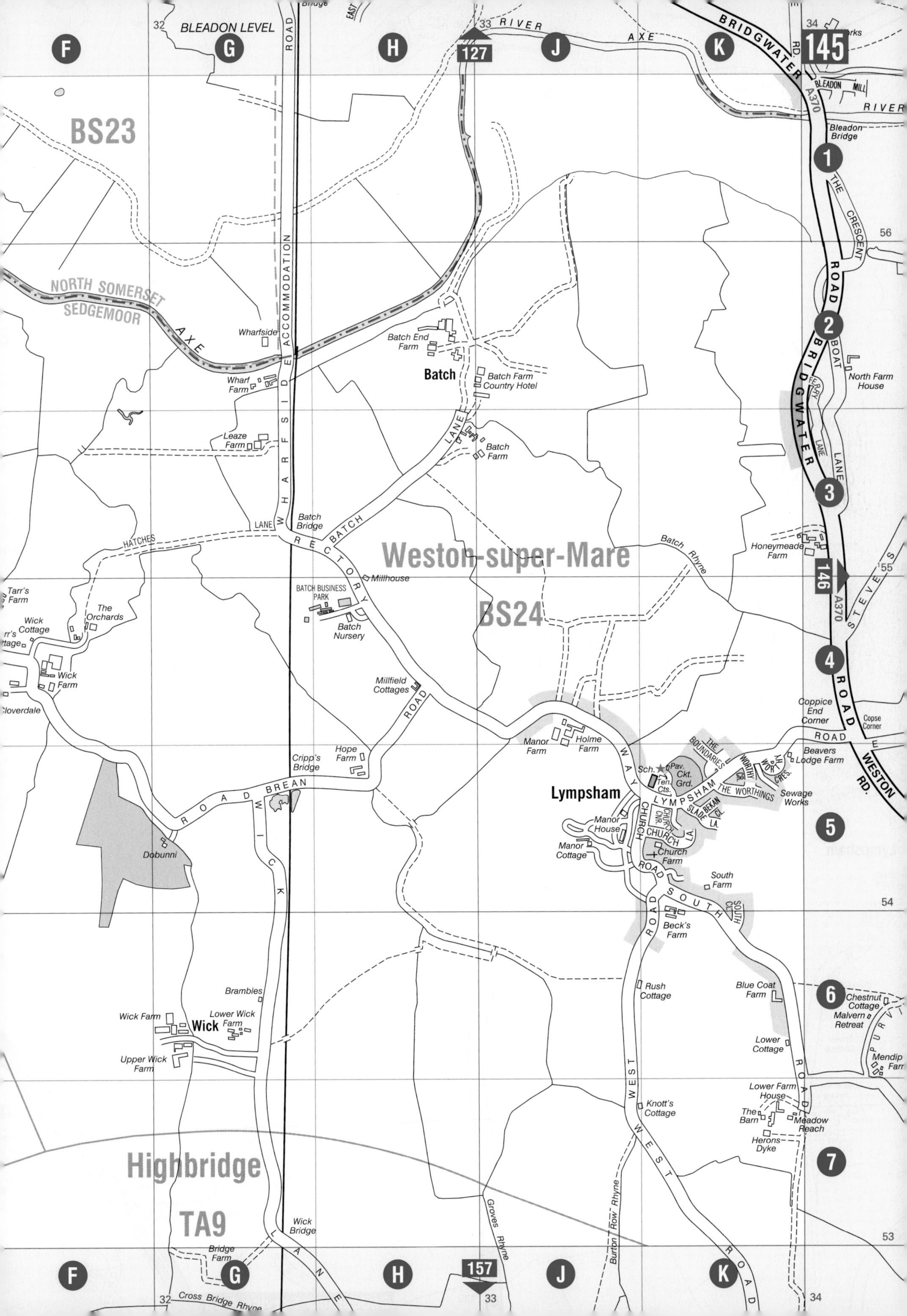

F
G
H
J
K
145
127
157
146
BLEADON LEVEL
RIVER AXE
BRIDGWATER RD
BLEADON MILL
RIVER
Bleadon Bridge
A370
BS23
BS24
TA9
NORTH SOMERSET
SEDGEMOOR
AXE
Weston-super-Mare
Highbridge
WHARFSIDE ACCOMMODATION ROAD
Wharfside
Wharf Farm
Leaze Farm
Batch End Farm
Batch
Batch Farm Country Hotel
Batch Farm
BATCH LANE
Batch Bridge
HATCHES LANE
RECTORY ROAD
Millhouse
BATCH BUSINESS PARK
Batch Nursery
Millfield Cottages
Hope Farm
Cripp's Bridge
BREAN ROAD
Dobunni
Tarr's Farm
Wick Cottage
The Orchards
Wick Farm
Cloverdale
Batch Rhyne
Honeymeade Farm
THE CRESCENT
BRIDGWATER ROAD
BOAT LANE
FERRY LANE
North Farm House
STEVENS LANE
Coppice End Corner
Copse Corner
WESTON ROAD
WESTON RD.
Beavers Lodge Farm
Manor Farm
Holme Farm
WAY
THE BOUNDARIES
WORTHY CR.
WORTHY CRES.
THE WORTHINGS
Sewage Works
Sch.
Pav.
Ckt. Grd.
Ten. Cts.
Lympsham
LYMPSHAM
SLADE LA.
BEKAN CL.
CHURCH CNR.
CHURCH ROAD
CHURCH LA
Manor House
Manor Cottage
Church Farm
South Farm
SOUTH ROAD
SOUTH CL
Beck's Farm
Rush Cottage
Blue Coat Farm
Chestnut Cottage
Malvern Retreat
PURVIS
Mendip Farm
Lower Cottage
Lower Farm House
The Barn
Meadow Reach
Herons Dyke
Knott's Cottage
WEST ROAD
Brambles
Wick Farm
Wick
Lower Wick Farm
Upper Wick Farm
WICK LANE
Wick Bridge
Bridge Farm
Groves Rhyne
Burton Row Rhyne
Cross Bridge Rhyne
1
2
3
4
5
6
7
32
33
34
53
54
55
56

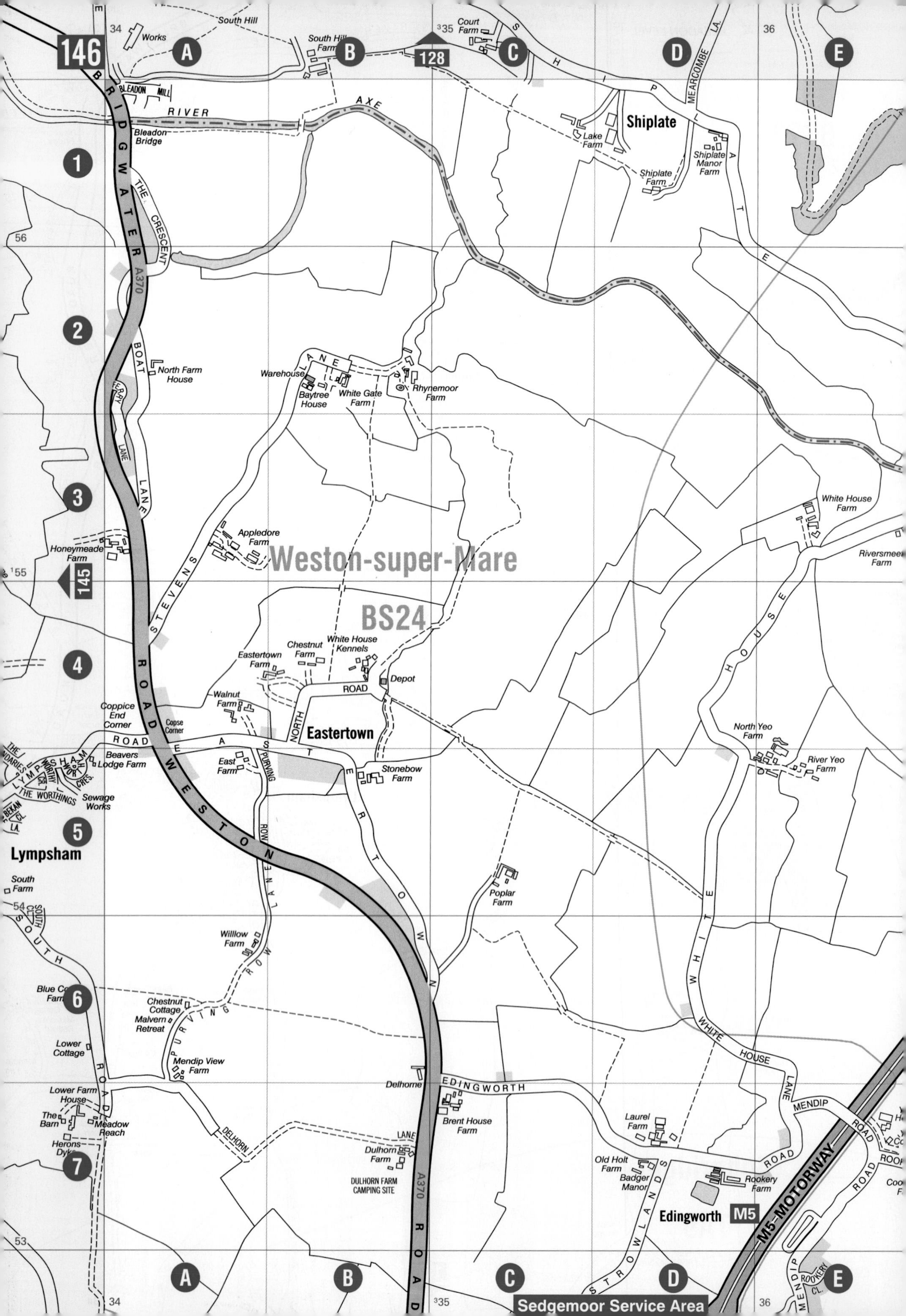
146
128
145
M5
Weston-super-Mare
BS24
Shiplate
Eastertown
Lympsham
Edingworth
South Hill
Works
South Hill Farm
Court Farm
Bleadon Mill
River Axe
Bleadon Bridge
Bridgwater Road
A370
The Crescent
Shiplate
Mearcombe La.
Lake Farm
Shiplate Farm
Shiplate Manor Farm
Boat Lane
Ferry Lane
North Farm House
Lane
Warehouse
Baytree House
White Gate Farm
Rhynemoor Farm
Honeymeade Farm
Appledore Farm
Stevens Lane
White House Farm
Riversmeet Farm
Eastertown Farm
Chestnut Farm
White House Kennels
Depot
North Road
Walnut Farm
Coppice End Corner
Copse Corner
Road
Beavers Lodge Farm
East Farm
Purving Row
Stonebow Farm
Eastertown
North Yeo Farm
River Yeo Farm
White House Lane
The Worthings
Sewage Works
Bekan Cl.
Weston Road
South Farm
South Cl.
South Road
Poplar Farm
Willlow Farm
Row Lane
Blue Farm
Chestnut Cottage
Malvern Retreat
Purving Row
Lower Cottage
Mendip View Farm
Delhorne
Edingworth Road
Lower Farm House
The Barn
Meadow Reach
Herons Dyke
Delhorn Lane
Brent House Farm
Dulhorn Farm
Dulhorn Farm Camping Site
Laurel Farm
Old Holt Farm
Badger Manor
Strowlands
Rookery Farm
Mendip Road
M5-Motorway
Mendip Rookery Cl.
Sedgemoor Service Area
A370 Road

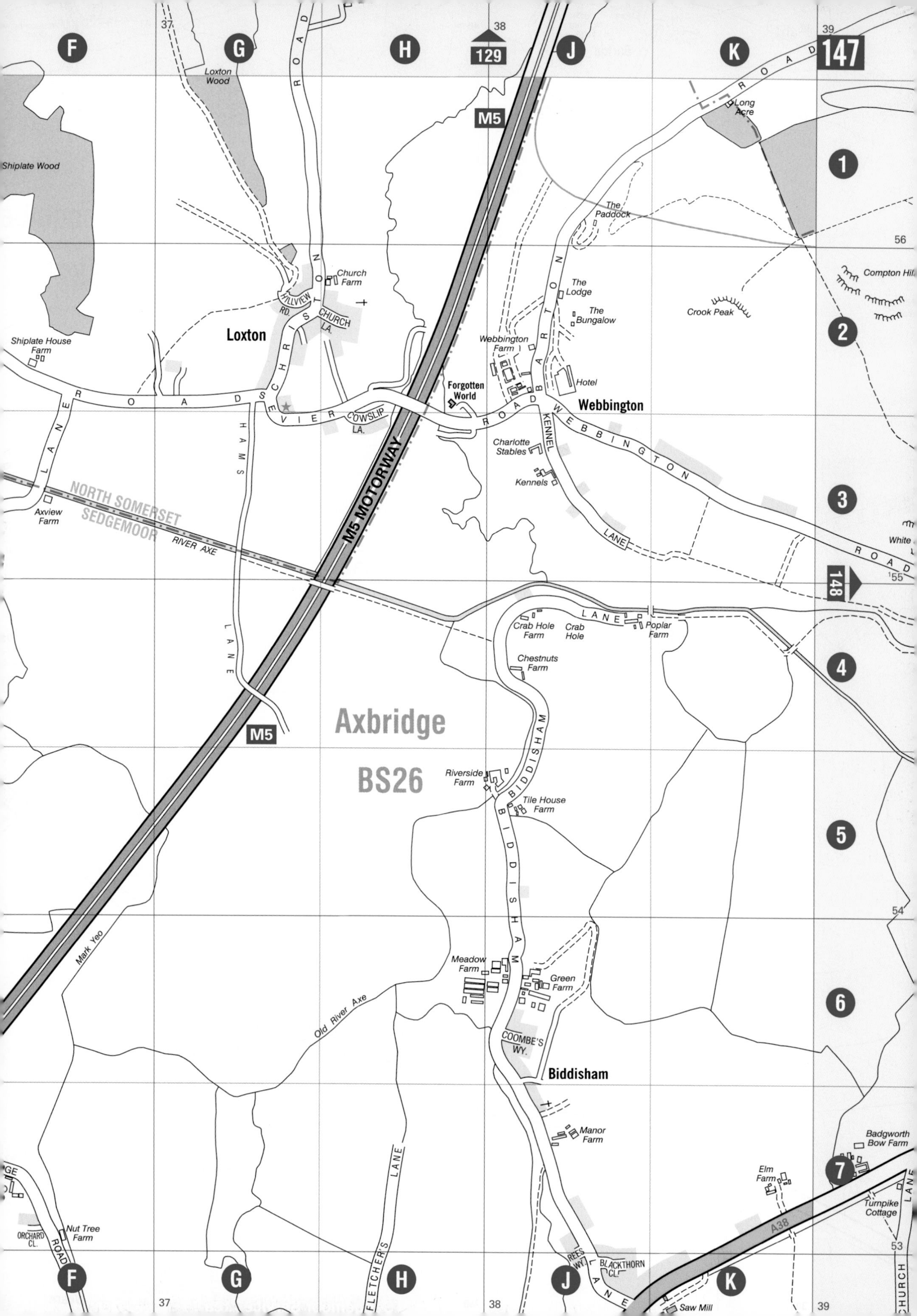
Loxton Wood
Shiplate Wood
Church Farm
HILLVIEW RD.
CHURCH LA.
Loxton
Shiplate House Farm
CHRISTON ROAD
ROAD
LANE
SEVIER
COWSLIP LA.
HAMS LANE
M5
M5 MOTORWAY
Forgotten World
ROAD
Webbington Farm
BARTON
The Lodge
The Bungalow
Hotel
Webbington
KENNEL LANE
WEBBINGTON ROAD
Charlotte Stables
Kennels
Long Acre
The Paddock
Crook Peak
Compton Hill
White
NORTH SOMERSET
SEDGEMOOR
RIVER AXE
Axview Farm
Crab Hole Farm
Crab Hole
LANE
Poplar Farm
Chestnuts Farm
Axbridge
BS26
BIDDISHAM
Riverside Farm
Tile House Farm
Mark Yeo
Old River Axe
Meadow Farm
Green Farm
COOMBE'S WY.
Biddisham
Manor Farm
Badgworth Bow Farm
Elm Farm
Turnpike Cottage
A38
FLETCHER'S LANE
REES WY.
BLACKTHORN CL.
LANE
Saw Mill
CHURCH LANE
ORCHARD CL.
ROAD
Nut Tree Farm
F
G
H
J
K
1
2
3
4
5
6
7
37
38
39
53
54
55
56
129
148

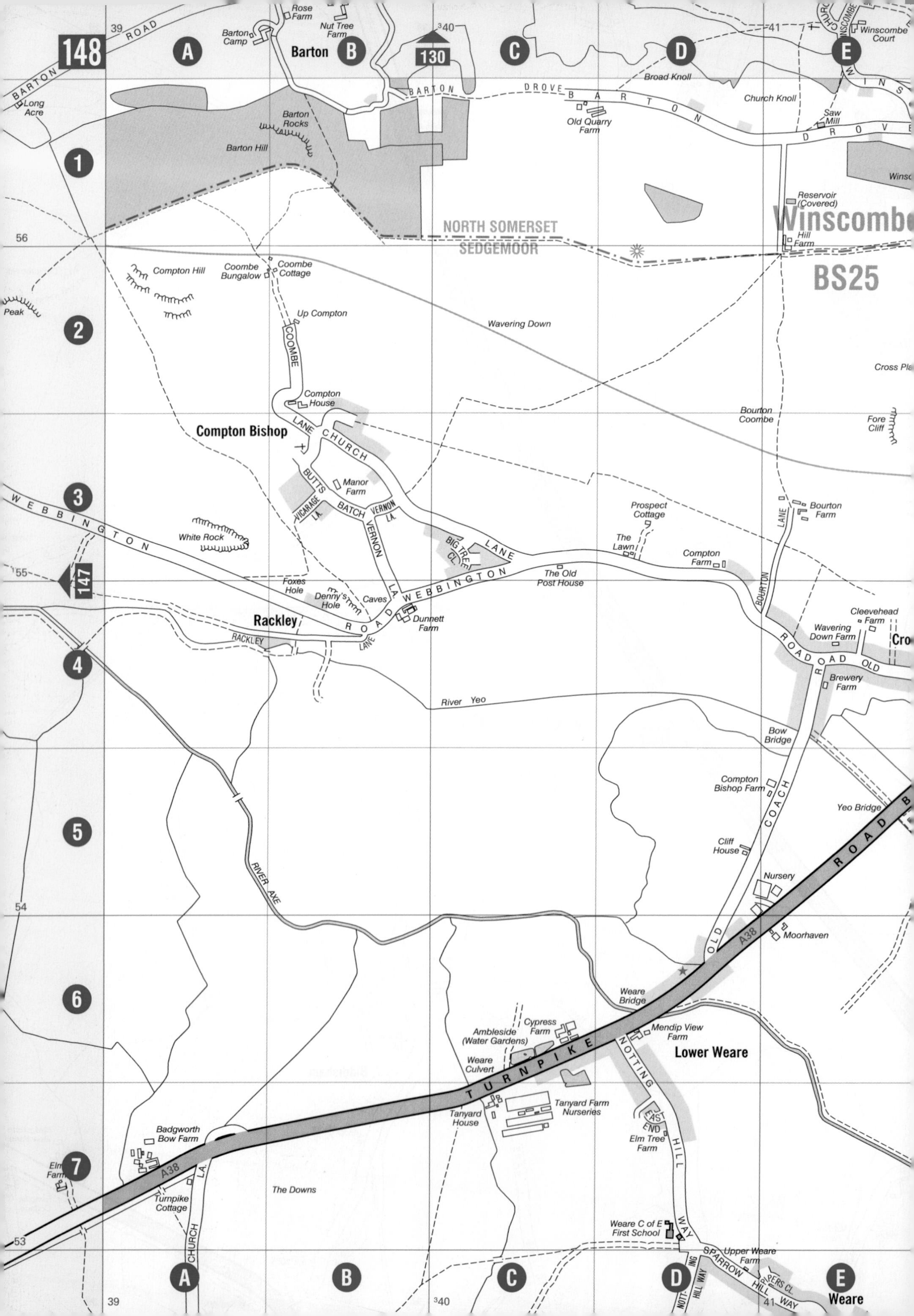
148
130
147
BARTON ROAD
Long Acre
Barton Camp
Rose Farm
Nut Tree Farm
Barton
Barton Rocks
Barton Hill
BARTON DROVE
Broad Knoll
Church Knoll
Old Quarry Farm
Saw Mill
Winscombe Court
Reservoir (Covered)
Winscombe
Hill Farm
NORTH SOMERSET
SEDGEMOOR
BS25
Compton Hill
Coombe Bungalow
Coombe Cottage
Peak
Up Compton
COOMBE LANE
Wavering Down
Cross Pl
Compton House
Compton Bishop
CHURCH LANE
Bourton Coombe
Fore Cliff
BUTTS BATCH
Manor Farm
VICARAGE LA.
VERNON LA.
WEBBINGTON ROAD
White Rock
BIG TREE CL.
Prospect Cottage
Bourton Farm
BOURTON LANE
The Lawn
Compton Farm
The Old Post House
Foxes Hole
Denny's Hole
Caves
Dunnett Farm
Rackley
RACKLEY LANE
Cleevehead Farm
Wavering Down Farm
OLD ROAD
Brewery Farm
River Yeo
Bow Bridge
Compton Bishop Farm
OLD COACH ROAD
Yeo Bridge
Cliff House
Nursery
RIVER AXE
Moorhaven
A38
Weare Bridge
Cypress Farm
Ambleside (Water Gardens)
Mendip View Farm
Lower Weare
Weare Culvert
TURNPIKE
NOTTING HILL WAY
Tanyard Farm Nurseries
Tanyard House
EAST END
Elm Tree Farm
Badgworth Bow Farm
Elm Farm
CHURCH LA.
Turnpike Cottage
The Downs
Weare C of E First School
Upper Weare Farm
SPARROW HILL WAY
PIPERS CL.
Weare
A B C D E
1 2 3 4 5 6 7
39 340 41
56 55 54 53

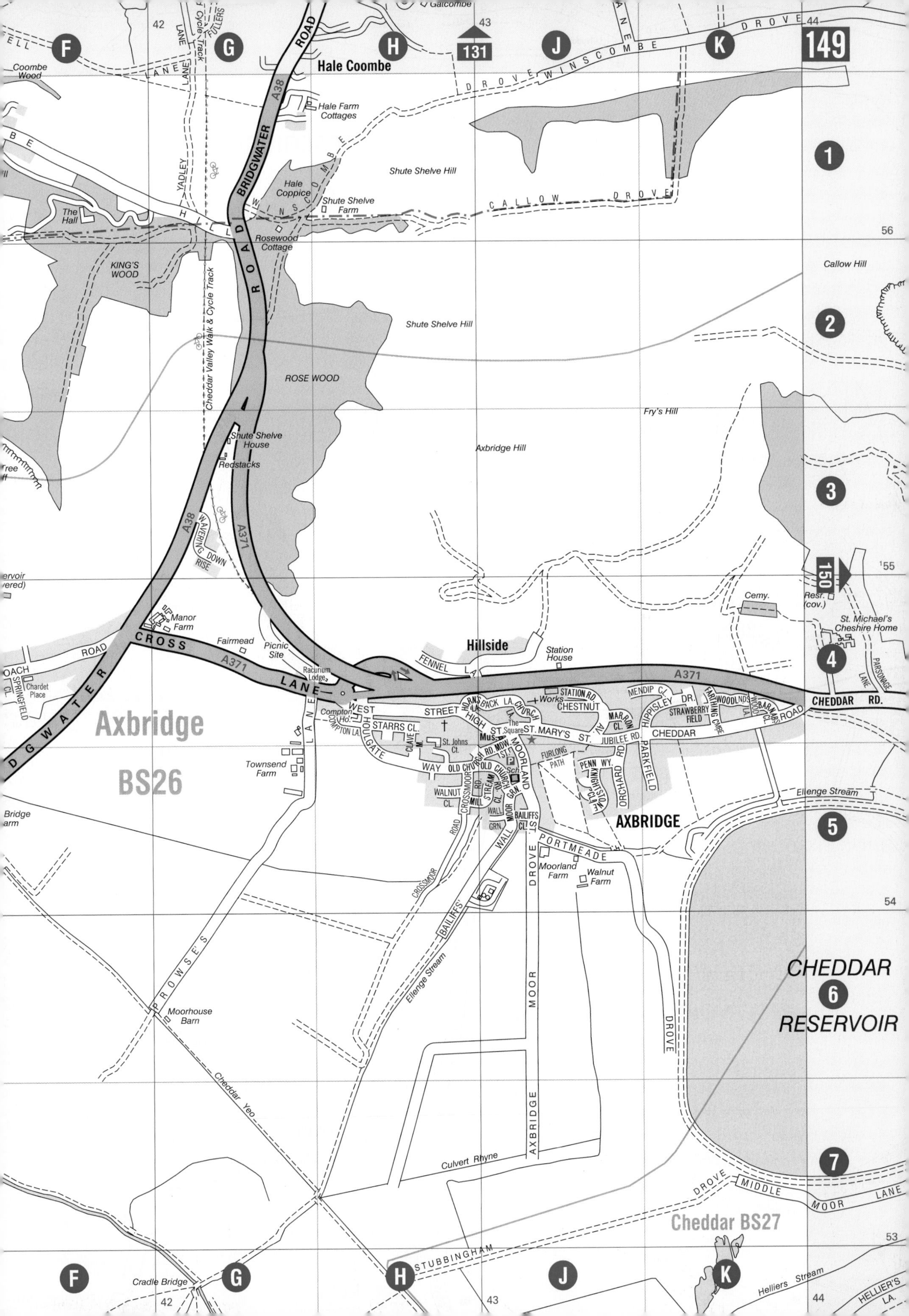

149
131
150
Hale Coombe
Hale Farm Cottages
Coombe Wood
Shute Shelve Hill
Hale Coppice
Shute Shelve Farm
The Hall
Rosewood Cottage
KING'S WOOD
Callow Hill
ROSE WOOD
Fry's Hill
Axbridge Hill
Shute Shelve House
Redstacks
Cheddar Valley Walk & Cycle Track
Manor Farm
Fairmead
Picnic Site
Hillside
Station House
Cemy.
St. Michael's Cheshire Home
CHEDDAR RD.
Axbridge
BS26
Townsend Farm
AXBRIDGE
Moorland Farm
Walnut Farm
Ellenge Stream
CHEDDAR RESERVOIR
Moorhouse Barn
Cheddar Yeo
Culvert Rhyne
Cheddar BS27
Cradle Bridge
Helliers Stream

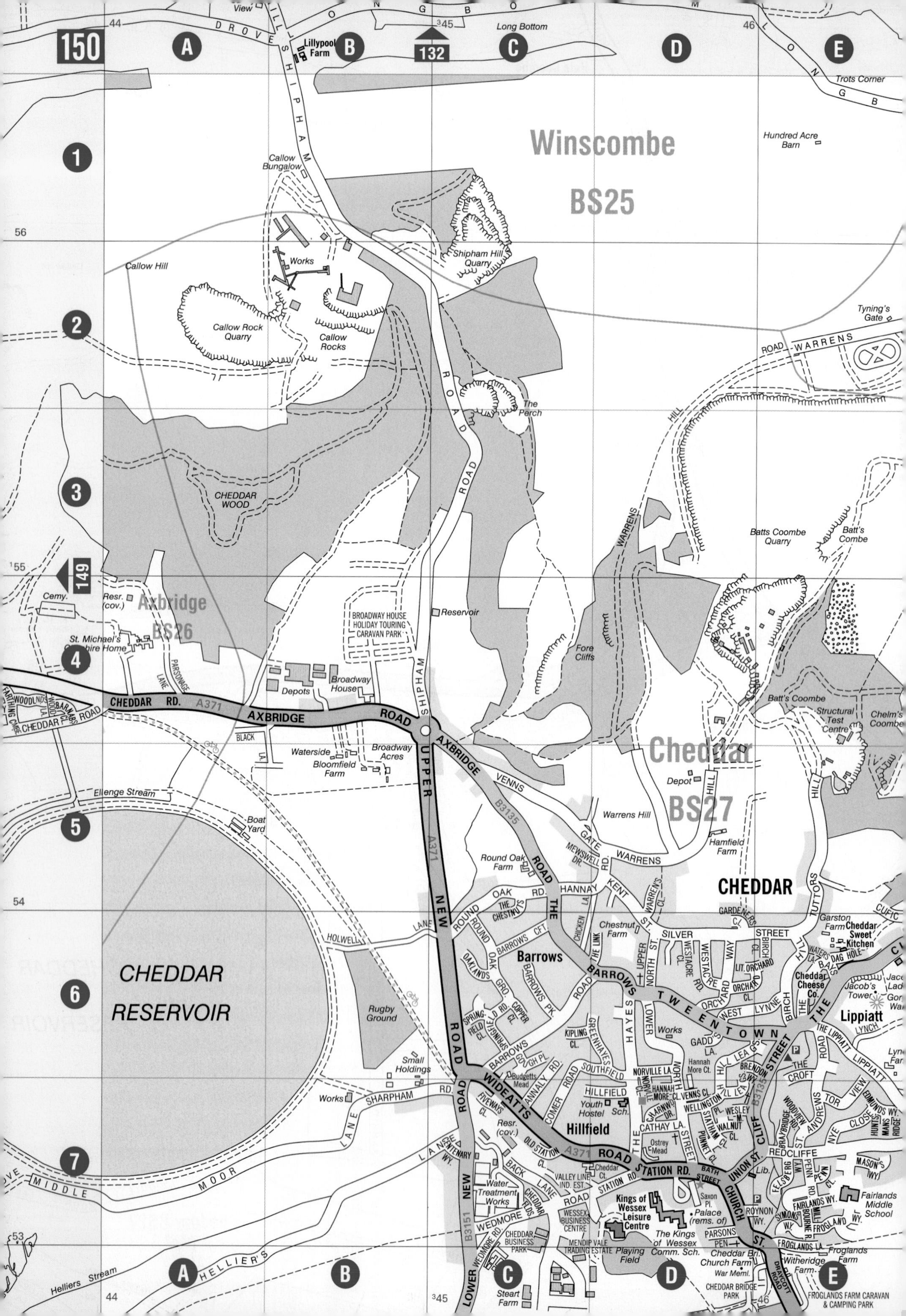

Winscombe
BS25
Axbridge
BS26
Cheddar
BS27
CHEDDAR
CHEDDAR RESERVOIR
Lillypool Farm
Long Bottom
Trots Corner
Hundred Acre Barn
Callow Bungalow
Callow Hill
Works
Shipham Hill Quarry
Callow Rock Quarry
Callow Rocks
The Perch
Tyning's Gate
WARRENS ROAD
CHEDDAR WOOD
Batts Coombe Quarry
Batt's Combe
Cemy.
Resr. (cov.)
St. Michael's Cheshire Home
Reservoir
BROADWAY HOUSE HOLIDAY TOURING CARAVAN PARK
Fore Cliffs
Depots
Broadway House
CHEDDAR RD.
AXBRIDGE ROAD
SHIPHAM ROAD
UPPER NEW ROAD
Batt's Coombe
Structural Test Centre
Chelm's Coombe
Waterside
Bloomfield Farm
Broadway Acres
Depot
Ellenge Stream
Boat Yard
Warrens Hill
Hamfield Farm
Round Oak Farm
Chestnut Farm
Garston Farm
Cheddar Sweet Kitchen
Barrows
Cheddar Cheese Co.
Jacob's Tower
Lippiatt
Rugby Ground
Small Holdings
Works
Hannah More Ct.
Youth Hostel
Hillfield
Resr. (cov.)
Ostrey Mead
Water Treatment Works
VALLEY LINE IND. EST.
Kings of Wessex Leisure Centre
Saxon Pl.
Palace (rems. of)
The Kings of Wessex Comm. Sch.
WESSEX BUSINESS CENTRE
CHEDDAR BUSINESS PARK
MENDIP VALE TRADING ESTATE
Playing Field
Cheddar Bri. Church Farm
War Meml.
Fairlands Middle School
Froglands Farm
Witheridge Farm
CHEDDAR BRIDGE PARK
FROGLANDS FARM CARAVAN & CAMPING PARK
Steart Farm
Helliers Stream
HELLIER'S LANE
MIDDLE MOOR LANE
SHARPHAM RD.
WIDEATTS ROAD
STATION RD.
BATH STREET
UNION ST.
CHURCH ST.
CLIFF STREET
SILVER STREET
TWEENTOWN
BARROWS ROAD

132
149

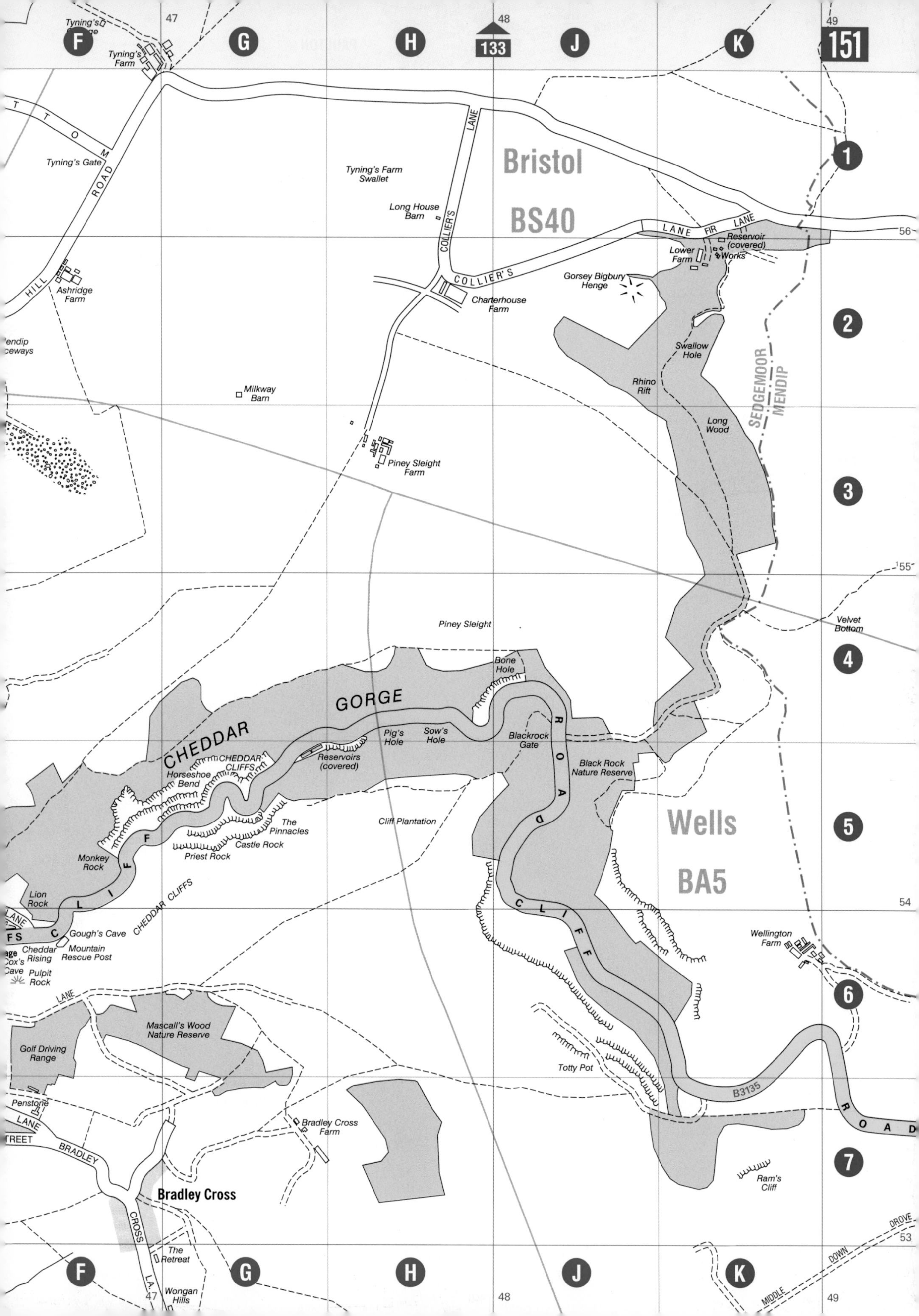

F
G
H
J
K
133
47
48
49
1
2
3
4
5
6
7
56
55
54
53
Tyning's Farm
Tyning's Gate
TOR HILL ROAD
Ashridge Farm
Mendip Raceways
Tyning's Farm Swallet
Long House Barn
COLLIER'S LANE
Bristol
BS40
FIR LANE
Reservoir (covered)
Lower Farm
Works
Gorsey Bigbury Henge
Charterhouse Farm
Milkway Barn
Swallow Hole
Rhino Rift
Long Wood
SEDGEMOOR
MENDIP
Piney Sleight Farm
Piney Sleight
Velvet Bottom
Bone Hole
CHEDDAR GORGE
Pig's Hole
Sow's Hole
Blackrock Gate
Black Rock Nature Reserve
CHEDDAR CLIFFS
Horseshoe Bend
Reservoirs (covered)
The Pinnacles
Castle Rock
Priest Rock
Cliff Plantation
Monkey Rock
Lion Rock
CLIFF ROAD
Gough's Cave
CHEDDAR CLIFFS
Cheddar Rising
Mountain Rescue Post
Cox's Cave
Pulpit Rock
Wells
BA5
Wellington Farm
LANE
Mascall's Wood Nature Reserve
Golf Driving Range
Totty Pot
B3135
ROAD
Penstone
LANE
STREET
BRADLEY
Bradley Cross Farm
Bradley Cross
CROSS LA.
The Retreat
Wongan Hills
Ram's Cliff
MIDDLE DOWN DROVE

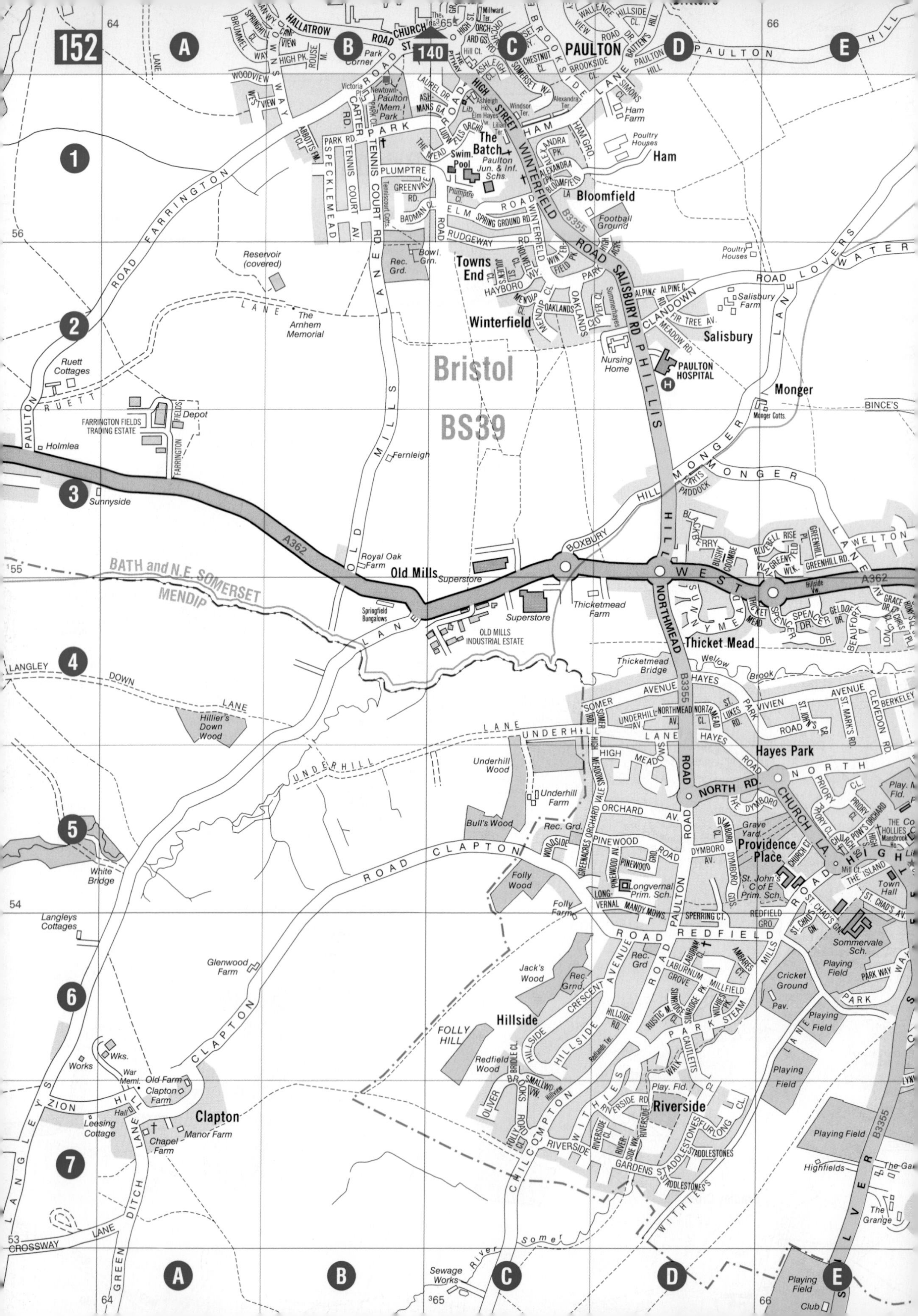

140
PAULTON
Paulton Hill
Hallatrow Road
Church St.
High Street
Park Corner
Paulton Mem. Park
Farrington Road
Park Rd.
Specklemead
Tennis Court Rd.
Plumptre Rd.
Greenvale Rd.
Elm Road
Spring Ground Rd.
Rudgeway Rd.
The Batch
Swim. Pool
Paulton Jun. & Inf. Schs.
Winterfield Road
Ham
Ham Farm
Poultry Houses
Bloomfield
Football Ground
Towns End
Rec. Grd.
Bowl. Grn.
Reservoir (covered)
The Arnhem Memorial
Winterfield
Salisbury Rd
Salisbury
Salisbury Farm
Clandown
Fir Tree Av.
Meadow Rd.
Lovers Lane
Water Lane
Nursing Home
PAULTON HOSPITAL
Phillis Hill
Monger
Monger Cotts.
Monger Hill
Monger Lane
Bince's
Bristol
BS39
Ruett Cottages
Ruett Lane
FARRINGTON FIELDS TRADING ESTATE
Depot
Holmlea
Sunnyside
Old Mills Lane
Fernleigh
A362
Royal Oak Farm
Old Mills
Superstore
Springfield Bungalows
OLD MILLS INDUSTRIAL ESTATE
Thicketmead Farm
BATH and N.E. SOMERSET
MENDIP
Boxbury
West
Welton
Northmead
Thicket Mead
Sunnymead
Spencer Dr.
Beaufort
Thicketmead Bridge
Wellow Brook
Langley Down Lane
Hillier's Down Wood
Underhill Lane
Underhill Wood
Underhill Farm
Hayes Park
Somer Av.
St. Lukes Rd.
Vivien Avenue
St. John's Cr.
St. Mark's Rd.
Clevedon Rd.
Berkeley Avenue
North Rd.
High Meadows
Orchard Av.
Church La.
Priory Cl.
The Dymboro
Dymboro Av.
Providence Place
Grave Yard
St. John's C of E Prim. Sch.
Bull's Wood
Rec. Grd.
Pinewood Road
Paulton Road
Longvernal Prim. Sch.
Mandy Mdws.
Sperring Ct.
Redfield Road
Redfield Gro.
High St.
The Island
Town Hall
St. Chad's Av.
Sommervale Sch.
Playing Field
Park Way
Cricket Ground
Pav.
Clapton Road
White Bridge
Folly Wood
Folly Farm
Langleys Cottages
Glenwood Farm
Jack's Wood
Crescent Avenue
Laburnum Grove
Millfield
Steam Park
Hillside
Hillside Rd.
FOLLY HILL
Redfield Wood
Riverside
Riverside Rd.
Play. Fld.
Staddlestones
Withies La.
Chilcompton Road
Works
Wks.
War Meml.
Old Farm
Clapton Farm
Zion Hill
Leesing Cottage
Clapton
Manor Farm
Chapel Farm
Langleys Lane
Green Ditch Lane
Crossway Lane
Sewage Works
River Somer
Silver St.
B3355
Highfields
The Grange
Club

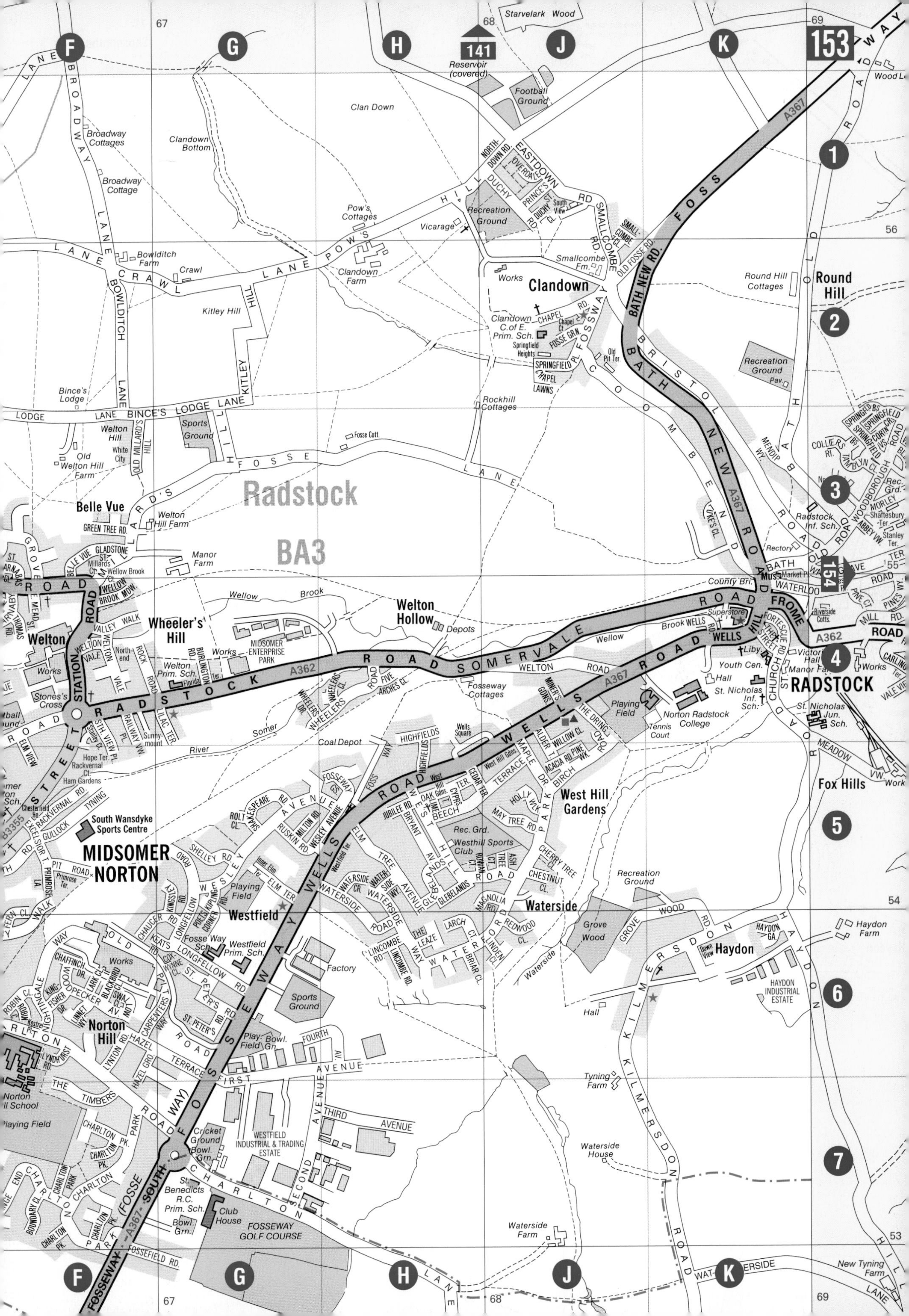

153
141
154
F
G
H
J
K
1
2
3
4
5
6
7
67
68
69
56
55
54
53
Starvelark Wood
Reservoir (covered)
Football Ground
Clan Down
Broadway Cottages
Broadway Cottage
Clandown Bottom
Pow's Cottages
Vicarage
Recreation Ground
Bowlditch Farm
Crawl
Clandown Farm
Works
Clandown
Smallcombe Fm.
Kitley Hill
Clandown C.of E. Prim. Sch.
Springfield Heights
Round Hill Cottages
Round Hill
Recreation Ground
Bince's Lodge
Rockhill Cottages
Welton Hill
White City
Old Welton Hill Farm
Sports Ground
Fosse Cott.
Radstock
BA3
Belle Vue
Welton Hill Farm
Manor Farm
Wellow Brook
Welton Hollow
Depots
Wheeler's Hill
Welton
Works
Midsomer Enterprise Park
Welton Prim. Sch.
Stones's Cross
Fosseway Cottages
Superstore
Youth Cen.
Hall
St. Nicholas Inf. Sch.
Norton Radstock College
Playing Field
Tennis Court
St. Nicholas Jun. Sch.
Radstock
Radstock Inf. Sch.
Rectory
County Bri.
Mus.
Fox Hills
Coal Depot
Somer River
South Wansdyke Sports Centre
Midsomer Norton
West Hill Gardens
Rec. Grd.
Westhill Sports Club
Recreation Ground
Waterside
Grove Wood
Haydon
Haydon Farm
Haydon Industrial Estate
Playing Field
Westfield
Fosse Way Sch.
Westfield Prim. Sch.
Factory
Sports Ground
Works
Norton Hill
Play. Field
Bowl. Gn.
Hall
Tyning Farm
Westfield Industrial & Trading Estate
Cricket Ground
Bowl. Grn.
St. Benedicts R.C. Prim. Sch.
Club House
Fosseway Golf Course
Waterside House
Waterside Farm
New Tyning Farm
Norton School
Playing Field
Bath New Rd.
Foss Way
Fosseway
Radstock Road
Somervale Road
Wells Road
Fosse Lane
Pow's Lane
Crawl Lane
Broadway Lane
Bowlditch Lane
Kitley Hill
Bince's Lodge Lane
Lodge Lane
Bristol Road
Coombe End
Frome Road
Waterloo Road
Station Road
Wellow Brook Mdw.
Kilmersdon Road
Haydon Hill
Charlton Road
Charlton Lane
Fossefield Rd.
Longfellow Rd
First Avenue
Third Avenue
Fourth Av.
Second Avenue
Wesley Avenue
Wells Hill
Church St
A367
A362
B3355

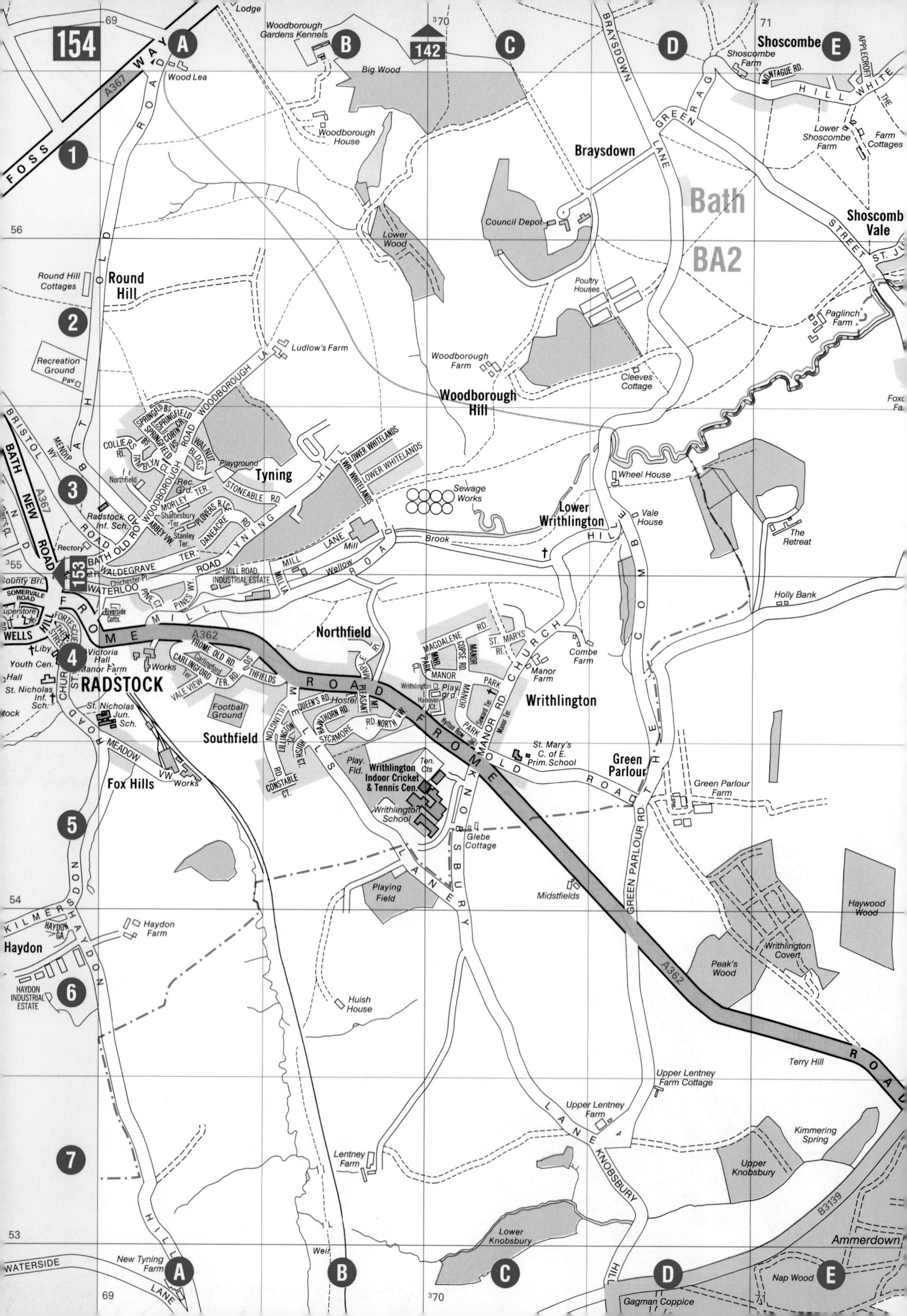

154
142
153
A
B
C
D
E
1
2
3
4
5
6
7
69
370
71
56
55
54
53
FOSS WAY
A367
Lodge
Woodborough Gardens Kennels
Wood Lea
Big Wood
Woodborough House
Shoscombe
Shoscombe Farm
MONTAGUE RD.
APPLECROFT
WHITE HILL
Lower Shoscombe Farm
Farm Cottages
Braysdown
BRAYSDOWN LANE
GREEN LANE
Bath
BA2
Shoscomb Vale
STREET
Council Depot
Lower Wood
Round Hill Cottages
Round Hill
OLD BATH ROAD
Poultry Houses
Paglinch Farm
Recreation Ground
Pav.
Ludlow's Farm
Woodborough Farm
Cleeves Cottage
Woodborough Hill
WOODBOROUGH LA.
BRISTOL
MENDIP WY.
BATH NEW ROAD
COLLIERS RI.
SPRINGFIELD
WALNUT BLDGS.
Playground
Tyning
LOWER WHITELANDS
WHITELANDS HILL
Wheel House
Sewage Works
Lower Writhlington
Vale House
The Retreat
Northfield
Rec. Grd.
MORLEY TER.
STONEABLE RD.
Radstock Inf. Sch.
Shaftesbury Ter.
PLOVERS RISE
DANEACRE RD.
Stanley Ter.
ABBEY VW.
TYNING ROAD
Rectory
WALDEGRAVE TER.
Mill
MILL LANE
Brook
Wellow
ROAD
County Bri.
WATERLOO
Chichester Pl.
MILL ROAD INDUSTRIAL ESTATE
PINES WY.
PINE CT.
SOMERVALE ROAD
Superstore
Riverside Cotts.
FORTESCUE
Holly Bank
WELLS HILL
Liby.
Victoria Hall
Manor Farm
MILL
A362
FROME OLD RD.
CARLINGFORD TER. RD.
VALE VIEW
Works
Northfield
MAGDALENE RD.
COPSE RD.
MANOR PARK
ST. MARYS RI.
CHURCH
Combe Farm
Manor Farm
Youth Cen.
Hall
St. Nicholas Inf. Sch.
RADSTOCK
CHURCH ST.
Football Ground
St. Nicholas Jun. Sch.
QUEEN'S RD.
Hostel
PLEASANT
MAPLE RI.
FROME ROAD
Writhlington Ct.
Play. grd.
Hanover Ct.
Hylton Row
Seward Ter.
MANOR RD.
Writhlington
Southfield
LILLINGTON
HAWTHORN RD.
SYCAMORE RD.
NORTH VW.
MELLS LANE
CONSTABLE CT.
MEADOW VW.
Fox Hills
Play. Fld.
Writhlington Indoor Cricket & Tennis Cen.
Ten. Cts
Writhlington School
St. Mary's C. of E. Prim. School
OLD ROAD
Green Parlour
Green Parlour Farm
COMBE HILL
Glebe Cottage
KNOBSBURY LANE
Playing Field
Midstfields
GREEN PARLOUR RD.
HAYDON
KILMERSDON
HAYDON GA.
Haydon
Haydon Farm
HAYDON INDUSTRIAL ESTATE
Peak's Wood
Writhlington Covert
Haywood Wood
Huish House
Terry Hill
Upper Lentney Farm Cottage
Upper Lentney Farm
Kimmering Spring
Upper Knobsbury
Lentney Farm
B3139
Lower Knobsbury
Ammerdown
HILL
Weir
New Tyning Farm
WATERSIDE
LANE
Nap Wood
Gagman Coppice

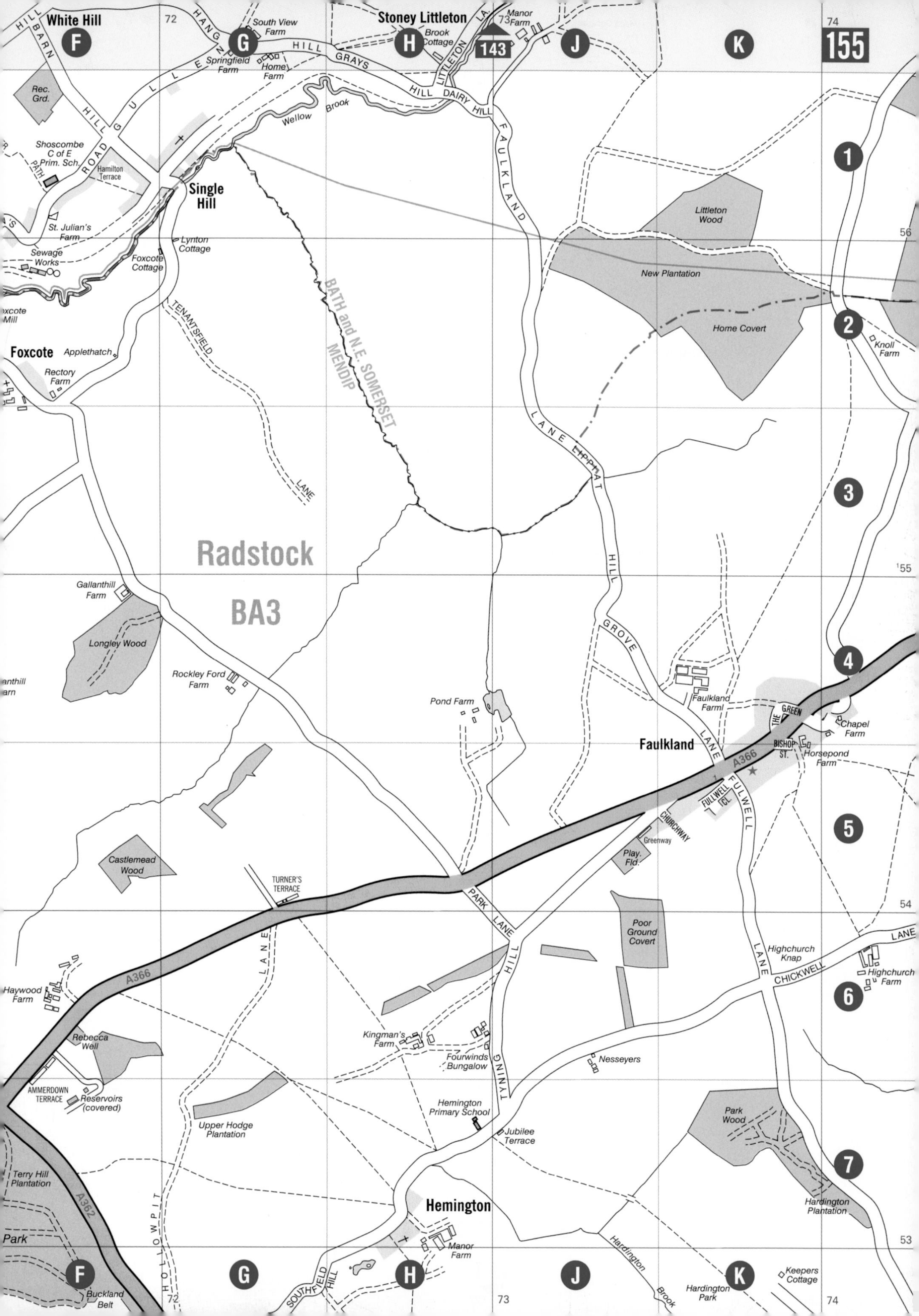

155
White Hill
Stoney Littleton
South View Farm
Manor Farm
143
Brook Cottage
Springfield Farm
Home Farm
BARN HILL
HANG HILL
GRAYS HILL
LITTLETON LA.
DAIRY HILL
GULLEY ROAD
Rec. Grd.
Shoscombe C of E Prim. Sch.
Hamilton Terrace
Wellow Brook
Single Hill
St. Julian's Farm
Sewage Works
Lynton Cottage
Foxcote Cottage
Foxcote
Applethatch
Rectory Farm
TENANTSFIELD LANE
BATH and N.E. SOMERSET
MENDIP
FAULKLAND LANE
LIPPIAT LANE
HILL
GROVE LANE
Littleton Wood
New Plantation
Home Covert
Knoll Farm
Radstock
BA3
Gallanthill Farm
Longley Wood
Rockley Ford Farm
Pond Farm
Faulkland Farm
Faulkland
THE GREEN
Chapel Farm
BISHOP ST.
Horsepond Farm
A366
FULLWELL CL.
FULLWELL LANE
CHURCHWAY
Greenway
Play. Fld.
Castlemead Wood
TURNER'S TERRACE
PARK LANE
TYNING HILL
Poor Ground Covert
Highchurch Knap
CHICKWELL LANE
Highchurch Farm
Haywood Farm
Rebecca Well
AMMERDOWN TERRACE
Reservoirs (covered)
Kingman's Farm
Fourwinds Bungalow
Nesseyers
Upper Hodge Plantation
Hemington Primary School
Jubilee Terrace
Park Wood
Hardington Plantation
Terry Hill Plantation
A362
HOLLOWPIT LANE
Hemington
Manor Farm
Hardington Brook
Park
Buckland Belt
SOUTHFIELD HILL
Hardington Park
Keepers Cottage
F
G
H
J
K
1
2
3
4
5
6
7
72
73
74
56
55
54
53

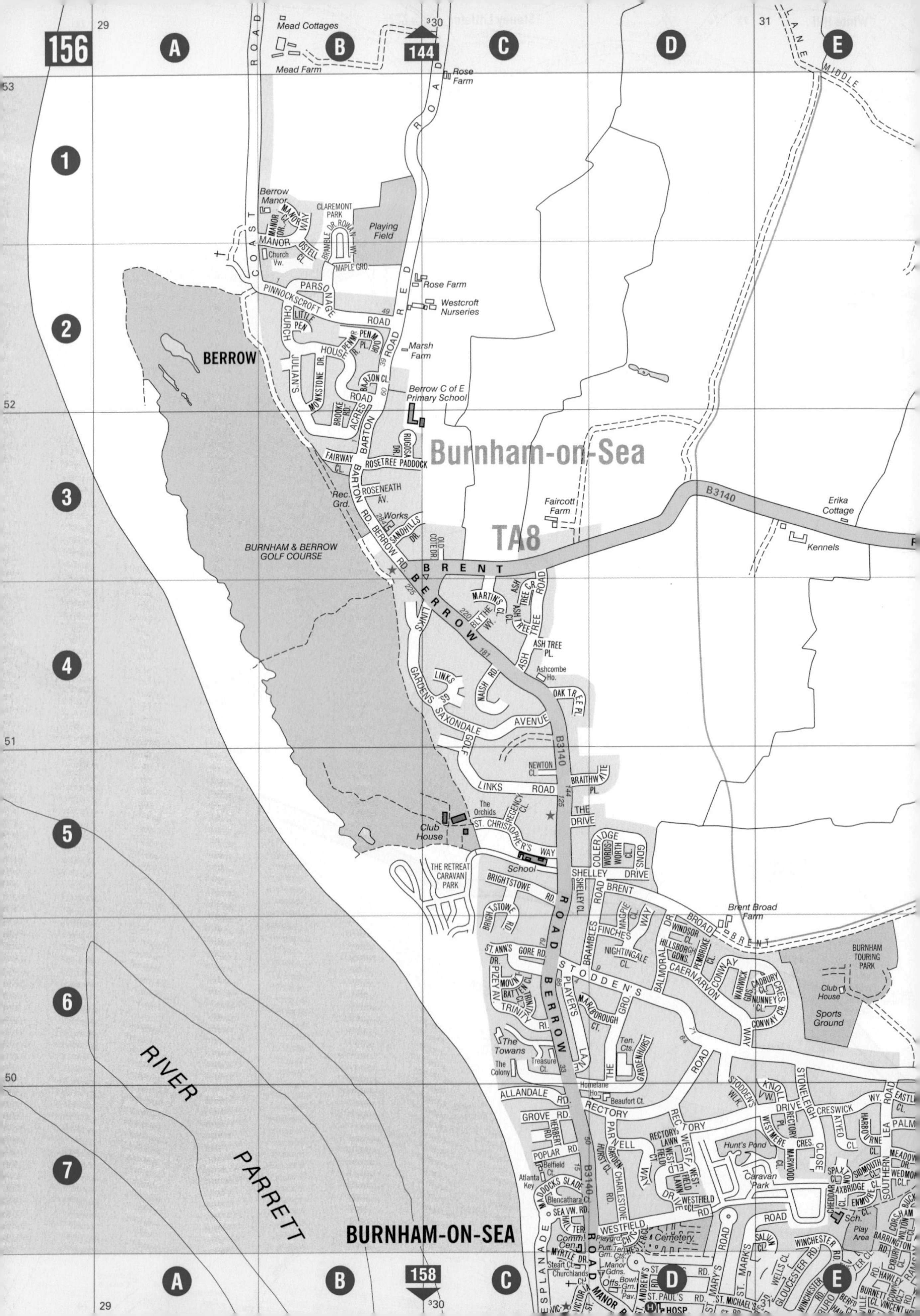
A
B
C
D
E
1
2
3
4
5
6
7
29
30
31
53
52
51
50
144
158
Mead Cottages
Mead Farm
Rose Farm
COAST ROAD
RED ROAD
MIDDLE LANE
Berrow Manor
CLAREMONT PARK
Playing Field
Church Vw.
MAPLE GRO.
Rose Farm
Westcroft Nurseries
PARSONAGE
PINNOCKSCROFT
ROAD
CHURCH
LITTLE PEN
HOUSE
Marsh Farm
BERROW
JULIAN'S
MONKSTONE DR.
BARTON CL.
ROAD
Berrow C of E Primary School
BROOKE RD.
ACRES
BARTON
RUGOSA DR.
Burnham-on-Sea
FAIRWAY CL.
ROSETREE PADDOCK
ROSENEATH AV.
Rec. Grd.
Works
SANDHILLS DR.
OLD COTE DR.
TA8
B3140
Faircott Farm
Erika Cottage
Kennels
BURNHAM & BERROW GOLF COURSE
BERROW RD.
BRENT
BERROW
MARTIN'S CL.
BLYTHE WY.
ASH TREE CR.
ASH TREE
ASH TREE PL.
Ashcombe Ho.
LINKS
NAISH RD
OAK TREE PL.
GARDENS
SAXONDALE
AVENUE
GOLF
NEWTON CL.
BRAITHWAITE PL.
LINKS ROAD
THE DRIVE
The Orchids
REGENCY CL.
ST. CHRISTOPHER'S WAY
Club House
School
THE RETREAT CARAVAN PARK
COLERIDGE
WORDSWORTH CL.
GDNS.
SHELLEY DRIVE
BRIGHTSTOWE RD.
SHELLEY CL.
BRENT ROAD
Brent Broad Farm
BROAD
BRENT
MAGPIE CL.
WAY
BRAMBLES
FINCHES
NIGHTINGALE CL.
BALMORAL DR.
WINDSOR CL.
HILLSBOROUGH GDNS.
PEMBROKE CL.
CAERNARVON
CONWAY
WARWICK GDS.
CADBURY CL.
NUNNEY CL.
CRES.
CONWAY CR.
BURNHAM TOURING PARK
Club House
Sports Ground
ST. ANN'S DR.
GORE RD.
STODDEN'S
PLAYERS
ROAD BERROW
PIZEY AV.
TRINITY
MARLBOROUGH CT.
GRO.
LANE
The Towans
The Colony
Treasure Ct.
Ten. Cts.
THE GARDENHURST
ROAD
STODDEN'S WLK.
KNOLL VW.
DRIVE
STONELEIGH
CRESWICK WY.
RIVER PARRETT
ALLANDALE RD.
Homelane Ho.
Beaufort Ct.
RECTORY
GROVE RD.
HERBERT RD.
PARNELL
RECTORY LAWN
WESTFIELD
WESTMERE PL.
RECTORY CL.
MARWOOD
CRES.
CLOSE
Hunt's Pond
Caravan Park
POPLAR RD.
Belfield Ct.
HURST CL.
CHARLESTONE RD.
Atlanta Key
MADDOCKS SLADE
Blencathara Ct.
SEA VW. RD.
WESTFIELD
BURNHAM-ON-SEA
ESPLANADE
Comm. Cen.
MYRTLE DR.
Steart Ct.
Churchlands
Playgrd.
Cemetery
Manor Gdns.
Offs.
Bowl. Grn.
Pav.
ST. ANDREW'S
ST. PAUL'S RD.
ST. MARY'S
ST. MARK'S
ROAD
SALWIN CL.
WELLS CL.
GLOUCESTER RD.
WINCHESTER RD.
MANOR
HOSP
CHEDDAR
AXBRIDGE
ENMORE
SIDMOUTH
SOUTHERN
Sch.
Play Area
HARBOURNE CL.
ATYEO CL.
PALM
MEADOW DR.
WEDMORE CL.
LEA
EASTLEA
BARRINGTON CL.
CORSHAM
HAWLEY
BURNETT CL.
VINCENT

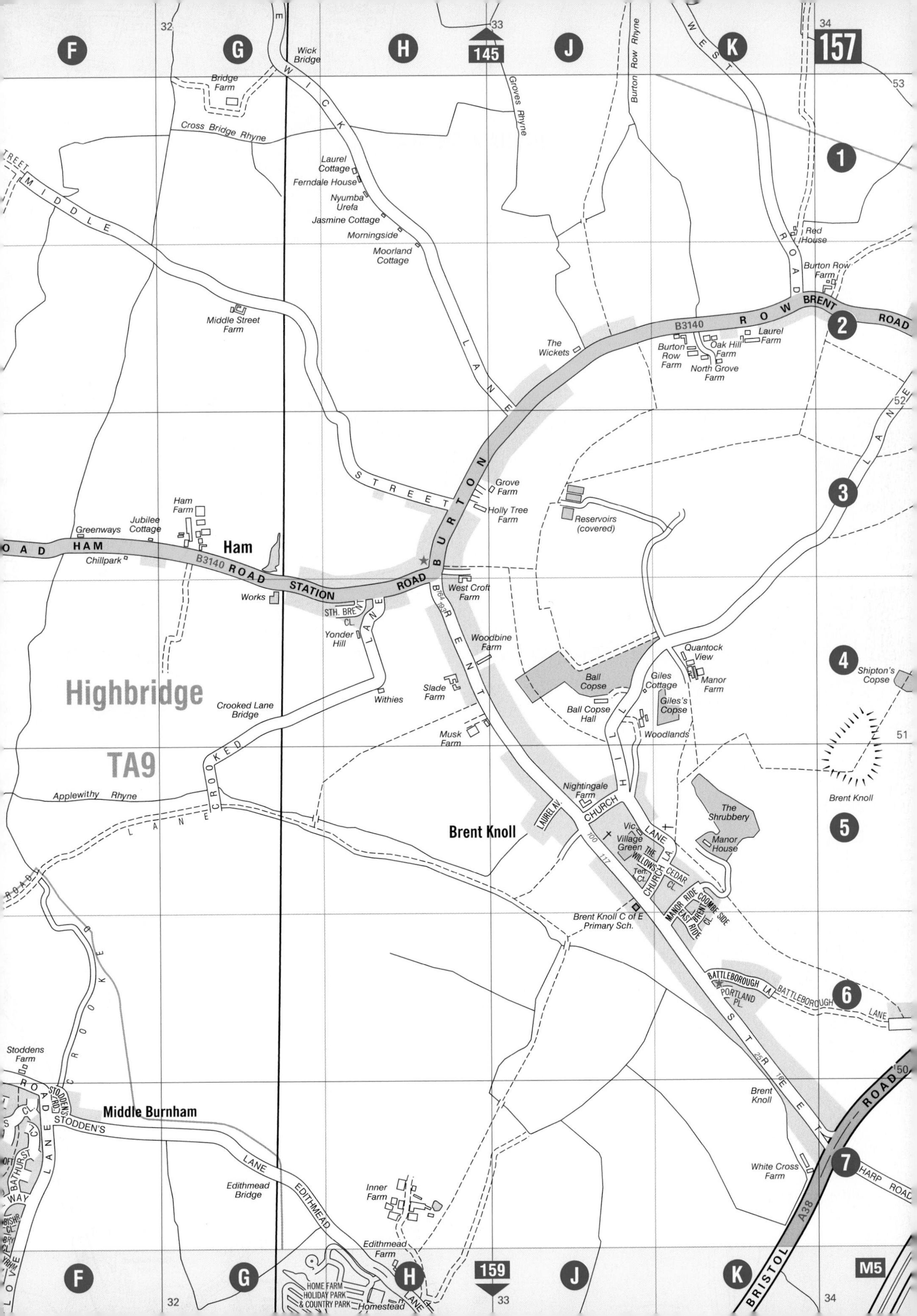

F
G
H
J
K
145
Wick Bridge
Bridge Farm
Cross Bridge Rhyne
Groves Rhyne
Burton Row Rhyne
WEST ROAD
WICK LANE
MIDDLE STREET
Laurel Cottage
Ferndale House
Nyumba Urefa
Jasmine Cottage
Morningside
Moorland Cottage
Red House
Burton Row Farm
Middle Street Farm
B3140
BURTON ROW BRENT ROAD
Laurel Farm
Oak Hill Farm
Burton Row Farm
North Grove Farm
The Wickets
Grove Farm
Holly Tree Farm
Reservoirs (covered)
Ham Farm
Jubilee Cottage
Greenways
Chillpark
Ham
HAM ROAD
B3140 ROAD
STATION ROAD
Works
STH. BRENT CL.
West Croft Farm
Yonder Hill
Woodbine Farm
Quantock View
Manor Farm
Ball Copse
Ball Copse Hall
Giles Cottage
Giles's Copse
Shipton's Copse
Highbridge
Crooked Lane Bridge
Withies
Slade Farm
Musk Farm
Woodlands
Brent Knoll
TA9
CROOKED LANE
Applewithy Rhyne
Nightingale Farm
LAUREL AV.
CHURCH LANE
HILL LANE
Brent Knoll
Vic. Village Green
THE WILLOWS
Ten. Ct.
CHURCH LA.
CEDAR CL.
The Shrubbery
Manor House
MANOR RIDE
COOMBE SIDE
EAST RIDE
BRENT CL.
Brent Knoll C of E Primary Sch.
BATTLEBOROUGH LA.
BATTLEBOROUGH LANE
PORTLAND PL.
STREET
Stoddens Farm
STODDEN'S RD.
Middle Burnham
STODDEN'S LANE
BATHURST
WAY
LOVE LANE
EDITHMEAD LANE
Edithmead Bridge
Inner Farm
Edithmead Farm
HOME FARM HOLIDAY PARK & COUNTRY PARK
Homestead
Brent Knoll
White Cross Farm
HARP ROAD
ROAD
BRISTOL
A38
M5
159
1
2
3
4
5
6
7
32
33
34
53
52
51
50

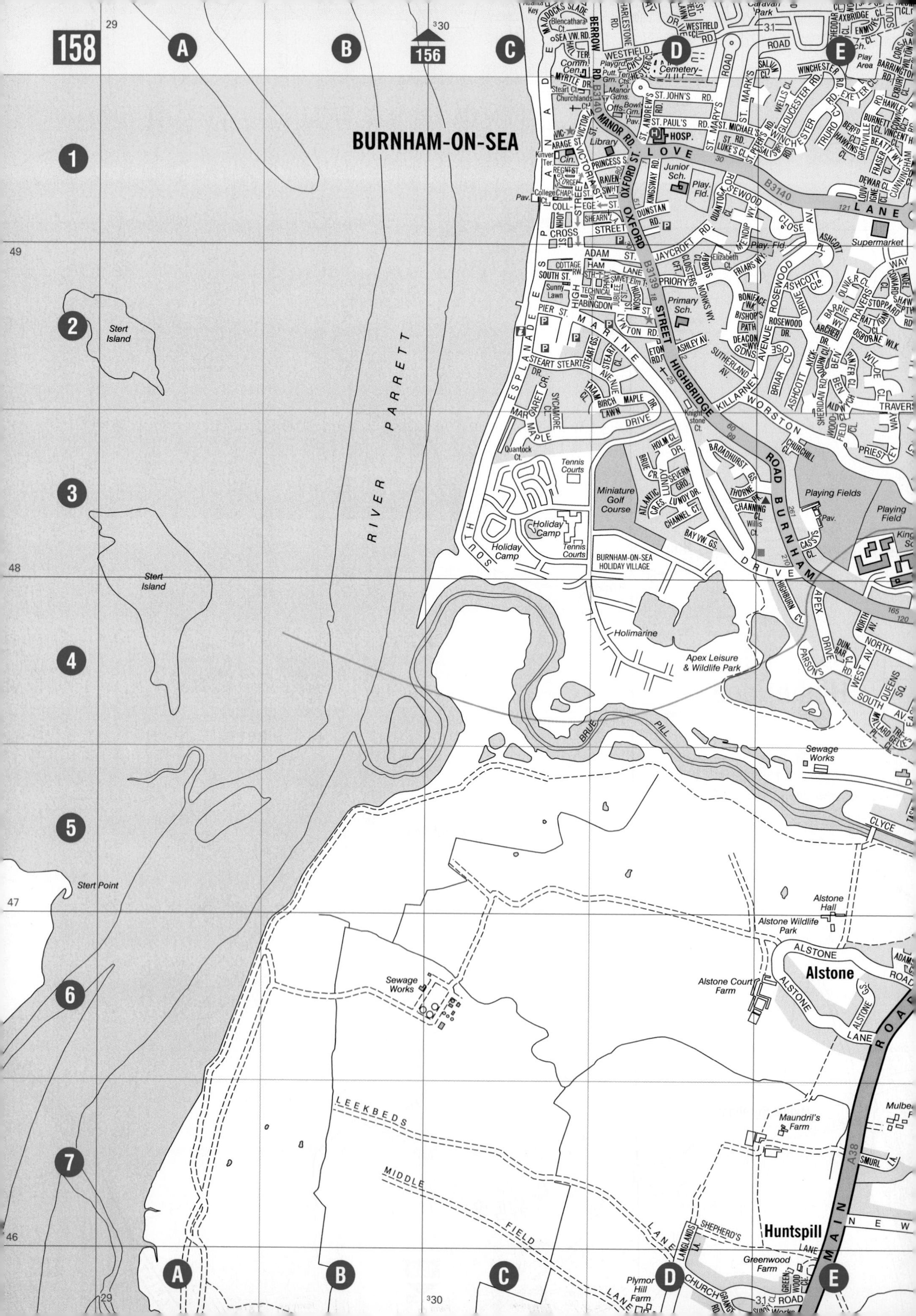
BURNHAM-ON-SEA
RIVER PARRETT
Stert Island
Stert Island
Stert Point
BRUE PILL
Holimarine
Apex Leisure & Wildlife Park
BURNHAM-ON-SEA HOLIDAY VILLAGE
Holiday Camp
Holiday Camp
Miniature Golf Course
Tennis Courts
Sewage Works
Sewage Works
Alstone
Alstone Hall
Alstone Wildlife Park
Alstone Court Farm
Maundril's Farm
Huntspill
Greenwood Farm
Plymor Hill Farm
LEEKBEDS
MIDDLE FIELD LANE
Playing Fields
Playing Field
Supermarket
Primary Sch.
Junior Sch.
HOSP.
Library
Cemetery
ESPLANADE
HIGH STREET
OXFORD ST.
HIGHBRIDGE STREET
BURNHAM ROAD
MARINE DRIVE
LOVE LANE
MANOR RD.
BERROW RD.
WORSTON ROAD
MAIN ROAD
A38
B3140
B3139
156
29
330
49
48
47
46
A
B
C
D
E
1
2
3
4
5
6
7

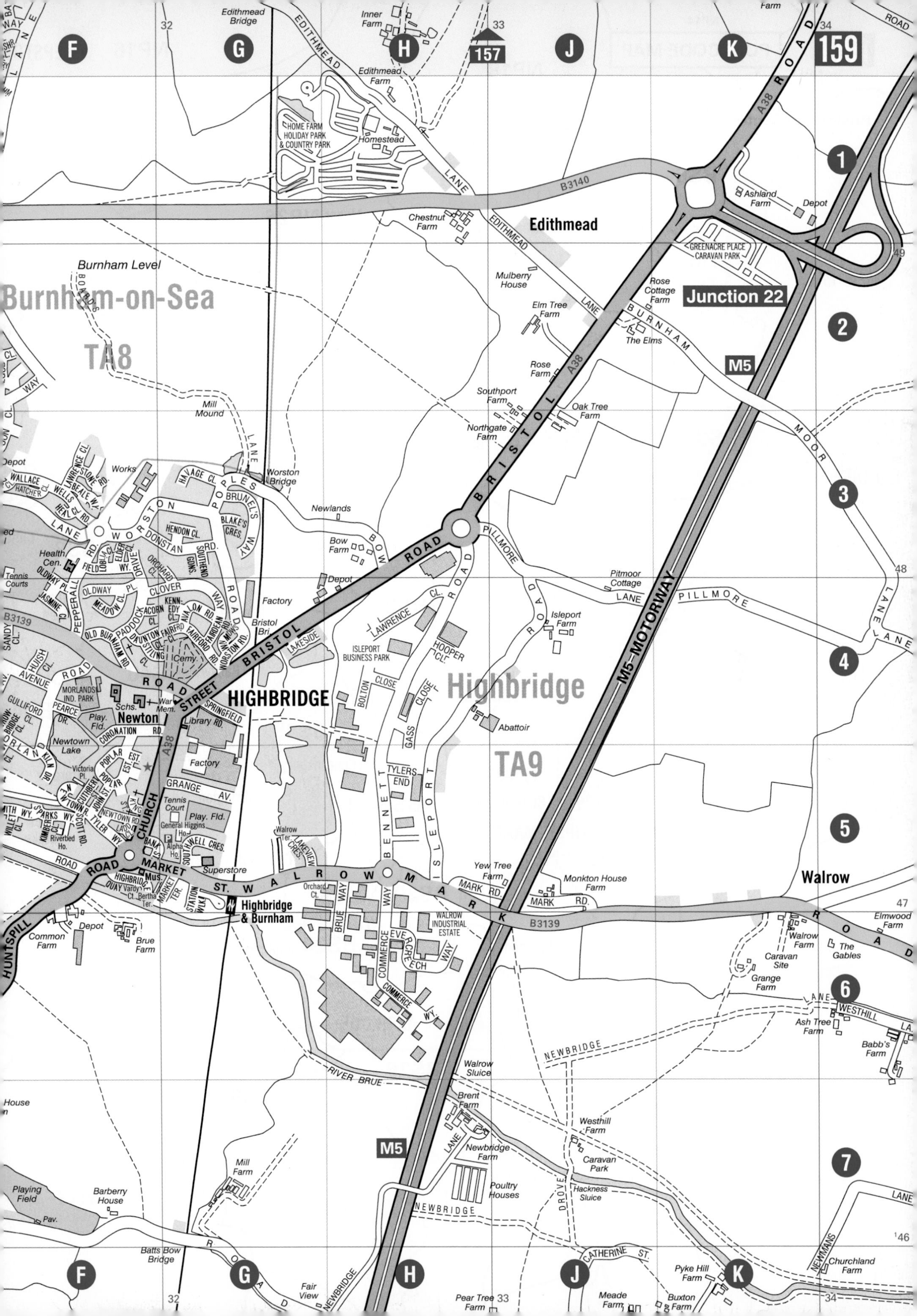

159
157
F
G
H
J
K
1
2
3
4
5
6
7
32
33
34
46
47
48
49
Edithmead Bridge
Inner Farm
Edithmead Farm
HOME FARM HOLIDAY PARK & COUNTRY PARK
Homestead
EDITHMEAD LANE
B3140
A38 ROAD
Ashland Farm
Depot
Chestnut Farm
Edithmead
GREENACRE PLACE CARAVAN PARK
Mulberry House
Rose Cottage Farm
Junction 22
Elm Tree Farm
The Elms
BURNHAM MOOR LANE
M5
Rose Farm
Southport Farm
Oak Tree Farm
Northgate Farm
BRISTOL ROAD
Burnham Level
Burnham-on-Sea
TA8
Mill Mound
Works
Worston Bridge
POPLES LANE
Newlands
WORSTON LANE
HAVAGE CL.
BRUNEL'S WAY
BLAKE'S CRES.
HENDON CL.
DONSTAN RD.
SOUTHEND GDNS.
ORCHARD CL.
Bow Farm
PILLMORE LANE
Pitmoor Cottage
Depot
Factory
Bristol Bri.
LAKESIDE
LAWRENCE CL.
ISLEPORT BUSINESS PARK
HOOPER CL.
Isleport Farm
ISLEPORT ROAD
Highbridge
M5 MOTORWAY
Health Cen.
Tennis Courts
OLDWAY
MEADOW CL.
CLOVER
ACORN CL.
KENNEDY CL.
AVALON RD.
FAIRFORD RD.
FAIRDEAN RD.
WORSTON RD.
OLD BURNHAM RD.
PADDOCK
Cemy.
B3139
HUISH CL.
AVENUE
MORLANDS IND. PARK
Schs.
War Mem.
Newton
PEARCE DR.
Play. Fld.
Newtown Lake
CORONATION RD.
HIGHBRIDGE
SPRINGFIELD
Library RD.
BOLTON CL.
CLOSE
GASS CLOSE
Abattoir
TA9
Factory
Victoria Pl.
POPLAR EST.
GRANGE AV.
Tennis Court
Play. Fld.
General Higgins Ho.
TYLERS END
BENNETT WAY
ISLEPORT
CHURCH STREET
A38
NEWTOWN RD.
TYLER WY.
SCOTT RD.
SPARKS WY.
KIMBER CL.
Riverbed Ho.
Alpha Ho.
SOUTHWELL CRES.
Walrow Ter.
LAKEVIEW CRES.
Superstore
MARKET ST.
WALROW
MARK
ROAD
Yew Tree Farm
Monkton House Farm
MARK RD.
Walrow
HIGHBRIDGE QUAY
Mus.
Vardy Ct.
Bertha Ter.
MARKET TER.
STATION WLK.
Highbridge & Burnham
Orchard Ct.
BRUE WAY
COMMERCE WAY
EVERCREECH WAY
WALROW INDUSTRIAL ESTATE
Elmwood Farm
Walrow Farm
The Gables
Caravan Site
Grange Farm
WESTHILL LANE
Ash Tree Farm
Babb's Farm
HUNTSPILL ROAD
Common Farm
Depot
Brue Farm
NEWBRIDGE
Walrow Sluice
RIVER BRUE
Brent Farm
Westhill Farm
House
LANE
Newbridge Farm
Caravan Park
Mill Farm
Poultry Houses
Hackness Sluice
DROVE
NEWBRIDGE
Playing Field
Barberry House
Pav.
Batts Bow Bridge
ROAD
CATHERINE ST.
NEWMANS LANE
Churchland Farm
Pyke Hill Farm
Fair View
NEWBRIDGE
Pear Tree Farm
Meade Farm
Buxton Farm

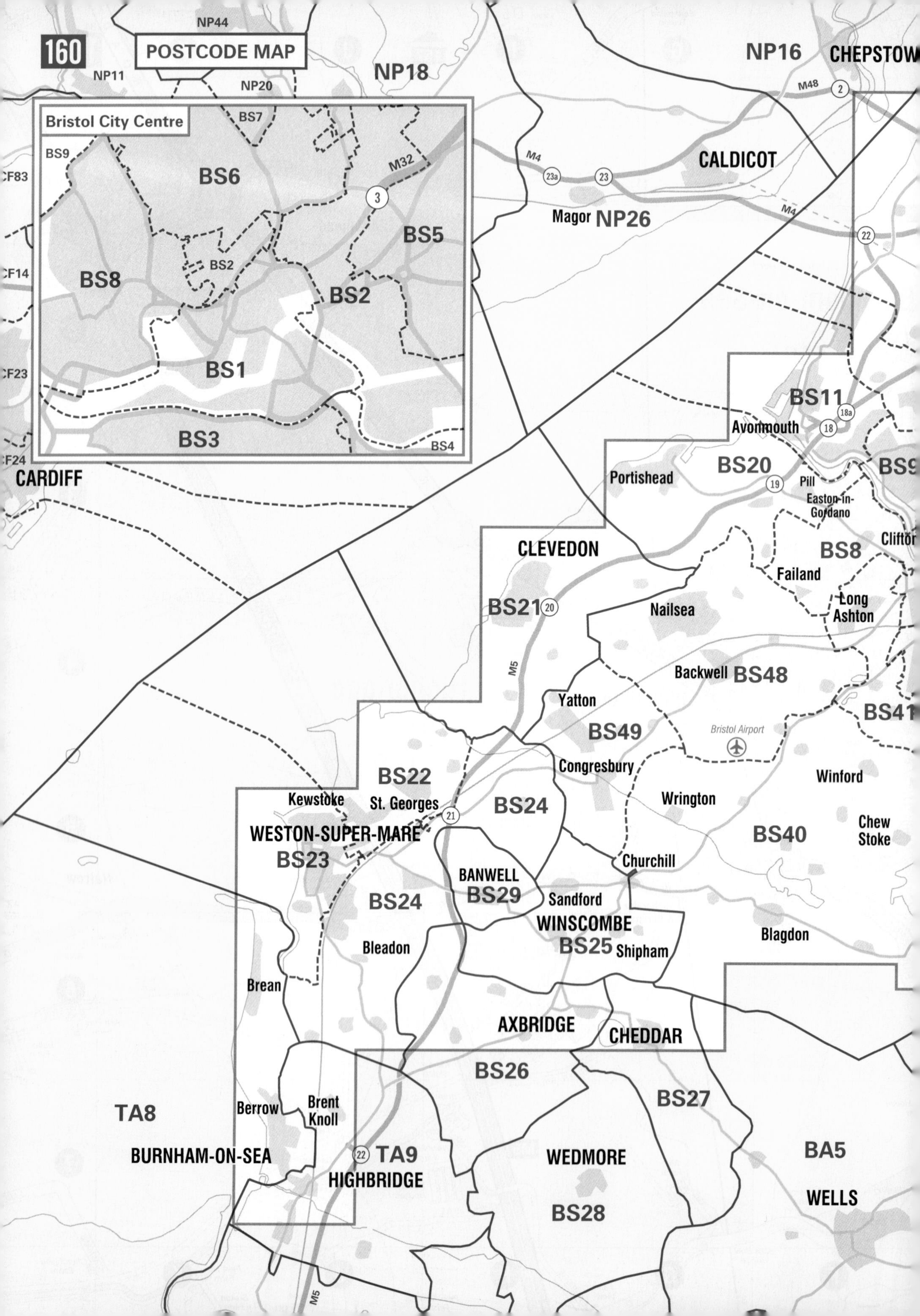
Bristol City Centre
BS9
BS6
BS7
M32
3
BS5
BS8
BS2
BS2
BS1
BS3
BS4
NP44
NP11
NP20
NP18
NP16
CHEPSTOW
M48
2
CF83
CF14
CF23
CF24
CARDIFF
M4
23a
23
CALDICOT
Magor NP26
M4
22
BS11
18a
Avonmouth
18
BS20
19
Portishead
Pill
Easton-in-Gordano
BS9
Clifton
BS8
Failand
Long Ashton
CLEVEDON
BS21
20
Nailsea
M5
Backwell BS48
BS41
Yatton
BS49
Bristol Airport
Congresbury
Winford
BS22
Kewstoke
St. Georges
21
BS24
Wrington
WESTON-SUPER-MARE
BS23
BS40
Chew Stoke
Churchill
BANWELL
BS29
Sandford
BS24
WINSCOMBE
BS25
Shipham
Blagdon
Bleadon
Brean
AXBRIDGE
CHEDDAR
BS26
BS27
TA8
Berrow
Brent Knoll
22
TA9
HIGHBRIDGE
BURNHAM-ON-SEA
WEDMORE
BS28
BA5
WELLS
M5

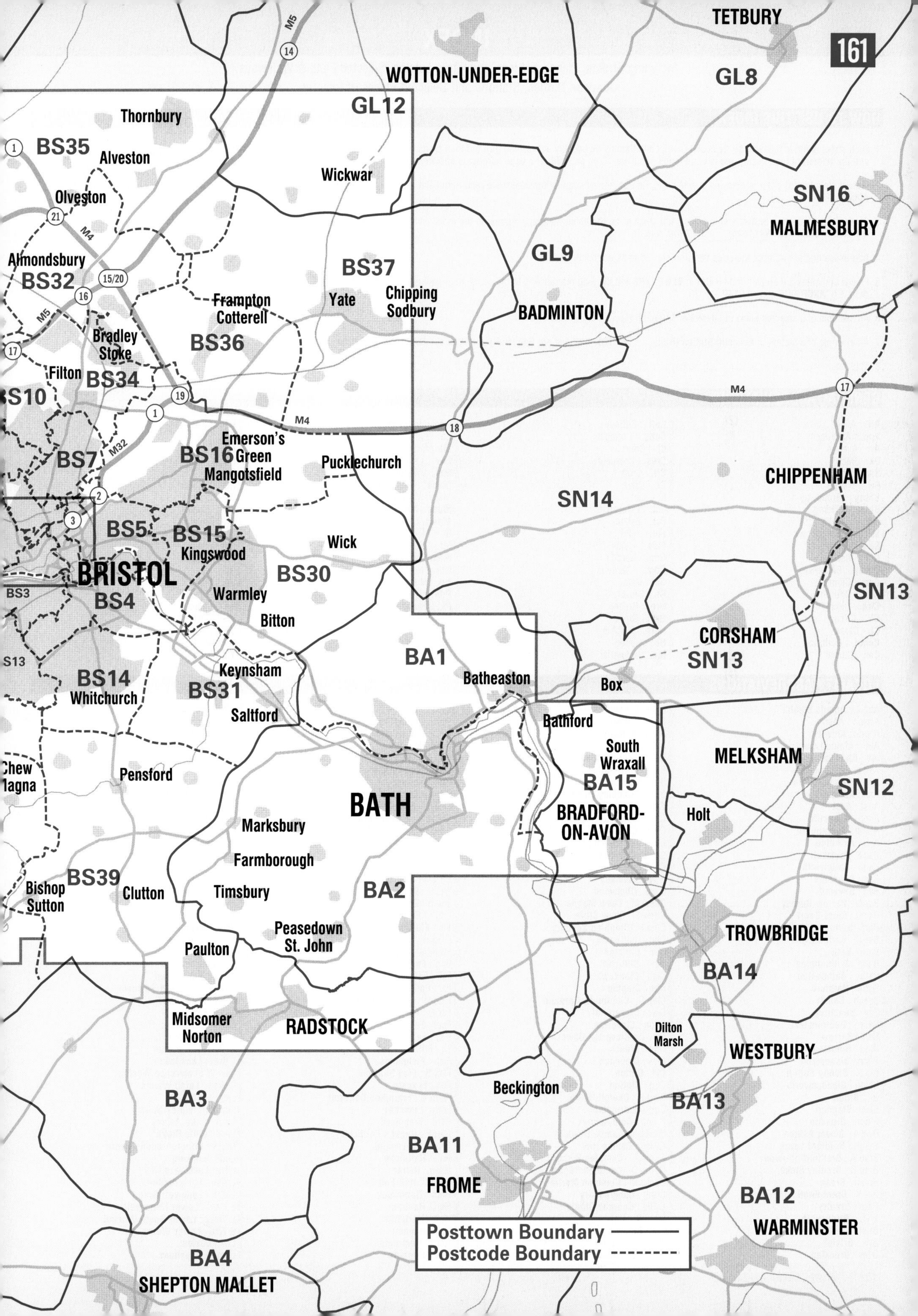

TETBURY
WOTTON-UNDER-EDGE
GL8
GL12
Thornbury
BS35
Alveston
Olveston
Wickwar
SN16
MALMESBURY
GL9
Almondsbury
BS32
BS37
Yate
Chipping Sodbury
Frampton Cotterell
BADMINTON
Bradley Stoke
BS36
Filton
BS34
BS10
M4
M5
M32
Emerson's Green
BS16
Mangotsfield
BS7
Pucklechurch
CHIPPENHAM
SN14
BS5
BS15
Kingswood
Wick
BRISTOL
BS30
SN13
BS3
BS4
Warmley
Bitton
CORSHAM
SN13
BA1
S13
Keynsham
BS14
Whitchurch
BS31
Batheaston
Box
Saltford
Bathford
South Wraxall
MELKSHAM
Chew Magna
Pensford
BA15
SN12
BATH
BRADFORD-ON-AVON
Holt
Marksbury
Farmborough
BS39
Bishop Sutton
Clutton
Timsbury
BA2
Peasedown St. John
TROWBRIDGE
Paulton
BA14
Midsomer Norton
RADSTOCK
Dilton Marsh
WESTBURY
Beckington
BA3
BA13
BA11
FROME
BA12
WARMINSTER
Posttown Boundary
Postcode Boundary
BA4
SHEPTON MALLET

INDEX

Including Streets, Places & Areas, Industrial Estates, Selected Flats & Walkways,
Junction Names, Stations and Selected Places of Interest.

HOW TO USE THIS INDEX

1. Each street name is followed by its Postal District and then by its Locality abbreviation(s) and then by its map reference; e.g. **Abbeydale**. BS36: Wint . . . .1C **38** is in the Bristol 36 Postal District and the Winterbourne Locality and is to be found in square 1C on page **38**. The page number is shown in bold type.

2. A strict alphabetical order is followed in which Av., Rd., St., etc. (though abbreviated) are read in full and as part of the street name; e.g. **Abbotsbury Rd.** appears after **Abbots Av.** but before **Abbots Cl.**

3. Streets and a selection of flats and walkways too small to be shown on the maps, appear in the index with the thoroughfare to which it is connected shown in brackets; e.g. **Abbey Chambers** BA1: Bath . . . .5G **7** (off York St.)

4. Addresses that are in more than one part are referred to as not continuous.

5. Places and areas are shown in the index in **BLUE TYPE** and the map reference is to the actual map square in which the town centre or area is located and not to the place name shown on the map; e.g. **AXBRIDGE** 4J **149**

6. An example of a selected place of interest is **American Mus., The** 6X **101**

7. An example of a station is **Avoncliff Station (Rail)** . . . .7C **124**. Included are Rail **(Rail)** and Park and Ride **(Park and Ride)** Stations.

8. Map references shown in brackets; e.g. **Abbeygate St.** BA1: Bath . . . .5C **100** (5G **7**) refer to entries that also appear on the large scale pages **4-7**.

GENERAL ABBREVIATIONS

All. : Alley	**Cott.** : Cottage	**Info.** : Information	**Res.** : Residential
App. : Approach	**Cotts.** : Cottages	**La.** : Lane	**Ri.** : Rise
Av. : Avenue	**Ct.** : Court	**Lit.** : Little	**Rd.** : Road
Bk. : Back	**Cres.** : Crescent	**Lwr.** : Lower	**Rdbt.** : Roundabout
Blvd. : Boulevard	**Cft.** : Croft	**Mnr.** : Manor	**Shop.** : Shopping
Bri. : Bridge	**Dr.** : Drive	**Mans.** : Mansions	**Sth.** : South
B'way. : Broadway	**E.** : East	**Mkt.** : Market	**Sq.** : Square
Bldg. : Building	**Ent.** : Enterprise	**Mdw.** : Meadow	**Sta.** : Station
Bldgs. : Buildings	**Est.** : Estate	**Mdws.** : Meadows	**St.** : Street
Bungs. : Bungalows	**Fld.** : Field	**M.** : Mews	**Ter.** : Terrace
Bus. : Business	**Flds.** : Fields	**Mt.** : Mount	**Twr.** : Tower
Cvn. : Caravan	**Gdn.** : Garden	**Mus.** : Museum	**Trad.** : Trading
C'way. : Causeway	**Gdns.** : Gardens	**Nth.** : North	**Up.** : Upper
Cen. : Centre	**Ga.** : Gate	**No.** : Number	**Va.** : Vale
Chu. : Church	**Gt.** : Great	**Pde.** : Parade	**Vw.** : View
Circ. : Circle	**Grn.** : Green	**Pk.** : Park	**Vs.** : Villas
Cir. : Circus	**Gro.** : Grove	**Pas.** : Passage	**Vis.** : Visitors
Cl. : Close	**Hgts.** : Heights	**Pl.** : Place	**Wlk.** : Walk
Comn. : Common	**Ho.** : House	**Pct.** : Precinct	**W.** : West
Cnr. : Corner	**Ind.** : Industrial	**Quad.** : Quadrant	**Yd.** : Yard

LOCALITY ABBREVIATIONS

Abb L : **Abbots Leigh**	B'hll : **Broomhill**	Cross : **Cross**	H'fld : **Henfield**
Abson : **Abson**	Buck : **Buckover**	Dod : **Dodington**	H'gro : **Hengrove**
A'wck : **Aldwick**	Bulw : **Bulwark**	Down : **Downend**	Henl : **Henleaze**
Alm : **Almondsbury**	Burn : **Burnett**	Doy : **Doynton**	Hew : **Hewish**
Alv : **Alveston**	Bur S : **Burnham-on-Sea**	Dun : **Dundry**	High : **Highbridge**
Ash G : **Ashton Gate**	Burr : **Burrington**	Dunk : **Dunkerton**	High L : **High Littleton**
Ash V : **Ashton Vale**	But : **Butcombe**	Dyr : **Dyrham**	Hin : **Hinton**
Ash : **Ashwicke**	C Hth : **Cadbury Heath**	E Grn : **Earthcott Green**	Hin B : **Hinton Blewett**
Aust : **Aust**	Came : **Cameley**	E Brnt : **East Brent**	Hor : **Horfield**
Avon : **Avoncliff**	Cam : **Camerton**	E Comp : **Easter Compton**	Hort : **Horton**
A'mth : **Avonmouth**	Char : **Charfield**	E Harp : **East Harptree**	Hut : **Hutton**
Axb : **Axbridge**	Charl : **Charlcombe**	E Hunt : **East Huntspill**	Ing : **Inglesbatch**
Back : **Backwell**	C'hse : **Charterhouse**	E'tn : **Easton**	Ing C : **Inglestone Common**
Badg : **Badgworth**	Ched : **Cheddar**	E'tn G : **Easton-in-Gardano**	Ingst : **Ingst**
Bag : **Bagstone**	C'vey : **Chelvey**	E Rols : **East Rolstone**	Iron A : **Iron Acton**
Ban : **Banwell**	C'wd : **Chelwood**	Eastv : **Eastville**	Itch : **Itchington**
Bar G : **Barrow Gurney**	Chew M : **Chew Magna**	E'wth : **Edingworth**	Iwood : **Iwood**
Bar C : **Barrs Court**	Chew S : **Chew Stoke**	Edith : **Edithmead**	Kel : **Kelston**
Bart : **Barton**	Chip S : **Chipping Sodbury**	Elb : **Elberton**	Kenn : **Kenn**
Bar H : **Barton Hill**	Chit : **Chittening**	E'boro : **Elborough**	Kew : **Kewstoke**
Bath : **Bath**	Chri : **Christon**	Emer G : **Emersons Green**	Key : **Keynsham**
B'ptn : **Bathampton**	C'hll : **Churchill**	Eng : **Englishcombe**	Kil : **Kilmersdon**
Bathe : **Batheaston**	Clan : **Clandown**	Fail : **Failand**	Kings : **Kingsdown**
Bathf : **Bathford**	C'tn : **Clapton**	Fal : **Falfield**	King S : **Kingston Seymour**
Beach : **Beach**	Clap G : **Clapton-in-Gardano**	F'boro : **Farmborough**	K'wd : **Kingswood**
B'ly : **Beachley**	Clav : **Claverham**	Far G : **Farrington Gurney**	King : **Kington**
Bedm : **Bedminster**	C'ton : **Claverton**	Faul : **Faulkland**	Know : **Knowle**
Berr : **Berrow**	Clav D : **Claverton Down**	F'tn : **Felton**	L'frd : **Langford**
Bidd : **Biddisham**	C've : **Cleeve**	Fil : **Filton**	L'rdge : **Langridge**
B'stn : **Bishopston**	Clev : **Clevedon**	Fish : **Fishponds**	L'dwn : **Lansdown**
Bis S : **Bishop Sutton**	Clif : **Clifton**	Flax B : **Flax Bourton**	Law W : **Lawrence Weston**
B'wth : **Bishopsworth**	Clut : **Clutton**	Fox : **Foxcote**	L Wds : **Leigh Woods**
Bit : **Bitton**	Coal H : **Coalpit Heath**	Fram C : **Frampton Cotterell**	Ley : **Leyhill**
Blag : **Blagdon**	Cod : **Codrington**	Fren : **Frenchay**	Lim S : **Limpley Stoke**
B'don : **Bleadon**	C Ash : **Cold Ashton**	F'frd : **Freshford**	Lit A : **Little Ashley**
Bwr A : **Bower Ashton**	C Down : **Combe Down**	Gau E : **Gaunt's Earthcott**	Lit S : **Little Stoke**
B Lgh : **Bradford Leigh**	C Hay : **Combe Hay**	Grov : **Grovesend**	L Sev : **Littleton-upon-Severn**
Brad A : **Bradford-on-Avon**	Comp B : **Compton Bishop**	Hall : **Hallatrow**	Lock : **Locking**
Brad S : **Bradley Stoke**	Comp D : **Compton Dando**	H'len : **Hallen**	L'lze : **Lockleaze**
Brean : **Brean**	Comp M : **Compton Martin**	H End : **Hall End**	L Ash : **Long Ashton**
Bre K : **Brent Knoll**	Cong : **Congresbury**	Ham : **Hambrook**	L Grn : **Longwell Green**
Bren : **Brentry**	C Din : **Coombe Dingle**	Han : **Hanham**	L Ham : **Lower Hamswell**
B'yte : **Bridgeyate**	Cor : **Corston**	Hart : **Hartcliffe**	L Wrax : **Lower South Wraxall**
Brisl : **Brislington**	Cot : **Cotham**	Hay : **Haydon**	L Wre : **Lower Weare**
Bris : **Bristol**	C'hill : **Cowhill**	Hem : **Hemington**	Lox : **Loxton**
B'ley : **Brockley**	Crom : **Cromhall**	Hen : **Henbury**	Lym : **Lympsham**

Mang : **Mangotsfield**
Mark : **Marksbury**
Mid : **Midford**
Mid N : **Midsomer Norton**
Mon C : **Monkton Combe**
Mon F : **Monkton Farleigh**
Nail : **Nailsea**
Nem T : **Nempnett Thrubwell**
New L : **Newton St Loe**
N Wick : **North Wick**
N'wick : **Northwick**
Nor H : **Norton Hawkfield**
Nor M : **Norton Malreward**
Nye : **Nye**
Odd D : **Odd Down**
Old D : **Old Down**
Old C : **Oldland Common**
Old S : **Old Sodbury**
Olv : **Olveston**
Pat : **Patchway**
Paul : **Paulton**
Pea J : **Peasedown St John**
Pens : **Pensford**
Pill : **Pill**
Piln : **Pilning**
P'bry : **Portbury**
P'head : **Portishead**
Pris : **Priston**
Pub : **Publow**
Puck : **Pucklechurch**
Pux : **Puxton**
Q Char : **Queen Charlton**
Rads : **Radstock**
Rang : **Rangeworthy**
Redf : **Redfield**
Redh : **Redhill**
Redl : **Redland**
Redw : **Redwick**
Regil : **Regil**
R'frd : **Rickford**
Rook : **Rooksbridge**
Row : **Rowberrow**
Rudg : **Rudgeway**
St Ap : **St Annes Park**
St C : **St Catherine**
St G : **St George**
St Geo : **St George's**
Salt : **Saltford**
Sandf : **Sandford**
Sea M : **Sea Mills**
Sev B : **Severn Beach**
Ship : **Shipham**
Shire : **Shirehampton**
Short : **Shortwood**
Shos : **Shoscombe**
Sis : **Siston**
Soun : **Soundwell**
S'mead : **Southmead**
S'ske : **Southstoke**
S'wll : **Speedwell**
Stan D : **Stanton Drew**
Stan P : **Stanton Prior**
Stan W : **Stanton Wick**
Stap H : **Staple Hill**
Stap : **Stapleton**
Star : **Star**
Stoc : **Stockwood**
Stok B : **Stoke Bishop**
Stok G : **Stoke Gifford**
Ston L : **Stoney Littleton**
Stow : **Stowey**
Stratt F : **Stratton-on-the-Fosse**
Swain : **Swainswick**
S'frd : **Swineford**
Tad : **Tadwick**
Tem C : **Temple Cloud**
T'bry : **Thornbury**
Tic : **Tickenham**
Tim : **Timsbury**
Toc : **Tockington**
Tun : **Tunley**
Tur : **Turleigh**
Tyth : **Tytherington**
Ubl : **Ubley**
Udl : **Udley**
Uph : **Uphill**
Up Str : **Upper Strode**
Up Swa : **Upper Swainswick**
Upton C : **Upton Cheyney**
Walt G : **Walton-in-Gardano**
Warl : **Warleigh**
Warm : **Warmley**
W'fld : **Watchfield**
Weare : **Weare**
Webb : **Webbington**
W Hth : **Webbs Heath**
Wel : **Wellow**
W Trym : **Westbury-on-Trym**
W'lgh : **Westerleigh**
W Har : **West Harptree**
W Hunt : **West Huntspill**
W'ton : **Weston**
W'ton G : **Weston-in-Gardano**
W Mare : **Weston-super-Mare**
W Wick : **West Wick**
Whit : **Whitchurch**
W'hall : **Whitehall**
Wick : **Wick**
Wick L : **Wick St Lawrence**
Wickw : **Wickwar**
Will : **Willsbridge**
Wind H : **Windmill Hill**
Winf : **Winford**
Wins : **Winscombe**
W'ley : **Winsley**
Wint : **Winterbourne**
Wint D : **Winterbourne Down**
Withy : **Withywood**
Wool : **Woollard**
W'ly : **Woolley**
Wor : **Worle**
Wrax : **Wraxall**
Wrin : **Wrington**
Writ : **Writhlington**
Yate : **Yate**
Yat : **Yatton**

5C Bus. Cen. BS21: Clev . . . 1B **68**
10 Centre BS11: A'mth . . . 2K **33**
100 Steps BS15: Han . . . 4J **63**
5102 BS1: Bris . . . 1A **62** (1G **5**)

A

Abbey Chambers *BA1: Bath . . . 5G 7*
(off York St.)
Abbey Chu. Ho. *BA1: Bath . . . 5F 7*
(off Hetling Ct.)
Abbey Churchyard *BA1: Bath . . . 4G 7*
(off Cheap St.)
Abbey Cl. BS31: Key . . . 4D **78**
Abbey Ct. BA2: Bath . . . 4D **100** (3J **7**)
BS4: St Ap . . . 4H **63**
Abbeydale BS36: Wint . . . 1C **38**
Abbeygate St. BA1: Bath . . . 5C **100** (5G **7**)
Abbey Grn. BA1: Bath . . . 5C **100** (5G **7**)
Abbey Ho. BS37: Yate . . . 7D **30**
Abbey La. BS35: Grov . . . 5A **12**
Abbey Mill BA15: Brad A . . . 6H **125**
Abbey Pk. BS31: Key . . . 4D **78**
Abbey Retail Pk. BS34: Fil . . . 5E **36**
Abbey Rd. BS9: W Trym . . . 2F **47**
Abbey St. *BA1: Bath . . . 5G 7*
(off York St.)
Abbey Vw. BA2: Bath . . . 6D **100** (6K **7**)
BA3: Rads . . . 3A **154**
Abbey Vw. Gdns. BA2: Bath . . . 6D **100** (6J **7**)
Abbeywood Dr. BS9: Stok B . . . 3C **46**
Abbeywood Pk. BS34: Fil . . . 5D **36**
Abbots Av. BS15: Han . . . 5A **64**
Abbotsbury Rd. BS48: Nail . . . 1F **71**
Abbots Cl. BS14: Whit . . . 7C **76**
Abbot's Cl. BS22: Wor . . . 1E **106**
Abbots Cl. TA8: Bur S . . . 2D **158**
Abbotsford Rd. BS6: Cot . . . 7H **47**
Abbots Horn BS48: Nail . . . 7F **57**
ABBOTSIDE . . . **2K 13**
ABBOTS LEIGH . . . **1K 59**
Abbots Leigh Rd.
BS8: Abb L, L Wds . . . 1A **60**
Abbots Rd. BS15: Han . . . 6A **64**
Abbots Way BS9: Henl . . . 2K **47**
Abbotswood BS15: K'wd . . . 2B **64**
BS37: Yate . . . 7D **30**
Abbott Rd. BS35: Sev B . . . 1A **24**
Abbotts Farm Cl. BS39: Paul . . . 1B **152**
ABC Beau Nash Cinema . . . 4F **7**
Aberdeen Rd. BS6: Cot . . . 1H **61**
Abingdon Gdns. BA2: Odd D . . . 4K **121**
Abingdon Rd. BS16: Fish . . . 5J **49**
Abingdon St. TA8: Bur S . . . 2C **158**
Ableton Ct. BS35: Sev B . . . 7A **16**
Ableton La. BS10: H'len . . . 6A **24**
BS35: Sev B . . . 7A **16**
Ableton Wlk. BS9: Sea M . . . 3C **46**
Abon Ho. BS9: Sea M . . . 4C **46**
Abraham Cl. BS5: E'tn . . . 1D **62**
Abraham Fry Ho. BS15: K'wd . . . 2C **64**
ABSON . . . **6D 52**
Abson Rd. BS16: Puck . . . 3C **52**
BS30: Abson . . . 5C **52**
Acacia Av. BS16: Stap H . . . 4A **50**
BS23: W Mare . . . 4K **105**
Acacia Cl. BS16: Stap H . . . 5B **50**
Acacia Ct. BS31: Key . . . 6A **78**
Acacia Gro. BA2: Bath . . . 1J **121**
Acacia M. BS16: Stap H . . . 4B **50**
Acacia Rd. BA3: Rads . . . 5J **153**
BS16: Stap H . . . 4B **50**
Academy, The BA2: Bath . . . 6B **100** (6E **6**)
Accommodation Rd. BS24: B'don . . . 2G **145**
Aconite Cl. BS22: Wick L . . . 6F **85**
Acorn Cl. TA9: High . . . 4F **159**
Acorn Gro. BS13: B'wth . . . 4E **74**
Acraman's Rd. BS3: Bedm . . . 5J **61** (7D **4**)
Acresbush Cl. BS13: B'wth . . . 5G **75**
Acton Court . . . 1H **29**
Acton Rd. BS16: Fish . . . 5J **49**
Adams Cl. BA2: Pea J . . . 5D **142**
TA9: W Hunt . . . 6E **158**
Adams Hay BS4: Brisl . . . 1F **77**
Adams Land BS36: Coal H . . . 7G **29**
Adam St. TA8: Bur S . . . 2D **158**
Adastral Rd. BS24: Lock . . . 1H **129**
Adderley Ga. BS16: Emer G . . . 1F **51**
Addicott Rd. BS23: W Mare . . . 6G **105**
Addiscombe Rd. BS14: Whit . . . 5D **76**
BS23: W Mare . . . 1G **127**
Addison Rd. BS3: Wind H . . . 6A **62**
Adelaide Pl. BA2: Bath . . . 5D **100** (4K **7**)
BS5: E'tn . . . 1D **62**
BS16: Fish . . . 4H **49**
Adelaide Ter. BS16: Fish . . . 4J **49**
Adelante Cl. BS34: Stok G . . . 3J **37**
Admiral Cl. BS16: Stap . . . 1F **49**
Admirals Wlk. BS20: P'head . . . 3D **42**
Aelfric Mdw. BS20: P'head . . . 4H **43**
Agate St. BS3: Bedm . . . 6H **61**
Aiken St. BS5: Bar H . . . 3D **62**
Ainslie's Belvedere *BA1: Bath . . . 1F 7*
(off Caroline Pl.)
Aintree Dr. BS16: Down . . . 6D **38**
Air Balloon Rd. BS5: St G . . . 2J **63**
Airport Rd. BS14: H'gro . . . 3B **76**
Airport Vw. Cvn. Pk. BS24: W Mare . . . 5C **106**
Aisecome Way BS22: W Mare . . . 6A **106**
Akeman Way BS11: Shire . . . 7G **33**
Alard Rd. BS4: Know . . . 3B **76**
Albany Bldgs. BS3: Bedm . . . 5J **61**
Albany Ct. BA2: Bath . . . 5H **99**
Albany Ga. BS34: Stok G . . . 2G **37**
Albany Rd. BA2: Bath . . . 5H **99**
BS6: Bris . . . 7B **48**
Albany St. BS15: K'wd . . . 1A **64**
Albany Way BS30: Old C . . . 4G **65**
Albermarle Row BS8: Clif . . . 3F **61**
Albermarle Ter. BS8: Clif . . . 3F **61**
Albert Av. BA2: Pea J . . . 6C **142**
BS23: W Mare . . . 6G **105**
Albert Cres. BS2: Bris . . . 4C **62**
Albert Gro. BS5: St G . . . 1H **63**
Albert Gro. Sth. BS5: St G . . . 1H **63**
Albert Mill BS31: Key . . . 6D **78**
Alberton Rd. BS16: B'hll . . . 2H **49**
Albert Pde. BS5: Redf . . . 1F **63**
Albert Pk. BS6: Bris . . . 7B **48**
Albert Pk. Pl. BS6: Bris . . . 7A **48**
Albert Pl. BA2: C Down . . . 3E **122**
BS3: Bedm . . . 6J **61**
BS9: W Trym . . . 1G **47**
Albert Quad. BS23: W Mare . . . 4G **105**
Albert Rd. BS2: Bris . . . 5C **62** (7K **5**)
BS15: Han . . . 4B **64**
BS16: Stap H . . . 4C **50**
BS20: P'head . . . 3F **43**
BS21: Clev . . . 6C **54**
BS23: W Mare . . . 6G **105**
BS31: Key . . . 5C **78**
BS35: Sev B . . . 7A **16**
Albert St. BS5: Redf . . . 1E **62**
Albert Ter. BA2: Bath . . . 5J **99**
BS16: Fish . . . 4H **49**
Albion Bldgs. BA1: Bath . . . 4K **99** (3B **6**)
Albion Chambers BS1: Bris . . . 3F **5**
Albion Cl. BS16: Mang . . . 3D **50**
Albion Pl. BA1: Bath . . . 4A **100** (3C **6**)
BS2: Bris . . . 2J **5**
BS2: Bris . . . 3C **62**
(Kingsland Rd.)
Albion Rd. BS5: E'tn . . . 7D **48**
Albion St. BS5: Redf . . . 1E **62**
Albion Ter. BA1: Bath . . . 4A **100** (3C **6**)
BS27: Ched . . . 7D 150
(off Wesley M.)
BS34: Pat . . . 5D **26**
Alburys BS40: Wrin . . . 1F **111**
Alcove Rd. BS16: Fish . . . 5G **49**
Aldercombe Rd. BS9: C Din . . . 7C **34**
Alder Ct. BS14: H'gro . . . 5D **76**
Alderdown Cl. BS11: Law W . . . 7A **34**
Alder Dr. BS5: W'hall . . . 7G **49**
Alderley Rd. BA2: Bath . . . 7G **99**
Aldermoor Way BS30: L Grn . . . 5C **64**
Alderney Av. BS4: Brisl . . . 5H **63**
Alders, The *BS16: Fren . . . 6K 37*
(off Marlborough Dr.)
Alder Ter. BA3: Rads . . . 4J **153**
Alderton Rd. BS7: Hor . . . 7A **36**
Alder Way BA2: Odd D . . . 4K **121**
Aldhelm Ct. BA15: Brad A . . . 7J **125**
ALDWICK . . . **5A 112**
Aldwick Av. BS13: Hart . . . 7J **75**
Aldwick La. BS40: A'wck, But . . . 5K **111**
Aldwych Cl. TA8: Bur S . . . 2E **158**
Alec Ricketts Cl. BA2: Bath . . . 6F **99**
Alexander Bldgs. BA1: Bath . . . 2D **100**
Alexander Hall BA2: Lim S . . . 6A **124**
Alexander Way BS49: Yat . . . 4H **87**
Alexandra Cl. BS16: Stap H . . . 4B **50**
Alexandra Ct. BS21: Clev . . . 5C **54**
Alexandra Gdns. BS16: Stap H . . . 4B **50**
Alexandra Pde. BS23: W Mare . . . 5G **105**
Alexandra Pk. BS6: Redl . . . 6J **47**
BS16: Fish . . . 4H **49**
BS39: Paul . . . 1C **152**
Alexandra Pl. BA2: C Down . . . 3E **122**
BS16: Stap H . . . 4B **50**
Alexandra Rd. BA2: Bath . . . 6C **100** (7G **7**)
BS8: Clif . . . 1H **61** (1A **4**)
BS10: W Trym . . . 7J **35**
BS13: B'wth . . . 3F **75**
BS15: Han . . . 4B **64**
BS21: Clev . . . 5C **54**
BS36: Coal H . . . 7H **29**
Alexandra Ter. BS39: Paul . . . 1C **152**
Alexandra Way BS35: T'bry . . . 1K **11**
Alford Rd. BS4: Brisl . . . 7E **62**
Alfred Ct. BS23: W Mare . . . 5G **105**
Alfred Hill BS2: Bris . . . 1K **61** (1E **4**)
Alfred Lovell Gdns. BS30: C Hth . . . 5E **64**
Alfred Pde. BS2: Bris . . . 1K **61** (1E **4**)
Alfred Pl. BS1: Bris . . . 4K **61** (7F **5**)
BS2: Bris . . . 1J **61** (1D **4**)
Alfred Rd. BS3: Wind H . . . 6K **61**
BS6: Henl . . . 4G **47**
Alfred St. BA1: Bath . . . 4B **100** (2F **7**)
BS2: Bris . . . 3C **62**
BS5: Redf . . . 1E **62**
BS23: W Mare . . . 5G **105**
Algars Dr. BS37: Iron A . . . 3J **29**
Algiers St. BS3: Wind H . . . 6K **61**
Alison Gdns. BS48: Back . . . 3J **71**
Allandale Rd. TA8: Bur S . . . 7C **156**
Allanmead Rd. BS14: H'gro . . . 2D **76**
Allens La. BS25: Ship . . . 6B **132**
Aller Pde. BS24: W Mare . . . 3K **127**
Allerton Cres. BS14: Whit . . . 6D **76**
Allerton Gdns. BS14: H'gro . . . 5D **76**
Allerton Rd. BS14: Whit . . . 6C **76**
Allfoxton Rd. BS7: Eastv . . . 5C **48**
All Hallows Rd. BS5: E'tn . . . 1D **62**
Allington Dr. BS30: Bar C . . . 5D **64**
Allington Gdns. BS48: Nail . . . 2E **70**
Allington Rd. BS3: Bris . . . 4J **61** (7C **4**)
Allison Av. BS4: Brisl . . . 6G **63**
Allison Rd. BS4: Brisl . . . 6F **63**
All Saints Ct. BS1: Bris . . . 3K **61** (3F **5**)
All Saints Gdns. BS8: Clif . . . 1G **61**
All Saints La. BS1: Bris . . . 2K **61** (3F **5**)
BS21: Clev . . . 5F **55**
All Saints Pl. BA2: Clav D . . . 7F **101**
All Saints Rd. BA1: Bath . . . 3B **100**
BS8: Clif . . . 1G **61**
BS23: W Mare . . . 3G **105**
All Saints St. BS1: Bris . . . 2K **61** (3F **5**)
Alma Cl. BS15: K'wd . . . 1C **64**
Alma Ct. BS8: Clif . . . 7H **47**
Alma Rd. BS8: Clif . . . 1G **61** (1A **4**)
BS15: Soun . . . 7C **50**
Alma Rd. Av. BS8: Clif . . . 1H **61**
Alma St. BS23: W Mare . . . 5G **105**
Alma Va. Rd. BS8: Clif . . . 1G **61**
Almeda Rd. BS5: St G . . . 3J **63**
Almond Cl. BS22: Wor . . . 3E **106**
ALMONDSBURY . . . **2D 26**
Almondsbury Bus. Cen.
BS32: Brad S . . . 2F **27**
Almond Way BS16: Mang . . . 3D **50**
Almorah Rd. BS3: Wind H . . . 6A **62**

Alpha Cen., The—Avenue, The

Alpha Cen., The BS37: Yate 3C 30
Alpha Ho. TA9: High 5G 159
Alpha Rd. BS3: Bedm 5K 61 (7E 4)
Alpine Cl. BS39: Paul 2D 152
Alpine Gdns. BA1: Bath 3C 100 (1G 7)
Alpine Rd. BS5: E'tn 7E 48
BS39: Paul 2D 152
Alsop Rd. BS15: K'wd 1B 64
ALSTONE 6E 158
Alstone Gdns. TA9: W Hunt 6E 158
Alstone La. TA9: W Hunt 6E 158
Alstone Rd. TA9: W Hunt 6E 158
Alstone Wildlife Pk. 6E 158
Alton Pl. BA2: Bath 6C 100 (7G 7)
Alton Rd. BS7: Hor 3B 48
Altringham Rd. BS5: W'hall 7F 49
Alverstoke BS14: H'gro 3B 76
ALVESTON 7J 11
ALVESTON DOWN 7H 11
Alveston Hill BS35: T'bry 6J 11
Alveston Rd. BS32: Old D 2E 18
Alveston Wlk. BS9: Sea M 1B 46
Alwins Ct. BS30: Bar C 5D 64
Ambares Ct. BA3: Mid N 6D 152
Amberey Rd. BS23: W Mare 7H 105
Amberlands Cl. BS48: Back 3J 71
Amberley Cl. BS16: Down 1B 50
BS31: Key 6C 78
Amberley Gdns. BS48: Nail 1F 71
Amberley Rd. BS16: Down 1B 50
BS34: Pat 6D 26
Amberley Way GL12: Wickw 1H 23
Amble Cl. BS15: K'wd 2D 64
Ambleside Av. BS10: S'mead 6H 35
Ambleside Rd. BA2: Bath 2H 121
Ambra Ter. BS8: Clif 3G 61
Ambra Va. BS8: Clif 3G 61
Ambra Va. E. BS8: Clif 3G 61 (5A 4)
Ambra Va. Sth. BS8: Clif 3G 61
Ambra Va. W. BS8: Clif 3G 61
Ambrose Rd. BS8: Clif 3G 61 (5A 4)
Ambury BA1: Bath 6B 100 (6F 7)
(not continuous)
Amelia Ct. BS1: Bris 3K 61 (4E 4)
Amercombe Wlk. BS14: Stoc 3F 77
American Mus., The 6K 101
Amery La. BA1: Bath 5C 100 (5F 7)
AMESBURY 3D 140
Amesbury Dr. BS24: B'don 7K 127
AMF Bowling Cen. 5F 105
Ammerdown Ter. BA3: Hem 7F 155
Anchor Cl. BS5: St G 3H 63
Anchor Ho. BS3: Know 7D 62
Anchor La. BS1: Bris 3J 61 (5D 4)
Anchor Rd. BA1: W'ton 2H 99
BS1: Bris 3H 61 (5B 4)
BS15: K'wd 7E 50
Anchor Sq. BS1: Bris 3J 61 (5D 4)
Anchor Way BS20: Pill 4H 45
Ancliff Sq. BA15: Avon 7C 124
Andereach Cl. BS14: H'gro 2D 76
Andover Rd. BS4: Know 7B 62
Andrew Millman Ct. BS37: Yate 5F 31
Andruss Dr. BS4: Dun 1D 92
Angels Ground BS4: St Ap 3H 63
Angers Rd. BS4: Wind H 5B 62
Anglesea Pl. BS8: Clif 6G 47
Anglo Ter. BA1: Bath 1H 7
Animal Farm Country Pk. 4D 144
Annaly Rd. BS27: Ched 7C 150
Annandale Av. BS22: Wor 3C 106
Annie Scott Cl. BS16: Fish 4H 49
Anson Cl. BS31: Salt 1H 97
Anson Rd. BS22: Kew 7B 84
BS24: Lock 6E 106
Anstey's Cl. BS15: Han 4K 63
Anstey's Rd. BS15: Han 4K 63
Anstey St. BS5: E'tn 7D 48
Anthea Rd. BS5: S'wll 6G 49
Antona Ct. BS11: Shire 1H 45
Antona Dr. BS11: Shire 1H 45
Antrim Rd. BS9: Henl 2H 47
Anvil Rd. BS49: Clav 2B 88
Anvil St. BS2: Bris 3B 62 (4K 5)
Apex Ct. BS32: Brad S 3F 27
Apex Dr. TA9: High 4E 158
Apex Leisure & Wildlife Pk. 4D 158
Apperley Cl. BS37: Yate 6D 30
Appleby Wlk. BS4: Know 3K 75
Applecroft BA2: Shos 7E 142
Appledore BS22: Wor 2D 106
Appledore Cl. BS14: H'gro 2D 76
Applegate BS10: Bren 4H 35
Appletree Ct. BS22: Wor 2F 107
Apple Tree Dr. BS25: Wins 5G 131
Applin Grn. BS16: Emer G 2G 51
Appsley Cl. BS22: W Mare 2A 106
Apseleys Mead BS32: Brad S 4E 26
Apsley Cl. BA1: Bath 4H 99
Apsley Rd. BA1: Bath 4G 99
BS8: Clif 7G 47
Apsley St. BS5: Eastv 6E 48
Apsley Vs. BS6: Bris 7K 47
Arbutus Dr. BS9: C Din 1C 46
Arbutus Wlk. BS9: C Din 6D 34
Arcade, The BS1: Bris 2G 5
Arch Cl. BS4: L Ash 1K 73
Archer Ct. BS30: L Grn 6D 64
Archer Dr. TA8: Bur S 2E 158
Archer's Ct. BS21: Clev 5D 54
Archer Wlk. BS14: Stoc 4G 77
Archfield Rd. BS6: Cot 7J 47
Archgrove BS4: L Ash 1K 73
Architectural Cen., The *BS1: Bris* *6E 4*
(off Narrow Quay)
Archway St. BA2: Bath 6D 100 (6J 7)
Ardagh Ct. BS7: Hor 1B 48
Arden Cl. BS22: Wor 1D 106
BS32: Brad S 1G 37
Ardenton Wlk. BS10: Bren 4G 35
Ardern Cl. BS9: C Din 7B 34
Ardnave Holiday Pk. BS22: Kew 1J 105
Argus Ct. BS3: Bedm 7J 61
Argus Rd. BS3: Bedm 6J 61
Argyle Av. BS23: W Mare 1H 127
Argyle Dr. BS37: Yate 2E 30
Argyle Pl. BS8: Clif 3G 61 (5A 4)
Argyle Rd. BS2: Bris 1A 62
BS16: Fish 6K 49
BS21: Clev 4D 54
Argyle St. BA2: Bath 5C 100 (4H 7)
BS3: Bedm 5J 61
BS5: Eastv 6E 48
Argyle Ter. BA2: Bath 5J 99
Arkells Ct. GL12: Wickw 6G 15
Arley Cotts. BS6: Cot 7K 47
Arley Hill BS6: Cot 7K 47
Arley Pk. BS6: Cot 7K 47
Arley Ter. BS5: W'hall 7G 49
Arlingham Way BS34: Pat 5A 26
Arlington Rd. BA2: Bath 6K 99 (6B 6)
BS4: St Ap 3F 63
Arlington Vs. BS8: Clif 2H 61 (2A 4)
Armada Ho. BS1: Bris 7A 48
Armadale Av. BS6: Bris 7A 48
Armada Pl. BS1: Bris 7A 48
Armada Rd. BS14: Whit 4C 76
Armes Ct. BA2: Bath 6C 100 (7H 7)
Armoury Sq. BS5: E'tn 1C 62
Armstrong Cl. BS35: T'bry 5B 12
Armstrong Ct. BS37: Yate 3C 30
Armstrong Dr. BS30: C Hth 4F 65
Armstrong Way BS37: Yate 3A 30
Arnall Dr. BS10: Hen 6F 35
Arncliffe BS10: S'mead 7J 35
Arndale Rd. BS22: W Mare 4B 106
Arneside Rd. BS10: S'mead 6J 35
Arnold Ct. BS37: Chip S 5H 31
Arnolds Fld. Trad. Est.
GL12: Wickw 6G 15
Arnold's Way BS49: Yat 2F 87
Arnolfini Gallery 4K 61 (6E 4)
Arnor Cl. BS22: Wor 7E 84
Arno's St. BS4: Wind H 6C 62
ARNO'S VALE 5D 62
Arrowfield Cl. BS14: Whit 1C 94
Artemesia Av. BS22: W Mare 4C 106
Arthurs Cl. BS16: Emer G 2G 51
Arthur Skemp Cl. BS5: Bar H 2D 62
Arthur St. BS2: Bris 4C 62
BS5: Redf 1E 62
Arthurswood Rd. BS13: Withy 6G 75
Arundel Cl. BS13: Hart 5H 75
Arundel Ct. BS7: B'stn 5K 47
Arundell Ct. BS23: W Mare 4G 105
Arundell Rd. BS23: W Mare 4G 105
Arundel Rd. BA1: Bath 2C 100
BS7: B'stn 5K 47
BS21: Clev 6D 54
Arundel Wlk. BS31: Key 5B 78
Ascension Ho. BA2: Bath 7K 99
Ascot Cl. BS16: Down 6D 38
Ascot Rd. BS10: S'mead 5K 35
Ashbourne Cl. BS30: Old C 3G 65
Ashburton Rd. BS10: S'mead 6J 35
Ashbury Dr. BS22: W Mare 2K 105
Ash Cl. BS16: Fish 5A 50
BS25: Wins 4G 131
BS34: Lit S 7F 27
BS37: Yate 3D 30
Ashcombe Cres. BS30: Old C 3G 65
Ashcombe Gdns. BS23: W Mare 3J 105
Ashcombe Ho. TA8: Bur S 4C 156
Ashcombe Pk. Rd. BS23: W Mare 3J 105
Ashcombe Pl. BS23: W Mare 5H 105
Ashcombe Rd. BS23: W Mare 5H 105
Ashcott BS14: H'gro 3B 76
Ashcott Cl. TA8: Bur S 2E 158
Ashcott Dr. TA8: Bur S 2E 158
Ashcott Pl. TA8: Bur S 1E 158
Ash Ct. BS14: Whit 4C 76
Ashcroft BS24: W Mare 3K 127
Ashcroft Av. BS31: Key 5B 78
Ashcroft Rd. BS9: Sea M 1C 46
Ashdene Av. BS5: Eastv 5F 49
Ashdene Rd. BS23: W Mare 3J 105
Ashdown Rd. BS20: P'head 2C 42
Asher La. BS2: Bris 2B 62 (2J 5)
Ashes La. BA2: F'frd 7H 123
Ashfield Pl. BS6: Bris 7B 48
Ashfield Rd. BS3: Bedm 6H 61
Ashford Dr. BS24: W Mare 4J 127
Ashford Rd. BA2: Bath 7K 99
BS34: Pat 7C 26
BS40: Redh 7C 90
Ashford Way BS15: K'wd 2E 64
ASHGROVE 5D 142
Ash Gro. BA2: Bath 7J 99
Ashgrove BA2: Pea J 5D 142
Ash Gro. BS16: Fish 5A 50
BS21: Clev 5E 54
BS23: Uph 3G 127
Ashgrove BS35: T'bry 3A 12
Ashgrove Av. BS7: B'stn 4B 48
BS8: Abb L 2B 60
Ashgrove Cl. BS7: B'stn 4B 48
Ashgrove Rd. BS3: Bedm 6H 61
BS6: Redl 7H 47
BS7: B'stn 4B 48
Ash Hayes Dr. BS48: Nail 1G 71
Ash Hayes Rd. BS48: Nail 1G 71
Ashland Rd. BS13: Withy 6G 75
Ash La. BS32: Alm 3K 25
Ashleigh Cl. BS23: W Mare 4J 105
BS39: Paul 7C 140
Ashleigh Cres. BS49: Yat 3H 87
Ashleigh Ho. BS39: Paul 1C 152
Ashleigh Rd. BS23: W Mare 4J 105
BS49: Yat 3H 87
Ashley BS15: K'wd 1D 64
Ashley Av. BA1: Bath 4J 99
TA8: Bur S 2D 158
Ashley Cl. BA15: Brad A 4F 125
(not continuous)
BS7: B'stn 4B 48
BS25: Wins 6G 131
Ashley Ct. BS6: Bris 7B 48
Ashley Ct. Rd. BS7: Bris 6B 48
ASHLEY DOWN 4A 48
Ashley Down Rd. BS7: B'stn, Bris 5B 48
(Ashley Hill)
BS7: B'stn, Hor 3A 48
(Gloucester Rd.)
Ashley Gro. Rd. BS2: Bris 6B 48
Ashley Hill BS6: Bris 5B 48
BS7: Bris 5B 48
Ashley La. BA15: W'ley 5D 124
BS40: Burr, L'frd 6H 111
Ashley Pde. BS2: Bris 6B 48
Ashley Pk. BS6: Bris 5B 48
Ashley Rd. BA1: Bathf 1A 102
BA15: Brad A, Lit A 3F 125
BS6: Bris 7A 48
BS21: Clev 1B 68
Ashley St. BS2: Bris 7C 48
Ashley Ter. BA1: Bath 4J 99
Ashley Trad. Est. BS2: Bris 6B 48
Ashman Cl. BS5: E'tn 1C 62
Ashmans Ga. BS39: Paul 1B 152
Ashmans Yd. BA1: Bath 5H 99
Ashmead BS39: Tem C 4G 139
Ashmead Ho. BS5: Bar H 2D 62
Ashmead Ind. Est. BS31: Key 5F 79
Ashmead Pk. BS31: Key 5F 79
Ashmead Rd. BS31: Key 5F 79
Ashmead Way BS1: Bris 4F 61
Ashridge Rd. BS32: Brad S 3D 26
Ash Rd. BS7: Hor 3A 48
BS29: Ban 2J 129
Ashton *BS16: Fren* *6A 38*
(off Harford Dr.)
Ashton Av. BS1: Bris 4G 61
Ashton Cl. BS21: Clev 1B 68
Ashton Ct. BS41: L Ash 5D 60
Ashton Court Nature Reserve 5C 60
Ashton Court Vis. Cen. 5D 60
Ashton Cres. BS48: Nail 1F 71
Ashton Dr. BS3: Ash V 1E 74
ASHTON GATE 5G 61
Ashton Ga. Rd. BS3: Bris 5G 61
Ashton Gate Stadium 6F 61
Ashton Ga. Ter. BS3: Bris 5G 61
Ashton Ga. Trad. Est. BS3: Ash V 6E 60
Ashton Ga. Underpass
BS3: Ash V, Bwr A 5F 61
ASHTON HILL 3J 97
Ashton Hill BA2: Cor 4A 98
Ashton Rd. BS3: Ash G 5F 61
BS3: Ash V 6E 60
BS4: L Ash 6D 60
Ashton to Pill Path BS8: Abb L 5B 46
BS8: L Wds 3E 60
BS20: Pill 3A 46
ASHTON VALE 7F 61
Ashton Va. Rd. BS3: Ash V 6E 60
Ashton Va. Trad. Est. BS3: Ash V 1F 75
ASHTON WATERING 2H 73
Ashton Way BS31: Key 4C 78
Ash Tree Cl. BS24: B'don 7A 128
TA8: Bur S 4C 156
Ash Tree Ct. BA3: Rads 5J 153
Ash Tree Cres. TA8: Bur S 4C 156
Ash Tree Pl. TA8: Bur S 4C 156
Ash Tree Rd. TA8: Bur S 4C 156
Ashvale Cl. BS48: Nail 7J 57
Ashville Rd. BS3: Ash G 5G 61
Ash Wlk. BS10: Bren 4H 35
Ashwell Cl. BS14: Stoc 4G 77
Ashwicke BS14: H'gro 4C 76
Ashwood BS40: E Harp 7K 137
Aspects Leisure Pk. 4C 64
Aspen Pk. Rd. BS22: W Mare 4C 106
Assembly Rooms 2F 7
Assembly Rooms La.
BS1: Bris 3K 61 (5E 4)
Aston Ho. BS1: Bris 7G 5
Astry Cl. BS11: Law W 6A 34
Atchley St. BS5: Bar H 2D 62
Atherston BS30: Old C 4H 65
Athlone Wlk. BS4: Know 1A 76
Atholl Cl. BS22: Wor 1D 106
Atkins Cl. BS14: Stoc 4G 77
Atlanta Key TA8: Bur S 7C 156
Atlantic Bus. Pk. BS23: W Mare 3E 104
Atlantic Ct. BS23: W Mare 3E 104
Atlantic Cres. TA8: Bur S 3D 158
Atlantic Rd. BS11: Shire 7G 33
BS23: W Mare 3E 104
Atlantic Rd. Sth. BS23: W Mare 3E 104
Atlas Cl. BS5: S'wll 6J 49
Atlas Rd. BS3: Wind H 6A 62
Atlas St. BS2: Bris 4D 62
Atlay Ct. BS49: Yat 2H 87
Attwell Ct. BA2: Bath 7B 100
Atwell Cl. BS32: Alm 5D 26
Atwood Dr. BS11: Law W 5B 34
Atyeo Cl. TA8: Bur S 7E 156
Aubrey Meads BS30: Bit 2J 79
Aubrey Rd. BS3: Bedm 6H 61
Auburn Av. BS30: L Grn 6F 65
Auburn Rd. BS6: Redl 6H 47
Auckland Cl. BS23: W Mare 2H 127
Audley Av. BA1: Bath 4J 99 (2A 6)
Audley Cl. BA1: Bath 4K 99 (2A 6)
BS37: Rang 5A 22
Audley Gro. BA1: Bath 4J 99
Audley Pk. Rd. BA1: Bath 3J 99 (2A 6)
Audrey Wlk. BS9: Henl 1K 47
Augusta Pl. BA1: Bath 4K 99 (3A 6)
AUST 5G 9
Austen Dr. BS22: Wor 7F 85
Austen Gro. BS7: Hor 7C 36
Austen Ho. BS7: Hor 7C 36
Austen Pl. BS11: Shire 1J 45
Aust La. BS9: W Trym 7G 35
Aust Rd. BS35: Elb, Olv 7K 9
BS35: N'wick 2D 16
Autumn M. BS24: Wor 4E 106
Avalon Cl. BS49: Yat 2G 87
Avalon Ho. BS48: Nail 1E 70
Avalon La. BS5: St G 3K 63
Avalon Rd. BS5: St G 4K 63
TA9: High 4G 159
Avebury Cl. TA8: Bur S 7F 157
Avebury Rd. BS3: Ash V 7E 60
Aveline's Hole 3H 133
Avening Cl. BS48: Nail 2H 71
Avening Rd. BS15: K'wd 1J 63
Avenue Pl. BA2: C Down 3D 122
Avenue, The BA2: C Down 3D 122
BA2: Clav D 6G 101
(not continuous)
BA2: Tim 3F 141
BS5: St G 2G 63
BS7: B'stn 5A 48
BS8: Clif 7F 47
BS9: Stok B 6D 46
BS16: Fren 6G 37
BS21: Clev 4D 54
BS25: Wins 5J 131
BS31: Key 4C 78
BS34: Lit S 1E 36
BS34: Pat 4D 26
BS37: Yate 5D 30
BS48: Back 3J 71
BS49: Yat 3H 87

B

Batch, The—Beresford Gdns.

Batch, The BS40: Chew M 1H 115
BS40: Comp M 6A 136
BS40: R'frd 1K 133
BS48: Back 2B 90
BS49: Yat 4H 87
Bates Cl. BS5: E'tn 1C 62 (1K 5)
BATH 5C 100 (4G 7)
Bath Abbey 5C 100 (4G 7)
Bath Abbey Heritage Vaults 5G 7
(off Bath Abbey)
BATHAMPTON 2H 101
Bathampton La. BA2: B'ptn 2G 101
Bath Bldgs. BS6: Bris 7A 48
Bath Bus. Cen. BA1: Bath 4G 7
(off Up. Borough Walls)
Bath City FC (Twerton Pk.) 5H 99
BATHEASTON 6H 83
Batheaston Swainswick By-Pass
BA1: Bath, B'ptn 1F 101
(Bathampton)
BA1: Bath, Swain, Up Swa 4D 82
(Swainswick)
BATHFORD 1A 102
Bathford Hill BA1: Bathf 1K 101
BS39: Comp D 5B 96
Bath Hill BA2: Wel 3J 143
BS31: Key 4D 78
Bathings, The BS35: T'bry 4A 12
Bathite Cotts. BA2: Mon C 3F 123
Bath Marina & Cvn. Pk. BA1: Bath 3F 99
Bath New Rd. BA3: Clan, Rads 2J 153
Bath Old Rd. BA3: Rads 3K 153
Bath Race Course 4G 81
Bath Riverside Bus. Pk.
BA2: Bath 5B 100 (5E 6)
Bath Rd. BA2: Cor 5F 79
BA2: F'boro 1B 140
BA2: Pea J 6B 142
BA15: Brad A 3G 125
BS4: Bris, Wind H 4B 62 (7K 5)
BS4: Brisl 7G 77
(Brislington)
BS4: Brisl 7F 63
(Kensington Hill)
BS25: C'hll 1B 132
BS30: B'yte, Old C 4H 65
BS30: Bit, Will 1F 79
BS30: Kel, S'frd 4A 80
BS30: L Grn 5C 64
BS30: Wick 3E 66
BS31: Key, Salt 5F 79
BS35: T'bry 4K 11
BS39: Paul 7C 140
BS40: Blag 3C 134
BS40: L'frd 1B 132
Bath R.U.F.C. 4H 7
Bath Spa Station (Rail) 6C 100 (6H 7)
Bath Sports & Leisure Cen. 5C 100 (4H 7)
Bath St. BA1: Bath 5B 100 (5F 7)
BS1: Bris 3A 62 (4G 5)
BS3: Ash G 5G 61
BS16: Stap H 4C 50
BS27: Ched 7D 150
Bathurst Cl. TA8: Bur S 7F 157
Bathurst Pde. BS1: Bris 4K 61 (7E 4)
Bathurst Rd. BS22: W Mare 3A 106
Bathwell Rd. BS4: Wind H 6C 62
BATHWICK 4D 100 (2J 7)
Bathwick Hill BA2: Bath 5D 100 (3J 7)
Bathwick Ri. BA2: Bath 3E 100 (2K 7)
Bathwick St. BA2: Bath 3C 100 (1H 7)
Bathwick Ter. BA2: Bath 4K 7
Batley Ct. BS30: Old C 5H 65
Bat Stall La. BA1: Bath 4G 7
(off Orange Gro.)
Batstone Cl. BA1: Bath 1D 100
Battenburg Rd. BS5: St G 1J 63
Batten Ct. BS37: Chip S 5J 31
Batten Rd. BS5: St G 2K 63
Batten's La. BS5: St G 3J 63
Battersby Way BS10: Hen 5E 34
Battersea Rd. BS5: E'tn 1E 62
Battery La. BS20: P'head 2F 43
Battery Rd. BS20: P'head 2F 43
Battleborough La. TA9: Bre K 6K 157
Battle La. BS40: Chew M 1G 115
Battson Rd. BS14: Stoc 5G 77
Baugh Gdns. BS16: Down 6C 38
Baugh Rd. BS16: Down 6C 38
Baxter Cl. BS15: K'wd 1D 64
Bay Gdns. BS5: Eastv 6E 48
Bayham Rd. BS4: Know, Wind H 6B 62
Bayleys Dr. BS15: K'wd 3A 64
Baynham Ct. BS15: Han 4K 63
Baynton Ho. BS5: E'tn 2C 62
Baynton Mdw. BS16: Emer G 2G 51
Baynton Rd. BS3: Ash G 5G 61
Bay Rd. BS21: Clev 3D 54
Bays, The BS27: Ched 6E 150
Bayswater Av. BS6: Henl 4H 47
Bayswater Rd. BS7: Hor 1B 48
Bay Tree Cl. BS34: Pat 7B 26
Bay Tree Rd. BA1: Bath 1C 100
BS21: Clev 7E 54
Baytree Rd. BS22: W Mare 3A 106
Baytree Vw. BS22: W Mare 3B 106
(not continuous)
Bay Vw. Gdns. TA8: Bur S 3D 158
BEACH 7C 66
Beach Av. BS21: Clev 7C 54
BS35: Sev B 6A 16
Beach End Rd. BS23: Uph 3E 126
Beachgrove Gdns. BS16: Fish 4A 50
Beachgrove Rd. BS16: Fish 4K 49
Beach Hill BS20: P'head 2E 42
BS30: Bit 6J 65
Beach La. BS30: Beach 6B 66
BEACHLEY 1B 8
Beachley Rd. NP16: B'ly 1B 8
Beachley Wlk. BS11: Shire 1H 45
Beach Rd. BS22: Kew 1H 105
BS23: W Mare 7F 105
BS35: Sev B 6A 16
Beach Rd. E. BS20: P'head 2F 43
Beach Rd. W. BS20: P'head 2E 42
Beach, The BS21: Clev 5C 54
BEACON HILL 2C 100
Beacon Ho. BS8: Clif 2B 4
Beacon La. BS36: Wint 2A 38
Beaconlea BS15: K'wd 3B 64
Beacon Rd. BA1: Bath 2C 100
Beaconsfield Cl. BS5: Bar H 3D 62
Beaconsfield Rd. BS4: Know 6D 62
BS5: St G 1G 63
BS8: Clif 7G 47
BS21: Clev 7E 54
BS23: W Mare 5G 105
Beaconsfield St. BS5: Bar H 3D 62
Beale Cl. BS14: Stoc 4G 77
Beale Wlk. BA2: Bath 5A 100 (4C 6)
Beale Way TA8: Bur S 3F 159
Beam St. BS5: Redf 2E 62
Bean Acre, The BS11: Shire 7H 33
Beanhill Cres. BS35: Alv 7J 11
Bean St. BS5: E'tn 7C 48
Beanwood Pk. BS37: W'lgh 4E 40
Bearbridge Rd. BS13: Withy 6F 75
Bear Cl. BA15: Brad A 5F 125
Bearfield Bldgs. BA15: Brad A 4G 125
BEAR FLAT 7B 100
Beatty Way TA8: Bur S 1E 158
Beauchamp Rd. BS7: B'stn 4K 47
Beauford Sq. BA1: Bath 5B 100 (4F 7)
Beaufort BS16: Fren 6A 38
(off Harford Dr.)
Beaufort All. BS5: St G 3H 63
Beaufort Av. BA3: Mid N 4E 152
BS37: Yate 4D 30
Beaufort Bldgs. BS8: Clif 2F 61
Beaufort Cl. BS5: St G 2F 63
BS24: E'boro 2G 129
Beaufort Ct. BS16: Down 7E 38
TA8: Bur S 7D 156
Beaufort Cres. BS34: Stok G 3G 37
Beaufort E. BA1: Bath 2E 100
Beaufort Gdns. BS48: Nail 1F 71
Beaufort Hgts. BS5: St G 2G 63
Beaufort Ho. BS5: Bar H 2D 62
Beaufort M. BA1: Bath 2E 100
Beaufort Pk. BS32: Brad S 3F 27
Beaufort Pl. BA1: Bath 2E 100
BS5: E'tn 1C 62
BS16: Fren 6K 37
Beaufort Rd. BS5: St G 2F 63
BS7: Hor 2B 48
BS8: Clif 7G 47
BS15: K'wd 7A 50
BS16: Down 1E 50
BS16: Stap H 4C 50
BS23: W Mare 4H 105
BS36: Fram C 6E 28
BS37: Yate 4D 30
Beaufort St. BS3: Bedm 7J 61
BS5: E'tn 1C 62
Beaufort Trade Pk. BS16: Puck 3B 52
Beaufort Vs. BA1: Bath 2D 100
Beaufort Way BS10: S'mead 7K 35
Beaufort W. BA1: Bath 2D 100
Beauley Rd. BS3: Bris 4H 61 (7B 4)
Beaumont Cl. BS23: W Mare 1H 127
BS30: L Grn 6E 64
Beaumont St. BS5: E'tn 1C 62
Beaumont Ter. BS5: E'tn 1C 62
Beau St. BA1: Bath 5B 100 (5F 7)
Beaver Cl. BS36: Wint 7D 28
Beazer Cl. BS16: Soun 5B 50
Beazer Maze 5C 100
Beck Cl. BS16: Emer G 2G 51
Becket Ct. BS16: Puck 3B 52
Becket Dr. BS22: Wor 1E 106
Becket Rd. BS22: Wor 1E 106
Becket's La. BS48: Nail 2G 71
Beckford Ct. BA2: Bath 2K 7
(off Darlington Rd.)
Beckford Gdns. BA2: Bath 3D 100 (2K 7)
BS14: Whit 7C 76
Beckford Rd. BA2: Bath 4D 100 (2J 7)
Beckford's Tower & Mus. 6K 81
Beckhampton Rd. BA2: Bath 6K 99 (7B 6)
Beck Ho. BS34: Pat 6C 26
Beckington BS24: W Mare 3J 127
Beckington Rd. BS3: Know 7B 62
Beckington Wlk. BS3: Know 7B 62
Becks Bus. Pk. BS23: W Mare 5J 105
Beckspool Rd. BS16: Fren 1K 49
Beddoe Cl. BA15: Brad A 7J 125
Bedford Ct. BA1: Bath 3C 100 (1H 7)
Bedford Cres. BS7: Hor 3B 48
Bedford Pl. BS2: Bris 1K 61 (1E 4)
Bedford Rd. BS23: W Mare 1G 127
Bedford St. BA1: Bath 3C 100
BEDMINSTER 6J 61
Bedminster Bri. BS1: Bris 4K 61 (7F 5)
BS3: Bedm 4K 61 (7F 5)
BEDMINSTER DOWN 2G 75
Bedminster Down Rd.
BS13: Bedm, B'wth 1G 75
Bedminster Pde. BS3: Bedm 5K 61 (7F 5)
Bedminster Pl. BS3: Bedm 5K 61
Bedminster Rd. BS3: Bedm 1H 75
Bedminster Station (Rail) 6K 61
Bedwin Cl. BS20: P'head 4B 42
Beechacres BS35: T'bry 2A 12
Beech Av. BA2: Clav D 6G 101
Beech Cl. BS25: Ship 5B 132
BS30: Bar C 4E 64
BS35: Alv 7J 11
Beech Ct. BS14: Whit 5C 76
Beechcroft BS4: Dun 1D 92
Beech Cft. BS14: H'gro 5D 76
Beechcroft Wlk. BS7: Hor 7C 36
Beech Dr. BS25: Ship 5B 132
BS48: Nail 6J 57
BEECHEN CLIFF 6B 100
Beechen Cliff Rd.
BA2: Bath 6B 100 (7E 6)
Beechen Dr. BS16: Fish 6K 49
Beeches Gro. BS4: Brisl 7F 63
Beeches Ind. Est. BS37: Yate 4B 30
Beeches, The BA2: Odd D 3K 121
BS4: St Ap 4G 63
BS9: Stok B 5D 46
BS25: Sandf 1H 131
BS30: Old C 7G 65
BS32: Brad S 6F 27
Beechfield Cl. BS4: L Ash 7C 60
Beechfield Gro. BS9: C Din 7C 34
Beech Gro. BA2: Bath 7J 99
Beech Ho. BS16: Stap 3E 48
Beech Leaze BS35: Alv 7J 11
Beechmount Cl. BS24: W Mare 4H 127
Beechmount Ct. BS14: H'gro 2D 76
Beechmount Dr. BS24: W Mare 4J 127
Beechmount Gro. BS14: H'gro 2D 76
Beech Rd. BS7: Hor 3A 48
BS25: Ship 5A 132
BS31: Salt 7J 79
BS49: Yat 3J 87
Beech Ter. BA3: Rads 5H 153
Beech Vw. BA2: Clav D 6F 101
Beechwood Av. BS15: Han 4B 64
BS24: Lock 7E 106
Beechwood Cl. BS14: Stoc 2E 76
Beechwood Dr. BS20: P'head 3A 42
Beechwood Rd. BA2: C Down 3D 122
BS16: Fish 4J 49
BS20: E'tn G 4E 44
BS20: P'head 3A 42
BS48: Nail 7F 57
Beehive Trad. Est. BS5: St G 2G 63
Beehive Yd. BA1: Bath 4C 100 (3G 7)
Beesmoor Rd. BS36: Coal H, Fram C 7F 29
Begbrook Dr. BS16: B'hll 2H 49
Begbrook La. BS16: B'hll 2H 49
Begbrook Pk. BS16: Fren 7J 37
Beggar Bush La. BS8: Abb L, Fail 5H 59
Beggarswell Cl. BS2: Bris 1B 62
Belcombe Pl. BA15: Brad A 6G 125
Belcombe Rd. BA15: Brad A 6F 125
Belfast Wlk. BS4: Know 2A 76
Belfield Ct. TA8: Bur S 7C 156
Belfields La. BS16: Fren 6A 38
Belfry BS30: Warm 3F 65
Belfry All. BS5: St G 1J 63
Belfry Av. BS5: St G 1J 63
Belgrave Cres. BA1: Bath 3C 100
Belgrave Hill BS8: Clif 6G 47
Belgrave Pl. BA1: Bath 2C 100
BS8: Clif 2G 61
Belgrave Rd. BA1: Bath 2D 100
BS8: Clif 1H 61 (1B 4)
BS22: W Mare 4K 105
Belgrave Ter. BA1: Bath 2C 100
Bellamy Av. BS13: Hart 6J 75
Bellamy Cl. BS15: St G 4J 63
Belland Dr. BS14: Whit 6B 76
Bella Vista Rd. BA1: Bath 3B 100
Bell Barn Rd. BS9: Stok B 2D 46
Bell Cl. BA2: F'boro 6D 118
BELLE VUE 3F 153
Belle Vue BA3: Mid N 3F 153
Bellevue BS8: Clif 3H 61 (4A 4)
Bellevue Cl. BA2: Pea J 5D 142
BS15: K'wd 2C 64
Bellevue Cotts. BS8: Clif 3H 61 (5A 4)
BS9: W Trym 1G 47
Bellevue Ct. BS8: Clif 3H 61 (4A 4)
Bellevue Cres. BS8: Clif 3H 61 (4A 4)
Bellevue Mans. BS21: Clev 5D 54
Bellevue Pk. BS4: Brisl 7F 63
Bellevue Rd. BS4: Wind H 5B 62
BS5: E'tn 6E 48
BS5: St G 1J 63
BS15: K'wd 2D 64
BS21: Clev 5D 54
Bellevue Ter. BS4: Brisl 7F 63
BS4: Wind H 5B 62
BS8: Clif 3H 61 (4A 4)
Bell Hill BS16: Stap 4E 48
Bell Hill Rd. BS5: St G 1J 63
Bellhouse Wlk. BS11: Law W 6B 34
Bellifants BA2: F'boro 6E 118
Bell La. BS1: Bris 2K 61 (3E 4)
BS32: Alm 1H 25
BS35: Piln 1H 25
Bellotts Rd. BA2: Bath 5J 99 (5A 6)
Bell Pit Brow BS48: Wrax 7K 57
Bell Rd. BS36: Coal H 7G 29
Bell Sq. BS40: Blag 2C 134
Bell's Wlk. BS40: Wrin 2G 111
BELLUTON 6E 94
Belluton Rd. BS4: Know 6C 62
Belmont BA1: Bath 4B 100 (2F 7)
Belmont Dr. BS8: Fail 6F 59
BS34: Stok G 2G 37
Belmont Hill BS48: Fail, Flax B 1E 72
Belmont Pk. BS7: Fil 6B 36
Belmont Rd. BA2: C Down 3E 122
BS4: Brisl 5E 62
BS6: Bris 6A 48
BS25: Wins 5G 131
Belmont St. BS5: E'tn 7D 48
Belmont, The BS21: Clev 6D 54
Belmore Gdns. BA2: Bath 1H 121
Beloe Rd. BS7: Hor 3A 48
Belroyal Av. BS4: Brisl 6H 63
Belsher Dr. BS15: K'wd 3E 64
Belstone Wlk. BS4: Know 2J 75
Belton Ct. BA1: W'ton 1H 99
Belton Ho. BA1: W'ton 1H 99
Belton Rd. BS5: E'tn 7D 48
BS20: P'head 2C 42
Belvedere BA1: Bath 4B 100 (2F 7)
Belvedere Cres. BS22: W Mare 3A 106
Belvedere Pl. BA1: Bath 3B 100 (1F 7)
(off Morford St.)
Belvedere Rd. BS6: Redl 5G 47
Belvedere Vs. BA1: Bath 3B 100 (1F 7)
Belverstone BS15: K'wd 1A 64
Belvoir Rd. BA2: Bath 6K 99 (7A 6)
BS6: Bris 6A 48
Bence Ct. BS15: Han 4K 63
Benches La. BS40: Winf 7H 91
Bendalls Bri. BS39: Clut 3G 139
Benford Cl. BS16: Fish 2A 50
Bengough's Almshouses
BS2: Bris 2J 61 (2D 4)
BENGROVE 4K 141
Bennett Rd. BS5: St G 2G 63
TA9: High 5H 159
Bennetts Ct. BS37: Yate 5F 31
Bennett's La. BA1: Bath 2C 100
Bennett's Rd. BA1: Swain 7E 82
Bennett St. BA1: Bath 4B 100 (2F 7)
Bennetts Way BS21: Clev 4E 54
Bennett Way BS8: Clif 4F 61
Bensaunt Gro. BS10: Bren 3K 35
Bentley Cl. BS14: Whit 7B 76
Bentley Rd. BS22: Wor 1F 107
Ben Travers Way TA8: Bur S 2E 158
Benville Av. BS9: C Din 7C 34
Berchel Ho. BS3: Bedm 5J 61
Berenda Dr. BS30: L Grn 6F 65
Beresford Cl. BS31: Salt 1J 97
TA8: Bur S 1E 158
Beresford Gdns. BA1: W'ton 7G 81

C

Cadby Ho.—Chantry Rd.

Cadby Ho. BA2: Bath 5G 99
Caddick Cl. BS15: K'wd 6D 50
Cade Cl. BS15: K'wd 3D 64
BS34: Stok G 2G 37
Cadogan Rd. BS14: H'gro 2C 76
Caen Rd. BS3: Wind H 6K 61
Caernarvon Rd. BS31: Key 6A 78
Caernarvon Way TA8: Bur S 6D 156
Caern Well Pl. BA1: Bath 1G 7
Caerwent La. NP16: Bulw 1A 8
Caine Rd. BS7: Hor 1B 48
Cains Cl. BS15: K'wd 3C 64
Cairn Cl. BS48: Nail 1J 71
Cairn Gdns. BS36: Wint D 3C 38
Cairns Ct. BS6: Redl 4J 47
Cairns Cres. BS2: Bris 7B 48
Cairns Rd. BS6: Henl, Redl 3H 47
Cala Trad. Est. BS3: Ash V 6F 61
Calcott Rd. BS4: Know 7C 62
Caldbeck Cl. BS10: S'mead 5K 35
Calder Cl. BS31: Key 6E 78
Caldicot Cl. BS11: Law W 5C 34
BS30: Will 7F 65
Caledonia M. BS8: Clif 3F 61
Caledonian Rd. BA2: Bath 5K 99 (5A 6)
BS1: Bris 4H 61 (6B 4)
Caledonia Pl. BS8: Clif 3F 61
California Rd. BS30: L Grn 6E 64
Callard Ho. BS16: Fish 4H 49
Callicroft Rd. BS34: Pat 7C 26
Callington Rd. BS4: Brisl 1D 76
BS14: H'gro 1D 76
Callow Drove BS25: Wins 1J 149
Callowhill Ct. BS1: Bris 2A 62 (2G 5)
Calluna Ct. BS22: Wick L 6E 84
Calton Gdns. BA2: Bath 6B 100 (7F 7)
Calton Rd. BA2: Bath 6C 100 (7G 7)
Calton Wlk. BA2: Bath 6B 100 (7F 7)
Camberley Dr. BS36: Fram C 6D 28
Camberley Rd. BS4: Know 2J 75
(not continuous)
Camberley Wlk. BS22: W Mare 5C 106
Camborne Rd. BS7: Hor 1C 48
Cambrian Dr. BS37: Yate 3D 30
CAMBRIDGE BATCH 2F 73
Cambridge Ct. BS40: Wrin 2F 111
Cambridge Cres.
BS9: W Trym 1G 47
Cambridge Gro. BS21: Clev 4D 54
Cambridge Pk. BS6: Redl 5H 47
Cambridge Pl. BA2: Bath 6D 100 (7J 7)
BS23: W Mare 4F 105
Cambridge Rd. BS7: B'stn 4K 47
BS21: Clev 4D 54
Cambridge St. BS3: Wind H 5B 62
BS5: Redf 2E 62
Cambridge Ter. BA2: Bath 6D 100 (7J 7)
Cam Brook Cl. BA2: Cam 5H 141
Camden Ct. BA1: Bath 3B 100 (1F 7)
Camden Cres. BA1: Bath 3B 100 (1F 7)
Camden Rd. BA1: Bath 3C 100
BS3: Bris 7B 4
Camden Row BA1: Bath 3B 100 (1F 7)
(not continuous)
Camden Ter. BA1: Bath 3C 100
(off Camden Rd.)
BS8: Clif 3G 61
BS23: W Mare 5G 105
CAMELEY 5E 138
Cameley BS39: Tem C 5G 139
Cameley Grn. BA2: Bath 5F 99
Cameley Rd. BS39: Came 6D 138
Camelford Rd. BS5: E'tn 7F 49
Cameron Wlk. BS7: L'lze 2E 48
Cameroons Cl. BS31: Key 6C 78
CAMERTON 5J 141
Camerton Cl. BS31: Salt 7J 79
Camerton Hill BA2: Cam 5J 141
Camerton Rd. BA2: Cam 3J 141
BS5: E'tn 7F 49
Campbells Farm Dr.
BS11: Law W 6K 33
Campbell St. BS2: Bris 7A 48
Campian Wlk. BS4: Know 4K 75
Campion Cl. BS22: W Mare 5B 106
BS35: T'bry 2B 12
Campion Dr. BS32: Brad S 4F 27
Camplins BS21: Clev 1C 68
Camp Rd. BS8: Clif 2F 61
BS23: W Mare 3D 104
Camp Rd. Nth. BS23: W Mare 3D 104
Camp Vw. BS36: Wint D 3C 38
BS48: Nail 7F 57
Camvale BA2: Pea J 5B 142
Camview BS39: Paul 7B 140
Camwal Ind. Est. BS2: Bris 4C 62
Camwal Rd. BS2: Bris 4C 62
Canada Coombe BS24: Hut 3D 128
Canada Way BS1: Bris 4G 61 (7A 4)
Canal Ter. BA2: B'ptn 2H 101
Canal Vw. BA2: Cam 5J 141
Canberra Cres. BS24: Lock 6F 107
Canberra Gro. BS34: Fil 3D 36
Canberra Rd. BS23: W Mare 2H 127
Canford La. BS9: W Trym 1D 46
Canford Rd. BS9: W Trym 7F 35
Cannans Cl. BS36: Wint 7C 28
Cann La. BS30: B'yte, Old C 3H 65
Cannons Ga. BS21: Clev 2C 68
Cannon St. BS1: Bris 1K 61 (2F 5)
BS3: Bedm 5J 61
Canons Cl. BA2: Bath 2H 121
Canons Ho. BS1: Bris 4J 61 (6D 4)
CANON'S MARSH 3J 61 (5C 4)
Canon's Rd. BS1: Bris 3J 61 (5D 4)
(not continuous)
Canon St. BS5: Redf 1E 62
Canon's Wlk. BS15: Soun 6C 50
BS22: Wor 2B 106
Canons Way BS1: Bris 3J 61 (5C 4)
Canowie Rd. BS6: Redl 5H 47
Canteen La. BA2: Wel 4K 143
Cantell Gro. BS14: Stoc 5H 77
Canterbury Cl. BS22: Wor 7E 84
BS37: Yate 3E 30
Canterbury Rd. BA2: Bath 6K 99 (6B 6)
Canterbury St. BS5: Bar H 3D 62
Canters Leaze GL12: Wickw 1H 23
Cantock's Cl. BS8: Clif 2J 61 (3C 4)
Canton Pl. BA1: Bath 1H 7
Canvey Cl. BS10: Hor 1A 48
Canynge Ho. BS1: Bris 4A 62 (7G 5)
Canynge Rd. BS8: Clif 1F 61
Canynge Sq. BS8: Clif 1F 61
Canynge St. BS1: Bris 3A 62 (5G 5)
Capel Cl. BS15: Warm 1F 65
Capell Cl. BS22: W Mare 4K 105
Capel Rd. BS11: Law W 6B 34
Capenor Cl. BS20: P'head 4E 42
Capgrave Cl. BS4: Brisl 6J 63
Capgrave Cres. BS4: Brisl 6J 63
Capital Edge. BS8: Clif 3H 61 (5A 4)
Caple La. BS40: Chew S 7B 114
Cappards Rd. BS39: Bis S 1J 137
Capricorn Quay BS8: Clif 3H 61 (5B 4)
Caraway Gdns. BS5: Eastv 6E 48
Carberry Vw. BS24: Wor 5E 106
Cardigan Cres. BS22: W Mare 4A 106
Cardigan La. BS9: Henl 2H 47
Cardigan M. BS9: Henl 3H 47
Cardigan Rd. BS9: Henl 2H 47
Cardill Cl. BS13: B'wth 2G 75
Cardinal Cl. BA2: Odd D 4K 121
Carditch Drove BS49: Cong 4H 109
Carey's Cl. BS21: Clev 5F 55
Carfax Ct. BS6: Redl 5G 47
Carice Gdns. BS21: Clev 2D 68
Carisbrooke Rd. BS4: Know 2K 75
CARLINGCOTT 4A 142
Carlingford Ter. BA3: Rads 4A 154
Carlingford Ter. Rd. BA3: Rads 4A 154
Carlow Rd. BS4: Know 2A 76
Carlton Cl. BS39: Clut 3H 139
Carlton Ct. BS9: W Trym 1G 47
Carlton Mans. Nth. BS23: W Mare 5F 105
(off Beach Rd.)
Carlton Mans. Sth. BS23: W Mare 5F 105
(off Beach Rd.)
Carlton Pk. BS5: Redf 1E 62
Carlton St. BS23: W Mare 5F 105
Carlyle Rd. BS5: E'tn 7E 48
Carmarthen Cl. BS37: Yate 2F 31
Carmarthen Gro. BS30: Will 1F 79
Carmarthen Rd. BS9: Henl 2G 47
Carnarvon Rd. BS6: Redl 6J 47
Carolina Ho. BS2: Bris 1K 61 (1F 5)
Caroline Bldgs. BA2: Bath 6D 100 (6J 7)
Caroline Cl. BS31: Key 6A 78
BS37: Chip S 4H 31
Caroline Pl. BA1: Bath 3B 100 (1F 7)
BS48: Back 5J 71
Carpenter Rd. BS23: W Mare 5J 105
Carpenters La. BS31: Key 5C 78
Carpenters Shop La.
BS16: Down 2C 50
Carpenters Way BA3: Mid N 6F 153
Carre Gdns. BS22: Wor 7D 84
Carr Ho. BA2: Bath 5G 99
BS2: Bris 7B 48
Carriage Ct. BA1: Bath 2E 6
Carriage Dr. BS10: Bren 5G 35
Carrick Ho. BS8: Clif 3F 61
(off Hotwell Rd.)
Carrington Rd. BS3: Ash G 5G 61
Carroll Ct. BS16: Fren 6G 37
Carsons Rd. BS16: Mang 5F 51
Carter Rd. BS39: Paul 1B 152
Carter Wlk. BS32: Brad S 6F 27
Cart La. BS1: Bris 3A 62 (5H 5)
Cartledge Rd. BS5: E'tn 7E 48
Cashmore Ho. BS5: Bar H 2D 62
Caslon Ct. BS1: Bris 4A 62 (7H 5)
Cassell Rd. BS16: Down, Fish 3A 50
Cassey Bottom La. BS5: St G 2J 63
Cassis Cl. TA8: Bur S 3E 158
Casson Dr. BS16: Stap 7G 37
Castle Cl. BS10: Hen 5D 34
BS48: Flax B 3D 72
Castle Coombe BS35: T'bry 3A 12
Castle Ct. BS34: Stok G 3J 37
BS35: T'bry 3K 11
Castle Farm La. BS4: Dun 1B 92
Castle Farm Rd. BS15: Han 7K 63
Castle Gallery BS1: Bris 3G 5
(off Galleries, The)
Castle Gdns. BA2: Bath 1A 122
Castlegate Ho. BS4: Brisl 7G 63
Castle Hill BS29: Ban 3C 130
Castle Ho. GL12: Wickw 7H 15
Castle M. GL12: Wickw 7H 15
Castle Rd. BS15: K'wd 6B 50
BS16: Puck 2C 52
BS21: Clev 3D 54
BS22: Wor 1C 106
BS30: Old C 6G 65
Castle St. BS1: Bris 2A 62 (3H 5)
BS35: T'bry 2J 11
Castle Vw. Rd. BS21: Clev 4D 54
Castlewood Cl. BS21: Clev 5D 54
Caswell Hill BS20: Clap G 1J 57
Caswell La. BS20: Clap G, P'bry 7H 43
CATBRAIN 1H 35
Catbrain Hill BS10: Pat 1H 35
Catbrain La. BS10: Pat 1H 35
Catemead BS21: Clev 2C 68
Cater Rd. BS13: B'wth 4G 75
Catharine Pl. BA1: Bath 4B 100 (2E 6)
Cathay La. BS27: Ched 7D 150
Cathcart Ho. BA1: Bath 2C 100
Cathedral Sq. BS1: Bris 3J 61 (5D 4)
Catherine Ct. BS6: Bris 7A 48
(off Backfields La.)
Catherine Hill BS35: Olv 3B 18
Catherine Mead St. BS3: Bedm 5J 61
Catherine St. BS11: A'mth 7G 33
TA9: E Hunt 7J 159
Catherine Way BA1: Bathe 6H 83
Catley Gro. BS4: L Ash 1B 74
Cato St. BS5: E'tn 6D 48
Catsley Pl. BA1: Swain 7E 82
Cattistock Dr. BS5: St G 3J 63
Cattle Mkt. Rd. BS1: Bris 4B 62 (6J 5)
Cattybrook Rd. BS16: Short 3H 51
Cattybrook Rd. Nth. BS16: Short 3H 51
Cattybrook St. BS5: E'tn 1D 62
Caulfield Rd. BS22: Wor 7E 84
Causeway BS21: Nail, Tic 6D 56
BS48: Nail 7D 56
Causeway, The BS20: Clap G 7G 43
BS36: Coal H 7G 29
BS49: Cong 7K 87
BS49: Yat 4J 87
Causeway Vw. BS48: Nail 7E 56
Causley Dr. BS30: Bar C 4D 64
Cautletts Cl. BA3: Mid N 6D 152
Cavan Wlk. BS4: Know 1K 75
Cave Cl. BS16: Down 2B 50
Cave Ct. BS2: Bris 1A 62 (1H 5)
Cave Dr. BS16: Fish 2B 50
Cave Gro. BS16: Emer G 1F 51
Cavell Ct. BS21: Clev 1C 68
Cavendish Cl. BS31: Salt 1H 97
Cavendish Cres. BA1: Bath 3A 100
Cavendish Gdns. BS9: Stok B 4C 46
Cavendish Lodge BA1: Bath 3A 100
Cavendish Pl. BA1: Bath 3A 100
Cavendish Rd. BA1: Bath 3A 100 (1D 6)
BS9: Henl 3G 47
BS34: Pat 6B 26
Caveners Ct. BS22: W Mare 3K 105
Caversham Dr. BS48: Nail 7J 57
Cave St. BS2: Bris 1A 62 (1H 5)
Caxton Ct. BA2: Bath 4C 100 (3G 7)
Caxton Ga. BS1: Bris 4A 62 (7H 5)
Cecil Av. BS5: S'wll 7H 49
Cecil Rd. BS8: Clif 1F 61
BS15: K'wd 1B 64
BS23: W Mare 3G 105
Cedar Av. BS22: W Mare 3A 106
Cedar Cl. BS4: L Ash 1K 73
BS30: Old C 5F 65
BS34: Pat 7B 26
TA9: Bre K 5K 157
Cedar Ct. BA15: Brad A 4H 125
BS9: Stok B 4C 46
BS16: Down 2C 50
Cedar Dr. BS31: Key 6B 78
Cedar Gro. BA2: Bath 1K 121
BS9: Stok B 3D 46
Cedar Hall BS16: Fren 7A 38
Cedarhurst Rd. BS20: P'head 5A 42
Cedarn Ct. BS22: Kew 7A 84
Cedar Pk. BS9: Stok B 3D 46
Cedar Row BS11: Shire 2K 45
Cedars, The BS9: Stok B 5D 46
BS40: Chew S 4D 114
Cedars Way BS36: Wint 2B 38
Cedar Ter. BA3: Rads 5H 153
Cedar Vs. BA2: Bath 6A 100 (6D 6)
Cedar Wlk. BA2: Bath 6A 100 (6D 6)
(not continuous)
Cedar Way BA2: Bath 6A 100 (6D 6)
BS16: Puck 3B 52
BS20: P'head 4D 42
BS48: Nail 7J 57
Cedern Av. BS24: E'boro 2G 129
Cedric Cl. BA1: Bath 4J 99
Cedric Rd. BA1: Bath 4J 99
Celandine Cl. BS35: T'bry 2B 12
Celestine Rd. BS37: Yate 3C 30
Celia Ter. BS4: St Ap 3H 63
Celtic Way BS24: B'don 5K 127
Cemetery La. BA15: Brad A 5J 125
Cemetery Rd. BS4: Wind H 6C 62
Cennick Av. BS15: K'wd 7C 50
Centaurus Rd. BS34: Pat 7J 25
Centenary Way BS27: Ched 7C 150
Central Av. BS15: Han 4A 64
BS35: Sev B 3A 24
Central Pk. BS14: H'gro 2D 76
Central Trad. Est. BS4: Bris 5D 62
Central Way BS10: S'mead 7A 36
BS21: Clev 1D 68
Centre Dr. BS29: Ban 1J 129
Cen. for Sport, Exercise and Health 1J 61 (1C 4)
Centre, The BS23: W Mare 5G 105
BS31: Key 5C 78
Ceres Cl. BS30: L Grn 7D 64
Cerimon Ga. BS34: Stok G 2G 37
Cerney Gdns. BS48: Nail 7J 57
Cerney La. BS11: Shire 3J 45
Cesson Cl. BS37: Chip S 6J 31
Chadleigh Gro. BS4: Know 3K 75
Chaffinch Dr. BA3: Mid N 6F 153
Chaffins, The BS21: Clev 7E 54
Chaingate La. BS37: Iron A 7K 21
Chakeshill Cl. BS10: Bren 4J 35
Chakeshill Dr. BS10: Bren 4J 35
Chalcombe Cl. BS34: Lit S 6E 26
Chalcroft Ho. BS3: Bris 5G 61
Chalcroft Wlk. BS13: Withy 6E 74
Chalet, The BS10: Hen 4F 35
Chalfield Cl. BS31: Key 1E 96
Chalfont Rd. BS22: W Mare 4A 106
Chalford Cl. BS37: Yate 6D 30
Chalk Farm Cl. BS39: Nor M 4C 94
Chalks Rd. BS5: St G 1F 63
Chalks, The BS40: Chew M 1H 115
Challender Av. BS10: Hen 5F 35
Challoner Ct. BS1: Bris 4K 61 (6E 4)
Challow Dr. BS22: W Mare 2K 105
Champion Rd. BS15: K'wd 6D 50
Champneys Av. BS10: Hen 4F 35
Champs Sur Marne BS32: Brad S 6G 27
Chancel Cl. BS9: Stok B 5D 46
BS48: Nail 2F 71
Chancery St. BS5: Bar H 2D 62
Chandag Rd. BS31: Key 6D 78
Chandler Cl. BA1: Bath 2H 99
Chandos BS6: Redl 6J 47
Chandos Bldgs. BA1: Bath 5F 7
(off Westgate Bldgs.)
Chandos Rd. BS6: Redl 7H 47
BS31: Key 3C 78
Chandos Trad. Est. BS2: Bris 4C 62
Channel Ct. TA8: Bur S 3D 158
Channel Hgts. BS24: W Mare 4H 127
Channells Hill BS9: W Trym 7G 35
Channel Rd. BS21: Clev 3D 54
Channel Vw. Cvn. Pk.
TA8: Brean 6B 126
Channel Vw. Cres. BS20: P'head 3D 42
Channel Vw. Rd. BS20: P'head 3D 42
Channing Cl. TA8: Bur S 3D 158
Channon's Hill BS16: Fish 4H 49
Chanterelle Pk. BA15: Brad A 7G 125
Chantry Cl. BS48: Nail 1E 70
Chantry Ct. BS1: Bris 3J 61 (4D 4)
(off Denmark St.)
Chantry Dr. BS22: Wor 7D 84
Chantry Gro. BS11: Law W 5C 34
Chantry La. BS16: Down 6D 38
Chantry Mead Rd. BA2: Bath 1A 122
Chantry Rd. BS8: Clif 7H 47
BS35: T'bry 2K 11

Church Farm Touring Cvn. & Camping Site—Clifton Suspension Bridge Vis. Cen.

Church Farm Touring Cvn. & Camping Site
BA15: W'ley 5B **124**
Church Hayes Cl. BS48: Nail 2G **71**
Church Hayes Dr. BS48: Nail 2G **71**
Church Hill BA2: F'frd 7K **123**
BA2: Tim 3F **141**
BA3: Writ 4C **154**
BS4: Brisl 7F **63**
BS35: Olv 2B **18**
Church Ho. Rd. TA8: Berr 2B **156**
CHURCHILL 1B **132**
Churchill Av. BS21: Clev 7C **54**
Churchill Cl. BS21: Clev 7C **54**
BS30: Bar C 4E **64**
TA8: Bur S 3E **158**
Churchill Dr. BS9: W Trym 1D **46**
CHURCHILL GREEN 7J **109**
Churchill Grn. BS25: C'hll 7H **109**
Churchill Hall BS9: Stok B 5F **47**
Churchill Rd. BS4: Brisl 5E **62**
BS23: W Mare 5J **105**
Churchill Sports Cen. 7J **109**
Churchlands Ct. TA8: Bur S 1C **158**
Churchlands Rd. BS3: Bedm 7H **61**
Churchland Way BS22: W Wick 4F **107**
Church La. BA1: Bathe 6H **83**
BA2: Bath 7E **100**
BA2: F'boro 6E **118**
BA2: F'frd, Lim S 6J **123**
BA2: Tim 3F **141**
BA3: Mid N 5E **152**
BS1: Bris 3A **62** (5H **5**)
BS3: Bedm 5K **61**
(not continuous)
BS4: L Ash 6C **60**
BS5: St G 1F **63**
BS8: Clif 3H **61** (5A **4**)
BS10: Hen 5E **34**
BS14: Whit 7D **76**
BS16: Down, Ham 5C **38**
(not continuous)
BS21: Tic 5D **56**
BS24: Hut 3B **128**
BS24: Lym 5K **145**
BS25: C'hll 7K **109**
BS25: Wins 7E **130**
BS26: Axb 4J **149**
BS26: Badg 7A **148**
BS26: Comp B 3B **148**
BS26: Lox 2H **147**
BS30: Bit 3J **79**
BS36: Coal H 1G **39**
BS36: Wint 1A **38**
BS37: Rang 4K **21**
BS39: Bis S 1J **137**
BS39: Clut 2G **139**
BS39: Comp D 5B **96**
BS39: Paul 7C 140
(off Church St.)
BS40: Chew S 4D **114**
BS40: E Harp 7J **137**
BS48: Back 5J **71**
BS48: Flax B 3D **72**
BS48: Nail 1E **70**
(not continuous)
BS49: Yat 4H **87**
GL12: Crom 3A **14**
GL12: Wickw 6G **15**
TA9: Bre K 5J **157**
Church La. End BS48: Flax B 2D **72**
Church Leaze BS11: Shire 2H **45**
Church Mdws. BS14: Whit 6E **76**
Church Pde. BS4: Brisl 7G **63**
Church Path BS2: Bris 6B **48**
BS3: Bedm 6J **61**
BS7: Bris 6B **48**
Church Path Rd. BS20: Pill 4G **45**
Church Path Steps BS8: Clif 4G **61** (6A **4**)
Church Pl. BS20: Pill 4G **45**
Church Ri. BS40: Winf 4A **92**
Church Rd. BA1: W'ton 2J **99**
BA2: C Down 3D **122**
BA2: Pea J 5B **142**
BS3: Bedm 5J **61**
BS4: Dun 1D **92**
BS5: Redf, St G 2E **62**
BS7: Hor 2A **48**
BS8: Abb L 1A **60**
BS8: L Wds 3D **60**
BS9: Stok B 5D **46**
BS9: W Trym 1G **47**
BS13: B'wth 5F **75**
BS14: Whit 6D **76**
BS15: K'wd 1C **64**
BS15: St G 4K **63**
BS16: Fren 1K **49**
BS16: Soun 5B **50**
BS20: E'tn G 4E **44**
BS20: P'bry 5C **44**
Church Rd. BS22: Wor 2B **106**
BS24: Lym 5K **145**
BS25: Wins 7E **130**
BS30: Bit 2J **79**
BS30: Doy 7G **53**
BS30: Wick 3B **66**
BS32: Alm 1C **26**
BS34: Fil 4C **36**
BS34: Stok G 3G **37**
BS35: C'hill 1D **10**
BS35: E Comp 5G **25**
BS35: E Grn, Rudg 3H **19**
BS35: Sev B 7A **16**
(not continuous)
BS35: T'bry 2K **11**
BS36: Fram C 5E **28**
BS36: Wint D 3C **38**
BS37: Yate 3E **30**
(not continuous)
BS39: Nor M 4C **94**
BS40: Redh 1B **112**
BS40: Winf 4A **92**
BS49: Yat 4J **87**
TA8: Brean 2B **144**
TA9: W Hunt 7D **158**
Church Rd. Nth. BS20: P'head 3F **43**
Church Rd. Sth. BS20: P'head 4F **43**
Church Sq. BA3: Mid N 5E **152**
BS39: Clut 3G **139**
Church St. *BA1: Bath 5G 7*
(off York St.)
BA1: Bathf 1K **101**
BA1: W'ly 4B **82**
BA1: W'ton 2H **99**
BA2: Bath 7D **100** (7K **7**)
BA3: Rads 4K **153**
BA15: Brad A 6G **125**
BS1: Bris 3A **62** (5H **5**)
BS5: Bar H 3D **62**
BS5: E'tn 7D **48**
BS27: Ched 7D **150**
BS29: Ban 2B **130**
BS39: Paul 7B **140**
BS39: Pens 7F **95**
BS40: Blag 3C **134**
TA9: High 5F **159**
CHURCH TOWN 5A **72**
Church Town BS48: Back 5A **72**
Church Vw. BS16: Down 3B **50**
BS32: Alm 2B **26**
BS34: Fil 4C **36**
BS48: Wrax 7K **57**
TA8: Berr 2B **156**
Church Wlk. BS20: Pill 4G **45**
BS40: Wrin 2F **111**
(not continuous)
BS48: Flax B 3D **72**
Churchward Cl. BS15: Han 4J **63**
Churchward Rd. BS22: Wor 1F **107**
BS37: Yate 3B **30**
Churchway BA3: Faul 5K **155**
Churchways BS14: Whit 6E **76**
Churchways Av. BS7: Hor 2A **48**
Churchways Cres. BS7: Hor 2A **48**
Churston Cl. BS14: Whit 7C **76**
Cinder Path, The BA2: Shos 1E **154**
Cineworld the Movies 4A **76**
Circle, The BA2: Bath 1H **121**
Circuit 32 BS5: E'tn 1D **62**
Circular Rd. BS9: Stok B 6E **46**
Circus M. BA1: Bath 4B **100** (2E **6**)
Circus Pl. BA1: Bath 4B **100** (2E **6**)
(not continuous)
Circus, The BA1: Bath 4B **100** (2F **7**)
City Bus. Pk. BS5: E'tn 2C **62** (2K **5**)
City Mus. & Art Gallery 2J **61** (2C **4**)
City of Bristol College 7E **38**
City Rd. BS2: Bris 1A **62**
City Vw. BA1: Bath 1G **7**
Clamp, The BS30: Old C 6G **65**
Clanage Rd. BS3: Bwr A 5E **60**
Clanders Batch BS40: Blag 2B **134**
CLANDOWN 2J **153**
Clandown Rd. BS39: Paul 2D **152**
Clan Ho. BA2: Bath 4E **100** (2K **7**)
CLAPTON 7A **152**
Clapton Drove BS20: Clap G 1E **56**
(not continuous)
CLAPTON IN GORDANO 7G **43**
Clapton La. BS20: Clap G, P'head 5F **43**
Clapton Rd. BA3: C'tn, Mid N 6A **152**
Clapton Wlk. BS9: Sea M 3C **46**
CLAPTON WICK 3A **56**
Clare Av. BS7: B'stn 5J **47**
Clare Gdns. BA2: Odd D 3K **121**
Claremont Av. BS7: B'stn 5J **47**
Claremont Bldgs. BA1: Bath 2C **100**
Claremont Ct. BS21: Clev 5E **54**
Claremont Cres. BS23: W Mare 3D **104**
Claremont Gdns. BS21: Clev 1E **68**
BS39: Hall 6K **139**
BS48: Nail 1F **71**
Claremont Pk. TA8: Berr 1B **156**
Claremont Pl. *BA1: Bath 2C 100*
(off Camden Rd.)
Claremont Rd. BA1: Bath 2D **100**
BS7: B'stn 5K **47**
Claremont St. BS5: E'tn 7C **48**
Claremont Ter. *BA1: Bath 2D 100*
(off Camden Rd.)
BS5: St G 2F **63**
Claremont Wlk. BA1: Bath 2C **100**
Clarence Av. BS16: Stap H 3C **50**
Clarence Gdns. BS16: Stap H 3C **50**
Clarence Gro. Rd. BS23: W Mare 7G **105**
Clarence Pl. BA1: Bath 4H **99**
BS2: Bris 1J **61** (1D **4**)
Clarence Rd. BS1: Bris 4A **62** (7G **5**)
BS2: Bris 2C **62** (2K **5**)
BS15: K'wd 7K **49**
BS16: Down 3B **50**
Clarence Rd. E. BS23: W Mare 7G **105**
Clarence Rd. Nth. BS23: W Mare 7F **105**
Clarence Rd. Sth. BS23: W Mare 7F **105**
Clarence St. BA1: Bath 3C **100** (1G **7**)
Clarence Ter. BA2: Clav D 7F **101**
Clarendon Rd. BA2: Bath 6D **100** (7J **7**)
BS6: Redl 6J **47**
BS23: W Mare 4H **105**
Clarendon Vs. BA2: Bath 6D **100** (7J **7**)
Clare Rd. BS5: Eastv 6D **48**
BS6: Cot 7K **47**
BS15: K'wd 6A **50**
Clare St. BS1: Bris 3K **61** (4E **4**)
BS5: Redf 1E **62**
Clare Wlk. BS35: T'bry 2K **11**
Clark Cl. BS48: Wrax 7J **57**
Clarke Dr. BS16: B'hll 1H **49**
Clarken Cl. BS48: Nail 1G **71**
Clarken Coombe BS4: L Ash 6K **59**
Clarke St. BS3: Bedm 5K **61**
(not continuous)
Clarkson Av. BS22: W Mare 3A **106**
Clark St. BS5: E'tn 1C **62**
Clatworthy Dr. BS14: H'gro 3C **76**
Claude Av. BA2: Bath 6J **99** (7A **6**)
Claude Ter. BA2: Bath 6J **99**
Claude Va. BA2: Bath 6J **99**
Clavell Rd. BS10: Hen 5F **35**
CLAVERHAM 2B **88**
Claverham Cl. BS49: Yat 3K **87**
Claverham Drove BS49: Clav 7H **69**
Claverham Pk. BS49: Clav 2B **88**
Claverham Rd. BS16: Fish 3J **49**
BS49: Clav, Yat 4K **87**
CLAVERTON 6K **101**
Claverton Bldgs. BA2: Bath 7H **7**
Claverton Ct. BA2: Clav D 7G **101**
CLAVERTON DOWN 1H **123**
Claverton Down Rd.
BA2: Clav D, C Down 6G **101**
Claverton Dr. BA2: Clav D 1H **123**
Claverton Hill BA2: Clav D 6H **101**
Claverton Manor 6J **101**
Claverton Pumping Station 6A **102**
Claverton Rd. BS31: Salt 7H **79**
Claverton Rd. W. BS31: Salt 7H **79**
Claverton St. BA2: Bath 6C **100** (6G **7**)
CLAY BOTTOM 6F **49**
Clay Bottom BS5: Eastv 6F **49**
Claydon Grn. BS14: Whit 7B **76**
Clayfield BS37: Yate 1E **30**
Clayfield Rd. BS4: Brisl 6G **63**
CLAY HILL 6G **49**
Clay Hill BS5: S'wll 6G **49**
Clay La. BS30: Bit 2H **79**
BS34: Lit S 7D **26**
BS35: T'bry 3C **12**
Claymore Cres. BS15: K'wd 7K **49**
Claypiece Rd. BS13: Withy 6F **75**
Claypit Hill BS37: Chip S 7H **31**
Clay Pit Rd. BS6: Henl 5G **47**
Claypool Rd. BS15: K'wd 2B **64**
CLAYS END 6D **98**
Clayton Cl. BS20: P'head 4G **43**
Clayton St. BS5: E'tn 1D **62**
BS11: A'mth 6E **32**
Cleave St. BS2: Bris 6C **48**
CLEEVE 3C **88**
Cleeve Av. BS16: Down 1C **50**
Cleeve Ct. BS16: Down 1B **50**
Cleevedale Rd. BA2: C Down 3C **122**
Cleeve Dr. BS49: C've 3C **88**
Cleeve Gdns. BS16: Down 1B **50**
Cleeve Grn. BA2: Bath 5F **99**
Cleeve Gro. BS31: Key 5B **78**
Cleeve Hill BS16: Down 1B **50**
BS40: Ubl 5J **135**
Cleeve Hill Extension BS16: Down 2C **50**
Cleeve Hill Rd. BS40: Wrin 3D **88**
BS49: C've 3D **88**
Cleeve La. BS30: Wick 7D **52**
Cleeve Lawns BS16: Down 1B **50**
Cleeve Lodge Cl. BS16: Down 2C **50**
Cleeve Lodge Rd. BS16: Down 1C **50**
Cleeve Pk. Rd. BS16: Down 1B **50**
Cleeve Pl. BS48: Nail 1J **71**
Cleeve Rd. BS4: Know 6D **62**
BS16: Down 2C **50**
BS16: Fren 7A **38**
BS37: Yate 5E **30**
Cleeve Wood Pk. BS16: Down 7A **38**
Cleeve Wood Rd. BS16: Down 7A **38**
(not continuous)
Clement St. BS2: Bris 1B **62** (1J **5**)
Clermont Cl. BS34: Pat 6B **26**
Cleve Ct. BS34: Fil 3D **36**
Clevedale BS16: Down 1B **50**
Clevedale Ct. BS16: Down 1B **50**
CLEVEDON 6D **54**
Clevedon Court 5G **55**
Clevedon Court Woods Nature Reserve 5G **55**
Clevedon Hall Est. BS21: Clev 6C **54**
Clevedon La. BS20: Clap G 3A **56**
BS21: Clev 4J **55**
Clevedon Miniature Railway 6B **54**
Clevedon Pier 4C **54**
Clevedon Rd. BA3: Mid N 4E **152**
BS4: L Ash 5F **59**
BS7: B'stn 4K **47**
BS8: Fail 3J **57**
BS20: P'head 6E **42**
(not continuous)
BS21: Nail, Tic 5J **55**
BS23: W Mare 6F **105**
BS48: Flax B, Wrax 6J **57**
(not continuous)
BS48: Nail 5D **56**
BS48: Wrax 4H **57**
(not continuous)
Clevedon Ter. BS6: Bris 1K **61** (1E **4**)
Clevedon Town Football Club 2F **69**
Clevedon Triangle Cen. BS21: Clev 6D **54**
Clevedon Wlk. BS48: Nail 7G **57**
Cleveland Cl. BS35: T'bry 4C **12**
Cleveland Cotts. BA1: Bath 3C **100** (1G **7**)
Cleveland Ct. BA2: Bath 5E **100**
Cleveland Pl. BA1: Bath 3C **100** (1H **7**)
Cleveland Pl. E. BA1: Bath 1H **7**
Cleveland Pl. W. BA1: Bath 1H **7**
Cleveland Reach BA1: Bath 1H **7**
Cleveland Row BA2: Bath 3D **100** (1K **7**)
Cleveland Ter. *BA1: Bath 1G 7*
(off London Rd.)
Cleveland Wlk. BA2: Bath 5E **100**
Cleve Rd. BS34: Fil 3C **36**
Cleweson Ri. BS14: Whit 7B **76**
Cliff Ct. Dr. BS16: Fren 1K **49**
Cliffe Dr. BA2: Lim S 6J **123**
Clifford Gdns. BS11: Shire 2J **45**
Clifford Rd. BS16: Fish 4A **50**
Cliff Rd. BA5: Ched 5J **151**
BS22: W Mare 1J **105**
BS27: Ched 6F **151**
Cliffs, The BS27: Ched 6E **150**
Cliff St. BS27: Ched 7E **150**
Clift Ho. Rd. BS3: Ash G 5F **61**
Clift Ho. Spur BS3: Ash G 5F **61**
CLIFTON 1G **61**
Clifton Arc. *BS8: Clif 2G 61*
(off Boyce's Av.)
Clifton Av. BS23: W Mare 7G **105**
Clifton Cl. BS8: Clif 2F **61**
Clifton College Sports Club 2B **60**
Clifton Ct. BS21: Clev 7C **54**
Clifton Down BS8: Clif 1F **61**
(not continuous)
Clifton Down Rd. BS8: Clif 2F **61**
Clifton Down Shop. Cen. BS8: Clif 7H **47**
Clifton Down Station (Rail) 7H **47**
Clifton Hgts. BS8: Clif 2H **61** (2B **4**)
Clifton High Gro. BS9: Stok B 3E **46**
Clifton Hill BS8: Clif 3G **61** (4A **4**)
Clifton Hill Ho. BS8: Clif 4A **4**
Clifton Observatory and Camera Obscura 2F **61**
Clifton Pk. BS8: Clif 2G **61**
Clifton Pk. Rd. BS8: Clif 1F **61**
Clifton Pl. BS5: E'tn 1C **62**
Clifton Rd. BS8: Clif 2G **61** (3A **4**)
BS23: W Mare 6F **105**
Clifton Roman Catholic Cathedral 1G **61**
Clifton St. BS3: Bedm 6J **61**
BS20: P'head 6E **42**
Clifton Suspension Bridge 2E **60**
Clifton Suspension Bridge Vis. Cen. 2F **61**

Cornwallis Gro.—Cumberland St.

Cornwallis Gro. BS8: Clif 3F 61
Cornwallis Ho. BS8: Clif. 3G 61
Cornwall Rd. BS7: B'stn 4K 47
Coromandel Hgts. BA1: Bath 1F 7
Coronation Av. BA2: Bath 1J 121
BA15: Brad A 5J 125
BS16: Fish 4J 49
BS31: Key 6B 78
Coronation Cl. BS30: C Hth 4E 64
Coronation Cotts. BA1: Bathe. 7H 83
Coronation Est. BS23: W Mare 2H 127
Coronation Pl. BS1: Bris 3K 61 (4F 5)
Coronation Rd. BA1: Bath 4K 99 (2A 6)
BS3: Ash G, Bris. 5G 61 (7A 4)
BS15: K'wd 2D 64
BS16: Down. 3C 50
BS22: Wor 2C 106
BS24: B'don. 7A 128
BS29: Ban 2A 130
BS30: C Hth 4E 64
TA9: High 4F 159
Coronation Vs. BA3: Rads 3A 154
Corondale Rd. BS22: W Mare 4B 106
Corridor, The BA1: Bath 5C 100 (4G 7)
Corsham Dr. TA8: Bur S 7E 156
Corsley Wlk. BS4: Know 2B 76
CORSTON. 4B 98
Corston BS24: W Mare 3J 127
Corston Dr. BA2: New L 5B 98
CORSTON FIELDS 5G 97
Corston La. BA2: Cor 4A 98
Corston Vw. BA2: Odd D. 2J 121
Corston Wlk. BS11: Shire. 1H 45
Coryton BS22: Wor 2E 106
Cossham Cl. BS35: T'bry 2A 12
Cossham Rd. BS5: St G 1F 63
BS16: Puck 4C 52
Cossham St. BS16: Mang. 3E 50
Cossham Wlk. BS5: St G 7J 49
Cossington Rd. BS4: Know 1B 76
Cossins Rd. BS6: Redl 5H 47
Costers Cl. BS35: Alv 7J 11
Costiland Dr. BS13: B'wth. 4F 75
Cote Bank Ho. BS9: W Trym 1H 47
Cote Dr. BS9: W Trym 4G 47
Cote Ho. La. BS9: W Trym. 3G 47
Cote La. BS9: W Trym 3G 47
BS35: L Sev. 4K 9
Cote Lea Pk. BS9: W Trym. 1G 47
Cote Paddock BS9: W Trym 4F 47
Cote Pk. BS9: W Trym 2E 46
Cote Rd. BS9: W Trym 3G 47
COTHAM. 7J 47
Cotham Brow BS6: Cot 7K 47
Cotham Gdns. BS6: Cot 7H 47
Cotham Gro. BS6: Cot 7K 47
Cotham Hill BS6: Cot 7H 47
Cotham Lawn Rd. BS6: Cot 1J 61
Cotham Pk. BS6: Cot 7J 47
Cotham Pk. Nth. BS6: Cot 7J 47
Cotham Pl. BS6: Cot. 7J 47
Cotham Rd. BS6: Cot 1J 61
Cotham Rd. Sth. BS6: Bris. 1K 61
Cotham Side BS6: Cot 7K 47
Cotham Va. BS6: Cot 7J 47
Cotman Wlk. BS7: L'lze 2D 48
BS22: Wor. 2D 106
Cotrith Gro. BS10: Hen. 4E 34
Cotswold Cl. BS20: P'head. 4G 43
Cotswold Ct. BS37: Chip S. 5H 31
Cotswold Rd. BA2: Bath 7K 99
BS3: Wind H 6K 61
BS37: Chip S 6H 31
Cotswold Vw. BA2: Bath. 6H 99
BS15: K'wd 6B 50
BS34: Fil. 4C 36
GL12: Wickw 6H 15
Cottage Pl. BA1: Bath. 1E 100
BS2: Bris. 1K 61 (1E 4)
Cottage Row TA8: Bur S. 2C 158
Cottages, The BS40: Wrin 2F 111
BS48: Bar G. 4K 73
Cottington Ct. BS15: Han 4C 64
Cottisford Rd. BS5: Eastv. 4D 48
Cottle Gdns. BS14: Stoc. 4H 77
Cottle Rd. BS14: Stoc 4H 77
Cottles La. BA15: Tur. 6D 124
Cotton Mead BA2: Cor 4B 98
Cottonwood Dr. BS30: L Grn. 6E 64
Cottrell Av. BS15: K'wd 6K 49
Cottrell Rd. BS5: Eastv. 5E 48
Coulson Dr. BS22: Wor. 1F 107
Coulsons Cl. BS14: Whit 7C 76
Coulson's Rd. BS14: Whit 7B 76
Coulson Wlk. BS15: K'wd. 6A 50
Counterpool Rd. BS15: K'wd 2A 64
Counterslip BS1: Bris 3A 62 (4G 5)
Counterslip Gdns. BS14: H'gro 4E 76
Countess Wlk. BS16: Stap 2F 49
County St. BS4: Wind H 5C 62
County Way BS34: Stok G. 3J 37
Court Av. BS34: Stok G. 2H 37
BS49: Yat. 4H 87
Court Cl. BS7: Hor 1A 48
BS20: P'head 4F 43
BS48: Back. 5A 72
Court Dr. BS25: Sandf 1H 131
Courtenay Cres. BS4: Know 3K 75
Courtenay Rd. BS31: Key, Salt 1E 96
Courtenay Wlk. BS22: Wor. 1E 106
Court Farm Country Pk. 7K 107
Ct. Farm Rd. BS14: Whit 7B 76
Ct. Farm Rd. BS30: L Grn 1B 78
Courtfield Gro. BS16: Fish 4J 49
Court Gdns. BA1: Bathe 6J 83
Court Hay BS20: E'tn G. 4E 44
Court Hill BS39: Comp D 6B 96
Courtlands BS31: Key. 5C 78
BS32: Brad S 5E 26
Courtlands La. BS3: Bwr A. 5E 60
Court La. BA1: Bathf. 1K 101
BS16: Stap H 4C 50
BS21: Clev. 6G 55
BS25: Ship. 6B 132
BS30: Wick 3B 66
Courtmead BA2: S'ske 5B 122
Courtney Rd. BS15: K'wd. 2C 64
Courtney Way BS15: K'wd. 2D 64
Court Pl. BS22: Wor. 2D 106
Court Rd. BS7: Hor. 1B 48
BS15: K'wd 2B 64
BS30: Old C 6F 65
BS36: Fram C. 6D 28
Courtside BS15: K'wd. 2D 64
Courtside M. BS6: Cot 7J 47
Court Vw. BS30: Wick. 3C 66
Court Vw. Cl. BS32: Alm 1C 26
Courtyard, The BS32: Brad S 3F 27
BS40: W Har 7E 136
BS48: Nail 7G 57
Courville Cl. BS35: Alv 1J 19
Cousins Cl. BS10: Hen 4D 34
Cousins La. BS5: St G 2H 63
Cousins M. BS4: St Ap. 3H 63
Cousins Way BS16: Emer G 7F 39
Couzens Cl. BS37: Chip S 4H 31
Couzens Pl. BS34: Stok G 2H 37
Coventry Wlk. BS4: St Ap. 3H 63
Cowan Cl. TA8: Bur S. 1E 158
Cowdray Rd. BS4: Know 3K 75
COWHILL. 1D 10
Cowhorn Hill BS30: Old C 4G 65
Cow La. BA1: Bath. 4A 100 (2C 6)
Cowleaze La. BS40: W Har 7C 136
Cowler Wlk. BS13: Withy. 6F 75
Cowling Dr. BS14: Stoc 5E 76
Cowling Rd. BS14: Stoc 5F 77
Cowmead Wlk. BS2: Bris 7C 48
Cowper Rd. BS6: Redl 7J 47
Cowper St. BS5: Redf. 2E 62
Cowship La. GL12: Crom, Wickw. 5B 14
COWSLIP GREEN. 4K 111
Cowslip La. BS26: Lox. 3H 147
Cox Ct. BS30: Bar C 5D 64
Coxgrove Hill BS16: Puck 1K 51
Coxley Dr. BA1: Bath 1D 100
Cox's Cave 6F 151
COX'S GREEN 3G 111
Cox's Grn. BS40: Wrin 3G 111
Coxway BS21: Clev. 7E 54
Coxwynne Cl. BA3: Mid N 6G 153
Crabtree Cl. BS4: Dun 2D 92
Crabtree La. BS4: Dun 1C 92
Crabtree Path BS21: Clev. 1C 68
Crabtree Wlk. BS5: Eastv 6F 49
Craddock Cl. BS30: C Hth. 5E 64
Cranberry Wlk. BS9: C Din. 7C 34
Cranbourne Chase BS23: W Mare 3J 105
Cranbourne Rd. BS34: Pat 7B 26
Cranbrook Rd. BS6: Redl 4J 47
Crandale Rd. BA2: Bath 6K 99 (6A 6)
Crandell Cl. BS10: Hen. 3F 35
Crane Cl. BS15: Warm 1F 65
Cranford Cl. BS22: W Mare 3B 106
Cranford Ct. BS9: Henl 2H 47
Cranham BS37: Yate. 7C 30
Cranham Cl. BS15: Soun 6D 50
Cranham Dr. BS34: Pat. 5E 26
Cranham Rd. BS10: W Trym. 7J 35
Cranhill Rd. BA1: W'ton 3K 99 (1B 6)
Cranleigh BA2: S'ske 4B 122
Cranleigh Ct. Rd. BS37: Yate. 4D 30
Cranleigh Gdns. BS9: Stok B 4E 46
Cranleigh Rd. BS14: Whit 5D 76
Cranmoor Grn. BS35: Piln 6D 16
Cranmoor La. BS21: King S. 1D 86
Cranmore BS24: W Mare 3J 127
Cranmore Av. BS31: Key 4B 78
Cranmore Cres. BS10: S'mead. 6K 35
Cranmore Pl. BA2: Odd D 4K 121
Cranside Av. BS6: Redl. 4J 47
Cransley Cres. BS9: Henl 1J 47
Crantock Av. BS13: B'wth. 2H 75
Crantock Dr. BS32: Alm 1D 26
Crantock Rd. BS37: Yate 5D 30
Cranwell Gro. BS14: Whit 5C 76
Cranwell Rd. BS24: Lock. 7G 107
Cranwells Pk. BA1: W'ton 3K 99 (1A 6)
Crates Cl. BS15: K'wd 1C 64
Craven Cl. BS30: Bar C 4D 64
Craven Way BS30: Bar C, C Hth. 4D 64
Crawford Cl. BS21: Clev. 1B 68
Crawl La. BA3: Mid N 2F 153
Craydon Gro. BS14: Stoc 5F 77
Craydon Rd. BS14: Stoc 5F 77
Craydon Wlk. BS14: Stoc 5F 77
Create Environment Cen. 4F 61
Crediton BS22: Wor 2E 106
Crediton Cres. BS4: Know 1B 76
Crescent Cen., The BS1: Bris 4H 5
Crescent Gdns. BA1: Bath. 4A 100 (3D 6)
Crescent La. BA1: Bath 3A 100 (1D 6)
Crescent Rd. BS16: Fish. 2A 50
Crescent, The BS9: Henl. 2J 47
BS9: Sea M 2C 46
BS16: Fren. 6H 37
BS16: Soun 5B 50
BS22: W Mare 3K 105
(Milton)
BS22: W Mare 2K 105
(Worlesbury)
BS24: Lym. 1A 146
BS30: Wick 2B 66
BS32: Old D 1F 19
BS39: Stan D 3B 116
BS40: Chew M. 1H 115
BS48: Back. 4J 71
Crescent Vw. BA2: Bath. 6B 100 (7E 6)
Cresswell Cl. BS22: Wor 2E 106
Crest, The BS4: Brisl 7E 62
Creswicke Av. BS15: Han 4A 64
Creswicke Rd. BS4: Know 3K 75
Creswick Way TA8: Bur S. 7E 156
Crewkerne Cl. BS48: Nail. 1K 71
CREW'S HOLE 2H 63
Crews Hole Rd. BS5: St G 2G 63
CRIBBS CAUSEWAY. 2G 35
Cribbs C'way. BS10: Hen 3F 35
BS10: Pat. 7H 25
Cribbs C'way. Cen. BS10: Hen. 2G 35
Cribbs C'way. Retail Pk.
BS34: Pat 1J 35
Cribb's La. BS40: Redh 3B 112
Crickback La. BS40: Chew M. 1G 115
Cricket Fld. Grn. BS48: Nail 7F 57
Cricket La. BS10: S'mead 7G 35
Cricklade Ct. BS48: Nail 1J 71
Cricklade Rd. BS7: B'stn 4A 48
Cripps Rd. BS3: Bedm 6J 61
Crispin La. BS35: T'bry 3K 11
Crispin Way BS15: Soun 6D 50
Crockbarton BA2: Tim. 3F 141
Crockerne Dr. BS20: Pill. 5G 45
Crockerne Ho. *BS20: Pill 4G 45*
(off Underbanks)
CROCOMBE 2G 141
Crocombe La. BA2: Tim. 2G 141
Croft Av. BS16: Stap 4E 48
Croft Cl. BS30: Bit 2H 79
Crofters Wlk. BS32: Brad S 6F 27
Crofton Av. BS7: Hor. 2B 48
Crofton Flds. BS36: Wint 1C 38
Crofton M. BS15: K'wd. 2C 64
Croft Rd. BA1: Bath 2D 100
BA2: Mon C. 3G 123
CROFTS END 7G 49
Crofts End Ind. Est. BS5: S'wll. 7G 49
Crofts End Rd. BS5: S'wll. 7G 49
Croft, The BS16: Mang. 3D 50
BS21: Clev 5F 55
BS24: Hut. 2C 128
BS27: Ched 6E 150
BS30: Old C. 6G 65
BS48: Back. 3J 71
Croft Vw. BS9: Henl. 2J 47
Crokeswood Wlk. BS11: Law W. 6A 34
Crome Rd. BS7: L'lze 1D 48
Cromer Rd. BS5: E'tn 6E 48
BS23: W Mare 7G 105
CROMHALL 3A 14
Cromhall La. GL12: Crom, Fal 3G 13
Cromwell Ct. BS15: Han. 4C 64
Cromwell Dr. BS22: Wor 7E 84
Cromwell Rd. BS5: St G 1J 63
BS6: Bris 6K 47
Cromwells Hide BS16: Stap. 3G 49
Cromwell St. BS3: Bedm 6J 61
Crooked La. TA8: Bur S 6F 157
TA9: Bre K 5G 157
Crooke's La. BS22: Kew 1J 105
CROOK'S MARSH 5A 24
Crookwell Drove BS49: Cong. 3H 109
Croomes Hill BS16: Down 2B 50
Cropthorne Rd. BS7: Hor 6C 36
Cropthorne Rd. Sth. BS7: Hor 7C 36
Crosby Row BS8: Clif 3G 61
CROSS 4E 148
Cross Bath, The 5F 7
Crosscombe Dr. BS13: Hart 7H 75
Crosscombe Wlk. BS13: Hart. 7H 75
Cross Elms La. BS9: Stok B 3E 46
Crossfield Rd. BS16: Soun. 5C 50
Cross Hands Rd. BS35: Piln. 6D 16
Cross La. BS26: Axb, Cross 4F 149
Cross Lanes BS20: Pill 4F 45
(not continuous)
Crossleaze Rd. BS15: Han 6A 64
Crossley Cl. BS36: Wint. 7D 28
Crossman Av. BS36: Wint. 2C 38
Crossman Wlk. BS21: Clev. 7F 55
Crossmoor Rd. BS26: Axb 5H 149
Crosspost La. BA2: Mark 7F 97
Cross St. BS15: K'wd 7A 50
BS23: W Mare 5G 105
BS31: Key 3D 78
TA8: Bur S 1C 158
Cross Tree Gro. BS32: Brad S. 6F 27
Cross Wlk. BS14: H'gro 4C 76
Crossway La. BA3: C'tn 7A 152
CROSSWAYS
Thornbury 2C 12
CROSS WAYS
High Littleton 1B 140
Crossways La. BS35: T'bry 2C 12
Crossways Rd. BS4: Know. 1C 76
BS35: T'bry 3B 12
Crowe Hall 7E 100 (7K 7)
Crowe Hill BA2: Lim S 6K 123
Crowe La. BA2: F'frd 7K 123
Crow La. BS1: Bris. 3K 61 (4F 5)
BS10: Hen 5F 35
Crowley Way BS11: A'mth 5F 33
Crown Ct. BA15: Brad A 5J 125
Crowndale Rd. BS4: Know. 6C 62
Crown Gdns. BS30: Warm 2F 65
Crown Glass Pl. BS48: Nail 7G 57
Crown Hill BA1: W'ton 2J 99
BS5: S'wll 1H 63
BS40: Winf. 7K 91
Crown Hill Wlk. BS5: S'wll. 7H 49
Crown Ho. BS48: Nail. 1E 70
Crown Ind. Est. BS30: Warm 2G 65
Crown La. BS16: Soun 5B 50
Crownleaze BS16: Soun. 5B 50
Crown Rd. BA1: W'ton 2H 99
BS15: K'wd 6B 50
BS30: Warm 3G 65
Crown Way BS30: Warm 2G 65
Crows Gro. BS32: Brad S 3F 27
Crowther Pk. BS7: L'lze 4C 48
Crowther Rd. BS7: L'lze 4C 48
Crowthers Av. BS37: Yate. 3E 30
Crowther St. BS3: Bedm 6H 61
Croxham Orchard BA1: Bathe. 6H 83
Croydon Ho. BS5: E'tn 1D 62
Croydon St. BS5: E'tn. 1D 62
Crunnis, The BS32: Brad S 1G 37
Crusty La. BS20: Pill 3G 45
Crystal Way BS32: Brad S 6G 27
Cube, The 1F 5
Cuck Hill BS25: Ship 6A 132
Cuckoo La. BS36: Wint D. 4D 38
BS39: Clut, High L. 1K 139
BS48: Wrax 3J 57
Cuffington Av. BS4: Brisl. 5F 63
Cufic La. BS27: Ched 5E 150
Culleysgate La. BS30: Doy. 3F 67
Culverhay BS39: Comp D. 5B 96
Culverhay Sports Cen. 2H 121
Culverhill Rd. BS37: Chip S. 5G 31
Culver La. BS40: E Harp. 7K 137
Culver Rd. BA15: Brad A. 7J 125
Culvers Cl. BS31: Key 4C 78
Culvers Rd. BS31: Key 4C 78
Culver St. BS1: Bris. 3J 61 (4D 4)
Culvert, The BS32: Brad S 6F 27
Culverwell Rd. BS13: Withy. 6G 75
Cumberland Basin Rd. BS8: Clif. 4F 61
Cumberland Cl. BS1: Bris. 4G 61 (7A 4)
Cumberland Ct. BS1: Bris. 4H 61 (7C 4)
Cumberland Gro. BS6: Bris 6B 48
Cumberland Ho. BA1: Bath 4D 6
Cumberland Pl. BS8: Clif 3F 61
Cumberland Rd. BS1: Bris. 4F 61 (7A 4)
Cumberland Row BA1: Bath . . . 5B 100 (4E 6)
Cumberland St. BS2: Bris. 1A 62 (1G 5)

Cumbria Cl.—Dragon Ct.

Cumbria Cl. BS35: T'bry 3C 12
Cunningham Gdns. BS16: Fish 3K 49
Cunningham Rd. TA8: Bur S 1E 158
Cunnington Cl. BS30: Will 1F 79
Curland Gro. BS14: Whit 5D 76
Curlew Cl. BS16: B'hll 2H 49
Curlew Gdns. BS22: Wor 3D 106
Currells La. BS40: F'tn 2F 91
Curtis La. BS34: Stok G 4J 37
Curzon Community Cinema, The 6D 54
Custom Cl. BS14: H'gro 3C 76
Custom Ho., The BS1: Bris 6F 5
Cuthbert St. TA9: High 5F 159
Cutler Rd. BS13: B'wth 4F 75
Cuttsheath Rd. GL12: Fal 3G 13
Cygnet Cres. BS22: Wor 3D 106
Cynder Way BS16: Emer G 6E 38
Cynthia Rd. BA2: Bath 6J 99 (7A 6)
Cynthia Vs. BA2: Bath 6J 99
Cypress Ct. BS9: Stok B 5D 46
Cypress Gdns. BS8: L Wds 3E 60
Cypress Gro. BS9: Henl 2J 47
Cypress Ter. BA3: Rads 5H 153
Cyrus Ct. BS16: Emer G 1F 51

D

Dafford's Bldgs. BA1: Bath 1E 100
Dafford's Pl. *BA1: Bath 1E 100*
(off Dafford St.)
Dafford St. BA1: Bath 1E 100
Dag Hole BS27: Ched 6E 150
Daglands, The BA2: Cam 5J 141
Dahlia Gdns. BA2: Bath 4D 100 (2K 7)
Dairy Hill BA2: Ston L 1H 155
Daisey Bank BA2: Bath 7D 100
Daisy Rd. BS5: E'tn 6E 48
Dakin Cl. BS4: Know 1A 76
Dakota Dr. BS14: Whit 6C 76
Dalby Av. BS3: Bedm 5K 61
Daldry Gdns. BS35: Olv 2C 18
Dale St. BS2: Bris 1B 62 (1J 5)
BS5: St G 1H 63
Daley Cl. BS22: Wor 1F 107
(not continuous)
Dalkeith Av. BS15: K'wd 7A 50
Dalrymple Rd. BS2: Bris 7A 48
Dalston Rd. BS3: Bris 5H 61
Dalton Sq. BS2: Bris 1A 62
Dalwood BS22: Wor 2E 106
Dame Ct. Cl. BS22: Wor 7D 84
Dampier Rd. BS3: Ash G 6G 61
Damson Rd. BS22: W Mare 4C 106
Danbury Cres. BS10: S'mead 6J 35
Danbury Wlk. BS10: S'mead 6J 35
Danby Ho. BS7: L'lze 3C 48
Dancey Mead BS13: B'wth 3F 75
Dandy's Mdw. BS20: P'head 3G 43
Daneacre Rd. BA3: Rads 3A 154
Dane Cl. BA15: W'ley 5C 124
Dane Ri. BA15: W'ley 5C 124
Dangerfield Av. BS13: B'wth 4F 75
Daniel Cl. BS21: Clev 6F 55
Daniel M. BA2: Bath 4D 100 (2J 7)
Daniel St. BA2: Bath 4D 100 (2J 7)
Dapp's Hill BS31: Key 5D 78
Dapwell La. BS31: Q Char 2J 95
Dark La. BA2: B'ptn 2H 101
BA2: F'frd 7K 123
BS9: W Trym 7G 35
BS29: Ban 2C 130
BS40: Blag 2C 134
BS40: Chew M 1F 115
BS48: Back 4K 71
Darley Cl. BS10: Hen 4D 34
Darlington M. BA2: Bath 4D 100 (3J 7)
Darlington Pl. BA2: Bath 5D 100 (5K 7)
Darlington Rd. BA2: Bath 4D 100 (2K 7)
Darlington St. BA2: Bath 4D 100 (3J 7)
Darlington Wharf BA2: Bath 3D 100 (1K 7)
Darmead BS24: W Wick 3F 107
Darnley Av. BS7: Hor 2B 48
Dart Cl. BS35: T'bry 4K 11
Dartmoor St. BS3: Bedm 5H 61
Dartmouth Av. BA2: Bath 6J 99
Dartmouth Cl. BS22: Wor 2E 106
Dartmouth Wlk. BS31: Key 6B 78
Dart Rd. BS21: Clev 1D 68
Daubeny Cl. BS16: Fish 3K 49
Daunton Cl. TA9: High 4F 159
Davenport Cl. BS30: L Grn 7E 64
Daventry Rd. BS4: Know 1A 76
Davey St. BS2: Bris 7B 48
David Lloyd Leisure 6E 60
David's Cl. BS35: Alv 1J 19
David's La. BS35: Alv 1J 19
David's Rd. BS14: H'gro 3E 76
David St. BS2: Bris 2B 62 (3J 5)
David Thomas Ho. BS6: Bris 6A 48
Davies Dr. BS4: St Ap 4H 63
Davin Cres. BS20: Pill 5G 45
Davis Cl. BS30: Bar C 4D 64
Davis Ct. BS35: T'bry 2A 12
Davis La. BS21: Clev 2D 68
Davis St. BS11: A'mth 7F 33
Dawes Cl. BS21: Clev 1D 68
Dawley Cl. BS36: Wint 7C 28
Dawlish Rd. BS3: Wind H 7K 61
Dawn Ri. BS15: K'wd 7D 50
Daws Ct. BS16: Fish 4K 49
Day Cres. BA2: Bath 5F 99
Day's Rd. BS2: Bris 3C 62
BS5: Bar H 3C 62
Days Rd. Commercial Cen.
BS2: Bris 3C 62
Deacon Cl. BS36: Wint 2C 38
Deacons Cl. BS22: Wor 2C 106
Deacon Way TA8: Bur S 2D 158
Deadmill La. BA1: Swain 7E 82
Dean Av. BS35: T'bry 2A 12
Dean Cl. BS15: Han 4J 63
BS22: Wor 1F 107
Dean Ct. BS37: Yate 3B 30
Dean Cres. BS3: Bedm 5J 61
(Dean La.)
BS3: Bedm 5K 61
(St John's Rd.)
Deanery Cl. BS15: Warm 1F 65
Deanery Rd. BS1: Bris 3J 61 (5C 4)
BS15: K'wd 1E 64
Deanery Wlk. BA2: Lim S 6A 124
DEAN HILL 1F 99
Deanhill La. BA1: W'ton 1F 99
Dean La. BS3: Bedm 5J 61 (7D 4)
Deanna Ct. BS16: Down 2C 50
Dean Rd. BS11: A'mth 2G 33
BS37: Yate 3C 30
Dean's Ct. BS1: Bris 3J 61 (4C 4)
Deans Dr. BS5: S'wll 6J 49
Deans Mead BS11: Law W 7A 34
Deans, The BS20: P'head 4D 42
Dean St. BS2: Bris 1A 62 (1H 5)
BS3: Bedm 5J 61
Debeccas La. BS20: E'tn G 4F 45
De Clifford Rd. BS11: Law W 5C 34
Decoypool Drove BS49: Clav 5J 69
Deep Coombe Rd. BS3: Bedm 7G 61
Deep Pit Rd. BS5: S'wll 7G 49
Deerhurst BS15: K'wd 6C 50
BS37: Yate 6C 30
Deering Cl. BS11: Law W 6B 34
Deerleap BS25: Ship 5B 132
Deer Mead BS21: Clev 1B 68
Deerswood BS15: Soun 6E 50
Delabere Av. BS16: Fish 3K 49
Delapre Rd. BS23: W Mare 2F 127
De La Warre Ct. BS4: St Ap 3H 63
Delhorn La. BS24: E'wth 7A 146
Delius Gro. BS4: Know 3K 75
Dell, The BS9: W Trym 3F 47
BS22: Wor 7C 84
BS30: Old C 4G 65
BS32: Brad S 7G 27
BS48: Nail 7F 57
Delvin Rd. BS10: W Trym 7J 35
De Montalt Pl. BA2: C Down 3D 122
Denbigh St. BS2: Bris 7B 48
Denbigh Dr. NP16: Bulw 1A 8
Dene Cl. BS31: Key 7D 78
Dene Rd. BS14: Whit 6E 76
Denleigh Cl. BS14: Whit 6C 76
Denmark Av. BS1: Bris 3J 61 (4D 4)
Denmark Pl. BS7: B'stn 5A 48
Denmark Rd. BA2: Bath 5K 99 (5A 6)
Denmark St. BS1: Bris 3J 61 (4D 4)
Denning Ct. BS22: Wor 7F 85
Dennisworth BS16: Puck 3B 52
Dennor Pk. BS14: H'gro 3D 76
Denny Cl. BS20: P'head 3C 42
Denny Isle Dr. BS35: Sev B 7A 16
Denny La. BS40: Chew M 4G 115
Denny Vw. BS20: P'head 3B 42
Dennyview Rd. BS8: Abb L 1K 59
Denston Dr. BS20: P'head 4G 43
Denston Wlk. BS13: B'wth 3G 75
Denton Patch BS16: Emer G 1F 51
Dentwood Gro. BS9: C Din 1B 46
Denys Ct. BS35: Olv 2B 18
Derby Rd. BS7: B'stn 5A 48
Derby St. BS5: St G 1F 63
Derham Cl. BS49: Yat 3H 87
Derham Pk. BS49: Yat 3H 87
Derham Rd. BS13: B'wth 5G 75
Dermot St. BS2: Bris 7B 48
Derricke Rd. BS14: Stoc 4H 77
Derrick Rd. BS15: K'wd 1B 64
Derry Rd. BS3: Bedm 7H 61
Derwent Cl. BS34: Pat 6D 26
Derwent Ct. BS35: T'bry 4B 12
Derwent Gro. BS31: Key 5E 78
Derwent Rd. BS5: S'wll 7H 49
BS23: W Mare 1J 127
Devaney Cl. BS4: St Ap 4H 63
Deverell Cl. BA15: Brad A 7J 125
Deveron Gro. BS31: Key 6E 78
Deverose Ct. BS15: Han 5C 64
Devil's La. GL12: Char 2F 15
Devon Gro. BS5: E'tn 1E 62
Devon Rd. BS5: E'tn 7E 48
Devonshire Bldgs. BA2: Bath 7B 100
Devonshire Dr. BS20: P'head 3B 42
Devonshire M. BA2: Bath 7B 100
Devonshire Pl. BA2: Bath 7B 100
Devonshire Rd. BA2: B'ptn 2G 101
BS6: Henl 4H 47
BS23: W Mare 2G 127
Devonshire Vs. BA2: Bath 1B 122
Dewar Cl. TA8: Bur S 1E 158
Dewfalls Dr. BS32: Brad S 5F 27
Dial Hill Rd. BS21: Clev 5D 54
Dial La. BS16: Down 2B 50
BS40: F'tn 2G 91
Diamond Batch BS24: W Wick 3F 107
Diamond Farm Cvn. & Touring Pk.
TA8: Brean 1D 144
Diamond Rd. BS5: St G 2H 63
Diamond St. BS3: Bedm 6J 61
Diana Gdns. BS32: Brad S 6G 27
Dibden Cl. BS16: Down 7E 38
Dibden La. BS16: Mang 1E 50
Dibden Rd. BS16: Down 7E 38
Dickens Cl. BS7: Hor 7C 36
Dickenson Rd. BS23: W Mare 6G 105
Dickensons Gro. BS49: Cong 1A 110
Didsbury Cl. BS10: Hen 6F 35
Dighton Ct. BS2: Bris 1F 5
Dighton Ga. BS34: Stok G 2G 37
Dighton St. BS2: Bris 1F 5
Dillon Ct. BS5: St G 2F 63
Dinder Cl. BS48: Nail 1G 71
DINGHURST 1A 132
Dinghurst Rd. BS25: C'hll 1K 131
Dingle Cl. BS9: Sea M 2C 46
Dingle Rd. BS9: C Din 1D 46
Dingle, The BS9: C Din 1D 46
BS36: Wint D 3C 38
BS37: Yate 2F 31
Dingle Vw. BS9: Sea M 1C 46
Dinglewood Cl. BS9: C Din 1D 46
DINGS, THE 3C 62
Dings Wlk. BS2: Bris 3C 62 (4K 5)
Dipland Gro. BS40: Blag 3D 134
District Cen. Rdbt. BS32: Brad S 6F 27
Dixon Gdns. BA1: Bath 2B 100
Dixon Rd. BS4: Brisl 7H 63
Dock Ga. La. BS8: Clif 4G 61 (6A 4)
Doctor White's Cl. BS1: Bris 4A 62 (7G 5)
Dodington La. BS37: Dod 1H 41
Dodington Rd. BS37: Chip S 7H 31
Dodisham Wlk. BS16: Fish 2K 49
Dodmore Crossing BS37: W'lgh 3B 40
Dodsmoor La. BS35: Alv 1A 20
Doleberrow BS25: C'hll 2B 132
Dolebury Warren Nature Reserve 2B 132
Dolemoor La. BS49: Cong 1G 109
(Causeway, The)
BS49: Cong 7G 87
(Old Weston Rd.)
Dolman Cl. BS10: Hen 4E 34
Dolphin Sq. BS23: W Mare 5F 105
Dominion Rd. BA2: Bath 5G 99
BS16: Fish 5H 49
Donald Rd. BS13: B'wth 3F 75
Donal Early Way BS7: Hor 7A 36
Doncaster Rd. BS10: S'mead 6H 35
Donegal Rd. BS4: Know 1K 75
Dongola Av. BS7: B'stn 4A 48
Dongola Rd. BS7: B'stn 4A 48
Donnington Wlk. BS31: Key 6B 78
Donstan Rd. TA9: High 3F 159
Doone Rd. BS7: Hor 7B 36
Dorcas Av. BS34: Stok G 2H 37
Dorchester Cl. BS48: Nail 2F 71
Dorchester Rd. BS7: Hor 1C 48
Dorchester St. BA1: Bath 6C 100 (6G 7)
Dorester Cl. BS10: Bren 3J 35
Dorian Cl. BS7: Hor 1A 48
Dorian Rd. BS7: Hor 1A 48
Dorian Way BS7: Hor 7A 36
Dormer Cl. BS36: Coal H 1H 39
Dormer Rd. BS5: Eastv 5D 48
Dorset Cl. BA2: Bath 5K 99 (5B 6)
Dorset Cotts. BA2: C Down 3E 122
Dorset Gro. BS2: Bris 6C 48
Dorset Ho. BA2: Bath 1K 121
Dorset Rd. BS9: W Trym 2H 47
BS15: K'wd 7B 50
Dorset St. BA2: Bath 5K 99 (5A 6)
BS3: Bedm 6H 61
Dorset Way BS37: Yate 3G 31
DOUBLE HILL 6F 143
Douglas Rd. BS7: Hor 1B 48
BS15: K'wd 2B 64
BS23: W Mare 7H 105
Douglas Rd. Ind. Est. BS15: K'wd 2B 64
Doulton Way BS14: Whit 5D 76
Dovecote BS37: Yate 6E 30
Dovedale BS35: T'bry 5B 12
Dove La. BS2: Bris 1B 62 (1J 5)
BS5: Redf 2E 62
Dovercourt Rd. BS7: Hor 3C 48
Dover Ho. BA1: Bath 3C 100
Dover Pl. BA1: Bath 2C 100
BS8: Clif 2H 61 (3A 4)
Dover Pl. Cotts. BS8: Clif 2H 61 (3A 4)
Dovers La. BA1: Bathf 1A 102
Dovers Pk. BA1: Bathf 1A 102
Dove St. BS2: Bris 1K 61 (1E 4)
Dove St. Sth. BS2: Bris 1K 61 (1F 5)
Doveswell Gro. BS13: Withy 6G 75
Dovetail Dr. BS23: W Mare 5J 105
Dovey Ct. BS30: Old C 4G 65
Dowdeswell Cl. BS10: Hen 4F 35
Dowding Cl. BS37: Chip S 4J 31
Dowding Rd. BA1: Bath 2D 100
Dowland BS22: Wor 2E 106
Dowland Gro. BS4: Know 4K 75
Dowling Rd. BS13: Hart 7J 75
Down Av. BA2: C Down 3C 122
Downavon BA15: Brad A 7H 125
Down Cl. BS20: P'head 3B 42
DOWNEND 2C 50
Downend Pk. BS7: Hor 3B 48
Downend Pk. Rd. BS16: Stap H 3B 50
Downend Rd. BS7: Hor 3B 48
BS15: K'wd 7B 50
BS16: Down 3A 50
BS16: Fish 3K 49
Downend Sports Cen. 1D 50
Down Farm Ho. BS36: Wint 1B 38
Downfield BS9: Sea M 1C 46
BS31: Key 5B 78
Downfield Cl. BS35: Alv 7H 11
Downfield Dr. BS36: Fram C 6F 29
Downfield Lodge BS8: Clif 7G 47
Downfield Rd. BS8: Clif 7G 47
Downland Cl. BS48: Nail 1F 71
Down La. BA2: B'ptn 2H 101
Downleaze BS9: Stok B 5F 47
BS16: Down 7B 38
BS20: P'head 3C 42
Down Leaze BS35: Alv 7J 11
Downleaze Dr. BS37: Chip S 6G 31
Downman Rd. BS7: L'lze 3C 48
Down Rd. BS20: P'head 5A 42
BS35: Alv 7H 11
BS36: Wint D 3C 38
Downs Cl. BA15: Brad A 5F 125
BS22: Wor 3D 106
BS35: Alv 7J 11
Downs Cote Av. BS9: W Trym 2F 47
Downs Cote Dr. BS9: W Trym 2F 47
Downs Cote Gdns. BS9: W Trym 2G 47
Downs Cote Pk. BS9: W Trym 2G 47
Downs Cote Vw. BS9: W Trym 2G 47
DOWNSIDE 2B 90
Downside BS20: P'head 3E 42
Downside Cvn. Pk. BS48: Back 2D 90
Downside Cl. BA2: B'ptn 2H 101
BS30: Bar C 4D 64
Downside Rd. BS8: Clif 7G 47
BS23: W Mare 1H 127
BS48: Back 2A 90
Downs Pk. E. BS6: Henl 3G 47
Downs Pk. W. BS6: Henl 3G 47
Downs Rd. BS4: Dun 1D 92
BS9: W Trym 2G 47
(not continuous)
Downs, The BS20: P'head 4D 42
GL12: Wickw 5F 15
Downs Vw. BA15: Brad A 5F 125
Downsway BS39: Paul 7B 140
Down, The BS32: Old D 2F 19
BS35: Alv 7H 11
Downton Rd. BS4: Know 1K 75
Down Vw. BA3: Hay 6K 153
BS7: B'stn 5B 48
Dowry Pl. BS8: Clif 4F 61
Dowry Rd. BS8: Clif 3G 61
Dowry Sq. BS8: Clif 3F 61
DOYNTON 7G 53
Doynton La. BS30: Doy 7G 53
SN14: Dyr 7G 53
Dragon Ct. BS5: S'wll 7G 49

Dragon Rd.—Elkstone Wlk.

Dragon Rd. BS36: Wint 2B 38
Dragons Hill Cl. BS31: Key 5D 78
Dragons Hill Ct. BS31: Key 5D 78
Dragons Hill Gdns. BS31: Key 5D 78
Dragonswell Rd. BS10: Hen 5G 35
Dragon Wlk. BS5: St G 7H 49
Drake Av. BA2: C Down 2B 122
Drake Cl. BS22: Wor 7D 84
BS31: Salt 1H 97
Drake Rd. BS3: Ash G 6G 61
Drakes Way BS20: P'head 3C 42
Dram La. BS5: St G 3J 63
Dramway Footpath, The
BS36: Coal H 3H 39
Draycot Pl. BS1: Bris 4K 61 (7E 4)
Draycott Ct. BA2: Bath 4C 100 (2H 7)
Draycott Rd. BS7: Hor 3B 48
BS27: Ched 7E 150
Draydon Rd. BS4: Know 2J 75
Drayon Cl. BS14: H'gro 2D 76
Drayton BS24: W Mare 3J 127
Drayton Rd. BS9: C Din 7C 34
Drill Hall, The BS2: Bris 3J 5
Dring, The BA3: Rads 4J 153
Drive, The BS9: Henl 2H 47
BS14: H'gro 4E 76
BS23: W Mare 4H 105
BS25: C'hll 1A 132
BS25: Ship 5A 132
BS39: Stan D 3B 116
TA8: Bur S 5C 156
Drove Ct. BS48: Nail 6G 57
Drove Rd. BS23: W Mare 7G 105
BS49: Cong 1K 109
Drove, The BS20: P'bry 1A 44
(not continuous)
Drove Way BS24: Nye 4E 108
Druett's Cl. BS10: Hor 1A 48
Druid Cl. BS9: Stok B 3E 46
Druid Hill BS9: Stok B 3E 46
Druid Rd. BS9: Stok B 4D 46
Druid Stoke Av. BS9: Stok B 3C 46
Druid Woods BS9: Stok B 3C 46
Drumhead Way, The BS25: Ship 5A 132
Drummond Ct. BS30: L Grn 5D 64
Drummond Rd. BS2: Bris 7A 48
BS16: Fish 5H 49
Drungway BA2: Mon C 3G 123
Dryham Cl. BS15: K'wd 1D 64
Dryleaze BS31: Key 3C 78
BS37: Yate 1E 30
Dryleaze Rd. BS16: B'hll 2H 49
Drysdale Cl. BS22: W Mare 3B 106
Dubber's La. BS5: Eastv 6G 49
Dublin Cres. BS9: Henl 2H 47
Duchess Rd. BS8: Clif 7G 47
Duchess Way BS16: Stap 3F 49
Duchy Cl. BA3: Clan 1J 153
Duchy Rd. BA3: Clan 1J 153
Ducie Cl. GL12: Crom 2B 14
Ducie Ct. BS16: Stap H 4C 50
Ducie Rd. BS5: Bar H 2D 62
BS16: Stap H 3C 50
Duck La. BS21: Kenn 3G 69
BS22: Wick L 3E 84
BS40: L'frd 4C 110
Duckmoor Rd. BS3: Ash G 5G 61
Duckmoor Rd. Ind. Est. BS3: Ash G 5F 61
Duck St. BS25: C'hll 7J 109
GL12: Tyth 7F 13
Dudley Cl. BS31: Key 6C 78
Dudley Ct. BS30: Bar C 5D 64
Dudley Gro. BS7: Hor 7C 36
Dugar Wlk. BS6: Redl 5J 47
Duke St. BA2: Bath 5C 100 (5H 7)
Dulhorn Farm Camping Site
BS24: E'wth 7B 146
Dulverton Rd. BS7: B'stn 4K 47
Dumaine Av. BS34: Stok G 2G 37
Dumfries Pl. BS23: W Mare 7G 105
Dumpers La. BS40: Chew M 2G 115
Dunbar Cl. TA9: High 4E 158
Duncan Gdns. BA1: W'ton 7G 81
Duncombe La. BS15: K'wd 6J 49
Duncombe Rd. BS15: K'wd 7K 49
Dundas Cl. BS10: Hen 5E 34
Dundonald Rd. BS6: Redl 5H 47
Dundridge Gdns. BS5: St G 3J 63
Dundridge La. BS5: St G 3J 63
DUNDRY 1D 92
Dundry Cl. BS15: K'wd 3B 64
Dundry La. BS4: Dun 6B 74
BS40: Winf 4A 92
Dundry Vw. BS4: Know 1C 76
Dunedin Way BS22: St Geo 7G 85
Dunford Rd. BS3: Wind H 6K 61
Dunkeld Av. BS7: Fil 5B 36
BS34: Fil 5B 36
Dunkerry Rd. BS3: Wind H 6K 61
DUNKERTON 2D 142
Dunkerton Hill BA2: Dunk, Pea J 4D 142
Dunkery Cl. BS48: Nail 1G 71
Dunkery Rd. BS23: W Mare 3H 105
Dunkirk Rd. BS16: Fish 5H 49
Dunkite La. BS22: Wor 7D 84
Dunmail Rd. BS10: S'mead 5J 35
Dunmore St. BS4: Wind H 5B 62
Dunsford Pl. BA2: Bath 4K 7
Dunstan Rd. TA8: Bur S 1D 158
Dunster Cres. BS24: W Mare 3H 127
Dunster Gdns. BS30: Will 7F 65
BS48: Nail 1G 71
Dunster Ho. BA2: C Down 2C 122
Dunster Rd. BS4: Know 2B 76
BS31: Key 6B 78
Dunsters Rd. BS49: Clav 2B 88
Durban Rd. BS34: Pat 6B 26
Durban Way BS49: Yat 2H 87
Durbin Pk. Rd. BS21: Clev 4D 54
Durbin Wlk. BS5: E'tn 1C 62
Durcott La. BA2: Cam 5G 141
Durdham Ct. BS6: Redl 5G 47
Durdham Hall BS9: Stok B 4F 47
Durdham Pk. BS6: Redl 5G 47
Durham Gro. BS31: Key 6B 78
Durham Rd. BS2: Bris 6C 48
Durleigh Cl. BS13: B'wth 4G 75
Durley Hill BS31: Key 2K 77
Durley La. BS31: Key 3A 78
Durley Pk. BA2: Bath 7A 100
BS31: Key 3A 78
Durnford Av. BS3: Ash G 5G 61
Durnford St. BS3: Ash G 5G 61
Durnhill BS40: Comp M 6K 135
Dursley Cl. BS37: Yate 5E 30
Dursley Rd. BS11: Shire 3H 45
Durston BS24: W Mare 3J 127
Durville Rd. BS13: B'wth 4H 75
Durweston Wlk. BS14: Stoc 2E 76
Dutton Cl. BS14: Stoc 4F 77
Dutton Rd. BS14: Stoc 4F 77
Dutton Wlk. BS14: Stoc 4F 77
Dyers Cl. BS13: Hart 6K 75
Dyer's La. BS37: Iron A 7A 22
Dylan Thomas Ct. BS30: Bar C 4E 64
Dymboro Av. BA3: Mid N 5D 152
Dymboro Cl. BA3: Mid N 5D 152
Dymboro Gdns. BA3: Mid N 5D 152
Dymboro, The BA3: Mid N 5D 152
DYRHAM 4K 53
Dyrham *BS16: Fren* 6A 38
(off Harford Dr.)
Dyrham Cl. BS9: Henl 2K 47
BS35: T'bry 1A 12
TA8: Bur S 1F 159
Dyrham Pde. BS34: Pat 6E 26
Dyrham Pk. 4K 53
Dyrham Rd. BS15: K'wd 1D 64
Dyrham Vw. BS16: Puck 4C 52
Dysons Cl. BS49: Yat 3H 87

E

Eagle Cl. BS22: W Mare 4B 106
Eagle Cotts. BA1: Bathe 5H 83
Eagle Cres. BS16: Puck 4C 52
Eagle Dr. BS34: Pat 6A 26
Eagle Pk. BA1: Bathe 5H 83
Eagle Rd. BA1: Bathe 5H 83
BS4: Brisl 7F 63
Eagles, The BS49: Yat 3H 87
Eagles Wood Bus. Pk. BS32: Brad S 3E 26
Earlesfield BS48: Nail 1E 70
Earlham Gro. BS23: W Mare 5H 105
Earl Russell Way BS5: E'tn 2D 62
Earls Mead BS16: Stap 4G 49
Earlstone Cl. BS30: C Hth 5E 64
Earlstone Cres. BS30: C Hth 5E 64
Earl St. BS1: Bris 1K 61 (1F 5)
EARTHCOTT GREEN 6C 20
Earthcott Rd. BS35: Alv, E Grn, Itch 5C 20
Easedale Cl. BS10: S'mead 5K 35
East Av. TA9: High 4E 158
Eastbourne Av. BA1: Bath 2D 100
Eastbourne Rd. BS5: E'tn 1D 62
Eastbourne Vs. BA1: Bath 2D 100
Eastbury Cl. BS35: T'bry 3A 12
Eastbury Rd. BS16: Fish 4J 49
BS35: T'bry 3A 12
EAST CLEVEDON 6F 55
E. Clevedon Triangle BS21: Clev 5E 54
East Cl. BA2: Bath 6G 99
Eastcombe Gdns. BS23: W Mare 3H 105
Eastcombe Rd. BS23: W Mare 3H 105
Eastcote Pk. BS14: Whit 5D 76
East Ct. BS3: Ash V 6F 61
Eastcourt Rd. BS39: Tem C 5G 139
East Cft. BS9: Henl 1J 47
Eastcroft BS40: Blag 3D 134
Eastcroft Cl. BS40: Blag 3D 134
Eastdown Pl. *BA3: Clan* 1J 153
(off Eastdown Rd.)
Eastdown Rd. BA3: Clan 1J 153
EAST DUNDRY 2G 93
E. Dundry La. BS4: Dun 1F 93
E. Dundry Rd. BS14: Whit 1B 94
EAST END
Blackwell Common 1K 71
Blagdon 3C 134
East End BS26: L Wre 7D 148
EASTER COMPTON 5G 25
Easter Ct. BS37: Yate 5A 30
Eastermead La. BS29: Ban 2C 130
Eastern Drove BS49: Clav 4K 69
EASTERTOWN 4B 146
Eastertown BS24: Lym 4A 146
EASTFIELD 1H 47
Eastfield BS9: W Trym 1H 47
Eastfield Av. BA1: W'ton 7H 81
BS37: Yate 1E 30
Eastfield Gdns. BS23: W Mare 3H 105
Eastfield La. BS35: N'wick 2D 16
Eastfield Pk. BS23: W Mare 3G 105
Eastfield Rd. BS6: Cot 6K 47
BS9: W Trym 1G 47
BS24: Hut 3C 128
Eastfield Ter. BS9: Henl 2H 47
Eastgate Cen. BS5: Eastv 5D 48
Eastgate Office Cen. BS5: Eastv 5D 48
Eastgate Rd. BS5: Eastv 5D 48
East Gro. BS6: Bris 7B 48
EAST HARPTREE 7K 137
EAST HEWISH 5B 86
Eastlake Cl. BS7: L'lze 1D 48
Eastland Av. BS35: T'bry 2A 12
Eastland Rd. BS35: T'bry 2A 12
Eastlea BS21: Clev 1B 68
E. Lea Rd. BA1: Bath 3G 99
Eastleigh Cl. BS16: Soun 4C 50
TA8: Bur S 7E 156
Eastleigh Rd. BS10: S'mead 6K 35
BS16: Soun 5C 50
Eastlyn Rd. BS13: B'wth 2H 75
East Mead BA3: Mid N 4F 153
Eastmead Ct. BS9: Stok B 4E 46
E. Mead Drove BS24: B'don 7H 127
Eastmead La. BS9: Stok B 4E 46
Eastnor Rd. BS14: Whit 7C 76
Easton Bus. Cen. BS5: E'tn 1D 62
Easton Hill Rd. BS35: T'bry 2B 12
EASTON-IN-GORDANO 4E 44
Easton Leisure Cen. 1C 62
Easton Rd. BS5: E'tn 2C 62
BS20: Pill 4G 45
Easton Way BS5: E'tn 7C 48
Eastover Cl. BS9: W Trym 7G 35
Eastover Gro. BA2: Odd D 3J 121
Eastover Rd. BS39: High L 4B 140
East Pde. BS9: Sea M 2C 46
East Pk. BS5: Eastv 6E 48
East Pk. Dr. BS5: Eastv 6E 48
East Pk. Trad. Est.
BS5: E'tn, W'hall 7F 49
E. Priory Cl. BS9: W Trym 1G 47
East Ride TA9: Bre K 6K 157
Eastridge Dr. BS13: B'wth 5F 75
EAST ROLSTONE 3B 108
E. Shrubbery BS6: Redl 6H 47
East St. BS2: Bris 1B 62 (1J 5)
BS3: Bedm 6J 61
BS11: A'mth 6E 32
BS29: Ban 2B 130
EAST TWERTON 5K 99
East Vw. BS16: Mang 2D 50
EASTVILLE 5E 48
Eastville BA1: Bath 2D 100
East Wlk. BS37: Yate 5E 30
East Way BA2: Bath 6G 99
Eastway BS48: Nail 6F 57
Eastway Cl. BS48: Nail 7F 57
Eastway Sq. BS48: Nail 6G 57
Eastwell La. BS25: Wins 7E 130
(not continuous)
Eastwood BA2: Clav D 5G 101
Eastwood Cl. BS39: High L 3B 140
Eastwood Cres. BS4: Brisl 5H 63
E. Wood Pl. BS20: P'head 1F 43
Eastwood Rd. BS4: Brisl 5H 63
Eastwoods BA1: Bathf 7K 83
Eaton Cl. BS14: Stoc 5G 77
BS16: Fish 4K 49
Eaton Cres. BS8: Clif 1G 61 (1A 4)
Eaton St. BS3: Bedm 6J 61
EBDON 5E 84
Ebdon Ct. BS22: Wor 2E 106
Ebdon Rd. BS22: Wick L, Wor 6D 84
Ebenezer La. BS9: Stok B 2D 46
(not continuous)
Ebenezer St. BS5: St G 2F 63
Ebenezer Ter. BA2: Bath 6J 7
Eccleston Ho. BS5: Bar H 3C 62
Eckweek Gdns. BA2: Pea J 5D 142
Eckweek La. BA2: Pea J 5D 142
(not continuous)
Eckweek Rd. BA2: Pea J 5D 142
Eclipse Office Pk. BS16: Stap H 4A 50
Eden Gro. BS7: Hor 6B 36
Eden Pk. Cl BA1: Bathe 6J 83
Eden Pk. Dr. BA1: Bathe 6J 83
Eden Ter. BA1: Bath 1D 100
Eden Vs. *BA1: Bath* 1E 100
(off Dafford's Bldgs.)
Edgar Bldgs. BA1: Bath 3F 7
Edgarley Ct. BS21: Clev 4C 54
Edgecombe Av. BS22: W Mare 2B 106
Edgecombe Cl. BS15: K'wd 7D 50
Edgecumbe Rd. BS6: Redl 6K 47
Edgefield Cl. BS14: Whit 7B 76
Edgefield Rd. BS14: Whit 7B 76
Edgehill Rd. BS21: Clev 3D 54
Edgeware Rd. BS3: Bris 5J 61
BS16: Stap H 4B 50
Edgewood Cl. BS14: H'gro 2D 76
BS30: L Grn 6E 64
Edgeworth BS37: Yate 1C 40
Edgeworth Rd. BA2: Bath 2J 121
Edinburgh Pl. BS23: W Mare 4F 105
Edinburgh Rd. BS31: Key 6C 78
Edington Gro. BS10: Hen 5G 35
Edingworth 7D 146
Edingworth Rd. BS24: E'wth 7C 146
EDITHMEAD 1J 159
Edithmead La. TA9: Edith 7G 157
Edmund Cl. BS16: Down 2B 50
Edmund Ct. BS16: Puck 2B 52
Edmunds Way BS27: Ched 7E 150
Edna Av. BS4: Brisl 6G 63
Edward Bird Ho. BS7: L'lze 1D 48
Edward Rd. BS4: Bris 5D 62
BS15: K'wd 1C 64
BS21: Clev 4E 54
Edward Rd. Sth. BS21: Clev 4E 54
Edward Rd. W. BS21: Clev 3E 54
Edward St. BA1: Bath 4J 99 (2A 6)
BA2: Bath 4D 100 (3J 7)
BS5: Eastv 6F 49
BS5: Redf 1E 62
Edwin Short Cl. BS30: Bit 2J 79
Effingham Rd. BS6: Bris 6A 48
Egerton Brow BS7: B'stn 4K 47
Egerton La. BS7: B'stn 4K 47
Egerton Rd. BA2: Bath 7A 100
BS7: B'stn 4K 47
Eggshill La. BS37: Yate 5D 30
Eglin Cft. BS13: Withy 6H 75
Eighth Av. BS7: Hor 7D 36
BS14: H'gro 3C 76
Eirene Ter. BS20: Pill 4H 45
ELBERTON 7B 10
Elberton BS15: K'wd 1E 64
Elberton Rd. BS9: Sea M 1B 46
BS35: Elb, Olv 6B 10
ELBOROUGH 2G 129
Elborough Av. BS49: Yat 3H 87
Elborough Gdns. BS24: E'boro 2G 129
Elbridge Ho. BS2: Bris 2J 5
Elbury Av. BS15: K'wd 6A 50
Elderberry Wlk. BS10: S'mead 5J 35
BS22: Wor 3D 106
(off Silverberry Rd.)
Elder Cl. TA9: High 3F 159
Elderwood Dr. BS30: L Grn 6E 64
Elderwood Rd. BS14: H'gro 3D 76
Eldon Pl. BA1: Bath 1D 100
Eldon Ter. BS3: Wind H 6K 61
Eldonwall Trad. Est. BS4: Brisl 4E 62
Eldon Way BS4: Brisl 4E 62
Eldred Cl. BS9: Stok B 3D 46
Eleanor Cl. BA2: Bath 6F 99
Eleventh Av. BS7: Hor 6D 36
Elfin Rd. BS16: Fish 3J 49
Elgar Cl. BS4: Know 4K 75
BS21: Clev 1E 68
Elgin Av. BS7: Fil 6B 36
Elgin Pk. BS6: Redl 6H 47
Elgin Rd. BS16: Fish 6K 49
Eliot Cl. BS7: Hor 6C 36
BS23: W Mare 2J 127
Elizabeth Cl. BS24: Hut 2B 128
BS35: T'bry 4B 12
Elizabeth Ct. TA8: Bur S 2D 158
Elizabeth Cres. BS34: Stok G 3G 37
Elizabeth's M. BS4: St Ap 3H 63
Elizabeth Way BS16: Mang 5F 51
Elkstone Wlk. BS30: Bit 7G 65

Ellacombe Rd.—Fenbrook Cl.

Ellacombe Rd. BS30: L Grn . . . 7C 64
Ellan Hay Rd. BS32: Brad S . . . 1J 37
Ellbridge Cl. BS9: Stok B . . . 3D 46
Ellenborough Cres. BS23: W Mare . . . 6G 105
Ellenborough Ho. BS8: Clif . . . 5A 4
Ellenborough Pk. Nth.
BS23: W Mare . . . 6F 105
Ellenborough Pk. Rd.
BS23: W Mare . . . 6G 105
Ellenborough Pk. Sth.
BS23: W Mare . . . 6F 105
Ellen Ho. BA2: Bath . . . 6G 99
Ellesmere BS35: T'bry . . . 4A 12
Ellesmere Rd. BS4: Brisl . . . 2F 77
BS15: K'wd . . . 1B 64
BS23: Uph . . . 3F 127
Ellfield Cl. BS13: B'wth . . . 4F 75
Ellick Rd. BS40: Blag . . . 5A 134
Ellicks Cl. BS32: Brad S . . . 4G 27
Ellicott Rd. BS7: Hor . . . 2B 48
Ellinghurst Cl. BS10: Hen . . . 5G 35
Elliott Av. BS16: Fren . . . 6A 38
Ellis Av. BS13: B'wth . . . 2G 75
Ellis Pk. BS22: St Geo . . . 1G 107
Elliston Dr. BA2: Bath . . . 7H 99
Elliston La. BS6: Redl . . . 6J 47
Elliston Rd. BS6: Redl . . . 6J 47
Ellsbridge Cl. BS31: Key . . . 5F 79
Ellsworth Rd. BS10: Hen . . . 5F 35
Elm Cl. BS11: Law W . . . 6K 33
BS25: Star . . . 4K 131
BS29: Ban . . . 1J 129
BS34: Lit S . . . 7F 27
BS37: Chip S . . . 5G 31
BS48: Nail . . . 1E 70
BS49: Yat . . . 4H 87
Elm Ct. BS6: Redl . . . 6H 47
BS14: Whit . . . 4C 76
BS31: Key . . . 6A 78
Elmcroft BA1: Bath . . . 1E 100
Elmcroft Cres. BS7: L'lze . . . 4C 48
Elmdale Cres. BS35: T'bry . . . 3A 12
Elmdale Gdns. BS16: Fish . . . 4J 49
Elmdale Rd. BS3: Bedm . . . 7H 61
BS8: Clif . . . 1H 61 (1B 4)
Elmfield BA15: Brad A . . . 5G 125
BS15: K'wd . . . 3C 64
Elmfield Cl. BS15: K'wd . . . 3C 64
Elmfield Rd. BS9: W Trym . . . 7G 35
Elm Gro. BA1: Swain . . . 1E 100
BA2: Bath . . . 7J 99
BS24: Lock . . . 1D 128
Elmgrove Av. BS5: E'tn . . . 1D 62
Elmgrove Dr. BS37: Yate . . . 4F 31
Elmgrove Pk. BS6: Cot . . . 7K 47
Elmgrove Rd. BS6: Cot . . . 7K 47
BS16: Fish . . . 5G 49
Elmham Way BS22: W Wick . . . 3F 107
Elm Hayes BS13: B'wth . . . 4F 75
Elm Hayes Vw. BS39: Paul . . . 1C 152
Elmhirst Gdns. BS37: Yate . . . 4G 31
Elmhurst Av. BS5: Eastv . . . 5F 49
Elmhurst Est. BA1: Bathe . . . 6J 83
Elmhurst Gdns. BS4: L Ash . . . 1K 73
Elmhurst Rd. BS24: Hut . . . 3C 128
Elmhyrst Rd. BS23: W Mare . . . 4H 105
Elming Down Cl. BS32: Brad S . . . 1F 37
Elm La. BS6: Redl . . . 6H 47
Elmlea Av. BS9: W Trym . . . 3F 47
Elmleigh Av. BS16: Mang . . . 3F 51
Elmleigh Cl. BS16: Mang . . . 3F 51
Elmleigh Rd. BS16: Mang . . . 3E 50
Elm Lodge Rd. BS48: Wrax . . . 6J 57
Elmore BS15: Soun . . . 6D 50
BS37: Yate . . . 6D 30
Elmore Rd. BS7: Hor . . . 2C 48
BS34: Pat . . . 5B 26
Elm Pk. BS34: Fil . . . 5C 36
Elm Pl. BA2: Bath . . . 7B 100
Elm Rd. BS7: Hor . . . 3A 48
BS15: K'wd . . . 3C 64
BS39: Paul . . . 1C 152
Elms Cross Dr. BA15: Brad A . . . 7G 125
Elms Gro. BS34: Pat . . . 5D 26
Elmsleigh Rd. BS23: W Mare . . . 1F 127
Elmsley La. BS22: Kew . . . 6A 84
(not continuous)
Elms, The BA1: Bath . . . 1E 100
BA2: Tim . . . 3F 141
BA15: Brad A . . . 4F 125
BS16: Fren . . . 6A 38
Elm Ter. BA3: Rads . . . 5G 153
TA8: Bur S . . . 2D 158
Elm Tree Av. BA3: Rads . . . 5H 153
BS16: Mang . . . 1E 50
BS21: Tic . . . 5C 56
Elmtree Cl. BS15: K'wd . . . 7B 50
Elmtree Dr. BS13: Withy . . . 6F 75
Elm Tree Pk. BS20: P'bry . . . 4B 44
Elm Tree Rd. BS21: Clev . . . 7D 54
BS24: Lock . . . 7D 106
Elmtree Way BS15: K'wd . . . 7B 50
Elmvale Dr. BS24: Hut . . . 2D 128
Elm Vw. BA3: Mid N . . . 4F 153
Elm Wlk. BS20: P'head . . . 4E 42
BS49: Yat . . . 4H 87
Elmwood BS37: Yate . . . 6E 30
Elsbert Dr. BS13: B'wth . . . 4E 74
Elstree Rd. BS5: W'hall . . . 7G 49
Elton Ho. BS2: Bris . . . 2K 5
Elton La. BS7: B'stn . . . 6K 47
Elton Mans. BS7: B'stn . . . 5K 47
Elton Rd. BS7: B'stn . . . 5K 47
BS8: Clif . . . 2H 61 (2B 4)
BS15: K'wd . . . 7K 49
BS21: Clev . . . 6B 54
BS22: Wor . . . 7F 85
Elton St. BS2: Bris . . . 1B 62 (1K 5)
Elvard Cl. BS13: Withy . . . 6G 75
Elvard Rd. BS13: Withy . . . 5G 75
Elvaston Rd. BS3: Wind H . . . 6A 62
Elwell La. BS40: Winf . . . 2K 91
Ely Gro. BS9: Sea M . . . 1B 46
Embassy Rd. BS5: W'hall . . . 7G 49
Embassy Wlk. BS5: W'hall . . . 7G 49
Embercourt Dr. BS48: Back . . . 4J 71
Embleton Rd. BS10: S'mead . . . 5H 35
EMERSON'S GREEN . . . 2F 51
Emersons Grn. La. BS16: Emer G . . . 2E 50
(Blackhorse Rd.)
BS16: Emer G . . . 2G 51
(Johnson Rd.)
Emerson Sq. BS7: Hor . . . 7C 36
Emerson Way BS16: Emer G . . . 7F 39
Emery Ga. BS29: Ban . . . 2B 130
Emery Rd. BS4: Brisl . . . 7H 63
Emet Gro. BS16: Emer G . . . 2F 51
Emet La. BS16: Emer G . . . 2F 51
Emley La. BS40: A'wck, Burr, L'frd . . . 1J 133
Emlyn Cl. BS22: Wor . . . 7F 85
Emlyn Rd. BS5: E'tn . . . 6E 48
Emma Chris Way BS34: Fil . . . 5E 36
Emmanuel Ct. BS8: Clif . . . 1G 61
Emmett Wood BS14: Whit . . . 7D 76
Empire Cres. BS30: Han . . . 5C 64
Empress Menen Gdns. BA1: Bath . . . 3G 99
Emra Cl. BS5: St G . . . 7H 49
Enderleigh Gdns. BS25: C'hll . . . 1B 132
Enfield Rd. BS16: Fish . . . 5J 49
ENGINE COMMON . . . 7C 22
Engine Comn. La. BS37: Yate . . . 6C 22
Enginehouse La. BS31: Q Char . . . 6J 77
Engine La. BS48: Nail . . . 1D 70
England's Cres. BS36: Wint . . . 7C 28
ENGLISHCOMBE . . . 2G 121
Englishcombe La. BA2: Bath . . . 1H 121
Englishcombe Rd. BA2: Eng . . . 2F 121
BS13: Hart . . . 7J 75
Englishcombe Way BA2: Bath . . . 1A 122
Enmore BS24: W Mare . . . 3J 127
Enmore Cl. TA8: Bur S . . . 7E 156
Ennerdale Cl. BS23: W Mare . . . 7J 105
Ennerdale Rd. BS10: S'mead . . . 5K 35
Enterprise Trade Cen. BS4: Know . . . 3A 76
Entry Hill BA2: Bath, C Down . . . 1B 122
Entry Hill Dr. BA2: Bath . . . 1B 122
Entry Hill Gdns. BA2: Bath . . . 1B 122
Entry Hill Pk. BA2: C Down . . . 2B 122
Entry Ri. BA2: C Down . . . 3B 122
Epney Cl. BS34: Pat . . . 5B 26
Epsom Cl. BS16: Down . . . 6D 38
Epworth Rd. BS10: Bren . . . 4G 35
Equinox BS32: Brad S . . . 3E 26
Erin Wlk. BS4: Know . . . 2K 75
Ermine Way BS11: Shire . . . 1G 45
Ermleet Rd. BS6: Redl . . . 6J 47
Ernest Barker Cl. BS5: Bar H . . . 2D 62
Ernestville Rd. BS16: Fish . . . 5H 49
Ervine Ter. BS2: Bris . . . 1B 62
Esgar Ri. BS22: Wor . . . 1C 106
Eskdale BS35: T'bry . . . 5B 12
Eskdale Cl. BS22: W Mare . . . 4B 106
Esmond Gro. BS21: Clev . . . 5D 54
Esplanade TA8: Bur S . . . 2C 158
Esplanade Rd. BS20: P'head . . . 2E 42
Esporta Health & Fitness Club . . . 3H 37
Essery Rd. BS5: E'tn . . . 6E 48
Esson Rd. BS15: K'wd . . . 7K 49
Estcourt Gdns. BS16: Stap . . . 3F 49
Estcourt La. BS16: Stap . . . 3F 49
Estelle Pk. BS5: Eastv . . . 6E 48
Estoril BS37: Yate . . . 5F 31
Estune Wlk. BS4: L Ash . . . 7A 60
Etloe Rd. BS6: Henl . . . 4G 47
Eton La. BS29: Ban . . . 5H 107
Eton Rd. BS4: Brisl . . . 6F 63
TA8: Bur S . . . 2D 158
Ettlingen Way BS21: Clev . . . 7E 54
Ettricke Dr. BS16: Fish . . . 2K 49
Eugene Flats BS2: Bris . . . 1F 5
Eugene St. BS2: Bris . . . 1K 61 (1F 5)
BS5: E'tn . . . 1B 62 (1K 5)
Evans Cl. BS4: St Ap . . . 4H 63
Evans Rd. BS6: Redl . . . 6H 47
Eveleigh Ho. BA2: Bath . . . 3G 7
(off Grove St.)
Evelyn La. BS11: A'mth . . . 6F 33
Evelyn Rd. BA1: Bath . . . 3H 99
BS10: W Trym . . . 7J 35
Evelyn Ter. BA1: Bath . . . 2C 100
Evenlode Gdns. BS11: Shire . . . 3K 45
Evenlode Way BS31: Key . . . 7E 78
Evercreech Rd. BS14: Whit . . . 6C 76
Evercreech Way TA9: High . . . 6H 159
Everest Av. BS16: Fish . . . 4G 49
Everest Rd. BS16: Fish . . . 4G 49
Evergreen Cl. BS25: Wins . . . 4F 131
Eve Rd. BS5: E'tn . . . 7D 48
Everson Cl. BS23: W Mare . . . 1J 127
Ewart Rd. BS22: W Mare . . . 4A 106
Ewell Rd. BS14: H'gro . . . 4D 76
Exbourne BS22: Wor . . . 2E 106
Exbury Cl. TA8: Bur S . . . 1E 158
Excelsior St. BA2: Bath . . . 6C 100 (6H 7)
Excelsior Ter. BA3: Mid N . . . 5F 153
Exchange Av. BS1: Bris . . . 3K 61 (4F 5)
Exeter Bldgs. BS6: Redl . . . 6H 47
Exeter Cl. TA8: Bur S . . . 1E 158
Exeter Rd. BS3: Bris . . . 5H 61
BS20: P'head . . . 4G 43
BS23: W Mare . . . 7G 105
Exford Cl. BS23: W Mare . . . 3H 127
Exley Cl. BS30: Old C . . . 4G 65
Exmoor Rd. BA2: C Down . . . 2B 122
Exmoor St. BS3: Bedm . . . 5H 61
Exmouth Rd. BS4: Know . . . 1B 76
Explore-at-Bristol . . . 3J 61 (5D 4)
Exton BS24: W Mare . . . 3J 127
Exton Cl. BS14: Whit . . . 5D 76
Eyer's La. BS2: Bris . . . 2B 62 (2J 5)

F

Faber Gro. BS13: Hart . . . 6J 75
Fabian Dr. BS34: Stok G . . . 2G 37
Factory Rd. BS36: Wint . . . 7D 28
FAILAND . . . 5F 59
Failand Cres. BS9: Sea M . . . 3C 46
Failand La. BS20: Fail, P'bry . . . 6C 44
Failand Wlk. BS9: Sea M . . . 2C 46
Fairacre Cl. BS7: L'lze . . . 3D 48
BS24: Lock . . . 1F 129
Fairacres Cl. BS31: Key . . . 5C 78
Fairdean Rd. TA9: High . . . 4G 159
Fairfax St. BS1: Bris . . . 2K 61 (3F 5)
Fairfield BA2: Tun . . . 2A 142
Fairfield Av. BA1: Bath . . . 1C 100
Fairfield Cl. BS22: W Mare . . . 3K 105
BS48: Back . . . 3B 72
Fairfield Mead BS48: Back . . . 3B 72
FAIRFIELD PARK . . . 1C 100
Fairfield Pk. Rd. BA1: Bath . . . 1B 100
Fairfield Pl. BS3: Bedm . . . 5H 61
Fairfield Rd. BA1: Bath . . . 2C 100
BS3: Bedm . . . 5J 61
BS6: Bris . . . 6B 48
Fairfield Ter. BA1: Bath . . . 1C 100
BA2: Pea J . . . 6C 142
Fairfield Vw. BA1: Bath . . . 1C 100
Fairfield Way BS48: Back . . . 4A 72
Fairfoot Rd. BS4: Wind H . . . 6C 62
Fairford Cl. BS15: Soun . . . 6D 50
TA9: High . . . 4G 159
Fairford Cres. BS34: Pat . . . 6E 26
Fairford Rd. BS11: Shire . . . 1H 45
TA9: High . . . 4G 159
Fair Furlong BS13: Withy . . . 6G 75
Fairhaven BS37: Yate . . . 5F 31
Fairhaven Cotts. BA1: Bathe . . . 4J 83
Fairhaven Rd. BS6: B'stn . . . 4J 47
Fair Hill BS25: Ship . . . 5B 132
Fairlands Way BS27: Ched . . . 7E 150
Fair Lawn BS30: Old C . . . 5E 64
Fairlawn BS16: Stap H . . . 4B 50
Fairlawn Av. BS34: Fil . . . 4C 36
Fairlawn Rd. BS6: Bris . . . 6B 48
Fairleigh Rd. BS21: Clev . . . 1A 68
Fairlyn Dr. BS15: Soun . . . 5D 50
Fairoaks BS30: L Grn . . . 6E 64
Fairseat Workshops
BS40: Chew S . . . 5E 114
Fairview BS22: Wor . . . 7D 84
Fairview Ct. BS15: K'wd . . . 3B 64
Fair Vw. Dr. BS6: Redl . . . 6J 47
Fairview Rd. BS15: K'wd . . . 1D 64
Fairway BS4: Brisl . . . 1F 77
Fairway Cl. BS22: W Mare . . . 2K 105
BS30: Old C . . . 5F 65
TA8: Berr . . . 3B 156
Fairway Ind. Cen. BS34: Fil . . . 4B 36
Fairways BS31: Salt . . . 1J 97
Fairy Hill BS39: Comp D . . . 5B 96
Falcon Cl. BS9: W Trym . . . 7F 35
BS20: P'head . . . 4F 43
BS34: Pat . . . 6A 26
Falcon Ct. BS9: W Trym . . . 2G 47
Falcon Cres. BS22: W Mare . . . 4B 106
Falcondale Rd. BS9: W Trym . . . 1F 47
Falcondale Wlk. BS9: W Trym . . . 7G 35
Falcon Dr. BS34: Pat . . . 6A 26
Falconer Rd. BA1: W'ton . . . 7G 81
Falcon Wlk. BS34: Pat . . . 5A 26
Falcon Way BS35: T'bry . . . 2B 12
Falfield Rd. BS4: Brisl . . . 6E 62
Falfield Wlk. BS10: S'mead . . . 7J 35
Falkland Rd. BS6: Bris . . . 6B 48
Fallodon Ct. BS9: Henl . . . 3H 47
Fallodon Way BS9: Henl . . . 3H 47
Fallowfield BS22: Wor . . . 7D 84
BS30: Old C . . . 4H 65
BS40: Blag . . . 3B 134
Falmouth Cl. BS48: Nail . . . 1J 71
Falmouth Rd. BS7: B'stn . . . 4K 47
Fane Cl. BS10: Hen . . . 5G 35
Fanshawe Rd. BS14: H'gro . . . 3C 76
Faraday Rd. BS8: Clif . . . 4F 61
Farendell Rd. BS16: Emer G . . . 6F 39
Far Handstones BS30: C Hth . . . 5E 64
Farington Rd. BS10: W Trym . . . 1K 47
Farlands BS16: Puck . . . 2B 52
FARLEIGH . . . 3B 72
Farleigh Hospital Cotts.
BS48: Flax B . . . 2F 73
Farleigh La. GL12: Crom . . . 2B 14
Farleigh Ri. BA1: Bathf . . . 2B 102
BA15: Mon F . . . 2C 102
Farleigh Rd. BS31: Key . . . 6B 78
BS48: Back . . . 4K 71
Farleigh Vw. BA1: Bath . . . 2C 100
(off Beacon Rd.)
Farleigh Wlk. BS13: B'wth . . . 2G 75
FARLEIGH WICK . . . 7C 102
Farler's End BS48: Nail . . . 2H 71
(not continuous)
Farley Cl. BS34: Lit S . . . 6E 26
FARMBOROUGH . . . 7E 118
Farm Cl. BS16: Emer G . . . 2F 51
Farm Ct. BS16: Down . . . 1C 50
Farmer Rd. BS13: Withy . . . 6E 74
Farmhouse Cl. BS48: Nail . . . 1G 71
Farm La. BA2: Wel . . . 4K 143
BS35: E Comp . . . 3D 24
Farm Rd. BS16: Down . . . 1C 50
BS22: W Mare . . . 3K 105
BS24: Hut . . . 3C 128
Farmwell Cl. BS13: Hart . . . 5H 75
Farnaby Cl. BS4: Know . . . 3J 75
Farnborough Rd. BS24: Lock . . . 7G 107
Farndale Rd. BS5: St G . . . 3J 63
BS22: W Mare . . . 4B 106
Farne Cl. BS9: Henl . . . 3H 47
Farrant Cl. BS4: Know . . . 4K 75
Farringford Ho. BS5: Eastv . . . 6F 49
Farrington Flds. BS39: Far G . . . 3A 152
Farrington Flds. Trad. Est.
BS39: Far G . . . 3A 152
Farrington Rd. BS39: Far G, Paul . . . 1A 152
Farr's La. BA2: C Down . . . 2D 122
Farrs La. BS1: Bris . . . 3K 61 (5E 4)
Farr St. BS11: A'mth . . . 7F 33
Farthing Combe BS26: Axb . . . 4K 149
Fashion Research Cen. . . . 4B 100 (2E 6)
FAULKLAND . . . 4J 155
Faulkland La. BA2: Ston L . . . 1J 155
BA3: Fox . . . 1J 155
Faulkland Rd. BA2: Bath . . . 6K 99 (7A 6)
Faulkland Vw. BA2: Pea J . . . 6E 142
Faversham Dr. BS24: W Mare . . . 4J 127
Fawkes Cl. BS15: Warm . . . 1F 65
Fearnville Est. BS21: Clev . . . 7C 54
Featherbed La. BS39: Clut, Stan W . . . 5D 116
BS40: Regil . . . 1K 113
Featherstone Rd. BS16: Fish . . . 4H 49
Feeder Rd. BS2: Bris . . . 4B 62 (6K 5)
Felix Rd. BS5: E'tn . . . 1D 62
Felsberg Way BS27: Ched . . . 7E 150
Felstead Rd. BS10: S'mead . . . 6A 36
Feltham Ct. BS34: Fil . . . 5B 36
Feltham Rd. BS16: Puck . . . 3C 52
FELTON . . . 3G 91
Felton Gro. BS13: B'wth . . . 2F 75
FELTON HILL . . . 4G 91
Felton La. BS40: F'tn, Winf . . . 4H 91
Felton St. BS40: F'tn . . . 4G 91
Fenbrook Cl. BS16: Ham . . . 6K 37

Feniton—Frome Rd.

Feniton BS22: Wor 2E 106
Fennel Dr. BS32: Brad S 7J 27
Fennel La. BS26: Axb 4H 149
Fennell Gro. BS10: Hen 5G 35
Fenners BS22: Wor 7F 85
Fenshurst Gdns. BS4: L Ash 2K 73
Fenswood Cl. BS4: L Ash 1J 73
Fenswood Ct. BS4: L Ash 1J 73
Fenswood Mead BS4: L Ash 1J 73
Fenswood Rd. BS4: L Ash 1J 73
Fenton Cl. BS31: Salt 7H 79
Fenton Rd. BS7: B'stn 4K 47
Ferenberge Cl. BA2: F'boro 6E 118
Fermaine Av. BS4: Brisl 6H 63
Fernbank Rd. BS6: Redl 6J 47
Fern Cl. BA3: Mid N 6F 153
BS10: Bren 4H 35
Ferndale Av. BS30: L Grn 6D 64
Ferndale Cl. BS32: Alm 6F 19
Ferndale Grange BS9: Henl 2H 47
Ferndale Rd. BA1: Swain 7E 82
BS7: Hor 5C 36
BS20: P'head 2F 43
Ferndene BS32: Brad S 4E 26
Ferndown BS25: Ship 5A 132
BS37: Yate 5E 30
Ferndown Cl. BS11: Law W 1A 46
Fern Gro. BS32: Brad S 6F 27
BS48: Nail 2E 70
Fernhill BS32: Alm 5D 18
Fernhill La. BS11: Law W 6B 34
Fernhurst Rd. BS5: S'wll 7H 49
Fern Lea BS24: B'don 7K 127
Fernlea Gdns. BS20: E'tn G 4F 45
Fernlea Rd. BS22: W Mare 5A 106
Fernleaze BS36: Coal H 1G 39
Fernleigh Ct. BS6: Redl 5H 47
Fern Rd. BS16: Stap H 3B 50
Fernside BS48: Back 3J 71
Fernsteed Rd. BS13: B'wth 4F 75
Fern St. BS2: Bris 7B 48
Ferry La. BA2: Bath 5C 100 (5H 7)
BS24: Lym 2A 146
Ferryman's Ct. BS2: Bris 3H 5
Ferry Rd. BS15: Han 1B 78
Ferry Steps Ind. Est. BS2: Bris 5C 62
Ferry St. BS1: Bris 3A 62 (5G 5)
Fersfield BA2: Bath 1D 122
Fiddes Rd. BS6: Redl 4J 47
Fielders, The BS22: Wor 7F 85
Field Farm Cl. BS34: Stok G 3H 37
Fieldgardens Rd. BS39: Tem C 4H 139
Fieldgrove La. BS30: Bit 2G 79
Fieldings Rd. BA2: Bath 5J 99
Fieldins BA15: W'ley 5C 124
Field La. BS30: L Grn 6C 64
BS35: Itch 2C 20
BS35: L Sev 4B 10
Field Marshal Slim Ct.
BS2: Bris 2B 62 (1J 5)
Field Rd. BS15: K'wd 7A 50
Field Vw. BS5: E'tn 1C 62
Field Vw. Dr. BS16: Fish 2A 50
Fieldway BS25: Sandf 1H 131
Field Way TA9: High 3F 159
Fiennes Cl. BS16: Stap H 4C 50
Fifth Av. BS7: Hor 6C 36
BS14: H'gro 3D 76
Fifth Way BS11: A'mth 5J 33
Filby Dr. BS34: Lit S 6E 26
Filer Cl. BA2: Pea J 5D 142
FILTON 4C 36
Filton Abbey Wood Station (Rail) 6D 36
FILTON AIRFIELD 2A 36
Filton Av. BS7: Hor 2A 48
BS34: Fil 3C 36
Filton Gro. BS7: Hor 2B 48
Filton Hill BS34: Fil 3C 36
Filton La. BS34: Stok G 5F 37
Filton Recreation Cen. 5C 36
Filton Rd. BS7: Hor 1B 48
BS16: Fren 6K 37
BS16: Ham 5G 37
BS34: Stok G 5F 37
Filwood B'way. BS4: Know 2A 76
Filwood Ct. BS16: Fish 5K 49
Filwood Dr. BS15: K'wd 1D 64
Filwood Ho. BS16: Fish 5K 49
FILWOOD PARK 1A 76
Filwood Pk. BS4: Know 2A 76
Filwood Pool 2A 76
Filwood Rd. BS16: Fish 4J 49
Finch Cl. BS22: Wor 4C 106
BS35: T'bry 2A 12
Finches Way TA8: Bur S 6D 156
Finch Rd. BS37: Chip S 6F 31
Finmere Gdns. BS22: Wor 7E 84
Fircliff Pk. BS20: P'head 1F 43
Fireclay Rd. BS5: St G 3F 63
Fire Engine La. BS36: Coal H 7H 29
Firework Cl. BS15: Warm 1F 65
Firfield St. BS4: Wind H 5C 62
Firgrove Cres. BS37: Yate 4F 31
Firgrove La. BA2: Pea J 4B 142
Fir La. BS40: C'hse 1K 151
Firleaze BS48: Nail 1D 70
Firs Ct. BS31: Key 6A 78
First Av. BA2: Bath 7K 99 (7C 6)
BA3: Mid N 6G 153
BS4: St Ap 4G 63
BS14: H'gro 3C 76
BS20: P'bry 2C 44
Firs, The BA2: C Down 3D 122
BA2: Lim S 7J 123
BS16: Down 2C 50
First Way BS11: A'mth 6G 33
Fir Tree Av. BS24: Lock 1C 128
BS39: Paul 2D 152
Fir Tree Cl. BS34: Pat 7A 26
Firtree La. BS5: St G 3J 63
Fisher Av. BS15: K'wd 7E 50
Fisher Rd. BS15: K'wd 7E 50
FISHPONDS 4J 49
Fishponds Rd. BS5: Eastv 6E 48
BS16: Fish 5G 49
Fishponds Trad. Est. BS5: S'wll 6G 49
(Chapel La.)
BS5: S'wll 6H 49
(Foundry La.)
Fishpool Hill BS10: Bren 3H 35
Fitchett Wlk. BS10: Hen 4F 35
Fitness First 1J 35
Fitzgerald Rd. BS3: Wind H 6B 62
Fitzharding Rd. BS20: Pill 5J 45
Fitzmaurice Pl. BA15: Brad A 7H 125
Fitzroy Rd. BS16: Fish 6K 49
Fitzroy St. BS4: Wind H 5C 62
Fitzroy Ter. BS6: Redl 6H 47
Five Acre Dr. BS16: B'hll 1H 49
Five Arches Cl. BA3: Mid N 4H 153
Fiveways Cl. BS27: Ched 7C 150
Flagstaff Rd. BS26: Chri 6H 129
Flamingo Cres. BS22: Wor 4C 106
Flat, The BS39: Clut 7F 117
Flatwoods Cres. BA2: Clav D 1H 123
Flatwoods Rd. BA2: Clav D 1H 123
FLAX BOURTON 3D 72
Flax Bourton Rd. BS8: Fail 5F 59
Flaxman Cl. BS7: L'lze 2D 48
FLAXPITS 2C 38
Flaxpits La. BS36: Wint 1B 38
Fletcher's La. BS26: Bidd 7H 147
Florence Gro. BS22: W Mare 4K 105
Florence Pk. BS6: Henl 4H 47
BS32: Alm 1E 26
Florence Rd. BS16: Soun 5C 50
Florida Ter. BA3: Mid N 4G 153
Flowerdown Bri. BS22: W Mare 5B 106
BS24: W Mare 5B 106
Flowerdown Rd. BS24: Lock 1G 129
Flowers Hill BS4: Brisl 2G 77
Flowers Hill Cl. BS4: Brisl 1G 77
Flowers Ind. Est. BS4: Brisl 1H 77
Flowerwell Rd. BS13: Hart 5H 75
Folleigh Cl. BS4: L Ash 7B 60
Folleigh Dr. BS4: L Ash 7B 60
Folleigh La. BS4: L Ash 7B 60
Folliot Cl. BS16: B'hll 1J 49
Folly Bri. Cl. BS37: Yate 4D 30
Folly Brook Rd. BS16: Emer G 5E 38
Folly Cl. BA3: Mid N 7C 152
Follyfield BA15: Brad A 7H 125
Folly La. BS2: Bris 2C 62
BS23: Uph 4G 127
BS25: Ship 6A 132
Folly Rd. BS37: Iron A 2D 28
Folly, The BS16: Down 1D 50
BS31: Salt 1K 97
Fontana Cl. BS30: L Grn 6F 65
Fonthill Rd. BA1: L'dwn 1A 100
BS10: S'mead 5K 35
Fonthill Way BS30: Bit 7F 65
Fontmell Ct. BS14: Stoc 3F 77
Fontwell Dr. BS16: Down 6D 38
Footes La. BS36: Fram C 7F 29
Footshill Cl. BS15: K'wd 3A 64
Footshill Dr. BS15: K'wd 2A 64
Footshill Gdns. BS15: K'wd 3A 64
Footshill Rd. BS15: K'wd 3A 64
Forde Cl. BS30: Bar C 4D 64
Fordell Pl. BS4: Wind H 6C 62
Ford La. BS16: Emer G 2F 51
Ford Rd. BA2: Pea J 5C 142
Ford St. BS5: Bar H 3E 62
Forefield Pl. BA2: Bath 6C 100 (7H 7)
Forefield Ri. BA2: Bath 7C 100 (7J 7)
Forefield Ter. BA2: Bath 6C 100 (7H 7)
Forest Av. BS16: Fish 5K 49
Forest Dr. BS10: Bren 4J 35
BS23: W Mare 3J 105
Forest Edge BS15: Han 5A 64
Forester Av. BA2: Bath 3C 100 (1H 7)
Forester Ct. BA2: Bath 3C 100 (1H 7)
Forester La. BA2: Bath 3D 100 (1J 7)
Forester Rd. BA2: Bath 4D 100 (2J 7)
BS20: P'head 4F 43
Forest Hills BS32: Alm 1D 26
Forest Rd. BS15: K'wd 2B 64
BS16: Fish 5K 49
Forest Wlk. BS15: K'wd 2A 64
BS16: Fish 5K 49
Forge End BS20: P'bry 5C 44
Forgotten World
(Wheelwright's & Romany Mus.)
2H 147
Fortescue Rd. BA3: Rads 4K 153
Fortfield Rd. BS14: H'gro, Whit 6C 76
Forty Acre La. BS35: Alv 2J 19
Forum Bldgs. BA1: Bath 6G 7
(off St James's Pde.)
Fosse Barton BS48: Nail 7F 57
Fosse Cl. BS48: Nail 7E 56
Fossedale Av. BS14: H'gro 4E 76
Fossefield Rd. BA3: Mid N 7F 153
Fosse Gdns. BA2: Odd D 4K 121
Fosse Grn. BA3: Clan 2J 153
Fosse La. BA1: Bathe 7J 83
BA3: Mid N 3G 153
BS48: Nail 7E 56
(not continuous)
Fosse Way BA3: Mid N 7G 153
BS48: Nail 7E 56
Fosseway BS21: Clev 1C 68
Fosse Way Cl. BA2: Pea J 5C 142
Fosseway Ct. BS8: Clif 2G 61
Fosse Way Est. BA2: Odd D 3J 121
Fosseway Gdns. BA3: Rads 5H 153
Fosseway Sth. BA3: Mid N 7F 153
Fosseway, The BS8: Clif 2G 61
Foss La. BS22: Kew 5A 84
Foss Way BA2: Pea J 1K 153
Fossway BA3: Clan 2J 153
Foss Way BA3: Mid N, Rads 1K 153
BA3: Rads 5H 153
Foster's Almshouses
BS1: Bris 2K 61 (3E 4)
Foster St. BS5: E'tn 6D 48
Foundry La. BS5: S'wll 6H 49
Fountain Bldgs. BA1: Bath 4C 100 (3G 7)
Fountain Ct. BS32: Brad S 3E 26
BS37: Yate 7D 30
(off Abbotswood)
Fountaine Ct. BS5: Eastv 6E 48
Fountain Hill BS9: Stok B 1F 61
Fountain La. BS25: Wins 6H 131
Fountains Dr. BS30: Bar C 3D 64
Four Acre Av. BS16: Down 7C 38
Fouracre Cres. BS16: Down 6C 38
Four Acre Rd. BS16: Down 6C 38
Four Acres BS13: Withy 6E 74
Four Acres Cl. BS13: Withy 6F 75
BS48: Nail 2G 71
Fourth Av. BA3: Mid N 6G 153
BS7: Hor 5C 36
BS14: H'gro 3D 76
Fourth Way BS11: A'mth 6H 33
Fowey Cl. BS48: Nail 2J 71
Fowey Rd. BS22: Wor 7E 84
Fox & Hounds La. BS31: Key 5D 78
Fox Av. BS37: Yate 4D 30
Foxborough Gdns. BS32: Brad S 4F 27
Fox Cl. BS4: St Ap 4H 63
Foxcombe Rd. BA1: Bath 4H 99
BS14: Whit 6D 76
FOXCOTE 2F 155
Foxcote BS15: K'wd 2D 64
Foxcote Rd. BS3: Bedm 6G 61
Fox Ct. BS30: L Grn 6D 64
Foxcroft Cl. BS32: Brad S 7H 27
Foxcroft Rd. BS5: St G 1F 63
Fox Den Rd. BS34: Stok G 5F 37
Foxe Rd. BS36: Fram C 6E 28
Foxfield Av. BS32: Brad S 4F 27
Foxglove Cl. BS16: Stap 4G 49
BS22: Wick L 6E 84
BS35: T'bry 2B 12
FOX HILL 2D 122
Fox Hill BA2: C Down 3C 122
FOX HILLS 5A 154
Foxhole La. GL12: Crom 3D 14
Foxholes La. BS32: Old D 2E 18
Fox Ho. BS4: Brisl 6G 63
Fox Rd. BS5: E'tn 7D 48
Fraley Rd. BS9: W Trym 1G 47
FRAMPTON COTTERELL 6E 28
Frampton Ct. BS30: L Grn 5D 64
Frampton Cres. BS16: Fish 4A 50
FRAMPTON END 6G 29
Frampton End Rd. BS36: Fram C 6G 29
BS37: Iron A 6G 29
Frances Greeves Ct. BS10: Hen 6G 35
Francis Fox Rd. BS23: W Mare 5G 105
Francis Ho. BS2: Bris 1K 61
Francis Pl. BS30: L Grn 5D 64
Francis Rd. BS3: Bedm 7J 61
BS10: W Trym 7J 35
Francis Way BS30: B'yte 2H 65
Francombe Gro. BS10: Hor 2A 48
Francombe Ho. BS1: Bris 7F 5
Frankcom Ho. BA2: Bath 1K 7
Frankland Cl. BA1: Bath 2G 99
Frankley Bldgs. BA1: Bath 2D 100
Frankley Ter. BA1: Bath 2D 100
(off Snow Hill)
Franklin Ct. BS1: Bris 4A 62 (6H 5)
Franklins Way BS49: Clav 2B 88
Franklyn La. BS2: Bris 7B 48
Franklyn St. BS2: Bris 7B 48
Fraser Cl. BS22: Wor 7C 84
TA8: Bur S 1E 158
Fraser St. BS3: Wind H 6K 61
Frayne Rd. BS3: Ash G 5G 61
Frederick Av. BA2: Pea J 6C 142
Frederick Pl. BS8: Clif 2H 61 (2A 4)
Frederick St. BS4: Wind H 5C 62
Freeland Bldgs. BS5: Eastv 6E 48
Freeland Pl. BS8: Clif 3F 61
Freelands BS21: Clev 2C 68
Freeling Ho. BS1: Bris 4A 62 (7G 5)
Freeman's La. BS48: Bar G 1F 91
Freemantle Gdns. BS5: Eastv 5E 48
Freemantle Rd. BS5: Eastv 5E 48
Freestone Rd. BS2: Bris 3C 62
Free Tank BS2: Bris 3B 62 (5K 5)
Freeview Rd. BA2: Bath 5G 99
Fremantle Ho. BS2: Bris 1K 61
Fremantle La. BS6: Cot 7K 47
Fremantle Rd. BS6: Bris, Cot 7K 47
Fremantle Sq. BS6: Bris 7K 47
FRENCHAY 1K 49
Frenchay Cl. BS16: Fish 1K 49
Frenchay Comn. BS16: Fren 1K 49
Frenchay Hill BS16: Fren 1A 50
Frenchay Pk. Rd. BS16: B'hll 2G 49
Frenchay Rd. BS16: Fish 1A 50
BS23: W Mare 1G 127
Frenchay Village Mus. 7J 37
French Cl. BA2: Pea J 6D 142
BS48: Nail 6H 57
Frenchfield Rd. BA2: Pea J 6D 142
FRESHFORD 7K 123
Freshford Ho. BS1: Bris 4A 62 (6G 5)
Freshford La. BA2: F'frd 7J 123
Freshford Station (Rail) 7A 124
Freshland Way BS15: K'wd 1K 63
Freshmoor BS21: Clev 6F 55
Frezinghill La. BS30: Wick 7G 67
Friar Av. BS22: Wor 1C 106
Friars Ho. BS37: Yate 7D 30
Friars Way TA8: Bur S 2D 158
Friary BS1: Bris 4B 62 (6J 5)
Friary Cl. BS21: Clev 4C 54
Friary Grange Pk. BS36: Wint 1C 38
Friary Rd. BS7: B'stn 4K 47
BS20: P'head 3D 42
Friendly Row BS20: Pill 3G 45
Friendship Gro. BS48: Nail 7H 57
Friendship Rd. BS4: Know 7B 62
BS48: Nail 6H 57
Friezewood Rd. BS3: Ash G 5G 61
Fripp Cl. BS5: Bar H 3D 62
Frith La. GL12: Wickw 2E 22
Frobisher Av. BS20: P'head 3C 42
Frobisher Cl. BS20: P'head 3C 42
BS22: Wor 7C 84
TA8: Bur S 7F 157
Frobisher Rd. BS3: Ash G 6G 61
FROGLAND CROSS 2A 28
Froglands Farm Cvn. & Camping Pk.
BS27: Ched 7E 150
Froglands La. BS27: Ched 7E 150
Frogland Way BS27: Ched 7E 150
Frog La. BS1: Bris 3J 61 (4D 4)
BS36: Coal H 6J 29
BS40: F'tn 3G 91
BS40: R'frd 2K 133
BS40: Ubl 4G 135
BS40: Winf 6J 91
Frogmore St. BS1: Bris 3J 61 (4D 4)
Frome Bank Gdns. BS36: Wint D 4C 38
Frome Ct. BS35: T'bry 4A 12
Frome Glen BS36: Wint D 3C 38
Frome Old Rd. BA3: Rads 4A 154
Frome Pl. BS16: Stap 2G 49
Frome Rd. BA2: Odd D 2J 121
BA3: Rads, Writ 4K 153

Gordon Rd. BS8: Clif 2H **61** (3A **4**)
  BS23: W Mare 5H **105**
Gore Rd. BS3: Bedm 6G **61**
  TA8: Bur S 6C **156**
Gore's Marsh Rd. BS3: Bedm 7G **61**
Gorge Walk 6E **150**
Gorham Cl. BS11: Law W 5C **34**
Gorlands Rd. BS37: Chip S 5J **31**
Gorlangton Cl. BS14: H'gro 3C **76**
Gorse Cover Rd. BS35: Sev B 7A **16**
Gorse Hill BS16: Fish, Stap H 5K **49**
Gorse La. BS8: Clif 3H **61** (3A **4**)
  BS30: Doy 3J **67**
  SN14: Dyr 3J **67**
Gosforth Cl. BS10: S'mead 6H **35**
Gosforth Rd. BS10: S'mead 5H **35**
Goslet Rd. BS14: Stoc 5G **77**
Goss Barton BS48: Nail 1F **71**
Goss Cl. BS48: Nail 1E **70**
Goss La. BS48: Nail 1E **70**
Goss Vw. BS48: Nail 1E **70**
Gotley Rd. BS4: Brisl 7F **63**
Gott Dr. BS4: St Ap 4F **63**
Gough Pl. BS27: Ched 6C **150**
Gough's Cave 6F **151**
Goulston Rd. BS13: B'wth 5G **75**
Goulston Wlk. BS13: B'wth 4G **75**
Goulter St. BS5: Bar H 3D **62**
Gourney Cl. BS11: Law W 5B **34**
Governors Ho. BA2: Bath . . . 5K **99** (5A **6**)
Gover Rd. BS15: Han 6A **64**
Govier Way BS35: Sev B 2C **24**
Grace Cl. BS37: Chip S 5J **31**
  BS49: Yat 3H **87**
Grace Ct. BS16: Down 2B **50**
Grace Dr. BA3: Mid N 4E **152**
  BS15: K'wd 7D **50**
Grace Pk. Rd. BS4: Brisl 1F **77**
Grace Rd. BS16: Down 3A **50**
  BS22: Wor 7F **85**
Gradwell Cl. BS22: Wor 1F **107**
Graeme Cl. BS16: Fish 4J **49**
Graham Rd. BS3: Bedm 6J **61**
  BS5: E'tn 7D **48**
  BS16: Down 2D **50**
  BS23: W Mare 5G **105**
Grainger Cl. BS11: Shire 1J **45**
Graitney Cl. BS49: C've 3C **88**
Grampian Cl. BS30: Old C 5G **65**
Granby Ct. BS8: Clif 3F **61**
Granby Hill BS8: Clif 3F **61**
Grandmother's Rock La.
  BS30: Beach 7D **66**
Grand Pde. BA2: Bath 5C **100** (4G **7**)
Grand Pier 5F **105**
Grange Av. BS15: Han 4A **64**
  BS34: Lit S 1E **36**
  TA9: High 5G **159**
Grange Cl. BS23: Uph 4G **127**
  BS32: Brad S 4E **26**
  BS34: Stok G 3J **37**
Grange Cl. Nth. BS9: W Trym 2H **47**
Grange Ct. BS9: Henl 2H **47**
  BS15: Han 4B **64**
Grange Ct. Rd. BS9: Henl 2G **47**
Grange Dr. BS16: Fish 2A **50**
Grange End BA3: Mid N 7F **153**
Grange La. BS13: Withy 6F **75**
Grange Pk. BS9: W Trym 2H **47**
  BS16: Fren 7A **38**
Grange Rd. BS8: Clif 2G **61**
  BS13: B'wth 5G **75**
  BS23: Uph 4G **127**
  BS31: Salt 1G **97**
  TA9: W Hunt 7D **158**
Grange, The BS9: C Din 1D **46**
  BS48: Flax B 3D **72**
Grange Vw. BA15: Brad A 5J **125**
Grangeville Cl. BS30: L Grn 6F **65**
Grangewood Cl. BS16: Fish 2A **50**
Granny's La. BS15: Han 3C **64**
Grantham La. BS15: K'wd 1A **64**
Grantham Rd. BS15: K'wd 1A **64**
Grantson Cl. BS4: Brisl 7G **63**
Granville Cl. BS15: Han 6K **63**
Granville Rd. BA1: L'dwn 7A **82**
Granville St. BS5: Bar H 3E **62**
Grasmere Cl. BS10: S'mead 7G **35**
Grasmere Dr. BS23: W Mare 1H **127**
Grasmere Gdns. BS30: Old C 3H **65**
Grassington Dr. BS37: Chip S 6G **31**
Grass Meers Dr. BS14: Whit 6C **76**
Grassmere Rd. BS49: Yat 3H **87**
Grass Rd. TA8: Brean 2B **144**
Gratitude Rd. BS5: E'tn 7E **48**
Gravel Hill BS40: Up Str 6K **113**
Gravel Hill Rd. BS37: Yate 3E **30**
                   (Church Rd.)

Gravel Hill Rd. BS37: Yate 2F **31**
          (Peg Hill, not continuous)
Gravel Wlk. BA1: Bath 4A **100** (2D **6**)
Graveney Cl. BS4: Brisl 1F **77**
Gray Cl. BS10: Hen 5E **34**
Grayle Rd. BS10: Hen 5G **35**
Grays Hill BA2: Ston L 7H **143**
Gt. Ann St. BS2: Bris 2B **62** (2K **5**)
GREAT ASHLEY 3E **124**
Gt. Bedford St. BA1: Bath . . . 3B **100** (1E **6**)
Great Brockeridge BS9: W Trym 2F **47**
Great Dowles BS30: C Hth 5E **64**
Gt. George St. BS1: Bris 3J **61** (4C **4**)
  BS2: Bris 2B **62** (2J **5**)
Gt. Hayles Rd. BS14: H'gro 3B **76**
Great Leaze BS30: C Hth 5E **64**
Gt. Meadow Rd. BS32: Brad S 7H **27**
Gt. Park Rd. BS32: Brad S 3E **26**
Gt. Pulteney St. BA2: Bath 4C **100** (3H **7**)
Gt. Stanhope St. BA1: Bath . . . 5A **100** (4D **6**)
GREAT STOKE 2H **37**
Gt. Stoke Way BS34: Stok G 2J **37**
                (Great Stoke)
  BS34: Stok G 5F **37**
                (Harry Stoke)
Greatstone La. BS40: Winf. 7K **91**
             (not continuous)
Gt. Western Bus. Pk. BS37: Yate 3B **30**
             (not continuous)
Gt. Western Ct. BS34: Stok G 3H **37**
Gt. Western La. BS5: E'tn 1B **62**
Gt. Western Rd. BS21: Clev 6D **54**
Great Weston Train Experience . . . 6G **155**
Great Wood Cl. BS13: Hart 6J **75**
Greenacre BS22: W Mare 2K **105**
Greenacre Pl. Cvn. Pk. TA9: Edith . . . 2K **159**
Greenacre Rd. BS14: Whit 7C **76**
Greenacres BA1: W'ton 7H **81**
  BA3: Mid N 5C **152**
  BS9: W Trym 1E **46**
Grn. Acres Cvn. Site BS35: Aust 5G **9**
Greenacres Pk. Homes
  BS36: Coal H 2H **39**
Greenbank Av. E. BS5: E'tn 7E **48**
Greenbank Av. W. BS5: E'tn 7D **48**
Greenbank Gdns. BA1: W'ton 2H **99**
Greenbank Rd. BS3: Bris 4G **61** (7A **4**)
  BS5: E'tn 7E **48**
  BS15: Han 5B **64**
Greenbank Vw. BS5: Eastv 6E **48**
Green Cl. BS7: Hor 7C **36**
  BS39: Paul 7C **140**
Green Cotts. BA2: C Down 3E **122**
Green Cft. BS5: S'wll 7J **49**
Greendale BS3: Wind H 6A **62**
  BS6: Redl 4H **47**
Grn. Dell Cl. BS14: Hen 4D **34**
Grn. Ditch La. BA3: C'tn 7A **152**
Greenditch St. BS35: Olv, Toc 4A **18**
  BS35: Piln, Toc 4J **17**
Greendown BS5: St G 2J **63**
Grn. Down Pl. BA2: C Down 3C **122**
Grn. Dragon Rd. BS36: Wint 2B **38**
Greenfield Av. BS10: S'mead 7K **35**
Greenfield Cres. BS48: Nail 6G **57**
Greenfield Pk. BS20: P'head 5E **42**
Greenfield Pl. BS23: W Mare 4E **104**
Greenfield Rd. BS10: S'mead 6K **35**
Greenfields Av. BS29: Ban 2A **130**
Greenfield Wlk. BA3: Mid N 3E **152**
Greenfinch Lodge BS16: B'hll 2H **49**
Greengage Cl. BS22: W Mare 4C **106**
Greenhayes BS27: Ched 6D **150**
Green Hayes BS37: Chip S 6J **31**
Greenhill BS35: Alv 1J **19**
Greenhill Cl. BS22: Wor 1E **106**
  BS48: Nail 7F **57**
Greenhill Down BS35: Alv 1J **19**
Greenhill Gdns. BS35: Alv 1J **19**
Greenhill Gro. BS3: Bedm 7G **61**
Greenhill La. BS11: Law W 6C **34**
  BS25: Sandf 1H **131**
  BS35: Alv 2H **19**
Greenhill Pde. BS35: Alv 7J **11**
Greenhill Pl. BA3: Mid N 3E **152**
Greenhill Rd. BA3: Mid N 3E **152**
  BS25: Sandf 1G **131**
  BS35: Alv 7J **11**
Greenland Mills BA15: Brad A 6H **125**
Greenland Rd. BS22: W Mare 3B **106**
Greenlands Rd. BA2: Pea J 5C **142**
  BS10: Hen 3E **34**
Greenlands Way BS10: Hen 4E **34**
Greenland Vw. BA15: Brad A 6H **125**
Green La. BS8: Fail 5G **59**
  BS11: A'mth 7F **33**
  BS35: Redw, Sev B 6A **16**
  BS36: Wint 1A **38**

Green La. BS39: Far G, Hall 7G **139**
  BS40: Blag, Comp M 6F **135**
  BS40: But 5E **112**
  BS40: Redh, Winf. 7E **90**
  GL12: Bag 3A **22**
  GL12: Buck. 3F **13**
  TA8: Berr 6C **144**
Greenleaze BS4: Know. 1D **76**
Greenleaze Av. BS16: Down. 6B **38**
Greenleaze Cl. BS16: Down. 6B **38**
Greenmore Rd. BS4: Know 7D **62**
Greenore BS15: K'wd 2A **64**
Green Pk. BA1: Bath. 5D **6**
Green Pk. Ho. BA1: Bath 5E **6**
Green Pk. M. BA1: Bath 5A **100** (5D **6**)
Green Pk. Rd. BA1: Bath 5B **100** (4E **6**)
Greenpark Rd. BS10: S'mead 6A **36**
Green Pk. Station BA1: Bath . . 5A **100** (4D **6**)
GREEN PARLOUR 5D **154**
Grn. Parlour Rd. BA3: Writ 5D **154**
Grn. Pastures Rd. BS48: Wrax 6J **57**
Greenridge BS39: Clut. 2H **139**
Greenridge Cl. BS13: Withy 6E **74**
GREENSBROOK 2H **139**
Greens Hill BS16: Fish 5G **49**
Green Side BS16: Mang 2E **50**
Greenside Cl. BS10: Hen 4D **34**
Greenslade Gdns. BS48: Nail 6F **57**
Green St. BA1: Bath 5B **100** (4F **7**)
  BA2: Shos 1D **154**
  BS3: Wind H 5B **62**
Green, The BA2: Odd D 3K **121**
  BA3: Faul 4K **155**
  BS11: Shire 2J **45**
  BS15: Soun 6C **50**
  BS20: Pill 4H **45**
  BS24: Lock 1E **128**
  BS25: Wins 5F **131**
  BS30: Wick 4B **66**
  BS34: Stok G 3G **37**
  BS35: Olv 3C **18**
  BS39: Comp D 6B **96**
  BS48: Back 5H **71**
  GL12: Crom 4B **14**
Grn. Tree Rd. BA3: Mid N 3F **153**
GREENVALE 4F **141**
Greenvale Cl. BA2: Tim 4F **141**
Greenvale Dr. BA2: Tim 4F **141**
Greenvale Rd. BS39: Paul 1B **152**
Greenview BS30: L Grn 7E **64**
Green Wlk. BS4: Know 1C **76**
GREENWAY 7B **138**
Greenway BA3: Faul 5J **155**
Greenway Bush La. BS3: Bris . . 5G **61** (7A **4**)
Greenway Ct. BA2: Bath 7B **100**
Greenway Dr. BS10: S'mead 6K **35**
Greenway La. BA1: C Ash 5K **67**
  BA2: Bath 1B **122**
Greenway Pk. BS10: S'mead 7K **35**
  BS21: Clev 6F **55**
Greenway Rd. BS6: Redl 6H **47**
Greenways BS15: K'wd. 7E **50**
Greenways Rd. BS37: Yate 3D **30**
Greenway, The BS16: Fish 5A **50**
Greenwell La. BS40: L'frd 5E **110**
Greenwood Cl. BS7: Hor 1A **48**
  TA9: W Hunt 7E **158**
Greenwood Dr. BS35: Alv 1H **19**
Greenwood Rd. BS4: Know 7C **62**
  BS22: Wor 2C **106**
Gregory Ct. BS30: C Hth 3E **64**
Gregory Mead BS49: Yat 2G **87**
Gregorys Gro. BA2: Odd D 4K **121**
Gregory's Tyning BS39: Paul 7C **140**
Greinton BS24: W Mare 3J **127**
Grenville Av. BS24: Lock 1E **128**
Grenville Cl. BS5: St G 1H **63**
Grenville Rd. BS6: Bris 5A **48**
  TA8: Bur S 1E **158**
Greve Ct. BS30: Bar C 5D **64**
Greville Rd. BS3: Bris 5H **61**
Greville St. BS3: Bedm 5J **61**
GREYFIELD 3A **140**
Greyfield Comn. BS39: High L 3A **140**
Greyfield Rd. BS39: High L 3A **140**
Greyfield Vw. BS39: Tem C 4H **139**
Greyfriars BS1: Bris. 2K **61** (2E **4**)
Grey Hollow BS40: E Harp 7K **137**
Greyhound Wlk. BS1: Bris 3G **5**
          (off Galleries, The)
Greylands Rd. BS13: B'wth 3F **75**
Greystoke BS10: W Trym. 6G **35**
Greystoke Av. BS10: S'mead 7G **35**
Greystoke Gdns. BS10: S'mead 7H **35**
Greystones BS16: Down. 6C **38**
Griffin Cl. BS22: Wor 2E **106**
Griffin Ct. BA1: Bath. 5E **6**
Griffin Rd. BS21: Clev. 6D **54**
Griggfield Wlk. BS14: H'gro. 3B **76**

Grimsbury Rd. BS15: K'wd 1E **64**
Grindell Rd. BS5: St G 2F **63**
Grinfield Av. BS13: Hart 6J **75**
Grinfield Ct. BS13: Hart 6J **75**
Grittleton Rd. BS7: Hor 7A **36**
Grosvenor Bri. Rd. BA1: Bath. 2E **100**
Grosvenor Pk. BA1: Bath 2E **100**
Grosvenor Pl. BA1: Bath 2E **100**
Grosvenor Rd. BS2: Bris 7B **48**
Grosvenor Ter. BA1: Bath 1E **100**
Grosvenor Vs. BA1: Bath 2D **100**
Grove Av. BS1: Bris 4K **61** (6F **5**)
  BS9: C Din 1C **46**
  BS16: Fish 4H **49**
Grove Bank BS16: Fren. 6A **38**
Grove Dr. BS22: W Mare 3A **106**
Grove La. BA3: Faul 4J **155**
  BS23: W Mare 4F **105**
  SN14: Hin 2J **53**
Grove Leaze BA15: Brad A 6F **125**
  BS11: Shire 2G **45**
Grove Orchard BS40: Blag 3C **134**
Grove Pk. BS4: Brisl 7F **63**
  BS6: Redl 6J **47**
  BS23: W Mare 4F **105**
Grove Pk. Av. BS4: Brisl 7F **63**
Grove Pk. Rd. BS4: Brisl. 7F **63**
  BS23: W Mare 3F **105**
Grove Pk. Ter. BS16: Fish 4H **49**
Grove Rd. BS6: Redl 6G **47**
  BS9: C Din 7C **34**
  BS16: Fish 4H **49**
  BS22: W Mare 3A **106**
  BS23: W Mare 4F **105**
  BS29: Ban 1J **129**
  TA8: Bur S 7C **156**
GROVESEND 5C **12**
Grovesend Rd. BS35: Grov, T'bry . . . 4A **12**
  BS35: T'bry 3K **11**
Groves Sports Cen. 2F **71**
Groves, The BS13: Hart 6K **75**
Grove St. BA2: Bath 4C **100** (3G **7**)
Grove, The BA1: W'ton 2J **99**
  BS1: Bris 4K **61** (6E **4**)
  BS21: Clev 1B **68**
  BS25: Wins 4F **131**
  BS30: C Hth 5E **64**
  BS34: Pat. 6D **26**
  BS37: Rang 5A **22**
  BS39: Hall 6K **139**
  BS40: Blag 3C **134**
  BS48: Wrax 6A **58**
  TA8: Bur S 6D **156**
Grove Vw. BS16: Ham 4A **38**
  BS16: Stap 2G **49**
Grove Wood Rd. BA3: Hay 6J **153**
Guernsey Av. BS4: Brisl 5H **63**
Guest Av. BS16: Emer G 1F **51**
Gug, The BS39: High L 3A **140**
Guild Ct. BS1: Bris 3A **62** (6G **5**)
Guildford Rd. BS4: St Ap 4G **63**
Guinea La. BA1: Bath 4B **100** (2F **7**)
  BS16: Fish 3J **49**
             (not continuous)
Guinea St. BS1: Bris 4K **61** (7F **5**)
Gullen BS2: Shos, Ston L 1F **155**
Gulliford Cl. TA9: High 4F **159**
Gulliford's Bank BS21: Clev 7E **54**
Gullimore Gdns. BS13: Hart 6H **75**
Gullivers Pl. BS37: Chip S 6G **31**
Gullock Tyning BA3: Mid N 5F **153**
Gullons Cl. BS13: B'wth 4G **75**
Gullon Wlk. BS13: Withy 5F **75**
Gullybrook La. BS5: Bar H 3D **62**
Gully, The BS36: Wint 7D **28**
Gumhurn La. BS35: Piln 5E **16**
Gunnings Cl. BS15: K'wd 3B **64**
Gunter's Hill BS5: St G 3J **63**
Guthrie Rd. BS8: Clif. 1F **61**
Gwilliam St. BS3: Wind H 6K **61**
Gwyn St. BS2: Bris 7A **48**
Gypsy La. BS16: Puck. 5J **39**
  BS31: Key. 3E **96**
  BS36: H'fld 5J **39**

H

Haberfield Hill BS8: Abb L 6J **45**
Haberfield Ho. BS8: Clif 3F **61**
Hacket BS35: T'bry 3C **12**
Hacket Hill BS35: T'bry 4D **12**
Hacket La. BS35: Grov. 5D **12**
  BS35: T'bry 3B **12**
             (not continuous)
HACKET, THE 3C **12**
Haddrell Ct. BS35: Alv 7H **11**
Hadley Ct. BS30: C Hth 3F **65**
Hadley Rd. BA2: C Down 2D **122**

Healey Dr.—Hillside Rd.

Healey Dr. SN14: Hin . . . 2J 53
Heart Meers BS14: H'gro . . . 5D 76
Heath Cl. BS36: Wint . . . 1C 38
Heathcote Dr. BS36: Coal H . . . 7H 29
Heathcote La. BS36: Coal H . . . 7H 29 (off Boundary Rd.)
Heathcote Rd. BS16: Fish . . . 6K 49
BS16: Stap H . . . 3C 50
Heathcote Wlk. BS16: Fish . . . 6A 50
Heath Ct. BS16: Down . . . 1B 50
HEATH END . . . 4B 14
Heather Av. BS36: Fram C . . . 1F 39
Heather Cl. BS15: K'wd . . . 1K 63
Heatherdene BS14: H'gro . . . 3B 76
Heather Dr. BA2: Odd D . . . 4K 121
Heathfield Cl. BA1: W'ton . . . 7G 81
BS31: Key . . . 5A 78
Heathfield Cres. BS14: Whit . . . 6C 76
Heathfield Rd. BS48: Nail . . . 7G 57
Heathfields BS16: Down . . . 7B 38
Heathfield Way BS48: Nail . . . 7G 57
Heath Gdns. BS16: Down . . . 7B 38
BS36: Coal H . . . 1G 39
Heathgate BS49: Yat . . . 3H 87
Heathgates BS23: W Mare . . . 1F 127
Heath Gates BS48: Nail . . . 7H 57 (off Heath Rd.)
Heath Ho. La. BS16: Stap . . . 4D 48
Heath Ridge BS4: L Ash . . . 7A 60
Heath Ri. BS30: C Hth . . . 4F 65
Heath Rd. BS5: Eastv . . . 5D 48
BS15: Han . . . 5K 63
BS16: Down . . . 1B 50
BS48: Nail . . . 6H 57 (not continuous)
Heath St. BS5: Eastv . . . 5E 48
Heath Wlk. BS16: Down . . . 1B 50
Heber St. BS5: Redf . . . 2E 62
Hebron Rd. BS3: Bedm . . . 6J 61
Hedge Cl. BS22: W Wick . . . 3F 107
Hedgemead Cl. BS16: Stap . . . 3F 49
Hedgemead Ct. BA1: Bath . . . 1G 7
Hedgemead Vw. BS16: Stap . . . 3G 49
Hedges Cl. BS21: Clev . . . 1B 68
Hedges, The BS22: St Geo . . . 2G 107
Hedwick Av. BS5: St G . . . 2G 63
Hedwick St. BS5: St G . . . 2G 63
Heggard Cl. BS13: B'wth . . . 5G 75
Helens Rd. BS25: Sandf . . . 1H 131
Helicopter Mus., The . . . 7C 106
Hellier Wlk. BS13: Hart . . . 7J 75
Helston Rd. BS48: Nail . . . 1J 71
HEMINGTON . . . 7H 155
Hemmings Pde. BS5: Bar H . . . 2D 62
Hemming Way BS24: Hut . . . 2C 128
Hemplow Cl. BS14: Stoc . . . 3F 77
Hempton La. BS32: Alm . . . 4C 26
Henacre Rd. BS11: Law W . . . 7K 33
HENBURY . . . 5E 34
Henbury Ct. BS10: Hen . . . 4E 34
Henbury Gdns. BS10: Hen . . . 5E 34
Henbury Hill BS9: W Trym . . . 7F 35
Henbury Rd. BS9: W Trym . . . 7F 35
BS10: Hen . . . 5E 34
BS15: Han . . . 4K 63
Henbury Swimming Pool . . . 4F 35
Hencliffe Rd. BS14: Stoc . . . 3F 77
Hencliffe Way BS15: Han . . . 6K 63
Henderson Rd. BS15: Han . . . 4K 63
Hendon Cl. TA9: High . . . 3G 159
Hendre Rd. BS3: Bedm . . . 7G 61
HENFIELD . . . 4H 39
Henfield Bus. Pk. BS36: H'fld . . . 5H 39
Henfield Cres. BS30: Old C . . . 5F 65
Henfield Rd. BS36: Coal H . . . 3G 39
BS36: H'fld . . . 3G 39
Hengaston St. BS3: Bedm . . . 7H 61
HENGROVE . . . 4D 76
Hengrove Av. BS14: H'gro . . . 2D 76
Hengrove La. BS14: H'gro . . . 2C 76
Hengrove Leisure Pk. BS14: H'gro . . . 4A 76
Hengrove Rd. BS4: Know . . . 7C 62
Hengrove Way BS13: B'wth . . . 4H 75
BS14: H'gro . . . 4K 75
HENLEAZE . . . 2H 47
Henleaze Av. BS9: Henl . . . 3G 47
Henleaze Gdns. BS9: Henl . . . 3G 47
Henleaze Pk. BS9: Henl . . . 3J 47
Henleaze Pk. Dr. BS9: Henl . . . 2H 47
Henleaze Rd. BS9: Henl . . . 3G 47
Henleaze Ter. BS9: Henl . . . 1H 47
Henley Gro. BS9: Henl . . . 3H 47
Henley La. BS49: Yat . . . 4K 87
Henley Lodge BS49: Yat . . . 4K 87
Henley Pk. BS49: Yat . . . 4J 87
Henley Vw. BA2: Wel . . . 4K 143
Hennessy Cl. BS14: Whit . . . 7B 76
Henrietta Ct. BA2: Bath . . . 3C 100 (1H 7)
Henrietta Gdns. BA2: Bath . . . 4C 100 (2H 7)
Henrietta M. BA2: Bath . . . 4C 100 (3H 7)
Henrietta Pl. BA2: Bath . . . 4C 100 (3G 7)
Henrietta Rd. BA2: Bath . . . 4C 100 (2H 7)
Henrietta St. BA2: Bath . . . 4C 100 (3H 7)
BS2: Bris . . . 1J 61 (1D 4)
BS5: E'tn . . . 7D 48
Henrietta Vs. BA2: Bath . . . 4C 100 (2H 7)
Henry St. BA1: Bath . . . 5C 100 (5G 7)
BS3: Wind H . . . 5B 62
Henry Williamson Ct.
BS30: Bar C . . . 4D 64
Henshaw Cl. BS15: K'wd . . . 6A 50
Henshaw Rd. BS15: K'wd . . . 6A 50
Henshaw Wlk. BS15: K'wd . . . 6A 50
Hensley Gdns. BA2: Bath . . . 7A 100
Hensley Rd. BA2: Bath . . . 7A 100
Hensman's Hill BS8: Clif . . . 3G 61
Hepburn Rd. BS2: Bris . . . 1A 62
Herald Cl. BS9: Stok B . . . 3D 46
Herapath St. BS5: Bar H . . . 3E 62
Herbert Cres. BS5: Eastv . . . 5F 49
Herbert Rd. BA2: Bath . . . 6K 99 (7A 6)
BS21: Clev . . . 5D 54
TA8: Bur S . . . 7C 156
Herbert St. BS3: Bedm . . . 5J 61 (not continuous)
BS5: W'hall . . . 1E 62
Hercules Cl. BS34: Lit S . . . 1F 37
Hereford Rd. BS2: Bris . . . 6C 48
Hereford St. BS3: Bedm . . . 6K 61
Heritage Cl. BA2: Pea J . . . 5D 142
Heritage, The BA2: Cam . . . 5J 141
Herkomer Cl. BS7: L'lze . . . 1D 48
Herluin Way BS22: W Mare . . . 6K 105
BS23: W Mare . . . 6K 105
Hermes Cl. BS31: Salt . . . 1H 97
Hermitage Cl. BS11: Shire . . . 1J 45
Hermitage Rd. BA1: Bath . . . 2A 100
BS16: Stap H . . . 3B 50
Hern La. BS48: Bar G . . . 5J 73
Heron Cl. BS22: W Mare . . . 3C 106
Heron Gdns. BS20: P'head . . . 4G 43
Heron Pk. TA8: Berr . . . 7A 144
Heron Rd. BS5: E'tn . . . 7D 48
HERONS GREEN . . . 2C 136
Heron Way BS37: Chip S . . . 7F 31
Herridge Cl. BS13: Hart . . . 6H 75
Herridge Rd. BS13: Hart . . . 6H 75
Hersey Gdns. BS13: Withy . . . 7E 74
Hesding Cl. BS15: Han . . . 6A 64
Hestercombe Rd. BS13: B'wth . . . 4H 75
Hester Wood BS37: Yate . . . 2F 31
Hetling Ct. BA1: Bath . . . 5B 100 (5F 7)
HEWISH . . . 6B 86
Hewlands Ct. BS11: Law W . . . 5C 34
Heyford Av. BS5: Eastv . . . 4D 48
Heyron Wlk. BS13: Hart . . . 6H 75
Heywood Rd. BS20: Pill . . . 4G 45
Heywood Ter. BS20: Pill . . . 4G 45
Hiatt Baker Hall BS9: Stok B . . . 4F 47
Hicking Ct. BS15: K'wd . . . 7B 50
Hicks Av. BS16: Emer G . . . 7F 39
Hick's Barton BS5: St G . . . 1H 63
HICKS COMMON . . . 1D 38
Hicks Comn. Rd. BS36: Wint . . . 3C 38
Hicks Ct. BS30: L Grn . . . 5D 64
HICKS GATE . . . 2K 77
Hicks Ga. Ho. BS31: Key . . . 2K 77
Hide Mkt. BS2: Bris . . . 2B 62 (3K 5)
High Acre BS39: Paul . . . 2D 152
High Action & Mendip Riding . . . 2J 131
Higham St. BS4: Wind H . . . 5B 62
High Bannerdown BA1: Bathe . . . 6K 83
HIGHBRIDGE . . . 5F 159
Highbridge & Burnham Station (Rail) . . . 5G 159
Highbridge Quay TA9: High . . . 5F 159
Highbridge Rd. TA8: Bur S . . . 2D 158
Highburn Cl. TA8: Bur S . . . 4E 158
Highbury Farm Bus. Pk.
BS39: Hall . . . 5J 139
Highbury Pde. BS23: W Mare . . . 3E 104
Highbury Pl. BA1: Bath . . . 2C 100
Highbury Rd. BS3: Bedm . . . 1J 75
BS7: Hor . . . 1B 48
BS23: W Mare . . . 3E 104
BS39: Hall . . . 5K 139
Highbury Ter. BA1: Bath . . . 2C 100
Highbury Vs. BA1: Bath . . . 2C 100 (off Highbury Pl.)
BS2: Bris . . . 1J 61 (1C 4)
High Cnr. BS9: W Trym . . . 6F 35
Highcroft BS30: Old C . . . 3G 65
Highdale Av. BS21: Clev . . . 6D 54
Highdale Cl. BS14: Whit . . . 6D 76
Highdale Rd. BS21: Clev . . . 6D 54
High Elm BS15: K'wd . . . 3C 64
Highett Dr. BS5: E'tn . . . 7C 48
Highfield Av. BS15: Han . . . 4B 64
Highfield Cl. BA2: Bath . . . 6H 99
Highfield Dr. BS20: P'head . . . 5A 42
Highfield Gdns. BS30: Bit . . . 7G 65
Highfield Gro. BS7: Hor . . . 3K 47
Highfield La. BS40: Comp M . . . 7A 136
BS40: E Harp . . . 7K 137
Highfield Rd. BA2: Pea J . . . 5C 142
BA15: Brad A . . . 5H 125
BS24: W Mare . . . 4J 127
BS31: Key . . . 1D 96
BS37: Chip S . . . 5G 31
Highfields BA3: Rads . . . 4H 153
BS39: Stan D . . . 3B 116
Highfields Cl. BS34: Stok G . . . 4H 37
High Gro. BS9: Sea M . . . 2B 46
Highgrove St. BS4: Wind H . . . 5C 62
High Kingsdown BS2: Bris . . . 1J 61 (1D 4)
Highland Cl. BS22: W Mare . . . 2K 105
Highland Cres. BS8: Clif . . . 6G 47
Highland Pl. BS8: Clif . . . 6G 47
Highland Rd. BA2: Bath . . . 6H 99
Highlands Pl. BS24: Wor . . . 4E 106
Highland Sq. BS8: Clif . . . 6G 47
Highlands Rd. BS4: L Ash . . . 7A 60
BS20: P'head . . . 3D 42
Highland Ter. BA2: Bath . . . 5K 99 (5A 6)
High La. BS36: Wint . . . 6B 28
Highleaze Rd. BS30: Old C . . . 5G 65
HIGH LITTLETON . . . 4B 140
Highmead Gdns. BS13: Withy . . . 6E 74
BS39: Bis S . . . 2J 137
High Mdws. BA3: Mid N . . . 5D 152
Highmore Ct. BS7: L'lze . . . 1D 48
Highmore Gdns. BS7: L'lze . . . 1E 48
Highnam Cl. BS34: Pat . . . 5D 26
High Pk. BS14: H'gro . . . 1D 76
BS39: Paul . . . 7B 140
HIGHRIDGE
Bishopsworth . . . 4G 75
Dundry . . . 6D 74
Highridge Cres. BS13: B'wth . . . 5F 75
Highridge Grn. BS13: B'wth . . . 3E 74
Highridge Pk. BS13: B'wth . . . 4F 75
Highridge Rd. BS3: Bedm . . . 7H 61
BS4: Dun . . . 7C 74
BS13: B'wth, Withy . . . 6E 74
Highridge Wlk. BS13: B'wth . . . 3E 74
High St. BA1: Bath . . . 5C 100 (4G 7)
BA1: Bathe . . . 7H 83
BA1: Bathf . . . 1A 102
BA1: W'ly . . . 4B 82
BA1: W'ton . . . 1G 99
BA2: B'ptn . . . 2H 101
BA2: Bath . . . 5G 99
BA2: F'frd . . . 7K 123
BA2: Tim . . . 3F 141
BA2: Wel . . . 4K 143
BA3: Mid N . . . 5E 152
BS1: Bris . . . 2K 61 (3F 5)
BS5: E'tn . . . 7D 48
BS8: Clif . . . 6G 47
BS9: W Trym . . . 1G 47
BS11: Shire . . . 1H 45
BS15: Han . . . 4A 64
BS15: K'wd . . . 1C 64
BS15: Warm . . . 1F 65
BS16: Stap H . . . 4A 50
BS20: P'bry . . . 5B 44
BS20: P'head . . . 4F 43
BS22: Wor . . . 3C 106
BS23: W Mare . . . 4F 105 (not continuous)
BS26: Axb . . . 4H 149
BS29: Ban . . . 3J 129
BS30: Bit . . . 2J 79
BS30: Doy . . . 7F 53
BS30: Old C . . . 6G 65
BS30: Wick . . . 3C 66
BS31: Key . . . 4C 78
BS31: Salt . . . 7J 79
BS35: T'bry . . . 4K 11
BS36: Wint . . . 1B 38
BS37: Chip S . . . 5H 31
BS37: Iron A . . . 2H 29
BS39: High L . . . 4A 140
BS39: Paul . . . 1C 152
BS39: Pens . . . 7F 95
BS40: Blag . . . 2B 134
BS40: Chew M . . . 1G 115
BS40: E Harp . . . 6K 137
BS40: Winf . . . 4K 91
BS40: Wrin . . . 1F 111
BS48: Nail . . . 7G 57
BS49: Clav . . . 2B 88
BS49: Cong . . . 7K 87
BS49: Yat . . . 2H 87
GL12: Wickw . . . 6G 15
SN14: Dyr . . . 4K 53
TA8: Bur S . . . 2C 158
High Vw. BA2: Bath . . . 6A 100 (7D 6)
BS20: P'head . . . 4C 42
Highview Rd. BS15: Soun . . . 6C 50
Highwall La. BS31: Q Char . . . 2H 95
Highway BS37: Yate . . . 4F 31
Highwood La. BS34: Pat . . . 7H 25
Highwood Pk. BS34: Pat . . . 1A 36
Highwood Rd. BS34: Pat . . . 1A 36
Highworth Cres. BS37: Yate . . . 6D 30
Highworth Rd. BS4: St Ap . . . 4F 63
Hilcot Gro. BS22: W Mare . . . 3K 105
Hildesheim Bri. BS23: W Mare . . . 5G 105
Hildesheim Cl. BS23: W Mare . . . 6H 105
Hill Av. BA2: C Down . . . 3B 122
BS3: Wind H . . . 6A 62
Hillbrook Rd. BS35: T'bry . . . 4B 12
Hill Burn BS9: Henl . . . 2J 47
Hillburn Rd. BS5: St G . . . 2J 63
Hill Cl. BS16: Emer G . . . 7F 39
Hillcote Est. BS24: W Mare . . . 5K 127
Hill Ct. BS39: Paul . . . 7C 140
HILLCREST . . . 1F 117
Hillcrest BA2: Pea J . . . 5C 142
Hill Crest BS4: Know . . . 1D 76
Hillcrest BS35: T'bry . . . 3K 11
BS39: Pens . . . 1G 117
Hill Crest BS49: Cong . . . 6A 88
Hillcrest Cl. BS48: Nail . . . 1G 71
Hillcrest Dr. BA2: Bath . . . 7H 99
Hillcrest Flats BA15: Brad A . . . 5H 125
Hillcrest Rd. BS20: P'head . . . 4A 42
BS48: Nail . . . 1G 71
Hillcroft Cl. BS22: W Mare . . . 2J 105
BS30: Han . . . 5C 64
Hilldale Rd. BS48: Back . . . 5K 71
Hill Dr. BS8: Fail . . . 6G 59
HILLEND . . . 3H 129
Hill End BS22: Wor . . . 1C 106
Hill End Dr. BS10: Hen . . . 4D 34
HILLFIELD . . . 7C 150
Hillfield BS27: Ched . . . 7D 150
HILLFIELDS . . . 5K 49
Hillfields Av. BS16: Fish . . . 6A 50
Hill Gay Cl. BS20: P'head . . . 4B 42
Hill Gro. BS9: Henl . . . 2J 47
Hillgrove St. BS2: Bris . . . 1A 62
Hillgrove St. Nth. BS2: Bris . . . 1K 61
Hillgrove Ter. BS23: Uph . . . 4F 127
Hillhouse BS9: Sea M . . . 2C 46
BS16: Stap H . . . 4D 50
Hill Ho. Rd. BS16: Stap H . . . 2D 50
Hillier's La. BS25: C'hll . . . 1K 131
Hill La. BS20: W'ton G . . . 7B 42
BS21: Tic . . . 5J 55
BS25: Row . . . 4C 132
TA9: Bre K, E Brnt . . . 5J 157
Hill Lawn BS4: Brisl . . . 6F 63
Hill Lea Gdns. BS27: Ched . . . 6D 150
Hillmead BS40: L'frd . . . 7C 110
Hillmer Ri. BS29: Ban . . . 2K 129
Hillmoor BS21: Clev . . . 7E 54
Hill Pk. BS49: Cong . . . 6A 88
Hill Path BS29: Ban . . . 3B 130
Hill Rd. BS4: Dun . . . 1D 92
BS21: Clev . . . 5C 54
BS22: Wor . . . 2C 106
BS23: W Mare . . . 4H 105
BS25: Sandf . . . 2F 131
Hill Rd. E. BS22: Wor . . . 2C 106
Hills Barton BS13: B'wth . . . 1G 75
Hillsborough Flats BS8: Clif . . . 3G 61
Hillsborough Gdns.
TA8: Bur S . . . 6D 156
Hillsborough Ho. BS23: W Mare . . . 1J 127
Hillsborough Rd. BS4: Brisl . . . 5E 62
Hills Cl. BS31: Key . . . 5E 78
Hillsdon Rd. BS9: W Trym . . . 7F 35
HILLSIDE
Axbridge . . . 6C 152
Clapton . . . 4H 149
Hillside BS6: Cot . . . 1J 61
BS8: Clif . . . 3H 61 (4A 4)
BS16: Mang . . . 3D 50
BS20: P'bry . . . 5B 44
Hillside Av. BA3: Mid N . . . 6C 152
BS15: K'wd . . . 1A 64
Hillside Cl. BS36: Fram C . . . 7G 29
BS39: Paul . . . 7D 140
Hillside Cotts. BA2: Mid . . . 6D 122
Hillside Cres. BA3: Mid N . . . 6C 152
Hillside Gdns. BS22: W Mare . . . 3K 105
BS39: Bis S . . . 2H 137
Hillside La. BS36: Fram C . . . 7G 29
Hillside Rd. BA2: Bath . . . 7K 99
BA3: Mid N . . . 6D 152
BS4: L Ash . . . 7B 60
BS5: St G . . . 2J 63
BS20: P'head . . . 5A 42
BS21: Clev . . . 6D 54

Hillside Rd.—Hurle Rd.

Hillside Rd. BS24: B'don 5K 127
BS48: Back 5J 71
Hillside St. BS4: Wind H 5C 62
Hillside Vw. BA2: Pea J 5C 142
BA3: Mid N 4E 152
Hillside W. BS24: Hut 2D 128
Hill St. BS1: Bris 2J 61 (3C 4)
BS3: Wind H 5B 62
BS5: St G 1H 63
BS15: K'wd 1D 64
Hill, The BA2: F'frd 7A 124
BS32: Alm 2D 26
Hilltop BS20: P'head 4C 42
Hilltop Gdns. BS5: St G 2J 63
BS16: Soun 6B 50
(not continuous)
Hilltop Rd. BS16: Soun 6B 50
Hilltop Vw. BS5: St G 2J 63
Hill Vw. BA2: Mark 3F 119
BS8: Clif 3H 61 (4A 4)
BS9: Henl 2J 47
BS16: Down 7E 38
BS16: Soun 6B 50
BS34: Fil 4C 36
Hillview BA2: Tim 4F 141
BA3: Mid N 7C 152
TA8: Brean 4A 144
Hillview Av. BS21: Clev 7D 54
Hill Vw. Cvn. Pk. BS40: F'tn 2F 91
Hill Vw. Cl. BS30: Old C 5G 65
Hill Vw. Ct. BS22: W Mare 4B 106
Hillview Gdns. BS40: F'tn 3G 91
Hillview Pk. Homes BS22: W Mare 4B 106
Hill Vw. Rd. BA1: Bath 1D 100
BS13: B'wth 2G 75
BS16: Puck 3C 52
BS23: W Mare 5J 105
Hillview Rd. BS26: Lox 2G 147
Hillyfield Rd. BS13: B'wth 4G 75
Hillyfields BS25: Wins 5H 131
Hillyfields Way BS25: Wins 5G 131
Hilton Ct. BS5: E'tn 1D 62
Hinckley Cl. BS22: St Geo 1G 107
Hind Pitts BS25: Ship 6A 132
HINTON 2J 53
Hinton BS24: W Mare 3J 127
HINTON BLEWETT 7A 138
Hinton Cl. BA2: Bath 5F 99
BS31: Salt 7J 79
Hinton Dr. BS30: Old C 3G 65
Hinton La. BS8: Clif 3F 61
Hinton Rd. BS5: E'tn 7E 48
BS16: Fish 4J 49
BS16: Puck 2D 52
Hippisley Dr. BS26: Axb 4K 149
Hiscocks Ct. BA2: New L 5B 98
Hiscocks Dr. BA2: Bath 7A 100
Hither Bath Bridge BS4: Brisl 1E 76
BS14: Brisl 2E 76
Hither Grn. BS21: Clev 7F 55
Hither Grn. Ind. Est. BS21: Clev 7F 55
Hither Mead BS36: Fram C 1F 39
Hi-Ways Mobile Home Pk.
BS10: H'len 3B 34
Hobart Rd. BS23: W Mare 2H 127
Hobbiton Rd. BS22: Wor 6E 84
Hobbs Ct. BS48: Nail 7H 57
Hobbs La. BS1: Bris 3J 61 (4D 4)
BS30: Sis 7F 51
BS48: Bar G 6J 73
HOBB'S WALL 1C 140
Hobb's Wall BA2: F'boro 7C 118
Hobhouse Cl. BA15: Brad A 7J 125
BS9: Henl 1J 47
Hobwell La. BS4: L Ash 7C 60
Hockey's La. BS16: Fish 4J 49
Hockley Ct. BA1: W'ton 2K 99
Hodden La. BS16: Puck 3C 52
Hodshill BA2: S'ske 6B 122
Hogarth M. BS22: Wor 1E 106
Hogarth Wlk. BS7: L'lze 7D 36
BS22: Wor 1E 106
Hogues Wlk. BS13: Hart 6H 75
Holbeach Way BS14: Whit 7C 76
Holbrook Cres. BS13: Hart 6K 75
Holbrook La. BS30: Wick 2A 66
Holburne Mus. & Craft Study Cen.
4D 100 (2J 7)
Holcombe BS14: H'gro 5C 76
Holcombe Cl. BA2: B'ptn 2H 101
Holcombe Grn. BA1: W'ton 1H 99
(not continuous)
Holcombe Gro. BS31: Key 5B 78
Holcombe La. BA2: B'ptn 2H 101
Holcombe Va. BA2: B'ptn 2H 101
Holdenhurst Rd. BS15: K'wd 7A 50
Holders Wlk. BS4: L Ash 2K 73
Holford Cl. BS48: Nail 1G 71
Holford Ct. BS14: Whit 5D 76
Holiday Resort Unity at Unity Farm
TA8: Berr 6B 144
Holland Rd. BA1: Bath 2D 100
BS21: Clev 1B 68
Holland St. BS23: W Mare 4J 105
Hollidge Gdns. BS3: Bedm 5K 61
Hollies La. BA1: Bathe 3H 83
Hollies Shop. Cen., The
BA3: Mid N 5E 152
Hollies, The BS15: K'wd 3C 64
Hollis Av. BS20: P'head 5E 42
Hollis Cl. BS4: L Ash 1A 74
Hollis Cres. BS20: P'head 5E 42
Hollister's Dr. BS13: Hart 7K 75
Holloway BA2: Bath 6B 100 (7E 6)
Holloway Rd. BS35: Sev B 2C 24
HOLLOW BROOK 6J 115
Hollowbrook La. BS39: Bis S 6J 115
BS40: Chew M 6J 115
Hollow La. BS22: Wor 1D 106
Hollow Marsh La. BS39: Hin B 7B 138
Hollowmead BS49: Clav 3A 88
Hollowmead Cl. BS49: Clav 3B 88
Hollowpit La. BA3: Hem 7G 155
Hollow Rd. BS15: K'wd 1C 64
BS25: Ship 5A 132
BS32: Alm 2C 26
Hollows, The BS36: H'fld 5G 39
Hollow, The BA2: Bath 6H 99
BA2: Dunk 7D 120
Hollway Cl. BS14: Stoc 5G 77
Hollway Rd. BS14: Stoc 5G 77
Hollybush Cl. BA15: W'ley 5C 124
Hollybush La. BS9: Stok B 3E 46
(not continuous)
Holly Cl. BS5: S'wll 6J 49
BS16: Puck 3C 52
BS22: Wor 3E 106
BS35: Alv 1H 19
BS48: Nail 6J 57
Holly Ct. BA3: Mid N 5F 153
BS2: Bris 1J 61 (1D 4)
Holly Cres. BS15: K'wd 7C 50
Holly Dr. BA2: Odd D 4K 121
Holly Grn. BS15: K'wd 7E 50
Holly Gro. BS16: Fish 5A 50
Hollyguest Rd. BS15: Han 3B 64
Holly Hill BS37: Iron A 3J 29
Holly Hill Rd. BS15: K'wd 1C 64
Holly La. BS21: Clev 3F 55
Hollyleigh Av. BS34: Fil 5B 36
Holly Lodge Cl. BS5: S'wll 6H 49
Holly Lodge Rd. BS5: S'wll 6H 49
Hollyman Wlk. BS21: Clev 6F 55
Hollymead La. BS9: Stok B 4E 46
Hollyridge BS14: H'gro 4E 76
Holly Ridge BS20: P'head 3C 42
Holly Wlk. BA3: Rads 5J 153
BS31: Key 7B 78
Hollywood Bowl 4E 62
Hollywood La. BS35: E Comp, Pat 6G 25
Hollywood Rd. BS4: Brisl 6F 63
Holm Cl. TA8: Bur S 3D 158
Holmdale Rd. BS34: Fil 4D 36
Holmesdale Rd. BS3: Wind H 6A 62
Holmes Gro. BS9: Henl 3H 47
Holmes Hill Rd. BS5: St G 1H 63
Holmes Place Health Club 5K 59
Holmes St. BS5: Bar H 3D 62
Holm La. BS35: Piln 3G 17
Holmlea BS20: P'head 3H 43
Holm-Mead La. BS30: Bit 3G 79
Holmoak Rd. BS31: Key 6A 78
Holm Rd. BS24: Hut 3C 128
Holms Rd. BS23: W Mare 7J 105
Holmwood BS15: Han 4A 64
Holmwood Cl. BS36: Wint 1B 38
Holmwood Gdns. BS9: W Trym 7G 35
Holroyd Ho. BS3: Wind H 6K 61
Holsom Cl. BS14: Stoc 4G 77
Holsom Rd. BS14: Stoc 4H 77
Holst Gdns. BS4: Know 3K 75
Holton Rd. BS7: Hor 2C 48
Holt Rd. BA15: Brad A 6J 125
Holwell BS39: Stan D 2C 116
Holwell La. BS27: Ched 6B 150
Holyrood Cl. BS34: Stok G 3F 37
Holy Well Cl. BS4: St Ap 3G 63
Homeapple Hill BS30: B'yte 2J 65
Homeavon Ho. BS31: Key 5D 78
Home Cl. BS10: S'mead 5A 36
BS40: Wrin 1G 111
Home Farm Cl. BA2: Pea J 6B 142
Home Farm Holiday Pk. & Country Pk.
TA9: Edith 1G 159
Home Farm Rd. BS8: Abb L 1B 60
Home Farm Way BS35: E Comp 5G 25
Homefield BA2: Tim 3G 141
BS24: Lock 7D 106
Homefield BS35: T'bry 4B 12
BS37: Yate 3E 30
BS49: Cong 1A 110
Homefield Cl. BS16: Emer G 2F 51
BS24: Lock 7E 106
BS25: Wins 4F 131
BS31: Salt 7J 79
Homefield Dr. BS16: Fish 3J 49
Homefield Ind. Est. BS24: Lock 7E 106
Homefield Rd. BS16: Puck 3B 52
BS31: Salt 7K 79
Home Gdns. BS8: Clif 6G 47
Home Ground BS9: W Trym 1H 47
BS11: Shire 1H 45
Homeground BS16: Emer G 2F 51
BS21: Clev 7E 54
Homelands BA1: Bathe 6H 83
Homelane Ho. TA8: Bur S 7C 156
Homelea Pk. E. BA1: Bath 4G 99
Homelea Pk. W. BA1: Bath 4G 99
Homeleaze BA2: New L 5C 98
Homeleaze Rd. BS10: S'mead 4K 35
Home Mead BS4: Know 3A 76
BS30: C Hth 5E 64
Homemead BA2: Cor 3A 98
Homemead Dr. BS4: Brisl 1F 77
Home Orchard BS37: Yate 4D 30
BS40: Chew S 4D 114
Homestead BS20: P'head 5A 42
Homestead Cl. BS36: Fram C 7H 29
Homestead Gdns. BS16: Fren 7K 37
Homestead Rd. BS34: Fil 4B 36
Homestead, The BS21: Clev 6C 54
BS31: Key 1D 96
Homestead Way BS25: Wins 5G 131
Honeyborne Way GL12: Wickw 7H 15
Honey Garston Cl. BS13: Hart 6H 75
Honey Garston Rd. BS13: Hart 6H 75
HONEY HALL 5J 109
Honeyhall La. BS49: Cong 5J 109
Honey Hill Rd. BS15: K'wd 1D 64
Honeylands BS20: P'head 5E 42
Honeymead BS14: H'gro 4E 76
Honeysuckle Cl. BS32: Brad S 4G 27
Honeysuckle La. BS16: Stap 4G 49
Honeysuckle Pl. BS24: Wor 4E 106
Honey Way BS15: K'wd 1D 64
Honeywick Cl. BS3: Bedm 7J 61
Honiton BS22: Wor 2E 106
Honiton Rd. BS16: Fish 5J 49
BS21: Clev 1E 68
Hook BA2: Tim 3H 141
Hook Hill BA2: Tim 3G 141
Hook La. BS39: Hin B 7A 138
Hooks Batch BS40: Blag 1K 133
Hooper Cl. TA8: Bur S 3E 158
TA9: High 4H 159
Hooper Rd. BS14: Stoc 5F 77
Hopechapel Hill BS8: Clif 3F 61
Hope Ct. BS1: Bris 4H 61 (7A 4)
Hope Ho. BS20: Pill 3H 45
(off Underbanks)
Hope Rd. BS3: Bedm 6J 61
BS37: Yate 4A 30
Hope Sq. BS8: Clif 3F 61
Hope Ter. BA3: Mid N 5F 153
Hopetoun Rd. BS2: Bris 5B 48
Hopewell Gdns. BS11: Law W 1K 45
Hopkin Cl. BS35: T'bry 5B 12
Hopkins St. BS23: W Mare 4G 105
Hopland Cl. BS30: L Grn 6F 65
Hopp's Rd. BS15: K'wd 2B 64
Horesham Gro. BS13: Hart 5J 75
HORFIELD 1B 48
Horfield Rd. BS2: Bris 2K 61 (2E 4)
Horfield Sports Cen. 1B 48
Horley Rd. BS2: Bris 6C 48
Hornbeam Ho. BS16: Fish 2A 50
Hornbeams, The BS16: Fren 6K 37
Hornbeam Wlk. BS31: Key 7A 78
Hornhill Cl. BS13: Hart 6H 75
Horn's La. BS26: Axb 4H 149
HORSECASTLE 2G 87
Horsecastle Cl. BS49: Yat 2G 87
Horsecastle Farm Rd. BS49: Yat 2F 87
Horsecombe Brow BA2: C Down 3C 122
Horsecombe Gro. BA2: C Down 3C 122
Horsecombe Va. BA2: C Down 3C 122
Horsecroft Gdns. BS30: Bar C 3E 64
Horsefair, The BS1: Bris 2A 62 (2F 5)
Horseleaze La. BS25: Star 4K 131
Horsepool La. BS30: Doy 1F 67
Horsepool Rd. BS13: Withy 6E 74
Horse Race La. BS8: Fail 4E 58
Horse Shoe Dr. BS9: Stok B 4C 46
Horseshoe La. BS35: T'bry 4K 11
(off Rock St.)
BS37: Chip S 5H 31
Horseshoe Rd. BA2: Bath 6E 100 (6K 7)
Horseshoe Wlk. BA2: Bath 6D 100 (6K 7)
Horse St. BS37: Chip S 5H 31
(not continuous)
Horse World 7F 77
Horstmann Cl. BA1: Bath 4H 99
Horsham La. BS32: Alm, Gau E 7E 18
Horton Ho. BA2: Bath 1H 7
Horton Rd. BS37: Chip S, Hort 4J 31
(not continuous)
Horton St. BS2: Bris 2B 62 (3K 5)
Horwood Ct. BS30: Bar C 5E 64
Horwood La. GL12: Wickw 1H 23
Horwood Rd. BS48: Nail 1H 71
Hosey Wlk. BS13: Withy 5G 75
Host St. BS1: Bris 2K 61 (3E 4)
Hot Bath St. BA1: Bath 5B 100 (5F 7)
Hot Bat, The 5F 7
Hottom Gdns. BS7: Hor 1C 48
Hot Water La. BS15: Soun 5D 50
Hotwell Rd. BS8: Clif 2E 60 (6A 4)
HOTWELLS 4G 61
Houlgate Way BS26: Axb 4H 149
Houlton St. BS2: Bris 1B 62 (1J 5)
Hounds Cl. BS37: Chip S 5H 31
Hounds Rd. BS37: Chip S 5H 31
HOUNSLEY BATCH 1A 114
Hover's La. BS36: Fram C 3G 29
BS37: Iron A 3G 29
Howard Av. BS5: St G 1G 63
Howard Cl. BS31: Salt 7H 79
TA8: Bur S 1E 158
Howard Rd. BS3: Bris 5H 61 (7B 4)
BS6: Henl 4H 47
BS16: Stap H 4B 50
BS35: T'bry 2A 12
Howard St. BS5: W'hall 7G 49
Howecroft Ct. BS9: Stok B 4E 46
Howecroft Gdns. BS9: Stok B 4E 46
Howells Mead BS16: Emer G 1F 51
Howes Cl. BS30: Bar C 3E 64
Howett Rd. BS5: Redf 2E 62
Howgrove Hill BS40: But 3G 113
How Hill BA2: Bath 5G 99
Howsmoor La. BS16: Emer G 7F 39
(not continuous)
Hoylake BS37: Yate 6E 30
Hoylake Dr. BS30: Warm 3F 65
Huckford La. BS36: Wint 3E 38
Huckford Quarry Local Nature Reserve
3D 38
Huckford Rd. BS36: Wint 2C 38
Huckley Way BS32: Brad S 1H 37
Huddox Hill BA2: Pea J 5D 142
Hudd's Hill Gdns. BS5: St G 7H 49
Hudd's Hill Rd. BS5: St G 1H 63
Hudd's Va. Rd. BS5: St G 1G 63
(not continuous)
Hudson Cl. BS37: Yate 6F 31
Hudson St. TA8: Bur S 2D 158
Huett Cl. TA8: Brean 3B 144
Hughenden Rd. BS7: Hor 3A 48
BS8: Clif 6G 47
BS23: W Mare 4J 105
Huish Cl. TA9: High 4F 159
Hulbert Cl. BS4: Brisl 7J 63
Hulse Rd. BS4: Brisl 1F 77
Humberstan Wlk. BS11: Law W 7J 33
Humber Way BS11: A'mth 2H 33
Humphrey Davy Way BS8: Clif 4F 61
Humphrys Barton BS4: St Ap 4H 63
Hungerford Cl. BS4: Brisl 2G 77
Hungerford Ct. BA2: New L 6B 98
Hungerford Cres. BS4: Brisl 1G 77
Hungerford Gdns. BS4: Brisl 2G 77
Hungerford Rd. BA1: Bath 4J 99 (3A 6)
BS4: Brisl 1G 77
Hungerford Ter. BA2: Wel 4K 143
Hungerford Wlk. BS4: Brisl 1G 77
Hung Rd. BS11: Shire 2J 45
HUNSTRETE 3B 118
Hunstrete Rd. BA2: F'boro 5D 118
Hunters Cl. BS15: Han 4A 64
Hunters Dr. BS15: K'wd 7D 50
Hunters Rest Miniature Railway 7J 117
Hunter's Rd. BS15: Han 4A 64
Hunters Way BS34: Fil 4D 36
Huntingdon Pl. BA15: Brad A 5G 125
Huntingdon Ri. BA15: Brad A 4G 125
Huntingdon St. BA15: Brad A 5G 125
Huntingham Rd. BS13: Withy 6E 74
Huntley Gro. BS48: Nail 1J 71
Hunts Ground Rd. BS34: Stok G 3H 37
Hunts La. BS7: Hor 2A 48
Hunt's La. BS49: Clav 3A 88
Huntsmans Ridge BS27: Ched 7E 150
HUNTSPILL 7E 158
Huntspill Rd. TA9: High 6F 159
Hurle Cres. BS8: Clif 7G 47
Hurle Rd. BS8: Clif 7H 47

Hurlingham Rd.—Ketch Rd.

Hurlingham Rd. BS7: Bris 6B 48
Hurn La. BS31: Key 6D 78
TA8: Berr 7B 144
Hurn Rd. BS21: Clev 7E 54
Hursley Hill BS14: Whit 2F 95
Hursley La. BS14: Whit 2G 95
Hurston Rd. BS4: Know 2K 75
Hurst Rd. BS4: Know 2B 76
BS23: W Mare 6J 105
Hurst Wlk. BS4: Know 2B 76
Hurstwood Rd. BS16: Down 3B 50
HUTTON 3C 128
Hutton Cl. BS9: W Trym 1D 46
BS31: Key 1E 96
Hutton Hill BS24: Hut 3C 128
Hutton Moor La. BS24: W Mare 6A 106
Hutton Moor Leisure Cen. 5K 105
Hutton Moor Rd. BS22: W Mare 5K 105
Hutton Pk. (Cvn. Site)
BS24: W Mare 6A 106
Huyton Rd. BS5: Eastv 5G 49
Hyatts Wood Rd. BS48: Back 7C 72
Hyde Av. BS35: T'bry 1K 11
Hyde, The BS21: Clev 2C 68
Hyland Gro. BS9: W Trym 7F 35
Hylton Row BA3: Writ 4C 154

I

ICELTON 3G 85
Ida Rd. BS5: W'hall 1E 62
Iddesleigh Rd. BS6: Redl 5H 47
Idstone Rd. BS16: Fish 4K 49
Idwal Cl. BA2: Pea J 5C 142
Iford Cl. BS31: Salt 7J 79
Ilchester Cres. BS13: B'wth 1H 75
Ilchester Rd. BS13: B'wth 1G 75
Iles Cl. BS15: Han 5B 64
Ilex Av. BS21: Clev 7E 54
Ilex Cl. BS13: B'wth 4F 75
Ilminster BS24: W Mare 3J 127
Ilminster Av. BS4: Know 1A 76
Ilminster Cl. BS21: Clev 7E 54
BS48: Nail 2F 71
Ilsyn Gro. BS14: Stoc 3F 77
Imax Cinema at-Bristol 3J 61 (5D 4)
Imber Ct. Cl. BS14: H'gro 2D 76
Imperial Pk. BS13: B'wth 4J 75
Imperial Rd. BS6: Redl 7H 47
BS14: H'gro 2E 76
Imperial Wlk. BS14: H'gro 1D 76
Inclosures, The BS24: Wor 4D 106
INGLESBATCH 5C 120
Ingleside Rd. BS15: K'wd 7K 49
Inglestone Rd. GL12: Wickw 7H 15
(not continuous)
Ingleton Dr. BS22: Wor 7E 84
Ingmire Rd. BS5: Eastv 5D 48
INGST 1J 17
Ingst Hill BS35: Ingst 2H 17
Ingst Rd. BS35: Elb 1K 17
Inkerman Cl. BS7: Hor 1A 48
Inman Ho. BA1: Bath 2C 100
Inner Down, The BS32: Old D 2F 19
Inner Elm Ter. BA3: Rads 5G 153
Innicks Cl. BS40: Ubl 4H 135
Innox Gdns. BS13: Withy 5G 75
Innox Gro. BA2: Eng 2F 121
Innox La. BA1: Up Swa 5D 82
Innox Rd. BA1: Swain, Up Swa 5D 82
BA2: Bath 6H 99
INN'S COURT 3K 75
Inns Ct. Av. BS4: Know 3K 75
Inns Ct. Dr. BS4: Know 3K 75
Inns Ct. Grn. BS4: Know 3K 75
(not continuous)
Instow BS22: Wor 2E 106
Instow Rd. BS4: Know 2A 76
Instow Wlk. BS4: Know 2A 76
Inter City Ho. BS1: Bris 3A 62 (5H 5)
International Trad. Est.
BS11: A'mth 5F 33
Interplex BS32: Brad S 3E 26
Inverness Rd. BA2: Bath 5J 99
Ipswich Dr. BS4: St Ap 3G 63
Irby Rd. BS3: Bedm 6G 61
Irena Rd. BS16: Fish 5H 49
Ireton Rd. BS3: Bedm 6H 61
IRON ACTON 2H 29
Iron Acton Way BS37: Yate 3A 30
Ironchurch Rd. BS11: A'mth 3F 33
Iron Hogg La. GL12: Fal 1G 13
Ironmould La. BS4: Brisl 7J 63
Irving Cl. BS16: Stap H 4C 50
BS21: Clev 6F 55
Irving Ho. BS1: Bris 3D 4
Isabella Cotts. *BA2: C Down 3D 122*
(off Rock La.)
Isabella M. BA2: C Down 3D 122
Island Gdns. BS16: Stap 4E 48
Island, The BA3: Mid N 5E 152
Island Trade Pk. BS11: A'mth 6G 33
Isleport Bus. Pk. TA9: High 4H 159
Isleport Rd. TA9: High 5H 159
Isleys Ct. BS30: L Grn 6D 64
Islington Rd. BS3: Bris 5H 61 (7B 4)
Ison Hill BS10: Hen 4D 34
Ison Hill Rd. BS10: Hen 4D 34
ITCHINGTON 2D 20
Itchington Rd. BS35: Grov, Itch 6C 12
GL12: Tyth 2E 20
Ivo Peters Rd. BA2: Bath 5A 100 (5D 6)
Ivor Rd. BS5: W'hall 1E 62
IVORY HILL 3E 38
Ivy Av. BA2: Bath 7J 99
Ivy Bank Pk. BA2: C Down 2B 122
Ivybridge BS22: Wor 2E 106
Ivy Cl. BS48: Nail 1F 71
Ivy Cotts. BA2: S'ske 5B 122
Ivy Ct. BS20: P'head 3B 42
Ivy Gro. BA2: Bath 7J 99
Ivy La. BA15: L Wrax 6J 103
BS16: Fish 5J 49
BS24: Wor 4E 106
Ivy Pl. BA2: Bath 7J 99
Ivy Ter. BA15: Brad A 5H 125
BS37: W'lgh 3B 40
Ivy Vs. BA2: Bath 7J 99
Ivy Wlk. BA3: Mid N 6F 153
BS29: Ban 1J 129
Ivywell Rd. BS9: Stok B 5E 46
IWOOD 1C 110
Iwood La. BS40: Iwood 3C 110

J

Jack Knight Ho. BS7: Hor 3B 48
Jackson Cl. BS35: Piln 6D 16
Jacobs Ct. BS1: Bris 5C 4
Jacob's Ladder 6E 150
Jacob's Mdw. BS20: P'head 4H 43
Jacob's Tower 6E 150
Jacob St. BS2: Bris 2B 62 (3J 5)
(David St.)
BS2: Bris 2A 62 (3H 5)
(Tower Hill)
Jacob's Wells Rd. BS8: Clif 3H 61 (4A 4)
Jamaica St. BS2: Bris 1A 62 (1F 5)
James Cl. BS16: Soun 4C 50
James Rd. BS16: Soun 5C 50
James St. BS2: Bris 6C 48
BS5: E'tn 1B 62 (1K 5)
James St. W. BA1: Bath 5A 100 (4D 6)
Jane Austen Cen. 3F 7
Jane St. BS5: E'tn 2D 62
Jarvis St. BS5: Bar H 3D 62
Jasmine Cl. BS22: Wor 3E 106
TA9: High 4F 159
Jasmine Gro. BS11: Law W 5C 34
Jasmine La. BS49: Clav 7B 70
Jasmine Way BS24: Wor 3E 106
Jasper St. BS3: Bedm 6H 61
Jaycroft Rd. TA8: Bur S 2D 158
Jays, The GL12: Tyth 6F 13
Jean Rd. BS4: Brisl 7G 63
Jeffery Ct. BS30: C Hth 3F 65
JEFFRIES HILL 4K 63
Jeffries Hill Bottom BS15: St G 4K 63
Jekyll Cl. BS16: Stap 7G 37
Jellicoe Av. BS16: Stap 7G 37
Jellicoe Ct. BS22: Wor 7C 84
Jena Ct. BS31: Salt 7H 79
Jenner Cl. BS37: Chip S 6K 31
Jennings Ct. BS3: Bris 7A 4
Jersey Av. BS4: Brisl 5H 63
Jesmond Rd. BS21: Clev 6C 54
BS22: St Geo 7G 85
Jesse Hughes Ct. BA1: Bath 1E 100
Jessop Ct. BS1: Bris 3A 62 (5G 5)
Jessop Cres. BS10: S'mead 6G 35
Jessop Underpass BS3: Ash G 5F 61
Jew's La. BA2: Bath 5J 99
Jews La. BS25: C'hll 1B 132
Jim O'Neil Ho. BS11: Shire 1H 45
Jocelin Dr. BS22: Wor 7D 84
Jocelyn Rd. BS7: Hor 1B 48
Jockey La. BS5: St G 2J 63
John Cabot Ct. BS1: Bris 4G 61 (6A 4)
John Carr's Ter. BS8: Clif 3H 61 (4A 4)
John Cozens Ho. BS2: Bris 2K 5
John James Ct. BS7: L'lze 1D 48
Johnny Ball La. BS2: Bris 2K 61 (2E 4)
John Repton Gdns. BS10: Bren 5H 35
John Slessor Ct. BA1: Bath 3B 100 (1F 7)
Johnson Dr. BS30: Bar C 4D 64
Johnson Rd. BS16: Emer G 2G 51
Johnsons La. BS5: W'hall 7F 49
Johnsons Rd. BS5: W'hall 7E 48
Johnstone St. BA2: Bath 5C 100 (4H 7)
John St. BA1: Bath 4B 100 (3F 7)
BS1: Bris 2K 61 (3F 5)
BS2: Bris 6C 48
BS15: K'wd 1A 64
TA8: Bur S 1C 158
TA9: High 5F 159
John Wesley Rd. BS5: St G 3K 63
BS15: St G 4K 63
John Wesley's Chapel 2A 62 (2G 5)
John Wood Bldg. BA1: Bath 5F 7
Jones Cl. BS49: Yat 2F 87
Jones Hill BA15: Brad A 7F 125
Jordan Wlk. BS32: Brad S 6F 27
Jorrocks Ind. Est. BS37: W'lgh 3C 40
Joy Hill BS8: Clif 3F 61
Jubilee Cotts. BS13: B'wth 2F 75
Jubilee Cres. BS16: Mang 1E 50
Jubilee Dr. BS8: Fail 5F 59
BS35: T'bry 3B 12
Jubilee Gdns. BS37: Yate 4G 31
Jubilee Ho. BS34: Lit S 6E 26
Jubilee La. BS40: L'frd 6C 110
GL12: Crom 5A 14
Jubilee Path BS22: W Mare 3A 106
Jubilee Pl. BS1: Bris 4K 61 (6F 5)
BS15: K'wd 2E 64
BS21: Clev 1D 68
Jubilee Rd. BA3: Rads 5H 153
BS2: Bris 7C 48
BS4: Know 7E 62
BS5: St G 2H 63
BS15: Soun 5C 50
BS23: W Mare 5G 105
BS26: Axb 4J 149
Jubilee Row *BS2: Bris 7C 48*
(off Ashley St.)
Jubilee St. BS2: Bris 3B 62 (4K 5)
TA8: Bur S 2D 158
Jubilee Swimming Pool 7D 62
Jubilee Ter. BS39: Paul 7C 140
Jubilee Way BS11: A'mth 5F 33
Julian Cl. BS9: Stok B 5E 46
Julian Cotts. BA2: Mon C 3G 123
Julian Ct. BS9: Stok B 5E 46
Julian Rd. BA1: Bath 3B 100 (1E 6)
BS9: Stok B 5E 46
Julian's Acres TA8: Berr 2B 156
Julier Ho. BA1: Bath 1G 7
Julius Cl. BS16: Emer G 2G 51
Julius Rd. BS7: B'stn 5K 47
Junction Av. BA2: Bath 6A 100 (7C 6)
Junction Rd. BA2: Bath 6A 100 (6C 6)
BA15: Brad A 6H 125
Juniper Ct. BS5: Eastv 6E 48
Juniper Pl. BS22: Wor 7D 84
Juniper Way BS32: Brad S 7H 27
Jupiter Rd. BS34: Pat 7K 25
Justice Av. BS31: Salt 7J 79
Justice Rd. BS16: Fish 5H 49
Jutland Rd. BS11: A'mth 6F 33

K

Karen Cl. BS48: Back 6J 71
Karen Dr. BS48: Back 5J 71
Kathdene Gdns. BS7: Bris 5B 48
Kaynton Mead BA1: Bath 5H 99
Keats Rd. BA3: Rads 6F 153
Keble Av. BS13: Withy 6F 75
Keed's La. BS4: L Ash 7J 59
Keedwell Hill BS4: L Ash 1K 73
Keel Cl. BS5: St G 3H 63
Keel's Hill BA2: Pea J 5C 142
Keene's Way BS21: Clev 7B 54
Keen's Gro. BS35: Piln 6C 16
Keep, The BS22: Wor 1E 106
BS30: Old C 4H 65
Keg Store, The BS1: Bris 3A 62 (4G 5)
Keinton Wlk. BS10: Hen 5G 35
Kelaway Av. BS7: Hor 2A 48
Kelbra Cres. BS36: Fram C 1F 39
Kellaway Av. BS6: B'stn, Hor 3J 47
Kellaway Cres. BS9: Henl 2K 47
Kellways BS48: Back 6J 71
Kelso Pl. BA1: Bath 4K 99 (3A 6)
KELSTON 7C 80
Kelston Cl. BS31: Salt 7H 79
BS37: Yate 7D 30
Kelston Gdns. BS10: W Trym 7K 35
BS22: Wor 6F 85
Kelston Gro. BS15: Han 3C 64
Kelston Rd. BA1: Bath 2E 98
BS10: W Trym 7K 35
BS22: Wor 7F 85
BS31: Key 5B 78
Kelston Vw. BA2: Bath 6F 99
BS31: Salt 7H 79
Kelston Wlk. BS16: Fish 4A 50
Kelting Gro. BS21: Clev 7F 55
Kemble Cl. BS15: K'wd 3C 64
BS48: Nail 1J 71
Kemble Gdns. BS11: Shire 3J 45
Kemperleye Way BS32: Brad S 7F 27
Kempes Cl. BS4: L Ash 7A 60
Kempton Cl. BS16: Down 6D 38
BS35: T'bry 1K 11
Kencot Wlk. BS13: Withy 7H 75
Kendall Gdns. BS16: Stap H 4B 50
Kendall Rd. BS16: Stap H 4B 50
Kendal Rd. BS7: Hor 1C 48
KENDLESHIRE 4E 38
Kendon Dr. BS10: Hor 1K 47
Kendon Way BS10: S'mead 7K 35
Kenilworth BS37: Yate 6F 31
Kenilworth Cl. BS31: Key 6B 78
Kenilworth Ct. *BA1: Bath 3D 100*
(off Longacre Ho.)
Kenilworth Dr. BS30: Will 7F 65
Kenilworth Rd. BS6: Cot 7J 47
Kenmare Rd. BS4: Know 1A 76
Kenmeade Cl. BS25: Ship 5A 132
Kenmoor Rd. BS21: Kenn 3G 69
Kenmore Cres. BS7: Hor 6A 36
Kenmore Dr. BS7: Hor 6A 36
Kenmore Gro. BS7: Hor 6A 36
KENN 3F 69
Kennard Cl. BS15: K'wd 2A 64
Kennard Ri. BS15: K'wd 1A 64
Kennard Rd. BS15: K'wd 1A 64
Kennaway Path BS21: Clev 7E 54
Kennaway Rd. BS21: Clev 7D 54
Kenn Cl. BS23: W Mare 7J 105
Kenn Ct. BS4: Know 3A 76
Kennedy Cl. TA9: High 4G 159
Kennedy Ho. BS37: Yate 5F 31
Kennedy Way BS37: Chip S, Yate 5E 30
Kennel La. BS26: Webb 3J 147
Kennel Lodge Rd. BS3: Bwr A 5E 60
Kenn Est. BS21: Kenn 5E 68
Kennet Gdns. BA15: Brad A 7H 125
Kenneth Rd. BS4: Brisl 7F 63
Kennet Pk. BA2: B'ptn 2G 101
Kennet Rd. BS31: Key 6E 78
Kennet Way BS35: T'bry 4B 12
Kennford BS22: Wor 2D 106
Kennington Av. BS7: B'stn 4A 48
BS15: K'wd 7B 50
Kennington Rd. BA1: Bath 4H 99
Kennion Rd. BS5: St G 2J 63
Kennmoor Cl. BS30: C Hth 3E 64
Kenn Moor Dr. BS21: Clev 1E 68
Kenn Moor Rd. BS49: Yat 2H 87
Kenn Rd. BS5: St G 2J 63
BS21: Clev, Kenn 1D 68
Kenn St. BS21: Kenn 3F 69
Kensal Av. BS3: Wind H 6A 62
Kensal Rd. BS3: Wind H 6A 62
Kensington Cl. BS35: T'bry 2K 11
Kensington Ct. BA1: Bath 2D 100
BS8: Clif 2G 61
Kensington Gdns. BA1: Bath 2D 100
KENSINGTON HILL 7F 63
KENSINGTON PARK 6E 62
Kensington Pk. BS5: E'tn 7C 48
Kensington Pk. Rd. BS4: Brisl 7E 62
Kensington Pl. BA1: Bath 3D 100
BS8: Clif 2G 61
Kensington Rd. BS5: St G 1J 63
BS6: Redl 7J 47
BS16: Stap H 4B 50
BS23: W Mare 7H 105
Kent Av. BS37: Yate 3F 31
Kent Cl. BS34: Stok G 3F 37
Kent La. BA1: Up Swa 4D 82
Kent M. BS16: Stap 1G 49
Kenton M. BS9: Henl 3J 47
Kent Rd. BS7: B'stn 5A 48
BS49: Cong 6K 87
Kents Grn. BS15: K'wd 6C 50
Kentshare La. BS40: Winf 5A 92
Kent St. BS3: Bedm 6J 61
BS27: Ched 5D 150
Kent Way BS22: Wor 7F 85
Keppel Cl. BS31: Salt 1H 97
Kerry Rd. BS4: Know 1A 76
Kersteman Rd. BS6: Redl 6J 47
Kestrel Cl. BS34: Pat 6A 26
BS35: T'bry 2B 12
BS37: Chip S 6F 31
Kestrel Dr. BS16: Puck 4C 52
BS22: W Mare 3C 106
Kestrel Pl. BA3: Mid N 6F 153
Keswick Wlk. BS10: S'mead 5J 35
Ketch Rd. BS3: Wind H 6B 62

184 A-Z Bristol & Bath Deluxe

M

Madeline Rd.—Meadow Cft.

Madeline Rd. BS16: Fish 6H 49
Madison Cl. BS37: Yate 4D 30
Maesbury BS15: K'wd 3C 64
Maesbury Rd. BS31: Key 1E 96
Maesknoll La. BS14: Whit 3C 94
BS39: Nor M 3C 94
Maesknoll Rd. BS4: Know 6C 62
Magdalena Ct. BS1: Bris 4A 62 (6G 5)
Magdalen Av. BA2: Bath 6B 100 (7E 6)
Magdalene Pl. BS2: Bris 7B 48
Magdalene Rd. BA3: Writ 4C 154
Magdalen Rd. BA2: Bath 6B 100 (7E 6)
Magdalen Way BS22: Wor 1E 106
Magellan Cl. BS22: Wor 7D 84
Maggs Cl. BS10: S'mead 4K 35
Maggs Hill BA2: Tim 3F 141
Maggs La. BS5: S'wll 6G 49
BS14: Whit 6D 76
Magnolia Av. BS22: Wor 3E 106
Magnolia Cl. BS22: W Mare 5C 106
Magnolia Rd. BA3: Rads 5J 153
Magnon Rd. BA15: Brad A 5F 125
Magpie Bottom La. BS15: K'wd 3A 64
Magpie Cl. BS22: Wor 4C 106
TA8: Bur S 6D 156
MAIDEN HEAD 2F 93
Maidenhead Rd. BS13: Hart 7K 75
Maiden Way BS11: Shire 1G 45
Maidstone Gro. BS24: W Mare 4J 127
Maidstone St. BS3: Wind H 6B 62
MAINES BATCH 1G 111
Main Rd. BS16: Short 3G 51
BS24: Hew 6B 86
BS24: Hut 3B 128
BS35: E Comp 4F 25
BS48: Back, B'ley 4C 88
BS48: Flax B 3C 72
BS49: C've 4C 88
TA9: W Hunt 7E 158
Main Vw. BS36: Coal H 7H 29
Maisemore BS37: Yate 1D 40
Maisemore Av. BS34: Pat 5D 26
Makin Cl. BS30: Old C 4G 65
Malago Greenway BS13: B'wth 3G 75
Malago Rd. BS3: Bedm 6J 61
Malago Va. Est. BS3: Bedm 6J 61
Malago Wlk. BS13: Withy 6E 74
Maldowers La. BS5: St G 7J 49
Mallard Cl. BS5: S'wll 7H 49
BS32: Brad S 4F 27
BS37: Chip S 6G 31
Mallard Pl. TA9: High 4E 158
Mallard Wlk. BS22: W Mare 4C 106
Mallow Cl. BS21: Clev 7E 54
BS35: T'bry 2B 12
Mall, The BA1: Bath 6C 100 (5G 7)
BS8: Clif 2F 61
BS34: Pat 1K 35
Malmains Dr. BS16: Fren 6K 37
Malmesbury Cl. BS6: Redl 4J 47
BS30: Bar C 4D 64
Malthouse, The BS6: Bris 6B 48
Maltings Ind. Est., The
BA1: Bath 4G 99
Maltings, The BA15: Brad A 7H 125
BS22: Wor 2D 106
Maltlands BS22: W Mare 5B 106
Malvern Bldgs. BA1: Bath 1C 100
Malvern Ct. BS5: St G 2G 63
Malvern Dr. BS30: Old C 4G 65
BS35: T'bry 4B 12
Malvern Rd. BS4: Brisl 6F 63
BS5: St G 2H 63
BS23: W Mare 7G 105
Malvern Ter. BA1: Bath 2C 100
Malvern Vs. *BA1: Bath 2C 100*
(off Camden Rd.)
Mancroft Av. BS11: Law W 1J 45
Mandy Mdws. BA3: Mid N 5D 152
MANGOTSFIELD 3E 50
Mangotsfield Rd. BS16: Stap H 4D 50
Manilla Cres. BS23: W Mare 3E 104
Manilla Pl. BS23: W Mare 3E 104
Manilla Rd. BS8: Clif 2G 61
Manmoor La. BS21: Clev 1G 69
Manor Cl. BA2: F'frd 7A 124
BA2: Wel 4K 143
BS20: E'tn G 4E 44
BS20: P'head 3C 42
BS32: Toc 4D 18
BS36: Coal H 1G 39
TA8: Berr 1B 156
Manor Cl., The BS8: Abb L 1A 60
Mnr. Copse Rd. BA3: Writ 4C 154
Manor Ct. BS16: Stap 4G 49
BS23: W Mare 4J 105
BS24: Lock 1E 128
BS48: Back 5J 71
Manor Ct. Dr. BS7: Hor 1A 48
Manor Dr. BA1: Bathf 1A 102
TA8: Berr 1B 156
Mnr. Farm Cvn. Pk. BS23: Uph 4G 127
Mnr. Farm Cl. BS24: W Mare 3K 127
Mnr. Farm Cotts. BS34: Brad S 5E 26
Mnr. Farm Cres. BS24: W Mare 3K 127
Mnr. Farm Cres. BS32: Brad S 5F 27
Mnr. Farm Rdbt. BS32: Brad S 6F 27
Manor Gdns. BA2: F'boro 6D 118
BS22: Kew 7A 84
BS24: Lock 1E 128
Manor Gdns. Ho. BS16: Fish 3H 49
Manor Grange BS24: B'don 6K 127
Manor Gro. BS16: Mang 4E 50
BS34: Pat 4D 26
Manor Hall BS8: Clif 2H 61 (3A 4)
Manor La. BS8: Abb L 1K 59
BS36: Wint 7D 28
Manor Pk. BA1: Bath 3H 99
BA3: Writ 4C 154
BS6: Redl 5H 47
BS32: Toc 3D 18
Manor Pk. Cl. BA3: Writ 4C 154
Manor Pl. BS16: Fren 6A 38
BS34: Stok G 3J 37
Manor Ride TA9: Bre K 6K 157
Manor Rd. BA1: W'ton 2J 99
BA3: Writ 4C 154
BS7: B'stn 4A 48
BS8: Abb L 3K 59
BS13: B'wth 4F 75
BS16: Fish 3H 49
BS16: Mang 4E 50
BS23: W Mare 3H 105
BS30: Wick 3C 66
BS31: Key, Salt 7D 78
BS37: Rang, Yate 6A 22
TA8: Bur S 1D 158
Manor Ter. BA3: Writ 4C 154
Manor Valley BS23: W Mare 3J 105
Manor Vs. BA1: W'ton 2J 99
Manor Wlk. BS35: T'bry 1K 11
Manor Way BS8: Fail 6G 59
BS37: Chip S 5J 31
TA8: Berr 1B 156
Mansbrook Ho. BA3: Mid N 5E 152
Mansel Cl. BS31: Salt 7G 79
Mansfield Av. BS23: W Mare 4K 105
Mansfield St. BS3: Bedm 7H 61
Manston Cl. BS14: Stoc 3E 76
Manvers St. BA1: Bath 5C 100 (5H 7)
Manworthy Rd. BS4: Brisl 6F 63
Manx Rd. BS7: Hor 1B 48
Maple Av. BS16: Fish 5A 50
BS35: T'bry 3A 12
Maple Cl. BS14: Stoc 5F 77
BS23: W Mare 4J 105
BS30: Old C 5F 65
BS34: Lit S 7E 26
Maple Ct. BS15: K'wd 7B 50
BS23: W Mare 3E 104
Maple Dr. BA3: Rads 5J 153
TA8: Bur S 3C 158
Maple Gdns. BA2: Bath 7A 100
Maple Gro. BA2: Bath 7A 100
TA8: Berr 2B 156
Maple Ho. BS2: Bris 1F 5
Maple Leaf Ct. BS8: Clif 2H 61 (3A 4)
Mapleleaze BS4: Brisl 6F 63
Maplemeade BS7: B'stn 4J 47
Mapleridge La. BS37: Hort, Yate 5H 23
Maple Ri. BA3: Rads 4B 154
Maple Rd. BS4: St Ap 4F 63
BS7: Hor 3K 47
Maples, The BS48: Nail 1E 70
Maplestone Rd. BS14: Whit 7C 76
Mapleton La. BS25: Star 3K 131
Maple Wlk. BS16: Puck 3C 52
BS31: Key 6B 78
Mapstone Cl. BS16: Ham 4K 37
Marbeck Rd. BS10: S'mead 6H 35
Marchants Pas. BA1: Bath 6C 100 (6G 7)
Marchfields Way BS23: W Mare 6H 105
Marconi Cl. BS23: W Mare 5K 105
Marconi Rd. BS20: P'head 3B 42
Mardale Cl. BS10: S'mead 5J 35
Marden Rd. BS31: Key 6E 78
Mardon Rd. BS4: St Ap 3F 63
Mardyke Ferry Rd. BS1: Bris 4H 61 (6A 4)
Margaret Cres. TA8: Bur S 3C 158
Margaret Rd. BS13: Withy 6F 75
Margaret's Bldgs. BA1: Bath 4B 100 (2E 6)
Margaret's Hill BA1: Bath 3C 100 (1G 7)
Margate St. BS3: Wind H 6B 62
Marguerite Rd. BS13: B'wth 3F 75
Marigold Wlk. BS3: Bedm 7G 61
Marina Gdns. BS16: Fish 5G 49
Marindin Dr. BS22: Wor 7F 85
Marine Dr. TA8: Bur S 2D 158
Marine Hill BS21: Clev 4C 54
Marine Pde. BS20: Pill 3G 45
(not continuous)
BS21: Clev 5C 54
BS23: W Mare 7F 105
Mariner's Cl. BS22: W Mare 3B 106
Mariners Cl. BS48: Back 4J 71
Mariner's Dr. BS9: Stok B 4D 46
Mariners Dr. BS48: Back 4J 71
Mariner's Path BS9: Stok B 4D 46
Mariners Path BS20: P'head 3A 42
Mariners Way BS20: Pill 3G 45
Marion Rd. BS15: Han 6K 63
Marion Wlk. BS5: St G 2J 63
Marissal Cl. BS10: Hen 4E 34
Marissal Rd. BS10: Hen 4D 34
Mariston Way BS30: Old C 3G 65
Maritime Heritage Cen. 4H 61 (6B 4)
Marjoram Pl. BS32: Brad S 7H 27
Marjorie Whimster Ho.
BA2: Bath 5H 99
Marketgate BS1: Bris 2J 5
Market Ind. Est. BS49: Yat 2H 87
Market La. BS23: W Mare 4F 105
Market Pl. BS40: Winf 4K 91
Marketside BS2: Bris 5C 62
Market Sq. BS16: Fish 5A 50
Market St. BA15: Brad A 5H 125
TA9: High 5F 159
Market Ter. TA9: High 5G 159
Markham Cl. BS11: Shire 1G 45
Marklands BS9: Stok B 5E 46
Mark La. BS1: Bris 3J 61 (4D 4)
Mark Rd. TA9: High, W'fld 5H 159
MARKSBURY 3F 119
Marksbury Ga. BA2: Cor 7F 97
Marksbury Rd. BS3: Bedm, Wind H 7J 61
Marlborough Av. BS16: Fish 5G 49
Marlborough Bldgs.
BA1: Bath 4A 100 (2D 6)
Marlborough Ct. BA2: Clav D 5G 101
TA8: Bur S 6D 156
Marlborough Dr. BS16: Fren 6K 37
BS22: Wor 2E 106
Marlborough Flats BS2: Bris 1F 5
Marlborough Hill BS2: Bris 1K 61 (1E 4)
Marlborough Hill Pl.
BS2: Bris 1K 61 (1E 4)
Marlborough La. BA1: Bath 4A 100 (3C 6)
Marlborough St. BA1: Bath 3A 100 (1D 6)
BS1: Bris 1K 61 (1F 5)
BS2: Bris 1K 61 (1F 5)
BS5: Eastv 5G 49
Marlepit Gro. BS13: B'wth 4E 74
Marle Pits BS48: Back 4H 71
Marlfield Wlk. BS13: B'wth 3E 74
Marling Rd. BS5: St G 1H 63
Marlwood Dr. BS10: Bren 4G 35
Marmaduke St. BS3: Wind H 6B 62
Marmion Cres. BS10: Hen 4E 34
Marne Cl. BS14: Stoc 5F 77
Marron Cl. BS26: Axb 4J 149
Marsden Rd. BA2: Bath 1H 121
Marshacre La. BS35: Elb 5B 10
Marshall Ho. BS16: Fish 4H 49
Marshall Wlk. BS4: Know 3K 75
Marsham Way BS30: Bar C, L Grn 4C 64
Marsh Cl. BS36: Wint 3C 38
MARSH COMMON 2E 24
Marsh Comn. BS35: Piln 7D 16
Marshfield La. BS30: Upton C 2A 80
Marshfield Pk. BS16: Fren 7A 38
Marshfield Rd. BS16: Fish 4K 49
Marshfield Way BA1: Bath 2C 100
Marsh La. BS3: Bedm 7G 61
BS5: Redf 3E 62
BS20: E'tn G 1C 44
BS39: Clut, Hall 3H 139
Marsh Rd. BS3: Ash G 6F 61
BS49: Yat 4H 87
Marsh St. BS1: Bris 3K 61 (5E 4)
BS11: A'mth 7G 33
Marshwall La. BS32: Alm 7K 17
Marson Rd. BS21: Clev 6D 54
Marston Rd. BS4: Know 7D 62
Martcombe Rd. BS20: E'tn G 5E 44
(not continuous)
Martha's Orchard BS13: B'wth 3E 74
Martin Cl. BS34: Pat 6A 26
Martindale Ct. BS22: W Mare 4B 106
Martindale Rd. BS22: W Mare 4B 106
Martingale Rd. BS4: Brisl 5F 63
Martin's Cl. BS15: Han 4A 64
TA8: Bur S 4C 156
Martins Gro. BS22: Wor 2C 106
Martin's Rd. BS15: Han 4A 64
Martin St. BS3: Bedm 6H 61
Martock BS24: W Mare 3H 127
Martock Cres. BS3: Bedm 1J 75
Martock Rd. BS3: Bedm 1J 75
BS31: Key 7E 78
Marwood Cl. TA8: Bur S 7E 156
Marwood Rd. BS4: Know 2A 76
Marybush La. BS2: Bris 2A 62 (3H 5)
Mary Carpenter Pl. BS2: Bris 7B 48
Mary Ct. *BS5: Redf 1F 63*
(off Alfred St.)
Marygold Leaze BS30: C Hth 5E 64
Mary St. BS5: Redf 1F 63
Mascall's Wood Nature Reserve 6F 151
Mascot Rd. BS3: Wind H 6K 61
Masefield Way BS7: Hor 2C 48
Maskelyne Av. BS10: Hor 1K 47
Masonpit Pool La. BS36: Wint 6A 28
Masons La. BA15: Brad A 5H 125
Masons Vw. BS36: Wint 7D 28
Mason's Way BS27: Ched 7E 150
Matchells Cl. BS4: St Ap 3G 63
Materman Rd. BS14: Stoc 5G 77
Matford Cl. BS10: Bren 3K 35
BS36: Wint 2C 38
Matthews Cl. BS14: Stoc 4H 77
Matthews Rd. BS5: Redf 2E 62
Maules La. BS16: Ham 5H 37
Maunsell Rd. BS11: Law W 5B 34
Maurice Rd. BS6: Bris 6A 48
Mautravers Cl. BS32: Brad S 7F 27
Mawdeley Ho. *BS3: Bedm 5J 61*
(off Catherine Mead St.)
Max Mill La. BS25: Ban, Wins 4B 130
Maxse Rd. BS4: Know 6D 62
Maybank Rd. BS37: Yate 5D 30
Maybec Gdns. BS5: St G 3J 63
Maybourne BS4: Brisl 7J 63
Maybrick Rd. BA2: Bath 6K 99 (7A 6)
Maycliffe Pk. BS6: Bris 6B 48
Mayfair Av. BS48: Nail 1G 71
Mayfield Av. BS16: Fish 6J 49
BS22: Wor 3C 106
MAYFIELD PARK 6J 49
Mayfield Pk. BS16: Fish 6J 49
Mayfield Pk. Nth. BS16: Fish 6J 49
Mayfield Pk. Sth. BS16: Fish 6J 49
Mayfield Rd. BA2: Bath 6K 99 (7A 6)
Mayfields BS31: Key 5C 78
Mayflower Gdns. BS48: Nail 7J 57
Maynard Cl. BS13: Hart 5J 75
BS21: Clev 6F 55
Maynard Rd. BS13: Hart 5J 75
Maynard Ter. BS39: Clut 2H 139
Mayors Bldgs. BS16: Fish 3K 49
Maypole Cl. BS39: Clut 2G 139
Maypole Sq. BS15: Han 4A 64
Mays Cl. BS36: Coal H 7H 29
Maysfield Cl. BS20: P'head 5F 43
MAY'S GREEN 7B 86
Maysgreen La. BS24: Hew 7B 86
MAYSHILL 5J 29
Mays Hill BS36: Fram C 5J 29
May's La. BS24: Hew, Pux 1B 108
(not continuous)
Maysmead La. BS40: L'frd 6E 110
May St. BS15: K'wd 7A 50
Maytree Av. BS13: B'wth 3H 75
Maytree Cl. BS13: B'wth 3H 75
May Tree Cl. BS48: Nail 1E 70
May Tree Rd. BA3: Rads 5J 153
May Tree Wlk. BS31: Key 7A 78
Mayville Av. BS34: Fil 4C 36
Maywood Av. BS16: Fish 4K 49
Maywood Cres. BS16: Fish 4K 49
Maywood Rd. BS16: Fish 4A 50
Maze St. BS5: Bar H 3D 62
Mead Cl. BA2: Bath 1A 122
BS11: Shire 2J 45
Mead Ct. BS36: Wint 1C 38
Mead Ct. Bus. Pk. BS35: T'bry 5K 11
Meade Ho. BA2: Bath 6G 99
Meadgate BS16: Emer G 1F 51
MEADGATE EAST 3J 141
MEADGATE WEST 3H 141
Meadlands BA2: Cor 4B 98
Mead La. BS24: Nye, Sandf 7D 108
BS25: Sandf 1E 130
BS31: Salt 6K 79
BS32: Brad S 1G 37
BS35: Olv 3K 17
(not continuous)
BS40: Blag 2C 134
(off High St.)
Meadowbank BS22: Wor 1D 106
Meadow Cl. BS16: Down 1D 50
BS48: Back 4K 71
BS48: Nail 6G 57
TA9: High 4F 159
Meadow Ct. BA1: Bath 4G 99
Meadow Ct. Dr. BS30: Old C 6G 65
Meadow Cft. BS24: W Mare 3K 127

Meadowcroft BS16: Down 7E **38**
Meadowcroft Dr. TA8: Bur S 7E **156**
Meadow Dr. BA2: Odd D 4K **121**
   BS24: Lock 1F **129**
Meadowfield BA15: Brad A 6F **125**
Meadow Gdns. BA1: Bath 2G **99**
Meadow Gro. BS11: Shire 1H **45**
Meadowland BS49: Yat 2G **87**
Meadowland Rd. BS10: Hen 3E **34**
Meadowlands BS22: St Geo 2G **107**
Meadow La. BA2: B'ptn 2F **101**
Meadow Mead BS36: Fram C 6F **29**
   BS37: Yate 1E **30**
Meadow Pk. BA1: Bathf 7K **83**
Meadow Rd. BS21: Clev 6E **54**
   BS37: Chip S 5G **31**
   BS39: Paul 2D **152**
   GL12: Ley 1B **14**
Meadows Cl. BS20: P'head 3B **42**
Meadows End BS25: C'hll 1K **131**
Meadowside BS35: T'bry 4B **12**
Meadow Side BS37: Iron A 2H **29**
Meadowside Dr. BS14: Whit 7C **76**
Meadows, The BS15: Han 5B **64**
Meadow Va. BS2: Bris 2A **62** (2H **5**)
   BS11: A'mth 6E **32**
   BS23: W Mare 5G **105**
   BS26: Axb 5J **149**
Meadowsweet Av. BS34: Fil 4D **36**
Meadowsweet Ct. *BS16: Stap* *3G* **49**
         (off Foxglove Cl.)
Meadow Va. BS5: St G 7J **49**
Meadow Vw. BA3: Rads 5A **154**
   BS36: Fram C 7G **29**
Meadow Vw. Cl. BA1: Bath 3G **99**
Meadow Way BS32: Brad S 7G **27**
Mead Ri. BS3: Bris 5B **62** (7J **5**)
Mead Rd. BS20: P'head 6E **42**
   BS34: Stok G 1G **37**
   BS37: Chip S 6J **31**
Meads, The BS16: Down 1D **50**
         (not continuous)
Mead St. BS3: Bris 5B **62** (7J **5**)
Mead, The BA2: F'boro 6E **118**
   BA2: Tim 2G **141**
   BA15: W'ley 5C **124**
   BS4: Dun 1D **92**
   BS25: Ship 5A **132**
   BS34: Fil 3D **36**
   BS35: Alv 7J **11**
   BS39: Clut 2G **139**
   BS39: Paul 1B **152**
Mead Va. BS22: W Mare, Wor 3C **106**
Meadway BA2: F'boro 6E **118**
   BS9: Sea M 2C **46**
Mead Way BS35: T'bry 5K **11**
Meadway BS39: Tem C 4G **139**
Meadway Av. BS48: Nail 7F **57**
Mearcombe La. BS24: B'don 1D **146**
Meardon Rd. BS14: Stoc 4G **77**
Meare BS24: W Mare 3H **127**
Meare Rd. BA2: C Down 2B **122**
MEARNS 3C **140**
Mede Cl. BS1: Bris 4A **62** (7G **5**)
Media Ho. BS8: Clif 3A **4**
Medical Av. BS2: Bris 2J **61** (3D **4**)
Medina Cl. BS35: T'bry 5A **12**
Medway Cl. BS31: Key 7E **78**
Medway Ct. BS35: T'bry 4B **12**
Medway Dr. BS31: Key 7E **78**
   BS36: Fram C 7F **29**
Meere Bank BS11: Law W 7B **34**
Meer Wall BS24: Cong 7F **87**
   BS25: Cong 4G **109**
Meeting Ho. La. BS49: Clav, C've . . . 2C **88**
Meg Thatchers Gdns. BS5: St G 2K **63**
Meg Thatcher's Grn. BS5: St G 2K **63**
Melbourne Dr. BS37: Chip S 5H **31**
Melbourne Rd. BS7: B'stn 4K **47**
Melbourne Ter. BS21: Clev 7D **54**
Melbury Rd. BS4: Know 7B **62**
Melcombe Cl. BA2: Bath 7K **99** (7A **6**)
Melcombe Rd. BA2: Bath 6K **99** (7A **6**)
Melita Rd. BS6: Bris 5A **48**
Mellent Av. BS13: Hart 7J **75**
Mells Cl. BS31: Key 1E **96**
Mells La. BA3: Rads 4B **154**
Melrose Av. BS8: Clif 1H **61**
   BS37: Yate 4F **31**
Melrose Cl. BS37: Yate 4G **31**
Melrose Gro. BA2: Bath 1H **121**
Melrose Pl. BS8: Clif 1H **61**
Melrose Ter. BA1: Bath 1C **100**
Melton Cres. BS7: Hor 7C **36**
Melville Rd. BS6: Redl 7H **47**
Melville Ter. BS3: Bedm 6J **61**
Melvin Sq. BS4: Know 1A **76**
Memorial Cl. BS15: Han 5K **63**

Memorial Cotts. BA1: W'ton 2J **99**
Memorial Rd. BS15: Han 4K **63**
   BS40: Wrin 2G **111**
Mendip Av. BS22: Wor 2C **106**
Mendip Cl. BS26: Axb 4J **149**
   BS31: Key 5B **78**
   BS39: Paul 2C **152**
   BS48: Nail 1G **71**
   BS49: Yat 4H **87**
Mendip Cres. BS16: Down 1E **50**
Mendip Edge BS24: W Mare 5H **127**
Mendip Gdns. BA2: Odd D 4K **121**
   BS49: Yat 4H **87**
Mendip Model Motor Racing Circuit
   . . . . 7H **127**
Mendip Raceways 2F **151**
Mendip Ri. BS24: Lock 1F **129**
Mendip Rd. BS3: Wind H 6K **61**
   BS20: P'head 3C **42**
   BS23: W Mare 5J **105**
   BS24: E'wth 7E **146**
   BS24: Lock 1G **129**
   BS26: Rook 7E **146**
   BS49: Yat 3G **87**
         (not continuous)
Mendip Va. Trad. Est. BS27: Ched . . . 7C **150**
Mendip Vw. BS30: Wick 2C **66**
Mendip Vw. Av. BS16: Fish 5J **49**
Mendip Vs. BS40: Comp M 6K **133**
Mendip Way BA3: Rads 3K **153**
   TA8: Bur S 1D **158**
Menhyr Gro. BS10: Bren 4H **35**
Menlea BS40: Blag 2B **134**
Mercer Ct. BS14: H'gro 2D **76**
Merchants Ct. BS8: Clif 4G **61**
Merchants Quay BS1: Bris . . . 4K **61** (6E **4**)
Merchants Rd. BS8: Clif 4G **61**
         (Brunel Lock Rd.)
   BS8: Clif 2G **61**
         (Clifton Down Rd.)
Merchants Row BS1: Bris 7C **4**
Merchants Trade Pk. BS2: Bris 3E **62**
Merchant St. BS1: Bris 2A **62** (2G **5**)
Mercia Dr. BS2: Bris 6C **48**
Mercier Cl. BS37: Yate 4F **31**
Merebank Rd. BS11: A'mth 3H **33**
Meredith Ct. BS1: Bris 4G **61** (7A **4**)
Merfield Rd. BS4: Know 2H **77**
Meridian Pl. BS8: Clif 2H **61** (3A **4**)
Meridian Rd. BS6: Cot 7J **47**
Meridian Ter. BS7: B'stn 5A **48**
Meridian Va. BS8: Clif 2H **61** (3A **4**)
Meriet Av. BS13: Hart 6H **75**
Merioneth St. BS3: Wind H 6B **62**
Meriton St. BS2: Bris 4D **62**
Merlin Cl. BS9: W Trym 7F **35**
   BS22: Wor 4C **106**
Merlin Cl. BS9: W Trym 1H **47**
Merlin Pk. BS20: P'head 4B **42**
Merlin Ridge BS16: Puck 4C **52**
Merlin Rd. BS34: Pat 7H **25**
Merlin Way BS37: Chip S 6F **31**
Merrett Ct. BS7: L'lze 2A **12**
Merrick Ct. BS1: Bris 4K **61** (6E **4**)
Merrimans Rd. BS11: Shire 7H **33**
Merryfield Rd. BS24: Lock 6F **107**
Merryweather Cl. BS32: Brad S 6F **27**
Merryweathers BS4: Brisl 7G **63**
Merrywood Cl. BS3: Bedm 5J **61**
Merrywood Rd. BS3: Bedm 5J **61**
Merstham Rd. BS2: Bris 6C **48**
Merton Dr. BS24: Wor 4E **106**
         (not continuous)
Merton Rd. BS7: Hor 3A **48**
Mervyn Rd. BS7: B'stn 4A **48**
Metford Gro. BS6: Redl 5H **47**
Metford Pl. BS6: Redl 5J **47**
Metford Rd. BS6: Redl 5H **47**
Methwyn Cl. BS22: W Mare 5A **106**
Mews, The BA1: Bath 3G **99**
M. Well Dr. BS27: Ched 5C **150**
Mezellion Pl. *BA1: Bath* *2D* **100**
         (off Camden Rd.)
Michaels Mead BA1: W'ton 1H **99**
Middle Av. BS1: Bris 3K **61** (5E **4**)
MIDDLE BURNHAM 7F **157**
Middle Down Drove BA5: Ched 7K **151**
Middle Fld. La. TA9: W Hunt 7B **158**
Middleford Ho. BS13: Hart 4H **65**
Middle La. BA1: Bath 2D **100**
   BS21: King S 7A **68**
Middle Moor La. BS27: Ched 7K **149**
Middlepiece La. BS31: Burn 4F **97**
Middle Rank BA15: Brad A 5G **125**
Middle Rd. BS15: Soun 4H **64**
Middle Stoke BA2: Lim S 6H **123**
Middle St. BS40: E Harp 7K **137**
   TA9: Bre K 1E **156**
         (not continuous)

Middleton BS21: Tic 5A **56**
Middleton Rd. BS11: Law W 7K **33**
MIDDLETOWN 5A **56**
Middle Yeo Grn. BS48: Nail 6F **57**
MIDFORD 6D **122**
Midford BS24: W Mare 3H **127**
Midford Hill BA2: Mid 6E **122**
Midford La. BA2: Lim S, Mid 6E **122**
Midford Rd. BA2: C Down, Odd D . . 3A **122**
   BA2: Mid, S'ske 5C **122**
Midhaven Ri. BS22: Wor 7C **84**
Midland Bri. Rd. BA2: Bath . . . 5A **100** (5D **6**)
Midland M. BS2: Bris 2B **62** (3K **5**)
Midland Rd. BA2: Bath 5K **99** (4B **6**)
   BS2: Bris 2B **62** (3K **5**)
   BS16: Stap H 4B **50**
Midland St. BS2: Bris 3B **62** (4K **5**)
Midland Ter. BS16: Fish 5H **49**
Midland Way BS35: T'bry 4K **11**
Midsomer Ent. Pk. BA3: Mid N 4G **153**
MIDSOMER NORTON 5F **153**
Midsummer Bldgs. BA1: Bath 1D **100**
Milburn Rd. BS23: W Mare 5H **105**
Milbury Gdns. BS22: W Mare 2K **105**
MILBURY HEATH 3F **13**
Mildred St. BS5: Redf 2E **62**
Miles Cl. BS20: Pill 5J **45**
Miles Ct. BS30: Bar C 5D **64**
Miles Rd. BS8: Clif 7G **47**
Miles's Bldgs. BA1: Bath 4B **100** (3F **7**)
   BS1: Bath 6C **100** (6H **7**)
Milestone Ct. BS22: St Geo 2H **107**
Mile Wlk. BS14: H'gro 3B **76**
Milford Av. BS30: Wick 2B **66**
Milford Rd. BS3: Bedm 5J **61**
Milk St. BA1: Bath 5B **100** (5F **7**)
Millard Cl. BS10: S'mead 5J **35**
Millards Ct. BA3: Mid N 3F **153**
Millard's Hill BA3: Mid N 3F **153**
Millar Ho. BS8: Clif 3G **61**
Mill Av. BS1: Bris 3K **61** (5F **5**)
Millbank Cl. BS4: Brisl 6G **63**
Millbourn Cl. BA15: W'ley 5B **124**
Millbourne Rd. BS27: Ched 7E **150**
Millbrook Av. BS4: Brisl 6H **63**
Millbrook Cl. BS30: Old C 3G **65**
Millbrook Ct. BA2: Bath 7H **7**
Millbrook Pl. BA2: Bath 6C **100** (7H **7**)
Millbrook Rd. BS37: Yate 4B **30**
Mill Cl. BS20: P'bry 6B **44**
   BS36: Fram C 7G **29**
Mill Ct. BA3: Mid N 5E **152**
Mill Cres. BS37: W'lgh 3B **40**
Millcross BS21: Clev 2C **68**
Millennium Cl. BS36: Coal H 7H **29**
Millennium Sq. BS1: Bris 4J **61** (6D **4**)
Miller Cl. BS23: W Mare 4H **105**
Millers Cl. BS20: Pill 4G **45**
Millers Dr. BS30: Old C 4G **65**
Miller's Ri. BS22: Wor 7E **84**
Miller Wlk. BA2: B'ptn 2G **101**
Millfield BA3: Mid N 6D **152**
Millfield Dr. BS30: Old C 3G **65**
Millground Rd. BS13: Withy 6E **74**
Millhand Rd. BA2: Wel 4K **143**
Mill Ho. BS5: E'tn 7C **48**
Mill Ho., The BA15: Brad A 6H **125**
Millier Rd. BS49: C've 3C **88**
Mill La. BA2: B'ptn 1H **101**
   BA2: Bath 5H **99**
   BA2: Ing 5B **120**
   BA2: Mon C 4G **123**
   BA2: Pris 6A **120**
   BA2: Tim 4F **141**
   BA3: Rads 3B **154**
   BA15: Brad A 6H **125**
   BS3: Bedm 5K **61**
   BS16: Ham 4A **38**
   BS20: P'bry 5C **44**
   BS30: Bit 2J **79**
         (Bath Rd.)
   BS30: Bit, Upton C 1K **79**
         (Golden Valley La.)
   BS30: C Hth, Old C 4F **65**
   BS30: Doy 7F **53**
   BS32: Toc 4C **18**
   BS36: Fram C 7G **29**
   BS37: Chip S 5G **31**
   BS37: Old S 1K **41**
   BS40: But 5E **112**
   BS40: Chew S 4D **114**
   BS40: Comp M 6A **136**
   BS40: Wrin 3G **111**
   BS49: Cong 7K **87**
Mill Leg BS49: Cong 7K **87**
Millmead Ho. BS13: Hart 6J **75**
Millmead Rd. BA2: Bath 6J **99** (6A **6**)

Millpill Cl. BS9: Stok B 3D **46**
Millpond St. BS5: E'tn 7C **48**
Mill Pool Ct. BS10: S'mead 6H **35**
Mill Rd. BA3: Rads 4A **154**
   BS36: Wint D 3B **38**
Mill Rd. Ind. Est. BA3: Rads 3A **154**
Mill Steps BS36: Wint D 4C **38**
Mill Stream Ct. BS26: Axb 5H **149**
Mill Stream Works
   GL12: Wickw 5H **15**
Millward Gro. BS16: Fish 4A **50**
Millward Ter. BS39: Paul 7C **140**
Milner Grn. BS30: Bar C 4E **64**
Milner Rd. BS7: Hor 3B **48**
Milsom St. BA1: Bath 4B **100** (3F **7**)
   BS5: E'tn 1C **62** (1K **5**)
MILTON 3A **106**
Milton Av. BA2: Bath 7B **100**
   BS23: W Mare 4J **105**
Milton Brow BS22: W Mare 3K **105**
Milton Cl. BS37: Yate 4D **30**
   BS48: Nail 6G **57**
Milton Grn. BS22: W Mare 3A **106**
MILTON HILL 1K **105**
Milton Hill BS22: W Mare 2K **105**
Milton Pk. BS5: Redf 2E **62**
Milton Pk. Rd. BS22: W Mare 3A **106**
Milton Ri. BS22: W Mare 3K **105**
Milton Rd. BA3: Rads 5G **153**
   BS7: Hor 2A **48**
   BS22: W Mare 4K **105**
   BS23: W Mare 4H **105**
   BS37: Yate 4D **30**
Miltons Cl. BS13: Hart 6K **75**
Milverton BS23: W Mare 3H **127**
Milverton Gdns. BS6: Bris 6B **48**
Milward Rd. BS31: Key 4C **78**
Mina Rd. BS2: Bris 5C **48**
Minehead Rd. BS4: Know 1B **76**
Miners Cl. BS4: L Ash 7K **59**
Miner's Gdns. BA3: Rads 4J **153**
Minerva Cl. BA2: Bath 2H **7**
Minerva Gdns. BA2: Bath 6J **99**
Minor's La. BS10: H'len 6A **24**
Minsmere Rd. BS31: Key 7E **78**
Minster Way BA2: Bath 3E **100**
Minton Cl. BS14: Whit 5D **76**
Minto Rd. BS2: Bris 6B **48**
Minto Rd. Ind. Est.
   BS2: Bris 6B **48**
Mission Rd. BS37: Iron A 2H **29**
Mitchell Ct. BS1: Bris 3A **62** (5G **5**)
Mitchell La. BS1: Bris 3A **62** (5G **5**)
Mitchell Wlk. BS30: B'yte 2H **65**
Mivart St. BS5: E'tn 6D **48**
Mizzymead Cl. BS48: Nail *1F* **71**
Mizzymead Recreation Cen. *1G* **71**
Mizzymead Ri. BS48: Nail 1F **71**
Mizzymead Rd. BS48: Nail 1G **71**
Modecombe Gro. BS10: Hen 4F **35**
Mogg St. BS2: Bris 6C **48**
Molesworth Cl. BS13: Withy 6G **75**
Molesworth Dr. BS13: Withy 6G **75**
Molly Cl. BS39: Tem C 5G **139**
MONGER 3D **152**
Monger Cotts. BS39: Paul 3E **152**
Monger La. BA3: Mid N 3D **152**
   BS39: Paul 3D **152**
Monk Rd. BS7: B'stn 4K **47**
Monks Av. BS15: K'wd 1K **63**
Monksdale Rd. BA2: Bath 7K **99** (7B **6**)
Monks Hill BS22: Kew, W Mare . . . 1K **105**
Monks Ho. BS37: Yate 7D **30**
Monk's Pk. Av. BS7: Hor 6A **36**
Monks Pk. Way BS10: S'mead 7A **36**
Monkstone Dr. TA8: Berr 2B **156**
Monks Way TA8: Bur S 2D **158**
Monkton Av. BS24: W Mare 3J **127**
MONKTON COMBE 3G **123**
MONKTON FARLEIGH 4D **102**
Monkton Rd. BS15: Han 5K **63**
Monmouth Cl. BS20: P'head 4B **42**
Monmouth Ct. *BA1: Bath* *4D* **6**
         (off Up. Bristol Rd.)
   BS20: Pill 3G **45**
Monmouth Hill BS32: Alm 2K **25**
Monmouth Pl. BA1: Bath 5B **100** (4E **6**)
Monmouth Rd. BS7: B'stn 4K **47**
   BS20: Pill 3G **45**
   BS31: Key 5B **78**
Monmouth St. BA1: Bath 5B **100** (4E **6**)
   BS3: Wind H 6B **62**
Monsdale Cl. BS10: Hen 4G **35**
Monsdale Dr. BS10: Hen 4G **35**
Montague Ct. BS34: Stok G 2G **37**
Montague Ct. BS2: Bris 1F **5**
Montague Flats BS2: Bris 1F **5**
Montague Hill BS2: Bris 1K **61** (1E **4**)
Montague Hill Sth. BS2: Bris 1F **5**

Montague Pl.—Newton St.

Montague Pl. BS6: Bris . . . 1K 61 (1E 4)
Montague Rd. BA2: Shos . . . 1E 154
BS31: Salt . . . 1G 97
Montague St. BS2: Bris . . . 1K 61 (1F 5)
Montgomery St. BS3: Wind H . . . 5B 62
MONTPELIER . . . 7A 48
Montpelier BA1: Bath . . . 4B 100 (2F 7)
BS23: W Mare . . . 3H 105
Montpelier Central BS6: Bris . . . 7A 48
(off Station Rd.)
Montpelier Ct. BS6: Bris . . . 6A 48
Montpelier E. BS23: W Mare . . . 3H 105
Montpelier Path BS23: W Mare . . . 4G 105
Montpelier Station (Rail) . . . 6A 48
Montreal Av. BS7: Hor . . . 7B 36
Montrose Av. BS6: Cot . . . 7J 47
Montrose Cotts. BA1: W'ton . . . 2J 99
Montrose Dr. BS30: Warm . . . 3F 65
Montrose Pk. BS4: Brisl . . . 7F 63
Montroy Cl. BS9: Henl . . . 2J 47
Moon St. BS2: Bris . . . 1A 62 (1G 5)
Moor Cft. Dr. BS30: L Grn . . . 5D 64
Moor Cft. Rd. BS24: Hut . . . 2C 128
Moordell Cl. BS37: Yate . . . 5D 30
Moor Drove BS49: Cong . . . 3J 109
MOOREND . . . 5C 38
Moorend Farm Av. BS11: A'mth . . . 2J 33
Moorend Gdns. BS11: Law W . . . 1K 45
Moorend Rd. BS16: Ham . . . 4B 38
Moor End Spout BS48: Nail . . . 6F 57
Moorfield Rd. BS48: Back . . . 3H 71
MOORFIELDS . . . 1E 62
Moorfields Cl. BA2: Bath . . . 7K 99
Moorfields Ct. BS48: Nail . . . 7F 57
Moorfields Ho. BS5: Redf . . . 2E 62
BS48: Nail . . . 7E 56
Moorfields Rd. BA2: Bath . . . 7K 99
BS48: Nail . . . 7F 57
Moor Grn. BS26: Axb . . . 5J 149
Moor Gro. BS11: Law W . . . 7K 33
Moorgrove Ho. BS9: C Din . . . 7C 34
Moorham Rd. BS25: Wins . . . 4G 131
Moorhill St. BS5: E'tn . . . 7D 48
Moorhouse Cvn. Pk.
BS11: A'mth . . . 3A 34
Moorhouse La. BS10: H'len . . . 2K 33
BS11: A'mth . . . 2K 33
Moorings, The BS20: Pill . . . 4G 45
Moorland Rd. BA2: Bath . . . 6K 99 (6A 6)
BS23: W Mare . . . 1F 127
BS37: Yate . . . 5D 30
MOORLANDS . . . 7K 99
Moorlands Cl. BS48: Nail . . . 7F 57
Moorlands Rd. BS16: Fish . . . 5H 49
(not continuous)
Moorlands, The BA2: Bath . . . 1K 121
Moorland St. BS26: Axb . . . 5J 149
Moor La. BS20: Clap G . . . 7G 43
BS21: Clev . . . 7E 54
(not continuous)
BS21: Tic . . . 5B 56
BS21: Walt G . . . 2H 55
BS22: Wor . . . 3D 106
BS24: Hut . . . 1B 128
BS24: W Mare, Wor . . . 5C 106
BS32: Toc . . . 5A 18
BS48: Back . . . 4H 71
MOORLEDGE . . . 3K 115
Moorledge La. BS39: Stan D . . . 4B 116
BS40: Chew M . . . 3J 115
Moorledge Rd. BS40: Chew M . . . 2H 115
Moor Pk. BS21: Clev . . . 7E 54
Moorpark Av. BS37: Yate . . . 5C 30
Moor Rd. BS29: Ban . . . 4K 107
(not continuous)
BS49: Yat . . . 7H 69
MOORSFIELD . . . 2G 139
Moorside BS49: Yat . . . 2H 87
Moravian Ct. BS15: K'wd . . . 1B 64
Moravian Rd. BS15: K'wd . . . 1B 64
Morden Wlk. BS14: Stoc . . . 3F 77
Moreton Cl. BS14: Whit . . . 6C 76
Moreton La. BS40: Comp M . . . 3D 136
Morford St. BA1: Bath . . . 3B 100 (2F 7)
Morgan Cl. BS22: W Wick . . . 4F 107
BS31: Salt . . . 1H 97
Morgans Hill Cl. BS48: Nail . . . 2F 71
Morgan St. BS2: Bris . . . 7B 48
Morgan Way BA2: Pea J . . . 6D 142
Morland Rd. TA9: High . . . 4F 159
Morlands Ind. Pk. TA9: High . . . 4F 159
Morley Av. BS16: Mang . . . 4E 50
Morley Cl. BS16: Soun . . . 4B 50
BS34: Lit S . . . 7E 26
Morley Rd. BS3: Bedm . . . 5J 61
BS16: Soun . . . 4B 50
Morley Sq. BS7: B'stn . . . 4A 48
Morley St. BS2: Bris . . . 7B 48
BS5: Bar H . . . 2D 62
Morley Ter. BA2: Bath . . . 4A 6
BA3: Rads . . . 3A 154
BS15: K'wd . . . 7B 50
Mornington Rd. BS8: Clif . . . 6G 47
Morpeth Rd. BS4: Know . . . 2K 75
Morris La. BA1: Bathf . . . 7K 83
Morris Rd. BS7: L'lze . . . 3C 48
Morse Rd. BS5: Redf . . . 2E 62
Mortimer Cl. BA1: W'ton . . . 1H 99
Mortimer Rd. BS8: Clif . . . 2G 61
BS34: Fil . . . 6D 36
MORTON . . . 2B 12
Morton St. BS5: Bar H . . . 2D 62
Morton Way BS35: T'bry . . . 1B 12
Moseley Gro. BS23: Uph . . . 3G 127
Motion Media Cen. BS35: Aust . . . 4F 9
Motorway Distribution Cen.
BS11: A'mth . . . 5G 33
Moulton Dr. BA15: Brad A . . . 7G 125
Mountain Ash BA1: W'ton . . . 2K 99
Mountain M. BS5: St G . . . 2J 63
Mountain's La. BA2: F'boro . . . 5B 118
Mountain Wood BA1: Bathf . . . 1A 102
Mountbatten Cl. BS22: Kew . . . 7C 84
BS37: Yate . . . 3D 30
TA8: Bur S . . . 6C 156
Mount Beacon BA1: Bath . . . 2C 100
Mount Beacon Pl. BA1: Bath . . . 2B 100
Mt. Beacon Row BA1: Bath . . . 2C 100
Mount Cl. BS36: Fram C . . . 6D 28
Mount Cres. BS36: Wint . . . 2C 38
Mounteney's La. GL12: Wickw . . . 6K 15
Mount Gdns. BS15: K'wd . . . 3B 64
Mount Gro. BA2: Bath . . . 1H 121
MOUNT HILL . . . 3C 64
Mt. Hill Rd. BS15: Han, K'wd . . . 3A 64
Mount Pleasant BA2: Mon C . . . 3F 123
BA3: Rads . . . 4B 154
BA15: Brad A . . . 5H 125
BS10: H'len . . . 3C 34
BS20: Pill . . . 4H 45
Mt. Pleasant Ter. BS3: Bedm . . . 5J 61
Mount Rd. BA1: Bath . . . 3B 100
BA2: Bath . . . 7G 99
Mount Vw. BA1: Bath . . . 2C 100
(off Beacon Rd.)
BA2: Bath . . . 1H 121
Mow Barton BS13: B'wth . . . 4F 75
BS37: Yate . . . 4D 30
Mowbray Rd. BS14: H'gro . . . 3E 76
Mowcroft Rd. BS13: Hart . . . 6J 75
Moxham Dr. BS13: Hart . . . 6H 75
Muddy La. BS22: Wick L . . . 2E 84
Mud La. BS49: Clav . . . 1K 87
Muirfield BS30: Warm . . . 3E 64
BS37: Yate . . . 6E 30
Mulberry Av. BS20: P'head . . . 3G 43
Mulberry Cl. BS15: K'wd . . . 1C 64
BS20: P'head . . . 3H 43
BS22: Wor . . . 3D 106
BS48: Back . . . 4J 71
Mulberry Dr. BS15: K'wd . . . 7D 50
Mulberry Gdns. BS16: Soun . . . 5B 50
Mulberry La. BS24: B'don . . . 7A 128
Mulberry Rd. BS49: Cong . . . 1A 110
Mulberry Wlk. BS9: C Din . . . 7C 34
Muller Av. BS7: B'stn . . . 4B 48
Muller Rd. BS5: Eastv . . . 5D 48
BS7: Hor . . . 2B 48
Mulready Cl. BS7: L'lze . . . 2E 48
Mumbleys La. BS35: T'bry . . . 6G 11
Murford Av. BS13: Hart . . . 5H 75
Murford Wlk. BS13: Hart . . . 6H 75
MURHILL . . . 6A 124
Murray St. BS3: Bedm . . . 5J 61
Mus. of Bath at Work . . . 3B 100 (1F 7)
Mus. of Costume . . . 4B 100 (2F 7)
Mus. of East Asian Art . . . 4B 100 (2E 6)
Musgrove Cl. BS11: Law W . . . 5C 34
Myrtleberry Mead BS22: Wick L . . . 6E 84
Myrtle Dr. BS11: Shire . . . 3J 45
TA8: Bur S . . . 1C 158
Myrtle Gdns. BS49: Yat . . . 3J 87
Myrtle Hill BS20: Pill . . . 4G 45
Myrtle Rd. BS2: Bris . . . 1J 61 (1D 4)
Myrtles, The BS24: Hut . . . 3B 128
Myrtle St. BS3: Bedm . . . 5H 61
Mythern Mdw. BA15: Brad A . . . 7J 125

N

Nags Head Hill BS5: St G . . . 2J 63
NAILSEA . . . 7G 57
Nailsea & Backwell Station (Rail) . . . 3H 71
Nailsea Cl. BS13: B'wth . . . 3G 75
Nailsea Moor La. BS48: Nail . . . 3B 70
Nailsea Pk. BS48: Nail . . . 7H 57
Nailsea Pk. Cl. BS48: Nail . . . 6H 57
Nailsea Wall BS21: Clev . . . 2G 69
BS48: Nail . . . 2G 69
Nailsea Wall La. BS48: Nail . . . 3A 70
Nailsworth Av. BS37: Yate . . . 5E 30
NAILWELL . . . 6D 120
Naishcombe Hill BS30: Wick . . . 3C 66
Naishes Av. BA2: Pea J . . . 5D 142
Naish Hill BS20: Clap G . . . 7H 43
Naish Ho. BA2: Bath . . . 5G 99
Naish La. BS48: Bar G . . . 7G 73
Naish Rd. TA8: Bur S . . . 4C 156
Nanny Hurn's La.
BS39: Came, Clut . . . 3C 138
Napier Ct. BS1: Bris . . . 4H 61 (7A 4)
Napier Miles Rd. BS11: Law W . . . 7A 34
Napier Rd. BA1: W'ton . . . 7G 81
BS5: Eastv . . . 6D 48
BS6: Redl . . . 6H 47
BS11: A'mth . . . 6F 33
Napier Sq. BS11: A'mth . . . 6E 32
Napier St. BS5: Bar H . . . 3D 62
Narroways Rd. BS2: Bris . . . 5C 48
Narrow La. BS16: Soun . . . 5C 50
Narrow Lewins Mead BS1: Bris . . . 3E 4
Narrow Plain BS2: Bris . . . 3A 62 (4H 5)
Narrow Quay BS1: Bris . . . 4K 61 (6E 4)
Narrow Quay Ho. BS1: Bris . . . 5E 4
Naseby Wlk. BS5: S'wll . . . 7H 49
Nash Cl. BS31: Key . . . 5E 78
Nash Dr. BS7: L'lze . . . 1E 48
Nates La. BS40: Wrin . . . 3H 111
Naunton Way BS22: W Mare . . . 2K 105
Neads Dr. BS30: Old C . . . 4G 65
Neale La. BS11: A'mth . . . 6G 33
Neate Ct. BS34: Pat . . . 6E 26
Neath Rd. BS5: W'hall . . . 1F 63
Nelson Bldgs. BA1: Bath . . . 3C 100 (1H 7)
Nelson Ct. BS22: Wor . . . 7C 84
Nelson Ho. BA1: Bath . . . 4A 100 (3D 6)
BS16: Stap H . . . 3B 50
Nelson Pde. BS3: Bedm . . . 5K 61 (7F 5)
Nelson Pl. E. BA1: Bath . . . 3C 100 (1G 7)
Nelson Pl. W. BA1: Bath . . . 5A 100 (4D 6)
Nelson Rd. BS16: Stap H . . . 3B 50
(not continuous)
Nelson St. BS1: Bris . . . 2K 61 (3F 5)
BS3: Bedm . . . 7G 61
Nelson Vs. BA1: Bath . . . 5A 100 (4C 6)
Nempnett St. BS40: Nem T . . . 6G 113
NEMPNETT THRUBWELL . . . 7H 113
Neston Wlk. BS4: Know . . . 2B 76
NETHAM . . . 3F 63
Netham Gdns. BS5: Redf . . . 2F 63
Netham Ind. Pk. BS5: Redf . . . 2F 63
Netham Pk. Ind. Est. BS5: Redf . . . 3F 63
Netham Rd. BS5: Redf . . . 2F 63
Netherton Wood La. BS48: Nail . . . 4B 70
Netherways BS21: Clev . . . 1B 68
Nettlefrith La. TA8: Berr . . . 6D 144
Nettlestone Cl. BS10: Hen . . . 3E 34
Nevalan Dr. BS5: St G . . . 3J 63
Neva Rd. BS23: W Mare . . . 6G 105
Nevill Ct. BA2: New L . . . 6B 98
Neville Rd. BS15: K'wd . . . 6C 50
Nevil Rd. BS7: B'stn . . . 4A 48
Newark St. BA1: Bath . . . 6C 100 (6G 7)
Newbolt Cl. BS23: W Mare . . . 1J 127
New Bond St. BA1: Bath . . . 5B 100 (4F 7)
New Bond St. Pl. BA1: Bath . . . 4G 7
Newbourne Rd. BS22: W Mare . . . 5A 106
Newbrick Rd. BS34: Stok G . . . 2J 37
NEWBRIDGE . . . 3G 99
Newbridge Cl. BS4: St Ap . . . 3F 63
Newbridge Ct. BA1: Bath . . . 4H 99
Newbridge Drove TA9: E Hunt . . . 7H 159
Newbridge Gdns. BA1: Bath . . . 3G 99
Newbridge Hill BA1: Bath . . . 3G 99
Newbridge La. TA9: E Hunt . . . 7H 159
(not continuous)
Newbridge Rd. BA2: Bath . . . 3F 99
BS4: St Ap . . . 3F 63
Newbridge Trad. Est. BS4: St Ap . . . 4F 63
New Bristol Rd. BS22: Wor . . . 3C 106
New Brunswick Av. BS5: St G . . . 2K 63
NEW BUILDINGS . . . 6A 142
New Bldgs. BS16: Fish . . . 4H 49
Newbury Rd. BS7: Hor . . . 1C 48
New Charlotte St. BS3: Bedm . . . 5K 61 (7F 5)
NEW CHELTENHAM . . . 7C 50
New Cheltenham Rd. BS15: K'wd . . . 7B 50
New Church Rd. BS23: Uph . . . 3F 127
Newclose La. BS40: Comp M . . . 4D 136
Newcombe Dr. BS9: Stok B . . . 4C 46
Newcombe La. BS25: Wins . . . 6H 131
Newcombe Rd. BS9: W Trym . . . 1F 47
New Cut Bow BS21: King S . . . 5A 68
Newditch La. BS40: F'tn . . . 2G 91
Newdown La. BS4: Dun . . . 2H 93
New Ear La. BS24: Hew . . . 7J 85
New Engine Rank BS36: H'fld . . . 4H 39
Newent Av. BS15: K'wd . . . 2K 63
Newfields BS40: Blag . . . 4A 134
New Fosseway Rd. BS14: H'gro . . . 4D 76
Newfoundland Rd. BS2: Bris . . . 1B 62 (1J 5)
Newfoundland St. BS2: Bris . . . 1A 62 (1H 5)
Newfoundland Way BS2: Bris . . . 1B 62 (1J 5)
Newgate BS1: Bris . . . 2A 62 (3G 5)
Newhaven Pl. BS20: P'head . . . 4A 42
Newhaven Rd. BS20: P'head . . . 5A 42
Newhouse Farm Ind. Est.
NP16: Bulw . . . 1A 8
New John St. BS3: Bedm . . . 6J 61
New Kingsley Rd. BS2: Bris . . . 3B 62 (4J 5)
New Kings Ct. BS7: B'stn . . . 4J 47
New King St. BA1: Bath . . . 5B 100 (4D 6)
Newland Dr. BS13: Withy . . . 6G 75
Newland Rd. BS13: Withy . . . 6G 75
BS23: W Mare . . . 6H 105
Newlands Av. BS36: Coal H . . . 7G 29
Newlands Cl. BS20: P'head . . . 3E 42
Newlands Grn. BS21: Clev . . . 1E 68
Newlands Hgts. BS7: Bris . . . 6B 48
(off Hurlingham Rd.)
Newlands Hill BS20: P'head . . . 4E 42
Newlands Rd. BS31: Key . . . 6B 78
Newlands, The BS16: Fren . . . 1K 49
Newland Wlk. BS13: Withy . . . 7G 75
New La. BS35: Alv . . . 7A 12
BS40: Regil, Winf . . . 6H 91
NEWLEAZE . . . 5D 36
New Leaze BS32: Brad S . . . 3E 26
Newleaze Ho. BS34: Fil . . . 5D 36
Newlyn Av. BS9: Stok B . . . 3D 46
Newlyn Wlk. BS4: Know . . . 1D 76
Newlyn Way BS37: Yate . . . 4F 31
Newman Cl. BS37: W'lgh . . . 3B 40
Newmans La. BA2: Tim . . . 3F 141
TA9: E Hunt . . . 7K 159
Newmarket Av. BS1: Bris . . . 2K 61 (3F 5)
New Mkt. Row BA2: Bath . . . 4G 7
(off Grand Pde.)
Newnham Cl. BS14: Stoc . . . 3F 77
Newnham Pl. BS34: Pat . . . 5B 26
New Orchard St. BA1: Bath . . . 5C 100 (5G 7)
NEW PASSAGE . . . 4A 16
New Pit BS39: Paul . . . 7D 140
Newpit La. BS30: Bit . . . 6J 65
Newport Cl. BS20: P'head . . . 4B 42
BS21: Clev . . . 7C 54
Newport Rd. BS20: Pill . . . 3G 45
Newport St. BS3: Wind H . . . 6A 62
Newquay Rd. BS4: Know . . . 1B 76
New Queen St. BS3: Bedm . . . 5A 62
BS15: K'wd . . . 7K 49
New Rd. BA1: Bathf . . . 1B 102
BA2: F'frd . . . 7K 123
BA2: Tim . . . 3A 140
BA15: Brad A . . . 5H 125
BS20: Pill . . . 4G 45
BS25: C'hll . . . 2B 132
BS25: Row, Ship . . . 5A 132
BS29: Ban . . . 1J 129
BS34: Fil . . . 4B 36
(Fitton)
BS34: Fil, Stok G . . . 5E 36
(Harry Stoke)
BS35: Olv . . . 3C 18
BS37: Rang . . . 5A 22
(not continuous)
BS39: High L . . . 3A 140
BS39: Pens . . . 1F 117
BS40: Redh . . . 7D 90
GL12: Tyth . . . 7F 13
TA9: E Hunt, W Hunt . . . 7E 158
Newry Wlk. BS4: Know . . . 1A 76
Newsome Av. BS20: Pill . . . 4G 45
New Stadium Rd. BS5: Eastv . . . 6D 48
New Station Rd. BS16: Fish . . . 4J 49
New Station Way BS16: Fish . . . 4J 49
New St. BA1: Bath . . . 5B 100 (5F 7)
BS2: Bris . . . 2B 62 (2J 5)
New St. Flats BS2: Bris . . . 2B 62 (2J 5)
New Thomas St. BS2: Bris . . . 3B 62 (3J 5)
NEWTON . . . 4F 159
Newton Cl. BS15: K'wd . . . 7E 50
BS40: W Har . . . 7E 136
TA8: Bur S . . . 5C 156
Newton Dr. BS30: C Hth . . . 4E 64
Newton Grn. BS48: Nail . . . 2E 70
Newton Mill Camping & Cvn. Pk.
BA2: New L . . . 5F 99
Newton Rd. BA2: Bath . . . 6F 99
BS23: W Mare . . . 7G 105
BS30: C Hth . . . 4E 64
NEWTON ST LOE . . . 5C 98
Newtons Rd. BS22: Kew, Wor . . . 7C 84
(not continuous)
Newton St. BS5: E'tn . . . 1C 62 (1K 5)

Newtown—Old England Way

NEWTOWN
Bristol . . . 2C 62
Knowle Hill . . . 5K 115
Newtown BA15: Brad A . . . 6G 125
BS39: Paul . . . 1B 152
Newtown Rd. TA9: High . . . 5F 159
(not continuous)
New Tyning Ter. *BA1: Bath . . . 2D 100*
(off Fairfield Rd.)
New Vs. BA2: Bath . . . 7C 100
New Wlk. BS15: Han . . . 4K 63
New Walls BS4: Wind H . . . 5B 62
Niblett Cl. BS15: K'wd . . . 3D 64
Niblett's Hill BS5: St G . . . 3H 63
NIBLEY . . . 5A 30
Nibley La. BS37: Iron A . . . 3J 29
BS37: W'lgh, Yate . . . 5A 30
Nibley Rd. BS11: Shire . . . 3H 45
Nicholas La. BS5: St G . . . 3J 63
Nicholas Rd. BS5: E'tn . . . 7D 48
Nicholas St. BS3: Bedm . . . 5A 62
Nicholettes BS30: Old C . . . 4H 65
Nicholls Ct. BS36: Wint . . . 1C 38
Nicholls La. BS36: Wint . . . 7C 28
Nicholl's Pl. *BA1: Bath . . . 1F 7*
(off Lansdown Rd.)
Nichol's Rd. BS20: P'head . . . 2B 42
Nigel Pk. BS11: Shire . . . 1J 45
Nightingale Cl. BS4: St Ap . . . 3G 63
BS22: Wor . . . 3C 106
BS35: T'bry . . . 2B 12
BS36: Fram C . . . 1E 38
TA8: Bur S . . . 6D 156
Nightingale Ct. *BS22: Wor . . . 3C 106*
(off Nightingale Cl.)
Nightingale Gdns. BS48: Nail . . . 7E 56
Nightingale La. BS36: Wint . . . 6E 28
Nightingale Ri. BS20: P'head . . . 5B 42
Nightingale Valley BS4: St Ap . . . 4G 63
Nightingale Way BA3: Mid N . . . 6F 153
Nile St. BA1: Bath . . . 5A 100 (4D 6)
NINE ELMS . . . 4G 137
Nine Tree Hill BS1: Bris . . . 7A 48
Ninth Av. BS7: Hor . . . 6D 36
Nippors Way BS25: Wins . . . 5F 131
Nithsdale Rd. BS23: W Mare . . . 1G 127
Noble Av. BS30: Old C . . . 5G 65
Noel Coward Cl. TA8: Bur S . . . 2E 158
Nomis Pk. BS49: Cong . . . 2A 110
Nore Gdns. BS20: P'head . . . 2E 42
Nore Pk. Dr. BS20: P'head . . . 2B 42
Nore Rd. BS20: P'head . . . 4A 42
Norewood Gro. BS20: P'head . . . 3B 42
Norfolk Av. BS2: Bris . . . 1A 62 (1H 5)
BS6: Bris . . . 6A 48
Norfolk Bldgs. BA1: Bath . . . 5A 100 (4D 6)
Norfolk Cres. BA1: Bath . . . 5A 100 (4D 6)
Norfolk Gro. BS31: Key . . . 6A 78
Norfolk Pl. BS3: Bedm . . . 6J 61
Norfolk Rd. BS20: P'head . . . 4G 43
BS23: W Mare . . . 7H 105
Norland Rd. BS8: Clif . . . 1F 61
Norley Rd. BS7: Hor . . . 1B 48
Normanby Rd. BS5: E'tn . . . 7D 48
Norman Gro. BS15: K'wd . . . 6B 50
Norman Rd. BS2: Bris . . . 6C 48
BS30: Warm . . . 7F 51
BS31: Salt . . . 7H 79
Normans, The BA2: B'ptn . . . 2H 101
Normanton Rd. BS8: Clif . . . 6G 47
Norrisville Rd. BS6: Bris . . . 7A 48
Northam Farm Cvn. & Touring Pk.
TA8: Brean . . . 3C 144
Northampton Bldgs.
BA1: Bath . . . 3B 100 (1E 6)
Northampton St. BA1: Bath . . . 3B 100 (1E 6)
Northanger Ct. *BA2: Bath . . . 3H 7*
(off Grove St.)
North Av. TA9: High . . . 4E 158
Northavon Bus. Cen. BS37: Yate . . . 3C 30
Nth. Chew Ter. BS40: Chew M . . . 1H 115
NORTH COMMON . . . 3H 65
NORTH CORNER . . . 5D 28
Northcote Rd. BS5: St G . . . 1G 63
BS8: Clif . . . 7F 47
BS16: Down, Mang . . . 2D 50
Northcote St. BS5: E'tn . . . 7D 48
North Ct. BS32: Brad S . . . 3F 27
North Cft. BS30: Old C . . . 5H 65
Nth. Devon Rd. BS16: Fish . . . 3J 49
Nth. Down Cl. BS25: Ship . . . 5B 132
Nth. Down La. BS25: Ship . . . 5A 132
Northdown Rd. BA3: Clan . . . 1J 153
North Drove BS48: Nail . . . 1K 69
Nth. E. Rd. BS35: T'bry . . . 2A 12
NORTH END
Batheaston . . . 5H 83
Clutton . . . 7G 117
Wingston Seymour . . . 7F 69
Northend BA3: Mid N . . . 4F 153
North End BS49: Yat . . . 7F 69
Northend Av. BS15: K'wd . . . 6B 50
Northend Cotts. BA1: Bathe . . . 5H 83
Northend Gdns. BS15: K'wd . . . 6B 50
Northend Rd. BS15: K'wd . . . 6C 50
Nth. End Rd. BS49: Yat . . . 7F 69
Northern Path BS21: Clev . . . 6F 55
Northern Way BS21: Clev . . . 7E 54
NORTHFIELD . . . 4B 154
Northfield BA2: Tim . . . 2G 141
BA3: Rads . . . 3A 154
BA15: W'ley . . . 5D 124
BS37: Yate . . . 6D 30
Northfield Av. BS15: Han . . . 4B 64
Northfield Ho. BS3: Bedm . . . 5J 61
Northfield Rd. BS5: St G . . . 2K 63
BS20: P'head . . . 5A 42
Northfields BA1: Bath . . . 2B 100
Northfields Cl. BA1: Bath . . . 2B 100
Northgate St. BA1: Bath . . . 5C 100 (4G 7)
North Grn. St. BS8: Clif . . . 3F 61
North Gro. BS20: Pill . . . 4G 45
Nth. Hills Cl. BS24: W Mare . . . 3K 127
North La. BA2: Clav D . . . 6F 101
BS23: W Mare . . . 5G 105
(off Meadow St.)
BS48: Nail . . . 1D 70
TA8: Berr . . . 5B 144
Northleach Wlk. BS11: Shire . . . 3K 45
North Leaze BS41: L Ash . . . 7B 60
Northleigh BA15: Brad A . . . 3J 125
Northleigh Av. BS22: W Mare . . . 3A 106
Northmead Av. BA3: Mid N . . . 4D 152
Northmead Cl. BA3: Mid N . . . 4D 152
Northmead La. BS37: Iron A . . . 1H 29
Nth. Mdws. BA2: Pea J . . . 5E 142
Northmead Rd. BA3: Mid N . . . 4D 152
Northover Cl. BS9: W Trym . . . 6F 35
Northover Ct. BS35: Piln . . . 7E 16
Northover Rd. BS9: W Trym . . . 6F 35
North Pde. BA1: Bath . . . 5C 100 (5H 7)
BS37: Yate . . . 4E 30
North Pde. Bldgs. *BA1: Bath . . . 5G 7*
(off New Orchard St.)
North Pde. Pas. BA1: Bath . . . 5C 100 (5G 7)
North Pde. Rd. BA2: Bath . . . 5C 100 (5H 7)
North Pk. BS15: K'wd . . . 7C 50
North Quay BS1: Bris . . . 4H 5
North Rd. BA2: Bath, B'ptn . . . 4E 100 (2K 7)
BA2: C Down . . . 3D 122
BA2: Tim . . . 3F 141
BA3: Mid N . . . 5D 152
BS3: Ash G . . . 5G 61
BS6: Bris . . . 6K 47
BS8: L Wds . . . 2C 60
BS24: Lym . . . 4B 146
BS29: Ban . . . 2A 130
BS34: Stok G . . . 3G 37
BS35: T'bry . . . 2A 12
BS36: Wint . . . 7D 28
BS37: Yate . . . 7B 22
Nth. Side Rd. BS48: Back . . . 3C 90
NORTH STOKE . . . 3C 80
Nth. Stoke La. BS30: Upton C . . . 2A 80
North St. BS1: Bris . . . 1A 62 (1G 5)
BS3: Ash G, Bedm . . . 5G 61
BS16: Down . . . 3B 50
BS23: W Mare . . . 4F 105
BS30: Old C . . . 5G 65
BS48: Nail . . . 1D 70
GL12: Wickw . . . 6G 15
Northumberland Bldgs.
BA1: Bath . . . 4F 7
Northumberland Pl.
BA1: Bath . . . 5C 100 (4G 7)
Northumberland Rd. BS6: Redl . . . 6J 47
Northumbria Dr. BS9: Henl . . . 3H 47
North Vw. BA2: Pea J . . . 5C 142
BA3: Rads . . . 4B 154
BS6: Henl . . . 4G 47
BS16: Stap H . . . 4B 50
(Hayward Rd.)
BS16: Stap H . . . 3C 50
(South Vw.)
North Vw. Cl. BA2: Bath . . . 6H 99
North Vw. Dr. BS29: Ban . . . 3K 129
NORTHVILLE . . . 6C 36
Northville Rd. BS7: Fil . . . 6B 36
North Wlk. BS37: Yate . . . 4E 30
North Way BA2: Bath . . . 6G 99
BA3: Mid N . . . 5E 152
Northway BS34: Fil . . . 3D 36
NORTH WESTON . . . 5E 42
NORTHWICK
Pilning . . . 3D 16
NORTH WICK
East Dundry . . . 3J 93
Northwick Gdns. BS39: Bis S . . . 1J 137
Northwick Rd. BS7: Hor . . . 7B 36
BS35: N'wick, Piln . . . 3D 16
BS39: Nor H . . . 4K 93
BS41: N Wick . . . 4K 93
NORTH WIDCOMBE . . . 5H 137
Northwood Pk. BS36: Wint . . . 7K 27
Northwoods Wlk. BS10: Bren . . . 4K 35
Nth. Worle Shop. Cen. BS22: Wor . . . 2F 107
NORTON . . . 7A 84
Norton Cl. BS15: K'wd . . . 2D 64
BS40: Chew M . . . 1H 115
NORTON HAWKFIELD . . . 5A 94
NORTON HILL . . . 6F 153
Norton Ho. BS1: Bris . . . 7G 5
Norton La. BS14: Whit . . . 2E 94
BS22: Kew . . . 7A 84
BS39: Nor H, Nor M . . . 5A 94
BS40: Chew M . . . 1H 115
NORTON MALREWARD . . . 4C 94
Norton Rd. BS4: Know . . . 7C 62
NORTON'S WOOD . . . 4J 55
Nortons Wood La. BS21: Clev . . . 4F 55
Norville Cl. BS27: Ched . . . 7D 150
Norville La. BS27: Ched . . . 6D 150
Norwich Dr. BS4: St Ap . . . 3G 63
Norwood Av. BA2: Clav D . . . 7G 101
Notgrove Cl. BS22: W Mare . . . 2K 105
Nottingham Rd. BS7: B'stn . . . 5A 48
Nottingham St. BS3: Wind H . . . 6A 62
Notting Hill Way
BS26: L Wre, Weare . . . 6D 148
Nova Distribution Cen. BS11: A'mth . . . 6F 33
Nova Scotia Pl. BS1: Bris . . . 4G 61
Nova Way BS11: A'mth . . . 6F 33
Nover's Cres. BS4: Know . . . 2J 75
Nover's Hill BS3: Bedm . . . 1J 75
BS4: Know . . . 1J 75
Nover's Hill Trad. Est. BS3: Bedm . . . 1J 75
Nover's La. BS4: Know . . . 2J 75
Nover's Pk. Cl. BS4: Know . . . 1J 75
Nover's Pk. Dr. BS4: Know . . . 2J 75
Nover's Pk. Rd. BS4: Know . . . 2K 75
Nover's Rd. BS4: Know . . . 2J 75
Nowhere La. BS48: Nail . . . 1H 71
Nugent Hill BS6: Cot . . . 7K 47
No. 1 Royal Crescent . . . 4A 100 (2D 6)
Nunney Cl. BS31: Key . . . 1E 96
TA8: Bur S . . . 6E 156
Nupdale La. BS35: King . . . 4F 11
Nurseries, The GL12: Tyth . . . 7F 13
Nursery Gdns. BS10: Bren . . . 4G 35
Nursery, The BS3: Bedm . . . 6H 61
Nutfield Gro. BS34: Fil . . . 5D 36
Nutfield Ho. BS34: Fil . . . 6D 36
Nutgrove Av. BS3: Wind H . . . 6A 62
Nutgrove La. BS40: Chew M . . . 1G 115
Nuthatch Dr. BS16: B'hll . . . 2H 49
Nuthatch Gdns. BS16: B'hll . . . 2H 49
Nutwell Rd. BS22: Wor . . . 2C 106
Nutwell Sq. BS22: Wor . . . 2C 106
NYE . . . 4E 108
Nye Cl. BS27: Ched . . . 7E 150
Nye Drove BS24: Nye . . . 6C 108
BS29: Ban . . . 6C 108
Nye Rd. BS25: Sandf . . . 7F 109
Nympsfield BS15: K'wd . . . 6C 50

O

Oak Av. BA2: Bath . . . 1J 121
Oak Cl. BS34: Lit S . . . 7F 27
BS37: Yate . . . 2D 30
Oak Ct. BS14: Whit . . . 4C 76
Oakdale Av. BS16: Down . . . 7B 38
Oakdale Cl. BS16: Down . . . 7C 38
Oakdale Ct. BS16: Down . . . 7B 38
Oakdale Gdns. BS22: Wor . . . 2D 106
Oakdale Rd. BS14: H'gro . . . 2C 76
BS16: Down . . . 7C 38
Oakdene Av. BS5: Eastv . . . 5F 49
Oak Dr. BS20: P'head . . . 4D 42
Oakenhill Rd. BS4: Brisl . . . 7G 63
Oakenhill Wlk. BS4: Brisl . . . 7G 63
Oak Farm Touring Pk. BS49: Cong . . . 7H 87
Oakfield Bus. Pk. BS15: K'wd . . . 2B 64
Oakfield Cl. BA1: Bath . . . 3K 99 (1A 6)
Oakfield Gro. BS8: Clif . . . 1H 61 (1A 4)
Oakfield Pl. BS8: Clif . . . 1H 61 (1A 4)
Oakfield Rd. BS8: Clif . . . 1G 61 (1A 4)
BS15: K'wd . . . 2B 64
BS31: Key . . . 7D 78
Oakford Av. BS23: W Mare . . . 4H 105
Oakford La. BA1: Bathe . . . 4J 83
SN14: Ash . . . 3J 83
Oak Gro. BS20: E'tn G . . . 4G 45
Oakhanger Dr. BS11: Law W . . . 6A 34
Oakhill BS24: W Mare . . . 3J 127
Oakhill Av. BS30: Bit . . . 7G 65
Oakhill Cl. BS48: Nail . . . 1K 71
Oakhill La. BS10: H'len . . . 3C 34
Oakhill Rd. BA2: C Down . . . 2B 122
Oak Ho. BS13: Hart . . . 6K 75
Oakhurst Rd. BS9: W Trym . . . 3F 47
Oakland Bus. Pk. BS37: Yate . . . 3A 30
Oakland Dr. BS24: Hut . . . 2C 128
Oakland Rd. BS5: St G . . . 1G 63
BS6: Redl . . . 7H 47
Oaklands BS21: Clev . . . 5C 54
BS27: Ched . . . 6C 150
BS39: Paul . . . 2C 152
Oaklands Cl. BS16: Mang . . . 3F 51
Oaklands Dr. BS16: B'hll . . . 1J 49
BS30: Old C . . . 7G 65
BS32: Alm . . . 2C 26
Oaklands Rd. BS16: Mang . . . 3E 50
Oak La. BS5: S'wll . . . 6H 49
Oakleaze BS36: Coal H . . . 7H 29
Oakleaze Rd. BS35: T'bry . . . 3A 12
Oakleigh Av. BS5: W'hall . . . 1F 63
Oakleigh Cl. BS48: Back . . . 5K 71
Oakleigh Gdns. BS30: Old C . . . 7G 65
Oakley BA2: Clav D . . . 6G 101
BS21: Clev . . . 2B 68
Oakley Rd. BS7: Hor . . . 1B 48
Oak Lodge *BS16: Fish . . . 2A 50*
(off Partridge Dr.)
Oakmeade Pk. BS4: Know . . . 7D 62
Oakridge Cl. BS15: K'wd . . . 2E 64
BS25: Wins . . . 6H 131
Oakridge La. BS25: Wins . . . 6H 131
Oak Rd. BS7: Hor . . . 3A 48
BS25: Wins . . . 4G 131
Oaksey Gro. BS48: Nail . . . 7J 57
Oaks, The BS7: B'stn . . . 4A 48
BS40: Winf . . . 4K 91
BS48: Nail . . . 7J 57
Oak St. BA2: Bath . . . 6B 100 (6E 6)
Oak Ter. BA3: Rads . . . 5H 153
Oak Tree Av. BS16: Puck . . . 3B 52
Oaktree Cl. BS15: Han . . . 6A 64
Oaktree Ct. BS11: Shire . . . 1J 45
Oaktree Cres. BS32: Brad S . . . 4D 26
Oaktree Gdns. BS13: Withy . . . 5E 74
Oaktree Pk. (Cvn. Site) BS24: Lock . . . 1C 128
Oak Tree Pl. TA8: Bur S . . . 4C 156
Oak Tree Wlk. BS31: Key . . . 6B 78
Oakwood Av. BS9: Henl . . . 2H 47
Oakwood Gdns. BA2: Clav D . . . 6F 101
BS36: Coal H . . . 7J 29
Oakwood Pk. BS16: Fish . . . 5J 49
Oakwood Rd. BS9: Henl . . . 2H 47
Oatfield BS48: Back . . . 2D 90
Oatlands Av. BS14: Whit . . . 4C 76
Oatley Ho. BS9: W Trym . . . 3G 47
Oberon Av. BS5: S'wll . . . 6G 49
Octagon . . . 4B 100 (3F 7)
ODD DOWN . . . 3K 121
Odeon Cinema . . . 2K 61 (3F 5)
(Bristol)
Odeon Cinema . . . 5G 105
(Weston-super-Mare)
Odins Rd. BA2: Odd D . . . 3K 121
Okebourne Cl. BS10: Bren . . . 3H 35
Okebourne Rd. BS10: Bren . . . 4H 35
Oldacre Rd. BS14: Whit . . . 7C 76
Old Ashley Hill BS6: Bris . . . 6B 48
Old Aust Rd. BS32: Alm . . . 7E 18
Old Banwell Rd. BS24: Lock . . . 1F 129
Oldbarn La. BS40: Comp M . . . 4D 136
Old Barn La. BS40: Redh . . . 6E 90
Old Barrow Hill BS11: Shire . . . 1H 45
Old Batch, The BA15: Brad A . . . 4F 125
Old Bond St. BA1: Bath . . . 5B 100 (4F 7)
Old Bread St. BS2: Bris . . . 3B 62 (4J 5)
Oldbridge Rd. BS14: Whit . . . 7E 76
Old Bristol Rd. BS22: Wor . . . 2E 106
BS31: Key . . . 3A 78
Old Burnham Rd. TA9: High . . . 4F 159
Oldbury Chase BS30: Will . . . 7E 64
Oldbury Ct. Dr. BS16: Fish . . . 2K 49
Oldbury Ct. Rd. BS16: Fish . . . 3J 49
Oldbury La. BS30: Wick . . . 4D 66
Old Chelsea La. BS8: Fail . . . 5G 59
Old Church Rd. BS21: Clev . . . 7A 54
BS23: Uph . . . 3F 127
BS26: Axb . . . 5H 149
BS48: Nail . . . 2F 71
Old Cider Mill Est. GL12: Wickw . . . 5H 15
Old Coach Cl. NP16: B'ly . . . 2C 8
Old Coach Rd. BS26: Cross, L Wre . . . 6D 148
NP16: B'ly . . . 1C 8
Old Cote Dr. TA8: Bur S . . . 3C 156
Old Cottage Row BS48: Nail . . . 6J 57
Old Ct. BA15: Brad A . . . 6J 125
OLD DOWN . . . 2E 18
Old Down Hill BS32: Old D, Toc . . . 3D 18
Old England Way BA2: Pea J . . . 5D 142

Parklands Rd.—Pinkhams Twist

Parklands Rd. BS3: Bwr A . . . 5E 60
Parkland Way BS35: T'bry . . . 1K 11
Park La. BA1: Bath . . . 3K 99 (1B 6)
BA3: Hem. . . . 5H 155
BS2: Bris . . . 2J 61 (2D 4)
BS36: Fram C, Wint . . . 3E 38
BS40: Blag . . . 1C 134
Park Leaze BS34: Pat . . . 5A 26
Park Mans. BA1: Bath . . . 3A 100
Park Pl. BA1: Bath . . . 3A 100 (1D 6)
BA2: C Down . . . 3D 122
BS5: Eastv . . . 5G 49
BS8: Clif . . . 2H 61 (2A 4)
(Meridian Pl.)
BS8: Clif . . . 2J 61 (2D 4)
(Park La.)
BS23: W Mare . . . 4F 105
Park Rd. BA1: Bath . . . 4H 99
BS3: Bris . . . 4H 61 (7B 4)
BS7: Fil . . . 6C 36
BS11: Shire . . . 2J 45
BS15: K'wd . . . 7B 50
BS16: Down . . . 3C 50
BS16: Stap . . . 3F 49
BS21: Clev . . . 5D 54
BS30: C Hth . . . 4F 65
BS31: Key . . . 5C 78
BS35: T'bry . . . 2J 11
BS39: Paul . . . 1B 152
BS49: Cong . . . 1A 110
GL12: Ley . . . 1B 14
Park Row BS1: Bris . . . 2J 61 (3C 4)
BS36: Fram C . . . 6E 28
Parkside Av. BS36: Wint . . . 1B 38
Parkside Gdns. BS5: Eastv . . . 4D 48
Parkstone Av. BS7: Hor . . . 2B 48
Park St. BA1: Bath . . . 3A 100 (1D 6)
BS1: Bris . . . 2J 61 (3C 4)
BS4: Wind H . . . 5C 62
(not continuous)
BS5: St G . . . 1H 63
BS37: Iron A . . . 2H 29
Park St. Av. BS1: Bris . . . 2J 61 (3C 4)
Park St. M. BA1: Bath . . . 3A 100 (1D 6)
Park, The BS15: K'wd . . . 1B 64
BS16: Fren . . . 6K 37
BS20: P'head . . . 3H 43
BS30: Will . . . 1F 79
BS31: Key . . . 4C 78
BS32: Brad S . . . 3E 26
BS49: Yat . . . 2H 87
Park Vw. BA2: Bath . . . 5K 99 (4B 6)
BS15: K'wd . . . 2C 64
Park Vw. Av. BS35: T'bry . . . 2A 12
Park Vw. Ter. BS5: St G . . . 1G 63
Park Vs. BS23: W Mare . . . 4F 105
Parkwall Cres. BS30: Bar C . . . 5D 64
Parkwall Rd. BS30: C Hth . . . 5D 64
PARKWAY . . . 4G 37
Park Way BA3: Mid N . . . 6E 152
Parkway BA2: Cam . . . 3J 141
BS2: Bris . . . 7C 48
BS5: Eastv . . . 5E 48
BS16: Fren, Ham . . . 7J 37
BS22: Wor . . . 3F 107
BS30: C Hth . . . 4F 65
Parkway La. BA2: Cam . . . 1H 141
Parkway Trad. Est. BS2: Bris . . . 6B 48
Parkwood Cl. BS14: Whit . . . 6B 76
Parliament St. BS4: Wind H . . . 5C 62
Parnall Cres. BS37: Yate . . . 3C 30
Parnall Rd. BS16: Fish . . . 5J 49
Parnall Rd. Ind. Est. BS16: Fish . . . 5J 49
Parnell Rd. BS16: Stap . . . 1G 49
BS21: Clev . . . 6D 54
Parnell Way TA8: Bur S . . . 7D 156
Parry Cl. BA2: Bath . . . 7H 99
Parry's Cl. BS9: Stok B . . . 3E 46
Parrys Gro. BS9: Stok B . . . 3E 46
Parrys La. BS9: Stok B, W Trym . . . 3E 46
Parslows Barton BS5: St G . . . 2J 63
Parsonage Cl. BS40: Winf . . . 5K 91
Parsonage La. BA1: Bath . . . 5B 100 (4F 7)
BS26: Axb . . . 4A 150
BS39: Pens, Pub . . . 6F 95
BS40: Winf . . . 6J 91
Parsonage Rd. BS4: L Ash . . . 7C 60
TA8: Berr . . . 2B 156
Parsonage Wlk. BS30: B'yte . . . 2H 65
Parsons Av. BS34: Stok G . . . 2H 37
Parsons Grn. BS21: Clev . . . 2C 68
Parson's Grn. BS22: Wor . . . 1E 106
Parsons Mead BS48: Flax B . . . 3D 72
Parsons Paddock BS14: H'gro . . . 3C 76
Parsons Pen BS27: Ched . . . 7D 150
Parsons Rd. TA9: High . . . 4E 158
Parson St. BS3: Bedm . . . 7H 61
Parson Street Station (Rail) . . . 7H 61
Parsons Way BS25: Wins . . . 6D 130
Partis College . . . 3G 99
Partis Way BA1: Bath . . . 3G 99
Partition St. BS1: Bris . . . 3J 61 (5C 4)
Partridge Cl. BS22: Wor . . . 3D 106
BS37: Yate . . . 2F 31
Partridge Dr. BS16: Fish . . . 2A 50
Partridge Rd. BS16: Puck . . . 4C 52
Passage Leaze BS11: Shire . . . 2H 45
Passage Rd. BS9: W Trym . . . 6G 35
BS10: Hen . . . 2G 35
(Cribbs C'way.)
BS10: Hen . . . 4F 35
(Wyck Beck Rd.)
BS10: W Trym . . . 6G 35
BS35: Aust . . . 7E 8
Passage St. BS2: Bris . . . 3A 62 (4H 5)
Patch Ct. BS16: Emer G . . . 7E 38
Patch Cft. BS21: Clev . . . 2C 68
Patch Elm La. BS37: Rang . . . 6J 21
Patch La. BS37: Rang . . . 5A 22
PATCHWAY . . . 6C 26
Patchway Sports Cen. . . . 5C 26
Patchway Station (Rail) . . . 1E 36
Patchway Trad. Est. BS34: Pat . . . 6A 26
(Britannia Rd.)
BS34: Pat . . . 7K 25
(Olympus Rd.)
Patterson Ho. BS1: Bris . . . 7G 5
Paulman Gdns. BS4: L Ash . . . 2K 73
Paulmont Ri. BS39: Tem C . . . 4F 139
Paul's C'way. BS49: Cong . . . 7K 87
Paul St. BS2: Bris . . . 1J 61 (1D 4)
PAULTON . . . 7C 140
Paulton Dr. BS7: B'stn . . . 4J 47
Paulton Hill BS39: Paul . . . 7D 140
Paulton La. BA3: Rads . . . 6H 141
Paulton Rd. BA3: Mid N . . . 5D 152
BS39: Far G . . . 3A 152
Paulton Swimming Pool . . . 1C 152
Paultow Av. BS3: Wind H . . . 6A 62
Paultow Rd. BS3: Wind H . . . 6A 62
Paulwood Rd. BS39: Tem C . . . 4G 139
Pavey Cl. BS13: Hart . . . 6J 75
Pavey Rd. BS13: Hart . . . 6J 75
Pavilion Rd. NP16: B'ly . . . 2C 8
Pavilions, The BS4: Brisl . . . 1E 76
Pavilion, The . . . 5J 7
Pawlett BS24: W Mare . . . 3J 127
Pawlett Rd. BS13: Hart . . . 7H 75
Pawlett Wlk. BS13: Hart . . . 7J 75
Paxton BS16: Stap . . . 7G 37
Paybridge Rd. BS13: Withy . . . 6F 75
Payne Dr. BS5: E'tn . . . 2D 62
Payne Rd. BS24: Hut . . . 3B 128
Paynes Orchard Cvn. Pk. BS10: Bren . . . 3K 35
Peache Ct. BS16: Down . . . 2C 50
Peache Rd. BS16: Down . . . 2C 50
Peacocks La. BS15: K'wd . . . 1A 64
Pearce Dr. TA9: High . . . 4F 159
Pearces Hill BS16: Fren . . . 1K 49
Pearl St. BS3: Bedm . . . 6H 61
Pearsall Rd. BS30: L Grn . . . 7C 64
Pearse Cl. BS22: Wor . . . 6F 85
Peart Cl. BS13: Withy . . . 5E 74
Peart Dr. BS13: Withy . . . 6E 74
Peartree Cl. BS13: Hart . . . 6H 75
Pear Tree Est. BS40: L'frd . . . 1E 132
Peartree Fld. BS20: P'head . . . 3H 43
Peartree Gdns. BS24: B'don . . . 6K 127
Pear Tree Hey BS37: Yate . . . 1E 30
Pear Tree La. BS5: St G . . . 3K 63
Peartree La. BS15: Soun . . . 6D 50
Pear Tree Rd. BS32: Brad S . . . 4E 26
PEASEDOWN ST JOHN . . . 6C 142
Peasedown St John By-Pass
BA2: Pea J . . . 7B 142
Peats Hill BS39: Pub . . . 6G 95
Pedder Rd. BS21: Clev . . . 1D 68
Peel St. BS5: E'tn . . . 1B 62
Pegasus Pk. BS34: Lit S . . . 1D 36
Pegasus Rd. BS34: Pat . . . 7K 25
Peg Hill BS37: Yate . . . 2F 31
Peg La. BS16: Puck . . . 1A 52
Pelican Cl. BS22: Wor . . . 4D 106
Pemberton Ct. BS16: Fish . . . 3K 49
Pembery Rd. BS3: Bedm . . . 6H 61
Pembroke Av. BS11: Shire . . . 2J 45
Pembroke Cl. TA8: Bur S . . . 6D 156
Pembroke Ct. BA1: W'ton . . . 2J 99
BS21: Clev . . . 5C 54
Pembroke Gro. BS8: Clif . . . 2G 61 (2A 4)
Pembroke Pl. BS8: Clif . . . 4G 61
Pembroke Rd. BS3: Bris . . . 5J 61
BS8: Clif . . . 7G 47 (1A 4)
BS11: Shire . . . 2J 45
BS16: K'wd . . . 5C 50
BS20: P'head . . . 5A 42
BS23: W Mare . . . 7H 105
Pembroke St. BS2: Bris . . . 1A 62 (1H 5)
Pembroke Va. BS8: Clif . . . 1G 61
Penard Way BS15: K'wd . . . 2D 64
Penarth Dr. BS24: W Mare . . . 4J 127
Pendennis Av. BS16: Stap H . . . 3B 50
Pendennis Ho. BS16: Stap H . . . 3B 50
Pendennis Pk. BS4: Brisl . . . 7F 63
Pendennis Rd. BS16: Stap H . . . 3B 50
Pendlesham Gdns. BS23: W Mare . . . 3J 105
Pendock Cl. BS30: Bit . . . 1G 79
Pendock Ct. BS16: Emer G . . . 1F 51
Pendock Rd. BS16: Fish . . . 2K 49
BS36: Wint . . . 2C 38
Penfield Ct. BS2: Bris . . . 6C 48
Penfield Rd. BS2: Bris . . . 6C 48
Penlea Ct. BS11: Shire . . . 1H 45
Penmoor Pl. TA8: Berr . . . 2B 156
Penmoor Rd. TA8: Berr . . . 2B 156
Pennard BS24: W Mare . . . 3J 127
Pennard Ct. BS14: Whit . . . 5D 76
Pennard Grn. BA2: Bath . . . 5G 99
Penn Cl. BS27: Ched . . . 7E 150
Penn Dr. BS16: Fren . . . 6A 38
Penn Gdns. BA1: Bath . . . 3G 99
Penngrove BS30: L Grn . . . 6E 64
Penn Hill Rd. BA1: Bath, W'ton . . . 3G 99
Pennine Gdns. BS23: W Mare . . . 3J 105
Pennine Rd. BS30: Old C . . . 5G 65
Pennlea BS13: B'wth . . . 3J 75
Penn Lea Ct. BA1: Bath . . . 3H 99
Penn Lea Rd. BA1: Bath . . . 2G 99
Penn Rd. BS27: Ched . . . 7E 150
Penns, The BS21: Clev . . . 7E 54
Penn St. BS1: Bris . . . 2A 62 (2H 5)
Penn Way BS26: Axb . . . 5J 149
Pennycress BS22: W Mare . . . 5B 106
Pennyquick BA2: New L . . . 4C 98
Pennyquick Vw. BA2: Bath . . . 5F 99
Pennyroyal Gro. BS16: Stap . . . 3G 49
Pennywell Ct. BS5: E'tn . . . 1K 5
Pennywell Rd. BS5: E'tn . . . 1B 62 (1K 5)
Pen Pk. Rd. BS10: S'mead . . . 4J 35
Penpole Av. BS11: Shire . . . 2J 45
Penpole Cl. BS11: Shire . . . 1H 45
Penpole La. BS11: Shire . . . 1H 45
Penpole Pk. BS11: Shire . . . 1J 45
Penpole Pl. BS11: Shire . . . 2J 45
Penrice Cl. BS22: W Mare . . . 2A 106
Penrith Gdns. BS10: S'mead . . . 6K 35
(not continuous)
Penrose BS14: H'gro . . . 3B 76
Penrose Dr. BS32: Brad S . . . 7F 27
Pensfield Pk. BS10: Bren . . . 3K 35
PENSFORD . . . 7F 95
Pensford Ct. BS14: Stoc . . . 5F 77
Pensford Hill BS39: Pens . . . 6F 95
Pensford La. BS39: Stan D . . . 2C 116
Pensford Old Rd. BS39: Pens . . . 1G 117
Pentagon, The BS9: Sea M . . . 2B 46
Penthouse Hill BA1: Bathe . . . 7H 83
Pentire Av. BS13: B'wth . . . 4G 75
Pentland Av. BS35: T'bry . . . 4C 12
Pepperall Rd. TA9: High . . . 4F 159
Peppershells La. BS39: Comp D . . . 5A 96
Pepys Cl. BS31: Salt . . . 1H 97
Pera Pl. BA1: Bath . . . 3C 100
Pera Rd. BA1: Bath . . . 3C 100 (1G 7)
Percival Rd. BS8: Clif . . . 1F 61
Percy Pl. BA1: Bath . . . 2D 100
Percy St. BS3: Bedm . . . 5K 61
Percy Walker Ct. BS16: Down . . . 2A 50
Peregrine Cl. BS22: Wor . . . 3D 106
Perfect Vw. BA1: Bath . . . 2C 100
Pero's Bri. *BS1: Bris* . . . *5E 4*
(off Narrow Quay)
Perrett Ho. *BS2: Bris* . . . *2J 5*
(off Redcross St.)
Perretts Ct. BS1: Bris . . . 4J 61 (7D 4)
Perrett Way BS20: Pill . . . 4J 45
Perrin Cl. BS39: Tem C . . . 5G 139
Perrings, The BS48: Nail . . . 1G 71
Perrinpit Rd. BS36: Fram C, Wint . . . 2B 28
Perrott Rd. BS15: K'wd . . . 7E 50
Perry Cl. BS36: Wint . . . 2B 38
Perrycroft Av. BS13: B'wth . . . 4G 75
Perrycroft Rd. BS13: B'wth . . . 4G 75
Perrymans Cl. BS16: Fish . . . 2J 49
PERRYMEAD . . . 1D 122
Perrymead BA2: Bath . . . 7D 100
BS22: Wor . . . 6F 85
Perrymead Pl. BA2: Bath . . . 7D 100
Perry Rd. BS1: Bris . . . 2J 61 (3D 4)
Perrys Lea BS32: Brad S . . . 4F 27
Perry St. BS5: E'tn . . . 1C 62
Pesley Cl. BS13: Withy . . . 6G 75
Petercole Dr. BS13: B'wth . . . 4G 75
Peterside BS39: Tem C . . . 6G 139
Peterson Sq. BS13: Hart . . . 7J 75
Peter's Ter. BS5: Bar H . . . 2D 62
Petersway Gdns. BS5: St G . . . 3J 63
Petherbridge Way BS7: Hor . . . 3C 48
Petherton Cl. BS15: K'wd . . . 2C 64
Petherton Gdns. BS14: H'gro . . . 3D 76
Petherton Rd. BS14: H'gro . . . 2D 76
Petticoat La. BS1: Bris . . . 3A 62 (4H 5)
Pettigrove Gdns. BS15: K'wd . . . 2C 64
Pettigrove Rd. BS15: K'wd . . . 3C 64
Pevensey Wlk. BS4: Know . . . 3K 75
Peverell Cl. BS10: Hen . . . 4F 35
Peverell Dr. BS10: Hen . . . 4F 35
Philadelphia Ct. BS1: Bris . . . 2A 62 (2H 5)
Philfare La. BS25: Row . . . 4B 132
Philippa Cl. BS14: H'gro . . . 3C 76
Philips Ho. *BS2: Bris* . . . *1A 62*
(off Dove St. Sth.)
Philips Rd. BS23: W Mare . . . 6J 105
Philip St. BS2: Bris . . . 4D 62
BS3: Bedm . . . 5K 61
Phillis Hill BA3: Mid N . . . 2D 152
BS39: Paul . . . 2D 152
Phippen St. BS1: Bris . . . 4A 62 (6G 5)
Phipps Barton BS15: K'wd . . . 1K 63
Phipps St. BS3: Bris . . . 5H 61 (7A 4)
Phoenix Bus. Pk. BS3: Bedm . . . 7G 61
Phoenix Gro. BS6: Henl . . . 3J 47
Phoenix Ho. BA1: Bath . . . 1E 6
BS1: Bris . . . 4K 61 (6F 5)
BS5: Bar H . . . 3D 62
Phoenix St. BS5: Bar H . . . 3D 62
Phoenix Ter. TA8: Bur S . . . 2D 158
Piccadilly Pl. BA1: Bath . . . 2D 100
Pickwick Rd. BA1: Bath . . . 1C 100
Picton La. BS6: Bris . . . 7A 48
Picton M. BS6: Bris . . . 7A 48
Picton St. BS6: Bris . . . 7A 48
Pierrepont Pl. BA1: Bath . . . 5C 100 (5G 7)
Pierrepont St. BA1: Bath . . . 5C 100 (5G 7)
Pier Rd. BS20: P'head . . . 1F 43
Pier St. TA8: Bur S . . . 2C 158
Pigeon Ho. Dr. BS13: Hart . . . 6K 75
Pigeon La. BS40: Redh . . . 3B 112
Pigott Av. BS13: Withy . . . 6G 75
PILE MARSH . . . 2F 63
Pile Marsh BS5: St G . . . 2F 63
Pilgrims Way BS11: Shire . . . 1G 45
BS16: Down . . . 7B 38
BS22: Wor . . . 2C 106
BS40: Chew S . . . 4D 114
Pilgrims Wharf BS4: St Ap . . . 2G 63
Pilkington Cl. BS34: Fil . . . 5E 36
PILL . . . 4G 45
Pillingers Gdns. BS6: Redl . . . 6H 47
Pillingers Rd. BS15: K'wd . . . 2A 64
Pillmore La. TA9: High, W'fld . . . 3J 159
(not continuous)
Pill Rd. BS8: Abb L . . . 6J 45
BS20: Abb L, Pill . . . 5H 45
Pill St. BS20: Pill . . . 4G 45
Pill Way BS21: Clev . . . 7B 54
PILNING . . . 6C 16
Pilning Station (Rail) . . . 1F 25
Pilning St. BS32: Toc . . . 5H 17
BS35: Piln . . . 7F 17
Pimm's La. BS22: W Mare . . . 1K 105
(not continuous)
Pimpernel Mead BS32: Brad S . . . 7G 27
PINCKNEY GREEN . . . 6C 102
Pincots La. GL12: Wickw . . . 2G 23
Pine Cl. BS22: Wor . . . 2B 106
BS35: T'bry . . . 3A 12
Pine Ct. BA3: Rads . . . 4A 154
BS31: Key . . . 6A 78
BS40: Chew M . . . 1H 115
Pinecroft BS14: H'gro . . . 3B 76
BS20: P'head . . . 2B 42
Pine Gro. BS7: Fil . . . 6C 36
Pine Gro. Pl. BS7: B'stn . . . 5K 47
Pine Hill BS22: Wor . . . 2B 106
Pine Lea BS24: B'don . . . 6K 127
Pine Ridge Cl. BS9: Stok B . . . 4C 46
Pine Rd. BS10: Bren . . . 4H 35
Pines La. BS32: Old D . . . 2F 19
Pines Rd. BS30: Bit . . . 1G 79
Pines, The BS9: Stok B . . . 5D 46
Pines Way BA2: Bath . . . 5A 100 (5C 6)
BA3: Rads . . . 4A 154
Pines Way Ind. Est. BA2: Bath . . . 5D 6
Pinetree Rd. BS24: Lock . . . 1H 129
Pine Wlk. BA3: Rads . . . 5J 153
Pinewood BS15: K'wd . . . 7D 50
Pinewood Av. BA3: Mid N . . . 5D 152
Pinewood Cl. BS9: W Trym . . . 1H 47
Pinewood Gro. BA3: Mid N . . . 5D 152
Pinewood Rd. BA3: Mid N . . . 5D 152
Pinewood Way TA8: Brean . . . 3B 144
Pinghay La. BS40: Regil, Winf . . . 6A 92
Pinhay Rd. BS13: B'wth . . . 4H 75
Pinkers Mead BS16: Emer G . . . 2G 51
Pinkhams Twist BS14: Whit . . . 5C 76

Quadrant—Rickford La.

Quadrant BS32: Brad S . . . 3D 26
Quadrant E. BS16: Fish . . . 5A 50
Quadrant, The BS6: Redl . . . 5H 47
BS32: Alm . . . 3C 26
Quadrant W. BS16: Fish . . . 5A 50
Quaker Ct. BS35: T'bry . . . 3K 11
Quaker La. BS35: T'bry . . . 3K 11
Quakers Cl. BS16: Down . . . 7B 38
Quakers' Friars BS1: Bris . . . 2A 62 (2G 5)
Quakers Rd. BS16: Down . . . 6B 38
Quantock Cl. BS30: Old C . . . 4G 65
TA8: Bur S . . . 1D 158
Quantock Ct. TA8: Bur S . . . 3C 158
Quantock Rd. BS3: Wind H . . . 6K 61
BS20: P'head . . . 3D 42
BS23: W Mare . . . 1F 127
Quantocks BA2: C Down . . . 3C 122
Quarries, The BS32: Alm . . . 1D 26
Quarrington Rd. BS7: Hor . . . 3A 48
Quarry Barton BS16: Ham . . . 3A 38
Quarry Cl. BA2: C Down . . . 3B 122
BA2: Lim S . . . 6B 124
Quarry Hay BS40: Chew S . . . 4D 114
Quarry La. BS11: Law W . . . 6C 34
BS36: Wint D . . . 3C 38
Quarrymans Ct. BA2: C Down . . . 3D 122
Quarry Mead BS35: Alv . . . 7H 11
Quarry Rd. BA2: Clav D . . . 6F 101
BS8: Clif . . . 6G 47
BS15: K'wd . . . 3B 64
BS16: Fren . . . 1K 49
BS20: P'head . . . 4E 42
BS25: Sandf . . . 3G 131
BS35: Alv . . . 7H 11
BS37: Chip S . . . 5G 31
Quarry Rock Gdns. Cvn. Pk.
BA2: Clav D . . . 7G 101
Quarry Steps BS8: Clif . . . 6G 47
Quarry Va. BA2: C Down . . . 3D 122
Quarry Way BS16: Emer G . . . 6E 38
BS16: Stap . . . 3G 49
BS48: Nail . . . 7F 57
Quarter Mile Alley BS15: K'wd . . . 7B 50
Quays Av. BS20: P'head . . . 3G 43
Quayside BS1: Bris . . . 3A 62 (4H 5)
BS5: St G . . . 3H 63
BS8: Clif . . . 3H 61 (5A 4)
Quayside Wlk. BS1: Bris . . . 5F 5
(off Redcliff Backs)
Quays, The BS1: Bris . . . 4J 61 (7D 4)
Quay St. BS1: Bris . . . 2K 61 (3E 4)
Quebec BA2: Bath . . . 5G 99
Quedgeley BS37: Yate . . . 6C 30
Queen Ann Rd. BS5: Bar H . . . 3D 62
Queen Charlotte St.
BS1: Bris . . . 3K 61 (4F 5)
QUEEN CHARLTON . . . 7J 77
Queen Charlton La.
BS14: Whit . . . 7F 77
BS31: Q Char . . . 1J 95
Queen Quay BS1: Bris . . . 3K 61 (5F 5)
Queen's Av. BS8: Clif . . . 2H 61 (2B 4)
Queens Av. BS20: P'head . . . 3E 42
Queenscote BS20: P'head . . . 3H 43
Queen's Ct. BS8: Clif . . . 2H 61 (2A 4)
Queensdale Cres. BS4: Know . . . 1C 76
Queensdown Gdns. BS4: Brisl . . . 6E 62
Queen's Dr. BA2: C Down . . . 2C 122
BS7: B'stn . . . 4J 47
Queens Dr. BS15: Han . . . 5K 63
Queens Ga. BS9: Stok B . . . 3D 46
Queenshill Rd. BS4: Know . . . 1C 76
Queensholm Av. BS16: Down . . . 6C 38
Queensholm Cl. BS16: Down . . . 6C 38
Queensholm Cres. BS16: Down . . . 6B 38
Queensholm Dr. BS16: Down . . . 6C 38
Queens Pde. BA1: Bath . . . 4B 100 (3E 6)
Queen's Pde. BS1: Bris . . . 3H 61 (5B 4)
Queens Pde. Pl. BA1: Bath . . . 4B 100 (3F 7)
Queens Pl. BA2: Bath . . . 6D 100 (6J 7)
Queen Sq. BA1: Bath . . . 4B 100 (3E 6)
BS1: Bris . . . 4K 61 (5E 4)
BS31: Salt . . . 7K 79
Queen Sq. Av. BS1: Bris . . . 3K 61 (5F 5)
Queen Sq. Pl. BA1: Bath . . . 4B 100 (3E 6)
Queens Rd. BA3: Rads . . . 4B 154
BS4: Know . . . 1E 76
BS5: St G . . . 1H 63
BS7: B'stn . . . 4B 48
BS8: Clif . . . 2G 61 (3A 4)
BS13: B'wth, Withy . . . 7F 75
BS16: Puck . . . 3B 52
BS20: P'head . . . 4A 42
BS21: Clev . . . 6D 54
BS23: W Mare . . . 3F 105
BS29: Ban . . . 2A 130
BS30: C Hth . . . 5E 64
BS31: Key . . . 6B 78
BS48: Nail . . . 1E 70
Queens Sq. TA9: High . . . 4E 158
Queen St. BA1: Bath . . . 5B 100 (4F 7)
BS2: Bris . . . 2A 62 (3H 5)
BS5: Eastv . . . 5F 49
BS11: A'mth . . . 6E 32
BS15: K'wd . . . 2K 63
Queens Wlk. BS35: T'bry . . . 1K 11
Queen's Way BS20: P'head . . . 4A 42
BS22: Kew, Wor . . . 7C 84
(not continuous)
Queensway BS34: Lit S . . . 1E 36
Queen Victoria Rd. BS6: Henl . . . 4G 47
Queen Victoria St. BS2: Bris . . . 3C 62
Queenwood Av. BA1: Bath . . . 2C 100
Quickthorn Cl. BS14: Whit . . . 4C 76
Quiet St. BA1: Bath . . . 5B 100 (4F 7)
Quilter Gro. BS4: Know . . . 3K 75

R

Raby M. BA2: Bath . . . 4D 100 (3J 7)
Raby Pl. BA2: Bath . . . 4D 100 (3J 7)
Raby Vs. BA2: Bath . . . 4D 100 (3K 7)
Rackfield Pl. BA2: Bath . . . 5H 99
Rackham Cl. BS7: L'lze . . . 2D 48
Rackhay BS1: Bris . . . 3K 61 (4F 5)
RACKLEY . . . 4A 148
Rackley La. BS26: Comp B . . . 4A 148
Rackvernal Ct. BA3: Mid N . . . 5F 153
Rackvernal Rd. BA3: Mid N . . . 5F 153
Racurium Lodge BS26: Axb . . . 4G 149
RADFORD . . . 5G 141
Radford Hill BA2: Tim . . . 5G 141
BA3: Rads . . . 6G 141
Radley Rd. BS16: Fish . . . 4K 49
Radnor Bus. Cen. BS7: Hor . . . 3A 48
Radnor Rd. BS7: Hor . . . 3K 47
BS9: Henl . . . 3H 47
RADSTOCK . . . 4K 153
Radstock Mus. . . . 4K 153
Radstock Rd. BA3: Mid N . . . 4F 153
Raeburn Rd. BS5: St G . . . 2K 63
R.A.F. LOCKING . . . 7F 107
Rag Hill BA2: Shos . . . 1D 154
Raglan Cl. BA1: Bath . . . 1C 100
(off Raglan La.)
Rag La. GL12: Wickw . . . 6D 14
Raglan La. BA1: Bath . . . 1C 100
BS5: St G . . . 2J 63
BS40: Winf . . . 4J 91
Raglan Pl. BS7: B'stn . . . 5K 47
BS23: W Mare . . . 4E 104
BS35: T'bry . . . 4K 11
Raglan Rd. BS7: B'stn . . . 5K 47
Raglan St. BA1: Bath . . . 1C 100
Raglan Ter. BA1: Bath . . . 1C 100
Raglan Vs. BA1: Bath . . . 2C 100
Raglan Wlk. BS31: Key . . . 6B 78
Railton Jones Cl. BS34: Stok G . . . 4G 37
Railway La. BA2: Wel . . . 4K 143
Railway Pl. BA1: Bath . . . 6C 100 (6H 7)
Railway Rd. BA1: Bath . . . 6C 100 (6G 7)
Railway St. BA1: Bath . . . 6C 100 (6G 7)
Railway Ter. BS16: Fish . . . 4A 50
Railway Vw. Pl. BA3: Mid N . . . 4F 153
Railway Wlk. BS25: Wins . . . 4F 131
Rainbow Ct. BS37: Yate . . . 3B 30
Rainham Ct. BS23: W Mare . . . 3E 104
Rains Batch BS40: C'hse . . . 7B 134
Raja Rammohun Roy Wlk.
BS16: Stap . . . 4E 48
Raleigh Cl. BS31: Salt . . . 1G 97
Raleigh Ri. BS20: P'head . . . 2D 42
Raleigh Rd. BS3: Ash G, Bris . . . 6G 61 (7B 4)
Ralph Allen Dr. BA2: Bath, C Down . . . 7D 100
Ralph Rd. BS7: B'stn . . . 4B 48
RAM HILL . . . 2H 39
Ram Hill BS36: Coal H . . . 2G 39
Ram Hill Bus. Pk. BS36: Coal H . . . 2H 39
Ram Hill Rd. BS36: H'fld . . . 3H 39
Ramsay Cl. BS22: Wor . . . 7C 84
Ramsay Way TA8: Bur S . . . 1E 158
Ramscombe La. BA1: Bathe . . . 4G 83
Ramsey Rd. BS7: Hor . . . 1B 48
Ranchway BS20: P'head . . . 4B 42
Randall Cl. BS15: Soun . . . 6D 50
Randall Rd. BS8: Clif . . . 3G 61 (5A 4)
Randolph Av. BS13: Hart . . . 5H 75
BS37: Yate . . . 1D 30
Randolph Cl. BS13: Hart . . . 5H 75
Rangers Wlk. BS15: Han . . . 5A 64
RANGEWORTHY . . . 4K 21
Rankers La. BS39: Comp D . . . 6A 96
Rannoch Rd. BS7: Fil . . . 5B 36
Ranscombe Av. BS22: Wor . . . 2B 106
Ransford BS21: Clev . . . 1B 68
Raphael Ct. BS1: Bris . . . 4A 62 (7H 5)
Ratcliffe Dr. BS34: Stok G . . . 2G 37
Rathbone Cl. BS36: Coal H . . . 2G 39
Rattigan Cl. TA8: Bur S . . . 2E 158
Raven Cl. BS22: W Mare . . . 3C 106
Ravendale Dr. BS30: L Grn . . . 6F 65
Ravenglass Cres. BS10: S'mead . . . 5J 35
Ravenhead Dr. BS14: H'gro . . . 2D 76
Ravenhill Av. BS3: Know . . . 7B 62
Ravenhill Rd. BS3: Wind H . . . 6B 62
Ravenscourt Rd. BS34: Pat . . . 7D 26
Ravenswood BS30: L Grn . . . 6E 64
Ravenswood Rd. BS6: Cot . . . 7J 47
Ravensworth Ter. TA8: Bur S . . . 1D 158
Rawlins Av. BS22: Wor . . . 6E 84
Rawnsley Ho. BS5: E'tn . . . 7C 48
Rayens Cl. BS4: L Ash . . . 1K 73
Rayens Cross Rd. BS4: L Ash . . . 1K 73
Rayleigh Rd. BS9: W Trym . . . 1D 46
Raymend Rd. BS3: Wind H . . . 6A 62
Raymend Wlk. BS3: Wind H . . . 7A 62
Raymill BS4: Brisl . . . 7J 63
Raymore Ri. BS4: L Ash . . . 2K 73
Raynes Rd. BS3: Ash G . . . 6G 61
Reading Ct. BS15: K'wd . . . 1K 63
Rector's Cl. TA8: Brean . . . 3B 144
Rectors Way BS23: W Mare . . . 6H 105
Rectory Cl. BA2: F'boro . . . 6E 118
BS37: Yate . . . 3F 31
BS48: Wrax . . . 7J 57
Rectory Dr. BS49: Yat . . . 4J 87
TA8: Bur S . . . 7D 156
Rectory Gdns. BS10: Hen . . . 5E 34
Rectory La. BA2: Tim . . . 3F 141
BS24: B'don . . . 7A 128
BS34: Fil . . . 4C 36
BS40: Comp M . . . 7B 136
GL12: Crom . . . 3A 14
Rectory Lawn TA8: Bur S . . . 7D 156
Rectory Pl. TA8: Bur S . . . 7E 156
Rectory Rd. BS20: E'tn G . . . 5F 45
BS36: Fram C . . . 6E 28
TA8: Bur S . . . 7D 156
Rectory Way BS24: Lym . . . 3G 145
BS49: Yat . . . 4J 87
Redacre BS40: Redh . . . 1B 112
Redcar Ct. BS16: Down . . . 6D 38
Redcatch Rd. BS3: Know . . . 6B 62
BS4: Know . . . 6B 62
Redcliff Backs BS1: Bris . . . 3A 62 (5G 5)
REDCLIFFE BAY . . . 4A 42
Redcliffe Cl. BS20: P'head . . . 5A 42
Redcliffe Pde. E. BS1: Bris . . . 4K 61 (6F 5)
Redcliffe Pde. W. BS1: Bris . . . 4K 61 (6F 5)
Redcliffe St. BS27: Ched . . . 7E 150
Redcliffe Way BS1: Bris . . . 4K 61 (6F 5)
Redcliff Hill BS1: Bris . . . 4A 62 (7G 5)
Redcliff Mead La. BS1: Bris . . . 4A 62 (6H 5)
Redcliff Quay BS1: Bris . . . 3K 61 (5G 5)
Redcliff St. BS1: Bris . . . 3A 62 (4G 5)
Redcroft BS40: Redh . . . 1B 112
Redcross Ct. BS2: Bris . . . 3J 5
Redcross La. BS2: Bris . . . 2J 5
Redcross M. BS2: Bris . . . 2B 62 (3J 5)
Redcross St. BS2: Bris . . . 2B 62 (3J 5)
Redding Pit La. BS40: Winf . . . 6J 91
Redding Rd. BS5: Eastv . . . 6D 48
Reddings, The BS15: Soun . . . 6D 50
BS40: Comp M . . . 6B 136
REDFIELD . . . 1F 63
Redfield Gro. BA3: Mid N . . . 5E 152
Redfield Hill BS30: Bit, Old C . . . 5H 65
Redfield Leisure Cen. . . . 2E 62
(off Church Rd.)
Redfield Rd. BA3: Mid N . . . 6D 152
BS34: Pat . . . 7D 26
Redford Cres. BS13: Withy . . . 7E 74
Redford La. BS30: Doy, Puck . . . 4C 52
Redford Wlk. BS13: Withy . . . 7F 75
Redgrave Theatre . . . 1F 61
Redham La. BS35: Piln . . . 5E 16
REDHILL . . . 1B 112
Red Hill BA2: Cam . . . 5J 141
BS40: Redh . . . 3A 112
Redhill Cl. BS16: Fish . . . 5G 49
Redhill Dr. BS16: Fish . . . 5G 49
Redhill Farm Bus. Pk. BS35: Elb . . . 6B 10
Redhill La. BS35: Elb . . . 7K 9
Red Ho. La. BS9: W Trym . . . 2E 46
BS32: Alm . . . 2D 26
REDLAND . . . 6H 47
Redland Av. BS20: E'tn G . . . 2D 44
Redland Ct. Rd. BS6: Redl . . . 5J 47
Redland Grn. Rd. BS6: Redl . . . 6H 47
Redland Gro. BS6: Cot, Redl . . . 6J 47
Redland Hill BS6: Redl . . . 6G 47
Redland Pk. BA2: Bath . . . 5F 99
(not continuous)
BS6: Redl . . . 6H 47
Redland Rd. BS6: Cot, Redl . . . 5G 47
Redlands La. BS39: Stow . . . 7A 116
Redland Station (Rail) . . . 6J 47
Redlands Ter. BA3: Mid N . . . 6D 152
Redland Ter. BS6: Redl . . . 6H 47
Red Lodge . . . 2J 61 (3D 4)
Redlynch La. BS31: Key . . . 1K 95
RED POST . . . 6B 142
Red Post Ct. BA2: Pea J . . . 6B 142
Red Rd. TA8: Berr . . . 2B 156
Redshard La. BS40: L'frd . . . 5D 110
Redshelf Wlk. BS10: Bren . . . 4J 35
REDWICK . . . 5B 16
Redwick Cl. BS11: Law W . . . 5C 34
Redwick Gdns. BS35: Piln . . . 6C 16
Redwick Rd. BS35: Piln, Redw . . . 4A 16
Redwing Dr. BS22: Wor . . . 3D 106
Redwing Gdns. BS16: B'hll . . . 2G 49
Redwood Cl. BA3: Rads . . . 6J 153
BS30: L Grn . . . 6E 64
BS48: Nail . . . 7J 57
Redwood Ho. BS13: Hart . . . 7K 75
Redwood La. BS48: Bar G, L Ash . . . 3G 73
(not continuous)
Redwoods, The BS31: Key . . . 4B 78
Reed Cl. BS10: Hor . . . 2K 47
Reed Ct. BS30: L Grn . . . 6D 64
Reedley Rd. BS9: Stok B, W Trym . . . 3E 46
Reedling Cl. BS16: B'hll . . . 2G 49
Rees Way BS26: Bidd . . . 7J 147
Regency Cl. TA8: Bur S . . . 5C 156
Regency Dr. BS4: Brisl . . . 7J 63
Regent Rd. BS3: Bedm . . . 5K 61
Regents Cl. BS35: T'bry . . . 1K 11
Regents Fld. BA2: Bath . . . 3F 101
Regents Pl. BA15: Brad A . . . 6H 125
Regent St. BS8: Clif . . . 3G 61
BS15: K'wd . . . 1B 64
BS23: W Mare . . . 5F 105
TA8: Bur S . . . 1C 158
REGIL . . . 2K 113
Regil La. BS40: Winf . . . 5A 92
Regil Rd. BS40: Regil . . . 1K 113
Regina, The BA1: Bath . . . 2F 7
Remenham Dr. BS9: Henl . . . 3H 47
Remenham Pk. BS9: Henl . . . 3H 47
Rendcomb Cl. BS22: W Mare . . . 2K 105
Rene Rd. BS5: E'tn . . . 7D 48
Repton Hall BS10: Bren . . . 5H 35
Repton Rd. BS4: Brisl . . . 6E 62
Retreat Cvn. Pk., The TA8: Bur S . . . 5C 156
Reynold's Cl. BS31: Key . . . 5E 78
Reynolds Wlk. BS7: Hor . . . 1C 48
Rhode Cl. BS31: Key . . . 7E 78
Rhododendron Wlk. BS10: Hen . . . 6E 34
Rhodyate BS40: Blag . . . 4B 134
Rhodyate Hill BS49: C've, Cong . . . 5A 88
Rhodyate La. BS49: C've . . . 4B 88
Rhodyate, The BS29: Ban . . . 3C 130
Rhyne Ter. BS23: Uph . . . 3F 127
Rhyne Vw. BS48: Nail . . . 1D 70
Ribblesdale BS35: T'bry . . . 4A 12
Richards Cl. BS22: Wor . . . 7F 85
Richardson Pl. BA2: C Down . . . 3E 122
Richeson Cl. BS10: Hen . . . 5F 35
Richeson Wlk. BS10: Hen . . . 5F 35
Richmond Av. BS6: Bris . . . 6B 48
BS34: Stok G . . . 2G 37
Richmond Cl. BA1: Bath . . . 2B 100
BS20: P'head . . . 3G 43
BS31: Key . . . 6B 78
Richmond Ct. BS8: Clif . . . 6G 47
(off Richmond Dale)
BS34: Pat . . . 5B 26
Richmond Dale BS8: Clif . . . 6G 47
Richmond Grn. BS48: Nail . . . 1H 71
Richmond Hgts. BA1: Bath . . . 1B 100
Richmond Hill BA1: Bath . . . 2B 100
BS8: Clif . . . 2H 61 (2A 4)
Richmond Hill Av. BS8: Clif . . . 2H 61 (3A 4)
Richmond La. BA1: Bath . . . 2B 100
BS8: Clif . . . 2G 61 (3A 4)
Richmond M. BS8: Clif . . . 2G 61
Richmond Pk. Rd. BS8: Clif . . . 2G 61 (3A 4)
Richmond Pl. BA1: Bath . . . 2B 100
Richmond Rd. BA1: Bath . . . 1B 100
BS5: St G . . . 1G 63
BS6: Bris . . . 7A 48
BS16: Mang . . . 3E 50
Richmond St. BS3: Wind H . . . 5B 62
BS23: W Mare . . . 5F 105
Richmond Ter. BA1: Bath . . . 2C 100
(off Rivers Rd.)
BS8: Clif . . . 2G 61 (3A 4)
BS11: A'mth . . . 6E 32
Richmond Vs. BS11: A'mth . . . 6E 32
Richmont Castle . . . 7J 137
Ricketts La. BS22: Wor . . . 2E 106
Rickfield BA15: Brad A . . . 6F 125
RICKFORD . . . 2J 133
Rickford La. BS40: Burr . . . 2H 133

Rush Cl. BS32: Brad S 4F **27**
Rushen La. BS35: L Sev. 3K **9**
Rushey La. BA15: B Lgh, L Wrax . . . 7K **103**
Rushgrove Gdns. BS39: Bis S 1H **137**
RUSH HILL 2J **121**
Rush Hill BA2: Bath 2H **121**
Rushmoor BS21: Clev. 1A **68**
Rushmoor Gro. BS48: Back 5J **71**
Rushmoor La. BS48: Back 5J **71**
Rushton Dr. BS36: Coal H 7H **29**
Rushway BS40: Burr 1H **133**
Rushy BS30: C Hth 5E **64**
Rushy Way BS16: Emer G. 6E **38**
Ruskin Gro. BS7: Hor. 7C **36**
Ruskin Rd. BA3: Rads 5G **153**
Russell Av. BS15: K'wd 2C **64**
Russell Cl. BS40: Winf. 5A **92**
Russell Gro. BS6: Henl 3J **47**
Russell Rd. BS6: Henl 4H **47**
   BS16: Fish 6K **49**
   BS21: Clev 6C **54**
   BS24: Lock 6F **107**
Russell St. BA1: Bath 4B **100** (2F **7**)
RUSSELL TOWN 2D **62**
Russell Town Av. BS5: E'tn 1D **62**
Russell Town Av. Ind. Cen. BS5: Redf. . . 2E **62**
   (off Russell Town Av.)
Russet Cl. BS35: Olv 2C **18**
Russets, The BS20: P'head 4H **43**
Russett Cl. BS48: Back. 4K **71**
Russett Gro. BS48: Nail 2E **70**
Russet Way BA2: Pea J 6D **142**
Russ La. BS21: Kenn 5E **68**
Russ St. BS2: Bris 3B **62** (4K **5**)
Rustic Pk. Cvn. Site BS35: Sev B . . . 7A **16**
Rutherford Cl. BS30: L Grn 6E **64**
Ruthven Rd. BS4: Know. 2A **76**
Rutland Av. BS30: Will 7E **64**
Rutland Cl. BS22: W Mare 4A **106**
Rutland Rd. BS7: B'stn. 5A **48**
Rydal Av. BS24: Lock. 1D **128**
Rydal Rd. BS23: W Mare 1H **127**
Ryde Rd. BS4: Know 7D **62**
Rye Cl. BS13: B'wth 4E **74**
Ryecroft Av. BS22: Wor 2C **106**
Ryecroft Ri. BS4: L Ash 1B **74**
Ryecroft Rd. BS36: Fram C 6G **29**
Ryedown La. BS30: Bit 1G **79**
Ryland Pl. BS2: Bris. 6C **48**
Rylestone Cl. BS36: Fram C 6D **28**
Rylestone Gro. BS9: W Trym 3F **47**
Rysdale Rd. BS9: W Trym 2F **47**

S

Sabrina Way BS9: Stok B 4C **46**
Saco Ho. BS1: Bris 3A **62** (5H **5**)
Sadbury Cl. BS22: Wor. 7F **85**
Sadlier Cl. BS11: Law W 7K **33**
Saffron Cl. BS5: W'hall 1E **62**
Saffron Ct. BA1: Bath 3C **100**
Saffrons, The BS22: Wor 7F **85**
Saffron St. BS5: W'hall 1E **62**
Sage Cl. BS20: P'head 4A **42**
Sages Mead BS32: Brad S 6F **27**
St Agnes Av. BS4: Know. 7B **62**
St Agnes Cl. BS48: Nail 1J **71**
St Agnes Gdns. BS4: Know 7B **62**
St Agnes Wlk. BS4: Know 7B **62**
St Aidans Cl. BS5: St G 3K **63**
St Aidans Rd. BS5: St G. 3J **63**
St Albans Rd. BS6: Henl 4H **47**
St Aldams Dr. BS16: Puck 3B **52**
St Aldhelm Rd. BA15: Brad A 7J **125**
St Aldwyn's Cl. BS7: Hor 7B **36**
ST ANDREWS 5A **48**
St Andrews BS30: Warm. 3F **65**
   BS37: Yate 6E **30**
St Andrews Cl. BS22: Wor 1D **106**
St Andrew's Cl. BS48: Nail 1J **71**
   BS49: Cong 7J **87**
St Andrews Dr. BS21: Clev. 7A **54**
St Andrews Ga. Rdbt. BS11: A'mth . . . 5F **33**
St Andrews Ho. BS11: A'mth 6E **32**
St Andrew's Pde. BS22: W Mare . . . 1H **127**
St Andrew's Rd. BS6: Bris 5A **48**
   BS11: A'mth 5F **33**
St Andrews Rd. BS27: Ched 7E **150**
St Andrew's Rd. BS48: Back 5K **71**
   TA8: Bur S 1D **158**
St Andrew's Road Station (Rail) 4F **33**
St Andrews Ter. BA1: Bath 4B **100** (3F **7**)
St Andrew's Wlk. BS8: Clif . . . 3G **61** (4A **4**)
ST ANNE'S 4F **63**
St Annes Av. BS31: Key 4B **78**
St Annes Cl. BS5: St G 3H **63**
   BS30: C Hth 5F **65**

St Anne's Ct. BS4: St Ap. 4F **63**
   BS31: Key 4B **78**
St Annes Dr. BS30: Old C 7G **65**
St Anne's Dr. BS30: Wick 2B **66**
   BS36: Coal H 2G **39**
ST ANNE'S PARK 4G **63**
St Annes Pk. Rd. BS4: St Ap 4G **63**
St Anne's Rd. BS4: St Ap 3F **63**
   BS5: St G 3K **63**
St Anne's Ter. BS4: St Ap. 4G **63**
St Ann's Dr. TA8: Bur S. 6C **156**
St Ann's Pl. BA1: Bath 4E **6**
St Ann's Way BA2: Bath 5D **100** (4K **7**)
St Anthony's Cl. BS3: Mid N 4E **152**
St Anthony's Dr. BS30: Wick 2B **66**
St Aubin's Av. BS4: Brisl 6H **63**
St Aubyn's Av. BS23: Uph 3F **127**
St Augustine's Cl. BS20: P'head 4A **42**
St Augustine's Pde. BS1: Bris . . 3K **61** (4E **4**)
St Augustine's Pl. BS1: Bris. 4E **4**
St Austell Cl. BS48: Nail 2J **71**
St Austell Rd. BS22: W Mare 4K **105**
St Barnabas Cl. BA3: Mid N 3F **153**
   BS4: Know. 1B **76**
   BS30: Warm 2G **65**
St Bartholomew's Rd. BS7: Bris 5B **48**
St Bede's Rd. BS15: K'wd 6A **50**
St Bernards Rd. BS11: Shire 2J **45**
St Blaise's Chapel (site of) 6D **34**
St Brelades Gro. BS4: St Ap 4G **63**
St Brendans Rdbt. BS11: A'mth 6G **33**
St Brendans Trad. Est. BS11: A'mth . . . 5F **33**
St Brendans Way BS11: A'mth 6F **33**
St Briavels Dr. BS37: Yate 6D **30**
St Cadoc Ho. BS31: Key 5D **78**
ST CATHERINE 1H **83**
St Catherine's Cl. BA2: Bath . . . 5E **100** (4K **7**)
St Catherine's Ct. BS3: Bedm 6K **61**
St Catherine's Ind. Est. BS3: Bedm . . . 5K **61**
   (off Whitehouse La.)
St Catherine's Mead BS20: Pill 5H **45**
St Catherine's Pl. BS3: Bedm 5K **61**
St Catherine's Ter. BS3: Bedm 6K **61**
   (off Church La.)
St Chad's Av. BA3: Mid N 5E **152**
St Chad's Grn. BA3: Mid N 5E **152**
St Charles Cl. BA3: Mid N 4E **152**
St Christopher's Cl. BA2: Bath 4E **100**
St Christophers Ct. BS21: Clev. 4C **54**
St Christopher's Way TA8: Bur S . . . 5C **156**
St Clements Ct. BS16: Soun 5B **50**
   BS21: Clev 5C **54**
   BS22: Wor 2E **106**
St Clement's Ct. BS31: Key 6C **78**
St Clement's Rd. BS31: Key 5C **78**
   (not continuous)
St David's Av. BS30: C Hth 4E **64**
St David's Cl. BS22: W Mare 2K **105**
St David's Cres. BS4: St Ap 3H **63**
St Davids M. BS1: Bris. 5C **4**
St David's Rd. BS35: T'bry 3A **12**
St Dunstans Cl. BS31: Key 4C **78**
St Dunstan's Rd. BS3: Bedm 7J **61**
St Edward's Rd. BS8: Clif 3H **61** (5A **4**)
St Edyth's Rd. BS9: Sea M 2B **46**
St Fagans Cl. BS30: Will. 7F **65**
St Francis Dr. BS30: Wick 2B **66**
   BS36: Wint. 1D **38**
St Francis Rd. BS3: Ash G 5G **61**
   BS31: Key 4A **78**
St Gabriel's Bus. Pk. BS5: E'tn 1D **62**
St Gabriel's Rd. BS5: E'tn 1D **62**
ST GEORGE 1J **63**
ST GEORGES 2H **107**
St Georges Av. BS5: St G 3H **63**
St Georges Bldgs. BA1: Bath 3C **6**
St Georges Hgts. BS5: Redf 2F **63**
St Georges Hill BA2: B'ptn 3F **101**
   BS20: E'tn G. 5E **44**
St Georges Ho. BS5: St G 1G **63**
   BS8: Clif. 5B **4**
   (off St George's La.)
St Georges Ind. Est. BS11: A'mth. . . . 4F **33**
St Georges Pl. BA1: Bath 3C **6**
   (off Up. Bristol Rd.)
St George's Rd. BS1: Bris 3H **61** (5B **4**)
   BS20: P'bry 1C **44**
St Georges Rd. BS31: Key 4B **78**
St Gregory's Rd. BS7: Hor 7B **36**
St Gregory's Wlk. BS7: Hor 7B **36**
St Helena Rd. BS6: Henl 4H **47**
St Helens Dr. BS30: Old C 7G **65**
   BS30: Wick 2C **66**
St Helen's Wlk. BS5: St G 7J **49**
St Helier Av. BS4: Brisl 5H **63**
St Hilary Cl. BS9: Stok B 3D **46**
St Ivel Way BS30: Warm 3G **65**
St Ives Cl. BS48: Nail 1J **71**

St Ives Rd. BS23: W Mare 1J **127**
St James' Barton BS1: Bris. . . . 1A **62** (1G **5**)
St James Cl. BS35: T'bry 1A **12**
St James Ct. BS1: Bris 2F **5**
   BS32: Brad S 3E **26**
St James' Pde. BS1: Bris. 2K **61** (2F **5**)
St James's Pde. BA1: Bath 5B **100** (5F **7**)
St James's Pk. BA1: Bath 3B **100** (1E **6**)
St James's Pl. BA1: Bath 3B **100** (1E **6**)
St James's Sq. BA1: Bath 3A **100** (1D **6**)
St James St. BS16: Mang. 3E **50**
   BS23: W Mare 5F **105**
St John's Av. BS21: Clev 6D **54**
St John's Bldgs. BS3: Bedm. 5K **61**
St John's Cl. BA2: Pea J 6B **142**
   BS23: W Mare 3F **105**
St Johns Ct. BA2: Bath 4C **100** (2G **7**)
   BS16: Fish 5J **49**
   BS26: Axb 4H **149**
St John's Ct. BS31: Key 4C **78**
St John's Cres. BA3: Mid N 4E **152**
   BS3: Wind H 7A **62**
St John's La. BS3: Bedm, Wind H . . . 6J **61**
St John's Pl. BA1: Bath 5B **100** (4F **7**)
St John's Rd. BA1: Bath. 4J **99** (3A **6**)
   BA2: Bath 4C **100** (3G **7**)
St Johns Rd. BA2: Tim 4F **141**
St John's Rd. BS3: Bedm 5K **61** (7E **4**)
   (Lombard St.)
   BS3: Bedm 6J **61**
   (St John's St.)
   BS8: Clif 7G **47**
   BS21: Clev 6D **54**
   BS48: Back. 5K **71**
   TA8: Bur S 1D **158**
St John's Steep BS1: Bris 3F **5**
   (off All Saints St.)
St John's St. BS3: Bedm. 6J **61**
St John St. BS35: T'bry 3K **11**
St John's Way BS37: Chip S 4H **31**
St Joseph's Rd. BS10: Bren 4H **35**
   BS23: W Mare 3G **105**
St Judes Ter. BS22: W Mare. 3A **106**
St Julian's Rd. BA2: Shos 2E **154**
St Julien's Cl. BS39: Paul 2C **152**
St Katherine's Quay BA15: Brad A . . . 7H **125**
St Keyna Ct. BS31: Key 5D **78**
St Keyna Rd. BS31: Key. 5C **78**
St Kilda's Rd. BA2: Bath 6K **99** (7A **6**)
St Ladoc Rd. BS31: Key 4B **78**
St Laud Cl. BS9: Stok B 3D **46**
St Laurence Rd. BA15: Brad A 7J **125**
St Leonard's Rd. BS5: E'tn 6E **48**
   BS7: Hor 2A **48**
St Loe Cl. BS14: Whit. 7B **76**
St Lucia Cl. BS7: Hor 1A **48**
St Lucia Cres. BS7: Hor 1A **48**
St Lukes Cl. BS16: Emer G 1G **51**
St Luke's Cl. TA8: Bur S 1D **158**
St Lukes' Ct. BS3: Bedm 5A **62** (7H **5**)
St Luke's Cres. BS3: Wind H 5B **62**
St Lukes Gdns. BS4: Brisl 7G **63**
St Lukes Ho. BS16: Emer G 1G **51**
St Luke's Rd. BA2: Bath 1B **122**
St Lukes Rd. BA3: Mid N 4D **152**
St Luke's Rd.
   BS3: Bris, Wind H 5A **62** (7H **5**)
St Luke's Steps BS3: Wind H 5A **62**
St Luke St. BS5: Bar H 2D **62**
St Margaret's Cl. BS31: Key. 4B **78**
   BS48: Back. 5J **71**
St Margaret's Ct. BA15: Brad A 6H **125**
St Margaret's Dr. BS9: Henl 3J **47**
St Margaret's Hill BA15: Brad A 6H **125**
St Margarets La. BS48: Back 5J **71**
St Margaret's Pl. BA15: Brad A 6H **125**
St Margaret's Steps BA15: Brad A . . . 6H **125**
   (off St Margaret's Hill)
St Margaret's St. BA15: Brad A 6H **125**
St Margaret's Ter. BS23: W Mare. . . . 4F **105**
St Margaret's Vs. BA15: Brad A 6H **125**
St Mark's Av. BS5: E'tn 6E **48**
St Marks Cl. BS31: Key 4C **78**
St Marks Gdns. BA2: Bath 6C **100** (7G **7**)
St Mark's Grn. BA2: Tim 3F **141**
St Mark's Gro. BS5: E'tn 7D **48**
St Mark's Rd. BA2: Bath 6C **100** (7G **7**)
   BA3: Mid N 4E **152**
   BS5: E'tn 7D **48**
   BS22: Wor 7D **84**
   TA8: Bur S 1D **158**
St Mark's Ter. BS5: E'tn 7D **48**
St Martins BS4: L Ash 1A **74**
St Martin's Cl. BS4: Know. 7D **62**
St Martin's Ct. BA2: Odd D 3A **122**
St Martins Ct. BS22: Wor 1C **106**

St Martin's Gdns. BS4: Know. 1D **76**
St Martin's Rd. BS4: Know. 7D **62**
St Martin's Wlk. BS4: Know. 1D **76**
St Mary's Bldgs. BA2: Bath . . . 6B **100** (6E **6**)
St Mary's Cl. BA2: Bath. 5D **100** (4K **7**)
   BA2: Tim 3F **141**
   BS24: Hut. 3B **128**
   BS30: C Hth 3F **65**
St Mary's Cl. BS24: W Mare 3J **127**
St Mary's Gro. BS48: Nail. 3E **70**
St Mary's Pk. BS48: Nail. 2E **70**
St Mary's Pk. Rd. BS20: P'head 4E **42**
St Marys Redcliffe Church 6G **5**
St Marys Ri. BA3: Writ 4C **154**
St Mary's Rd. BS8: L Wds 3D **60**
   BS11: Shire 1G **45**
   BS20: P'head 4E **42**
   BS24: Hut. 3B **128**
   TA8: Bur S 1D **158**
St Mary's Rd. BS26: Axb 4J **149**
St Mary St. BS35: T'bry 3K **11**
St Mary's Wlk. BS11: Shire 2H **45**
St Marys Way BS35: T'bry 3K **11**
St Mary's Way BS37: Yate 4F **31**
St Matthews Av. BS6: Bris 7K **47**
St Matthew's Cl. BS23: W Mare 3F **105**
St Matthews Pl. BA2: Bath 6D **100** (6J **7**)
St Matthew's Rd. BS6: Bris . . . 1K **61** (1E **4**)
St Matthias Ho. BS2: Bris 2J **5**
St Matthias Pk. BS2: Bris 2B **62** (2J **5**)
St Michael's Av. BS21: Clev 1D **68**
   BS22: Wor 1E **106**
St Michaels Cl. BS7: B'stn 4A **48**
St Michael's Cl. BS36: Wint 7C **28**
St Michaels Ct. BA2: Mon C 4G **123**
St Michael's Ct. BS15: K'wd 1K **63**
St Michael's Hill BS2: Bris 1J **61** (1C **4**)
St Michael's Pk. BS2: Bris. 1J **61** (1C **4**)
St Michael's Pl. BA1: Bath 5B **100** (5F **7**)
St Michael's Rd. BA1: Bath . . . 4K **99** (2A **6**)
   BA2: Bath. 6G **99**
   TA8: Bur S 1D **158**
St Monica Ct. BS9: W Trym 3G **47**
St Nicholas Cl. BA15: W'ley 5B **124**
St Nicholas Cl. BA2: B'ptn 2H **101**
St Nicholas Mkt. BS1: Bris 3K **61** (4F **5**)
St Nicholas Pk. BS5: E'tn 7D **48**
St Nicholas Rd. BS2: Bris 7B **48**
   BS14: Whit. 6E **76**
   BS23: Uph 3F **127**
St Nicholas St. BS1: Bris 3K **61** (4F **5**)
St Nicholas Way BS48: B'ley 1F **89**
St Oswald's Ct. BS6: Redl 5H **47**
St Oswald's Rd. BS6: Redl 5H **47**
St Patrick's Ct. BA2: Bath 5D **100** (4K **7**)
   BS31: Key 5C **78**
ST PAUL'S 1C **62**
St Pauls Pl. BA1: Bath 4E **6**
St Paul's Pl. BA3: Mid N 4E **152**
St Paul's Rd. BS3: Bedm 5K **61**
   BS8: Clif 2H **61** (2A **4**)
   BS23: W Mare 7G **105**
   TA8: Bur S 1D **158**
St Paul St. BS2: Bris 1H **5**
St Peter's Av. BS23: W Mare 3F **105**
St Peter's Cres. BS36: Fram C 6F **29**
St Peter's Ho. BS8: Clif 5B **4**
St Peter's Ri. BS13: B'wth 3G **75**
St Peter's Rd. BA3: Mid N 6G **153**
   BS20: P'head 4F **43**
   TA8: Bur S 1D **158**
St Peter's Ter. BA2: Bath. 5K **99** (4B **6**)
St Peter's Wlk. BS9: Henl 2H **47**
St Philips C'way. BS2: Bris 2C **62**
   BS5: Bar H 2C **62**
St Philips Central Ind. Est. BS2: Bris . . . 4C **62**
ST PHILIP'S MARSH 4D **62**
St Philips Rd. BS2: Bris 2B **62** (3K **5**)
St Pierre Dr. BS30: Warm. 3F **65**
St Ronan's Av. BS6: Cot 7J **47**
St Saviours Ho. BS4: Know 7B **62**
St Saviours Ri. BS36: Fram C. 1F **39**
St Saviours Rd. BA1: Bath, Swain . . . 2D **100**
St Saviour's Ter. BA1: Bath 2D **100**
St Saviours Way BA1: Bath. 2E **100**
St Stephen's Av. BS1: Bris 3D **4**
St Stephens Bus. Cen. BS30: Old C. . . 4G **65**
   (off Poplar Rd.)
St Stephen's Cl. BA1: Bath 2B **100**
   BS10: S'mead. 5J **35**
   BS16: Soun 5C **50**
St Stephen's Ct. BA1: Bath 3B **100**
St Stephen's Pl. BA1: Bath. 3B **100**
   (off St Stephen's Rd.)
St Stephen's Rd. BA1: Bath . . . 3B **100** (1F **7**)
   BS16: Soun 5B **50**
St Stephen's St. BS1: Bris 2K **61** (3E **4**)
St Swithin's Pl. BA1: Bath 3C **100** (1G **7**)
St Swithin's Yd. BA1: Bath. 1G **7**

Southville Rd.—Stoke Pk. Rd.

Southville Rd. BA15: Brad A. 7J 125
BS3: Bedm 5J 61 (7D 4)
BS23: W Mare 1G 127
Southville Ter. BA2: Bath 7D 100
South Wlk. BS37: Yate 5E 30
South Wansdyke Sports Cen. 5F 153
Southway Dr. BS30: Old C 4H 65
Southway Rd. BA15: Brad A. 7H 125
Southwell Cres. TA9: High 5G 159
Southwell St. BS2: Bris 1J 61 (1D 4)
SOUTH WIDCOMBE 7H 137
Southwood Av. BS9: C Din 7C 34
Southwood Dr. BS9: C Din 1B 46
Southwood Dr. E. BS9: C Din 7C 34
SOUTH WRAXALL 5J 103
Sovereign Shop. Cen., The
BS23: W Mare 4F 105
Spa La. BA1: Swain 1E 100
Spalding Cl. BS7: Eastv 5C 48
Spaniorum Vw. BS35: E Comp 4F 25
Sparks Way TA9: High 5F 159
Spar Rd. BS37: Yate 4D 30
Sparrow Hill Way BS26: Weare 7D 148
Spartley Dr. BS13: B'wth 4F 75
Spartley Wlk. BS13: B'wth 4F 75
Spa Vis. Cen. 7H 5
(off Clarence Rd.)
Spaxton Cl. TA8: Bur S 7E 156
Specklemead BS39: Paul 1B 152
Spectrum Ho. BS2: Bris 1A 62 (1H 5)
SPEEDWELL 7J 49
Speedwell Av. BS5: St G 2F 63
Speedwell Cl. BS35: T'bry 2B 12
Speedwell Rd. BS5: S'wll 7H 49
BS15: K'wd 7H 49
Speedwell Swimming Pool 7H 49
Spencer Dr. BA3: Mid N 4E 152
BS22: Wor 1F 107
Spencer Ho. BS1: Bris 7G 5
Spencers Belle Vue
BA1: Bath 3B 100 (1E 6)
Spencers Ct. BS35: Alv 6K 11
Spencers Orchard BA15: Brad A 7H 125
Sperring Ct. BA3: Mid N 6D 152
Spey Cl. BS35: T'bry 4A 12
Spindleberry Gro. BS48: Nail 7J 57
Spinners End BS22: Wor 7F 85
Spinney Cft. BS13: Withy 5F 75
Spinney Rd. BS24: Lock 1H 129
Spinney, The BS20: P'head 4E 42
BS24: W Mare 4H 127
BS32: Brad S 7G 27
BS36: Fram C 7F 29
Spinnings Drove BS48: Back 7B 72
Spires Vw. BS16: Stap 3G 49
Spratts Bri. BS40: Chew M 1G 115
Sprigg Dr. BS20: W'ton G 7B 42
Spring Cres. BA2: Bath 5C 100 (5H 7)
Springfield BA2: Pea J 6C 142
BA15: Brad A 6J 125
(not continuous)
BS35: T'bry 4B 12
Springfield Av. BS7: Hor 3B 48
BS11: Shire 2H 45
BS16: Mang 2E 50
BS22: W Mare 3B 106
Springfield Bldgs. BA3: Rads 3A 154
Springfield Bungs. BS39: Paul 4B 152
Springfield Cl. BA2: Bath 6H 99
BS16: Mang 1E 50
BS26: Cross 4F 149
BS27: Ched 6C 150
Springfield Crest BA3: Rads 3A 154
Springfield Gdns. BS29: Ban 2A 130
Springfield Gro. BS6: Henl 3H 47
Springfield Hgts. BA3: Clan 2J 153
Springfield Ho. BS6: Cot 1J 61
Springfield Lawns BS11: Shire 2H 45
Springfield Pl. BA1: Bath 2B 100
BA3: Clan 2J 153
Springfield Rd. BS6: Bris 7K 47
BS16: Mang 1E 50
BS20: P'head 3D 42
BS20: Pill 4G 45
BS27: Ched 6C 150
TA9: High 4G 159
Springfields BS34: Fil 5C 36
Spring Gdns. BS4: Know 1C 76
Spring Gdns. Rd. BA2: Bath 5C 100 (4H 7)
(Argyle St.)
BA2: Bath 6C 100 (6H 7)
(Ferry La.)
Spring Ground Rd. BS39: Paul 1C 152
Spring Hill BS2: Bris 1K 61
(not continuous)
BS15: K'wd 6C 50
BS22: W Mare, Wor 2A 106
Springhill Cl. BS39: Paul 7A 140
Spring Hill Dr. BS22: Wor 3B 106
Spring La. BA1: Bath 1D 100
BS4: Dun 2G 93
Springleaze BS4: Know 1C 76
BS16: Mang 1E 50
Springly Ct. BS15: K'wd 1E 64
Spring Ri. BS20: P'head 5E 42
Spring St. BS3: Bedm 5A 62
Spring St. Pl. BS3: Bedm 5A 62 (7H 5)
Spring Ter. BS22: W Mare 2A 106
Spring Va. BA1: Bath 1D 100
Spring Valley BS22: W Mare 2A 106
Springville Cl. BS30: L Grn 6E 64
Springwater Pk. Trad. Est. BS5: St G 2G 63
Springwood Dr. BS10: Hen 4D 34
Springwood Gdns. BS24: Hut 2C 128
Spruce Way BA2: Odd D 4A 122
BS22: W Mare 4C 106
BS34: Pat 7A 26
Sprygham Ho. BS13: Withy 6G 75
Square, The BA2: Bath 6B 100 (6E 6)
BA2: Tim 3F 141
BA2: Wel 4K 143
BS1: Bris 3B 62 (5J 5)
BS4: Brisl 7F 63
BS4: Know 1C 76
BS16: Stap H 4C 50
BS25: Ship 6A 132
BS25: Wins 7E 130
BS26: Axb 4J 149
BS29: Ban 2B 130
BS35: Alv 7J 11
BS39: Tem C 4G 139
BS40: Burr 2H 133
Squire La. BS40: Ubl 4G 135
Squires Ct. BS30: L Grn 5D 64
Squires Leaze BS35: T'bry 2A 12
S.S. Great Britain 4H 61 (6B 4)
Stabbins Cl. BS22: Wor 6F 85
Stable Yd. BA2: Bath 5K 99 (3A 6)
Stackpool Rd. BS3: Bris 5H 61
Staddlestones BA3: Mid N 7D 152
Stadium Rd. BS6: Henl 3J 47
Stafford Cres. BS35: T'bry 3K 11
Stafford Pl. BS23: W Mare 4G 105
Stafford Rd. BS2: Bris 6C 48
BS20: P'head 4G 43
BS23: W Mare 4H 105
Staffords Ct. BS30: C Hth 3E 64
Stafford St. BS3: Bedm 5K 61
Stainer Cl. BS4: Know 4K 75
Stalcombe La. BA2: Mark 7F 97
Stall St. BA1: Bath 5C 100 (5G 7)
STAMBRIDGE 7H 83
Stambrook Pk. BA1: Bathe 5H 83
Stanbridge Cl. BS16: Down 2D 50
Stanbridge Rd. BS16: Down 2D 50
Stanbury Av. BS16: Fish 3A 50
Stanbury Rd. BS3: Wind H 6A 62
Stancombe La. BS48: Flax B 3C 72
Standfast Rd. BS10: Hen 4F 35
Standish Av. BS34: Pat 5D 26
Standish Cl. BS10: Hen 6F 35
Standon Way BS10: S'mead 5J 35
Stane Way BS11: A'mth 1G 45
Stanfield Cl. BS7: L'lze 2D 48
Stanford Cl. BS36: Fram C 6D 28
Stanford Pl. BS4: Know 3K 75
Stanhope Pl. BA1: Bath 5A 100 (4D 6)
Stanhope Rd. BS23: W Mare 2G 127
BS30: L Grn 7D 64
Stanhope St. BS2: Bris 4C 62
Stanier Rd. BA2: Bath 5A 100 (4D 6)
Stanley Av. BS7: B'stn 5A 48
BS34: Fil 5D 36
Stanley Chase BS5: S'wll 6F 49
Stanley Ct. BA3: Mid N 4F 153
Stanley Cres. BS34: Fil 5D 36
Stanley Gdns. BS30: Old C 5F 65
Stanley Gro. BS23: W Mare 5H 105
Stanley Hill BS4: Wind H 5C 62
Stanley Mead BS32: Brad S 4G 27
Stanley Pk. BS5: E'tn 7E 48
Stanley Pk. Rd. BS16: Soun 5C 50
Stanley Rd. BS6: Redl 6J 47
BS15: Warm 1F 65
BS23: W Mare 5H 105
Stanley Rd. W. BA2: Bath 6K 99 (6B 6)
Stanley St. BS3: Bedm 6J 61
Stanley St. Nth. BS3: Bedm 6J 61
Stanley St. Sth. BS3: Bedm 6J 61
Stanley Ter. BA3: Rads 3A 154
BS3: Bedm 7J 61
Stanley Vs. BA1: Bath 2C 100
(off Camden Rd.)
Stanshalls Cl. BS40: F'tn 3G 91
Stanshalls Dr. BS40: F'tn 3G 91
Stanshalls La. BS40: F'tn 3G 91
Stanshaw Cl. BS16: B'hll 1J 49
STANSHAWE 6E 30
Stanshawe Cres. BS37: Yate 5E 30
Stanshawes Ct. Dr. BS37: Yate 6E 30
Stanshawes Dr. BS37: Yate 5D 30
Stanshaw Rd. BS16: B'hll 1J 49
Stanshaws Cl. BS32: Brad S 4D 26
Stanton Cl. BS15: K'wd 7D 50
STANTON DREW 2B 116
Stanton Drew Stone Circles 1B 116
Stanton La. BS39: Pens 7F 95
STANTON PRIOR 2H 119
Stanton Rd. BA2: Wel 4K 143
BS10: S'mead 6K 35
BS40: Chew M 1H 115
STANTON WICK 4E 116
Stanton Wick La.
BS39: Stan D, Stan W 2C 116
Stanway BS30: Bit 1G 79
Stanway Cl. BA2: Odd D 3K 121
Staple Gro. BS31: Key 5B 78
Staplegrove Cres. BS5: St G 2J 63
STAPLE HILL 4B 50
Staplehill Rd. BS16: Fish 4K 49
Staples Cl. BS21: Clev 1E 68
Staples Grn. BS22: Wor 1F 107
Staples Rd. BS37: Yate 4D 30
STAPLETON 3E 48
Stapleton Cl. BS16: Stap 3F 49
Stapleton Rd. BS5: E'tn, Eastv 1C 62 (1K 5)
BS5: Eastv 6D 48
Stapleton Road Station (Rail) 7D 48
STAR 4K 131
Star Av. BS34: Stok G 3J 37
Star Barn Rd. BS36: Wint 7C 28
Starcross Rd. BS22: Wor 1E 106
Star La. BS16: Fish 5H 49
BS20: Pill 4G 45
Starling Cl. BS22: Wor 4C 106
Starrs Cl. BS26: Axb 4H 149
Statham Cl. BS27: Ched 7D 150
Station App. BA15: Brad A 6G 125
BS23: W Mare 5G 105
(not continuous)
BS39: Pens 7F 95
Station App. Rd. BS1: Bris 4B 62 (6J 5)
Station Av. BS16: Fish 4J 49
Station Av. Sth. BS16: Fish 4J 49
Station Cl. BS15: Warm 1G 65
BS37: Chip S 6K 31
BS48: Back 3H 71
BS49: Cong 7J 87
Station Ct. BA1: Bath 4J 99
Station La. BS7: Hor 4C 48
Station Rd. BA1: Bath 4J 99
BA2: B'ptn 1H 101
BA2: F'frd 7A 124
BS4: Brisl 7F 63
BS4: St Ap 4G 63
BS6: Bris 6K 47
BS7: B'stn 4B 48
BS10: Hen 5E 34
BS11: Shire 3H 45
BS15: Soun 4C 50
BS16: Fish 4J 49
BS20: P'bry 5B 44
BS20: P'head 2F 43
BS20: Pill 4G 45
BS21: Clev 6D 54
BS22: St Geo 2G 107
BS22: Wor 2D 106
BS23: W Mare 5G 105
(not continuous)
BS25: Sandf 1F 131
BS26: Axb 4J 149
BS27: Ched 7D 150
BS30: Warm 2G 65
BS31: Key 4C 78
BS34: Fil 5C 36
(not continuous)
BS34: Lit S, Pat 6D 26
BS35: Piln 1F 25
BS35: Sev B 7A 16
BS36: Coal H 2G 39
BS36: Wint D 3C 38
BS37: Iron A 3H 29
BS37: Yate 4C 30
BS39: Clut 2G 139
BS40: Blag 2C 134
BS40: Wrin 2F 111
BS48: Back 3J 71
BS48: Flax B 3E 72
BS48: Nail 7G 57
(not continuous)
BS49: Cong 7J 87
BS49: Yat 2G 87
GL12: Wickw 6G 15
TA9: Bre K 4G 157
Station Rd. Bus. Cen. BS15: Soun 5E 50
Station Rd. Workshops BS15: Soun 5E 50
Station Wlk. TA9: High 5G 159
Staunton Flds. BS14: Whit 7E 76
Staunton La. BS14: Whit 6E 76
Staunton Way BS14: Whit 7F 77
Staveley Cres. BS10: S'mead 5J 35
Staverton Cl. BS34: Pat 5D 26
Staverton Way BS15: K'wd 2E 64
Stavordale Gro. BS14: H'gro 4D 76
Staynes Cres. BS15: K'wd 1C 64
Steam Mills BA3: Mid N 6D 152
Stean Bri. Rd. BS32: Brad S 1F 37
Steart Av. TA8: Bur S 2C 158
Steart Cl. TA8: Bur S 2D 158
Steart Ct. TA8: Bur S 1C 158
Steart Dr. TA8: Bur S 2C 158
Steart Gdns. TA8: Bur S 2C 158
Steel Ct. BS30: L Grn 6D 64
Steel Mills BS31: Key 6D 78
Stella Gro. BS3: Bedm 7G 61
Stephen's Dr. BS30: Bar C 4D 64
Stephen St. BS5: Redf 1E 62
Stepney Rd. BS5: W'hall 7E 48
Stepney Wlk. BS5: W'hall 7E 48
Stepping Stones, The BS4: St Ap 3G 63
Steps, The BS4: Dun 1D 92
Sterncourt Rd. BS16: B'hll 1J 49
Steven's Cres. BS3: Wind H 5B 62
Stevens La. BS24: Lym 4A 146
Stevens Wlk. BS32: Brad S 6F 27
Steway La. BA1: Bathe 5J 83
Stibbs Ct. BS30: L Grn 5D 64
Stibbs Hill BS5: St G 2J 63
Stickland BS21: Clev 1C 68
Stidcote La. GL12: Bag, Tyth 6J 13
Stidcot La. GL12: Bag, Tyth 7G 13
STIDHAM 5G 79
Stidham La. BS31: Key 4F 79
Stile Acres BS11: Law W 6A 34
Stilemead La. BS40: Ubl 4H 135
Stiling Cl. TA9: High 4F 159
Stillhouse La. BS3: Bedm 5K 61
Stillingfleet Rd. BS13: Hart 5J 75
Stillman Cl. BS13: Withy 6E 74
Stinchcombe BS37: Yate 5E 30
Stirling Cl. BS37: Yate 2D 30
Stirling Rd. BS4: Brisl 5E 62
Stirling Way BS31: Key 6C 78
Stirtingale Av. BA2: Bath 1J 121
Stirtingale Rd. BA2: Bath 1J 121
Stitchings La. BA2: Ing 5C 120
Stitchings Shord La. BS39: Bis S 1H 137
STOCK 4D 110
Stock Hill BS35: King, L Sev 3C 10
Stock La. BS35: King 1D 10
BS40: Cong, L'frd 3A 110
BS49: Cong, L'frd 3A 110
Stockmead St. BS40: L'frd 6D 110
Stockton Cl. BS14: Whit 6B 76
BS30: L Grn 6F 65
Stock Way Nth. BS48: Nail 7G 57
Stock Way Sth. BS48: Nail 7G 57
Stockwell Av. BS16: Mang 2E 50
Stockwell Cl. BS16: Down 1D 50
Stockwell Dr. BS16: Mang 2E 50
Stockwell Glen BS16: Mang 1D 50
STOCKWOOD 5G 77
Stockwood Cres. BS4: Know 7B 62
Stockwood Hill BS31: Key 3A 78
Stockwood La. BS14: Key, Stoc 6G 77
BS14: Whit 6F 77
BS31: Key 4H 77
Stockwood M. BS4: St Ap 4H 63
Stockwood Open Space Nature Reserve
3G 77
Stockwood Rd. BS4: Brisl 1H 77
BS14: Stoc 5F 77
STOCKWOOD VALE 4A 78
Stockwood Va. BS31: Whit 4K 77
Stodden's La. TA8: Bur S 7F 157
Stodden's Rd. TA8: Bur S 6C 156
Stodden's Wlk. TA8: Bur S 7D 156
Stodelegh Cl. BS22: Wor 1F 107
STOKE BISHOP 4E 46
Stoke Bri. Av. BS34: Lit S 1F 37
Stoke Cotts. BS9: Stok B 4E 46
Stokefield Cl. BS35: T'bry 3K 11
STOKE GIFFORD 3H 37
Stoke Gro. BS9: W Trym 2E 46
Stoke Hamlet BS9: W Trym 1F 47
Stoke Hill BS9: Stok B 4E 46
BS40: Chew S 6D 114
Stoke La. BS9: W Trym 3E 46
BS16: B'hll, Stap 1G 49
BS34: Pat 6D 26
Stokeleigh Wlk. BS9: Sea M 3C 46
Stoke Mead BA2: Lim S 5H 123
Stokemead BS34: Pat 6E 26
Stoke Mdws. BS32: Brad S 6F 27
Stoke Paddock Rd. BS9: Stok B 2D 46
Stoke Pk. Rd. BS9: Stok B 4E 46

Stoke Pk. Rd. Sth.—Temple Cloud

Stoke Pk. Rd. Sth. BS9: Stok B 5E **46**
Stoke Rd. BS9: Stok B 5F **47**
BS20: P'head 3F **43**
Stokes Ct. BS30: Bar C 5E **64**
Stokes Cft. BS1: Bris. 1A **62** (1G **5**)
Stoke Vw. BS34: Fil 4C **36**
Stoke Vw. Bus. Pk. BS16: Fish 5H **49**
Stoke Vw. Rd. BS16: Fish 5H **49**
Stoneable Rd. BA3: Rads. 3A **154**
Stoneage La. BA2: Pea J, Tun 2A **142**
Stoneberry Rd. BS14: Whit 7D **76**
STONEBRIDGE **1K 129**
Stonebridge BS21: Clev 1D **68**
Stonebridge Pk. BS5: Eastv 6F **49**
Stonebridge Rd. BS23: W Mare. 1H **127**
Stonechat Gdns. BS16: B'hll 2G **49**
STONE-EDGE BATCH **5E 56**
Stonefield Cl. BA15: Brad A 7J **125**
Stonehenge La. BS21: Tic 5G **57**
STONE HILL **5C 64**
Stonehill BS15: Han 5B **64**
Stonehouse Cl. BA2: C Down. 2D **122**
Stonehouse La. BA2: C Down 2D **122**
Stone La. BS36: Wint D 4D **38**
Stone Leigh BS40: Chew M 1H **115**
Stoneleigh Cl. TA8: Bur S. 6E **156**
Stoneleigh Ct. BA1: L'dwn 7A **82**
Stoneleigh Cres. BS4: Know 7C **62**
Stoneleigh Dr. BS30: Bar C 4D **64**
Stoneleigh Ho. BS8: Clif. 3A **4**
Stoneleigh Rd. BS4: Know. 7C **62**
Stoneleigh Wlk. BS4: Know 7C **62**
Stone Rd. TA8: Bur S 3F **159**
Stones Cotts. BS10: H'len 3C **34**
Stonewell Dr. BS49: Cong 1K **109**
Stonewell Gro. BS49: Cong 1K **109**
Stonewell La. BS49: Cong 1K **109**
Stonewell Pk. Rd. BS49: Cong 1K **109**
Stoneyfield Cl. BS20: E'tn G. 4F **45**
Stoneyfields BS20: E'tn G. 4F **45**
Stoney Hill BS1: Bris. 2J **61** (3D **4**)
Stoney La. BS7: B'stn. 5B **48**
STONEY LITTLETON. **7H 143**
Stoney Littleton Long Barrow **6K 143**
Stoney Steep BS20: P'head 2E **42**
BS48: Wrax 4J **57**
Stoney Stile Rd. BS35: Alv. 7J **11**
Stony La. BA1: St C 2H **83**
BA2: New L 5E **98**
Stoppard Rd. TA8: Bur S 2E **158**
Stormont Cl. BS23: W Mare. 2H **127**
Stothard Rd. BS7: L'lze. 1D **48**
Stottbury Rd. BS7: Eastv 5C **48**
Stoulton Gro. BS10: Bren. 4G **35**
Stourden Cl. BS16: B'hll 1J **49**
Stourton Dr. BS30: Bar C 5D **64**
STOVER **4B 30**
Stover Rd. BS37: Yate 4B **30**
Stover Trad. Est. BS37: Yate 4B **30**
Stowell Hill Rd. GL12: Tyth 6F **13**
STOWEY. **1B 138**
Stowey Bottom BS39: Stow 7A **116**
Stowey La. BA49: Yat. 4K **87**
Stowey Pk. BS49: Yat. 3K **87**
Stowey Rd. BS49: Yat 2H **87**
Stow Hill Rd. GL12: Tyth 6E **12**
Stow Ho. BS11: Shire 3J **45**
Stowick Cres. BS11: Law W. 6C **34**
Stradbrook Av. BS5: St G 2K **63**
Stradling Av. BS23: W Mare. 7H **105**
Stradling Rd. BS11: Law W 5C **34**
Straight St. BS2: Bris. 3B **62** (4J **5**)
Straits Pde. BS16: Fish 3K **49**
Stratford Cl. BS14: Whit. 7B **76**
Stratford La.
BS40: Comp M, W Har 5D **136**
Stratford Mill **6E 34**
Strathearn Dr. BS10: Bren 5H **35**
Strathmore Rd. BS7: Hor 2A **48**
Stratton Cl. BS34: Lit S 7E **26**
Stratton Rd. BS31: Salt 7H **79**
Stratton St. BS2: Bris 1A **62** (1H **5**)
Strawberry Cl. BS48: Nail. 1F **71**
Strawberry Cres. BS5: St G 2G **63**
Strawberry Fld. BS26: Axb. 4K **149**
Strawberry Gdns. BS48: Nail 1F **71**
Strawberry Hill BS21: Clev. 5E **54**
Strawberry La. BS4: Dun 7E **74**
BS5: St G. 2G **63**
BS13: Withy 7E **74**
Strawbridge Rd. BS5: Bar H 2D **62**
Stream Cl. BS10: Bren. 4K **35**
Streamcross BS49: Clav 2K **87**
Streamleaze BS35: T'bry 4K **11**
BS40: Chew M. 1H **115**
Streamside BS16: Mang 2D **50**
BS21: Clev 6F **55**
BS40: Chew M. 1H **115**
Streamside Rd. BS37: Chip S 5G **31**
Streamside Wlk. BS4: Brisl 6G **63**
BS35: T'bry 3A **12**
(Gloucester Rd.)
BS35: T'bry 1K **11**
(Kempton Cl.)
BS35: T'bry 2K **11**
(Park Rd.)
Stream, The BS16: Ham. 5K **37**
STREET END **3B 134**
Street End BS40: Blag 3B **134**
Street End La.
BS40: Blag. 3B **134**
Street, The BA2: F'boro 6D **118**
BA3: Rads 4K **153**
BS35: Alv. 7K **11**
BS35: Olv. 2C **18**
BS39: Bis S 1J **137**
BS39: Stow 7B **116**
BS40: Comp M. 6A **136**
BS40: Regil 2K **113**
BS40: Ubl. 4H **135**
Stretford Av. BS5: W'hall. 1F **63**
Stretford Rd. BS5: W'hall 1F **63**
Stride Cl. BS35: Sev B 7A **16**
STRODE. **4K 113**
Strode Comn. BS35: Alv 1F **19**
Strode Gdns. BS35: Alv 7H **11**
Strode Leisure Cen.. . . . . **1B 68**
Strode Rd. BS21: Clev 2B **68**
Strode Way BS21: Clev. 1B **68**
Stroud Rd. BS11: Shire. 3J **45**
BS34: Pat. 6A **26**
Strowlands BS24: E'wth 7D **146**
Stuart Pl. BA2: Bath 5K **99** (5A **6**)
Stuart Rd. BS23: W Mare 7J **105**
Stuart St. BS5: Redf 2E **62**
Stubbingham Drove BS27: Ched 7H **149**
Studland Ct. BS9: Henl. 2H **47**
Sturden La. BS16: Ham 4A **38**
Sturdon Rd. BS3: Bedm 6G **61**
Sturmer Cl. BS37: Yate. 2E **30**
Sturmey Way BS20: Pill 5J **45**
Sturminster Cl. BS14: Stoc. 4F **77**
Sturminster Rd. BS14: Stoc 2E **76**
Sulis Mnr. Rd. BA2: Odd D. 4J **121**
Sulis Sports Club **2H 123**
Sullivan Cl. BS4: Know 4K **75**
Sumerlin Dr. BS21: Clev. 6F **55**
Summerfield BS22: Wor. 1F **107**
Summerfield Cotts. *BA1: Bath. 2D 100*
(off Tyning La.)
Summerfield Rd. BA1: Bath. 2C **100**
Summerfield Ter. BA1: Bath. 2C **100**
Summerhayes BS30: Old C 4H **65**
BS39: Paul. 2D **152**
Summer Hill BS4: Wind H 5C **62**
Summerhill Rd. BA1: W'ton. 2K **99**
BS5: St G. 1G **63**
Summerhill Ter. BS5: St G. 2H **63**
Summerhouse BS21: Tic. 5F **57**
Summerhouse Way BS30: Warm 2F **65**
Summerlands BS48: Back 5K **71**
Summerlands Rd. BS23: W Mare. 4J **105**
(not continuous)
Summer La. BA2: C Down, Mon C. . . . 3D **122**
BS22: W Wick, Wor 3F **107**
BS24: Ban, W Wick 3F **107**
(not continuous)
BS29: Ban. 7J **107**
(Banwell)
BS29: Ban 4G **107**
(Weston-super-Mare)
Summer La. Homes BS29: Ban 1J **129**
Summer La. Nth. BS22: Wor 2E **106**
Summerlays Ct. BA2: Bath 5D **100** (5J **7**)
Summerlays Pl. BA2: Bath 5J **7**
Summerlea BA2: Pris 7A **120**
Summerleaze BS16: Fish 5A **50**
BS31: Key 3C **78**
Summers Dr. BS30: Doy 7G **53**
Summers Mead BS37: Yate 1E **30**
Summers Rd. BS2: Bris 7C **48**
Summers Ter. BS2: Bris 7C **48**
Summer St. BS3: Bedm 5J **61**
Summerville Ter. TA8: Bur S 2D **158**
Sundays Hill BS32: Alm. 2C **26**
Sunderland Pl. BS8: Clif. 2H **61** (2A **4**)
Sunderland St. BA2: Bath 4C **100** (3H **7**)
Sundridge Pk. BS37: Yate. 7E **30**
Sunfield Rd. BS24: Hut 2C **128**
Sunningdale BS8: Clif 1H **61**
BS37: Yate 6E **30**
Sunningdale Cl. BS48: Nail 1J **71**
Sunningdale Dr. BS30: Warm. 3F **65**
Sunningdale Rd. BS22: Wor 1D **106**
Sunnybank BA2: Bath. 7D **100**
Sunny Bank BS15: K'wd 7K **49**
Sunnybank BS16: Down 2C **50**
Sunnybank Way BS24: W Wick. 3F **107**
Sunny Cl. TA9: W Hunt 7E **158**
Sunnydene BS4: Brisl 5F **63**
Sunny Hill BS9: Sea M 1B **46**
Sunnyhill Dr. BS11: Shire 2J **45**
Sunnyhill Ho. E. *BS11: Shire 2J 45*
(off Sunnyhill Dr.)
Sunnyhill Ho. W. *BS11: Shire. 2J 45*
(off Sunnyhill Dr.)
Sunny Lawn TA8: Bur S 2C **158**
Sunnymead BA3: Mid N. 4D **152**
BS31: Key 7D **78**
Sunnymede Rd. BS48: Nail. 6F **57**
Sunnymount BA3: Mid N. 4F **153**
Sunnyside BA2: S'ske. 5B **122**
BS9: Stok B 3E **46**
BS36: Fram C. 7F **29**
Sunnyside Cres. BS21: Clev. 6D **54**
Sunnyside La. BS16: Ham 5A **38**
BS37: Yate 5C **30**
Sunnyside Rd. BS21: Clev 6C **54**
BS23: W Mare 7G **105**
Sunnyside Rd. Nth.
BS23: W Mare 6G **105**
Sunnyside Vw. BA2: Pea J 6C **142**
Sunnyvale BA2: Cam. 5J **141**
BS21: Clev 1A **68**
Sunnyvale Dr. BS30: L Grn. 6F **65**
Sunny Wlk. BS15: K'wd 7K **49**
Sunridge BS16: Down 2B **50**
Sunridge Cl. BA3: Mid N 6D **152**
Sunridge Pk. BA3: Mid N 6D **152**
Sunrise Gro. BS4: Brisl. 5F **63**
Sunset Cl. BA2: Pea J. 6C **142**
Surrey Rd. BS7: B'stn. 5A **48**
Surrey St. BS2: Bris 1A **62** (1H **5**)
Suspension Bri. Rd.
BS8: Clif 2F **61**
Sussex Pl. BA2: Bath 6C **100** (7H **7**)
BS2: Bris 7B **48**
Sussex St. BS2: Bris. 3C **62**
Sutherland Av. BS16: Down 1C **50**
BS37: Yate 2D **30**
TA8: Bur S 2D **158**
Sutherland Dr. BS24: Hut. 3B **128**
Sutherland Pl. BS8: Clif. 6G **47**
Sutton Av. BS4: Brisl. 5F **63**
(not continuous)
Sutton Cl. BS22: W Mare 5C **106**
Sutton Hill Rd. BS39: Bis S 1J **137**
Sutton La. BS40: Redh. 3C **112**
Sutton Pk. BS39: Bis S 1J **137**
Sutton St. BA2: Bath 4D **100** (2J **7**)
SUTTON WICK **3G 137**
SWAINSWICK **5E 82**
Swainswick BS14: H'gro 4B **76**
Swainswick Gdns. BA1: Swain 1E **100**
Swainswick La. BA1: Swain 5E **82**
Swaish Dr. BS30: Bar C 5D **64**
Swallow Cl. BA3: Mid N 6F **153**
Swallow Ct. BS14: Key. 4J **77**
Swallow Dr. BS34: Pat 6A **26**
Swallow Gdns. BS22: W Mare 4B **106**
Swallow Pk. BS35: T'bry 1B **12**
Swallows Ct. BS34: Stok G 3G **37**
Swallows, The BS22: W Mare 5B **106**
Swallow St. BA1: Bath 5C **100** (5G **7**)
Swan Cl. BS22: Wor. 4C **106**
Swancombe BS20: Clap G 1G **57**
BS40: Blag. 3C **134**
Swane Rd. BS14: Stoc. 4H **77**
Swan Fld. BS37: Yate 4F **31**
Swan La. BS36: Wint 5K **27**
Swanmoor Cres. BS10: Bren 3G **35**
Sweetgrass Rd. BS24: Wor 4E **106**
Sweets Cl. BS15: K'wd. 6C **50**
Sweets Rd. BS15: K'wd 6C **50**
Swift Cl. BS22: Wor 3D **106**
SWINEFORD **3A 80**
Swiss Dr. BS3: Ash V 7F **61**
Swiss Rd. BS3: Ash V. 7F **61**
BS23: W Mare. 5H **105**
Swiss Valley Sports Cen. **4F 55**
Sycamore Cl. BS5: W'hall 7G **49**
BS15: Han 6K **63**
BS23: W Mare 4J **105**
BS25: Ship. 5A **132**
BS48: Nail 7G **57**
TA8: Bur S 2C **158**
Sycamore Ct. BS7: B'stn 5A **48**
Sycamore Dr. BS34: Pat. 7A **26**
BS35: T'bry 3A **12**
Sycamore Ho. *BS16: Fish. 2A 50*
(off Partridge Dr.)
Sycamore Rd. BA3: Rads 4B **154**
Sydenham Bldgs. BA2: Bath . . . 6A **100** (6C **6**)
Sydenham Hill BS6: Cot. 7K **47**
Sydenham La. BS6: Bris 7K **47**
Sydenham Pl. *BA2: C Down. 3E 122*
(off Alexandra pl.)
Sydenham Rd. BA2: Bath 5A **100** (5D **6**)
BS4: Know. 6C **62**
BS6: Bris, Cot 7K **47**
Sydenham Ter. BA2: C Down 3E **122**
Sydenham Way BS15: Han. 6A **64**
Sydney Bldgs. BA2: Bath 5D **100** (4K **7**)
Sydney Ct. BA2: New L. 6B **98**
Sydney M. BA2: Bath. 4D **100** (3J **7**)
Sydney Pl. BA2: Bath. 4D **100** (2J **7**)
Sydney Rd. BA2: Bath 4D **100** (3K **7**)
Sydney Row BS1: Bris. 4H **61** (7A **4**)
BS3: Bedm. 6K **61**
Sydney Wharf BA2: Bath. 5D **100** (4K **7**)
Sylvan Way BS9: Sea M 2B **46**
Sylvia Av. BS3: Wind H 6B **62**
Symes Av. BS13: Hart. 6J **75**
Symes Pk. BA1: W'ton 1G **99**
Symington Rd. BS16: Fish 3K **49**
Symons Way BS27: Ched 7E **150**
Syston Vw. BS15: K'wd. 1E **64**
Syston Way BS15: K'wd 7B **50**

T

Tabernacle Rd. BS15: Han. 3A **64**
Tackley Rd. BS5: Eastv. 5D **48**
TADWICK **1A 82**
Tadwick La. BA1: Tad, Up Swa. 1A **82**
Tailor's Ct. BS1: Bris 2K **61** (3F **5**)
Talbot Av. BS15: K'wd 7K **49**
Talbot Cl. TA9: High 5F **159**
Talbot Rd. BS4: Brisl, Know. 7D **62**
TALBOT'S END **2C 14**
Talgarth Rd. BS7: B'stn 4B **48**
Tallis Gro. BS4: Know 4K **75**
Tamar Cl. BS35: T'bry 5B **12**
Tamar Dr. BS31: Key. 6E **78**
Tamar Rd. BS2: Bris 3E **62**
BS22: Wor 2D **106**
Tamblyn Cl. BA3: Rads. 3A **154**
Tamsin Ct. BS31: Key. 5C **78**
Tamworth Rd. BS31: Key 6C **78**
Tanhouse La. BS37: Yate 6B **22**
Tankard's Cl. BS2: Bris. 2D **4**
BS8: Clif 2J **61** (2D **4**)
Tanner Cl. BS30: Bar C. 4D **64**
Tanner Ct. BS30: Bar C. 4D **64**
Tanners Ct. BS16: Fren. 6K **37**
BS35: T'bry 4K **11**
Tanners Wlk. BA2: Bath 6F **99**
Tanorth Cl. BS14: Whit. 7C **76**
Tanorth Rd. BS14: Whit 7B **76**
Tanyard, The BS30: Will 7F **65**
Tapsters BS30: C Hth 5E **64**
Tara Cl. BS36: Fram C 5D **28**
Tarn Ho. BS34: Pat 6C **26**
Tarnock Av. BS14: H'gro. 3B **76**
Tarnwell BS39: Stan D 2C **116**
Tarragon Pl. BS32: Brad S. 7H **27**
Taunton Rd. BS22: Wor 7F **85**
Taunton Wlk. BS7: Hor. 1C **48**
Taveners Wlk. BS48: Nail. 6H **57**
Taverner Cl. BS4: Know 3K **75**
Taverners Cl. BS23: W Mare 1H **127**
Tavistock Rd. BS4: Know 1B **76**
BS22: Wor 2E **106**
Tavistock Wlk. BS4: Know 1B **76**
Tawny Way BS22: Wor. 4D **106**
Taylor Ct. BS22: Wor 7F **85**
Taylor Gdns. BS13: Withy 6F **75**
Taylor's Row BA15: Brad A. 6H **125**
Tayman Cl. BS7: Hor 2A **48**
Tayman Ridge BS30: Bit. 2H **79**
Taynton Cl. BS30: Bit 7G **65**
Teal Cl. BS22: Wor. 3D **106**
BS32: Brad S 4F **27**
Teasel Mead BS32: Brad S. 7G **27**
Teasel Wlk. BS22: W Mare. 5B **106**
Technical St. TA8: Bur S. 2C **158**
Teddington Cl. BA2: Bath 7J **99**
Teesdale Cl. BS22: W Mare 4B **106**
Teewell Av. BS16: Stap H. 4C **50**
Teewell Cl. BS16: Stap H 4C **50**
Teewell Ct. BS16: Stap H. 4C **50**
Teewell Hill BS16: Stap H 4C **50**
Teignmouth Rd. BS4: Know 1B **76**
BS21: Clev 6E **54**
Telephone Av. BS1: Bris 3K **61** (4E **4**)
Telford Ho. BA2: Bath. 1K **121**
Telford Wlk. BS5: St G 7J **49**
Templar Rd. BS37: Yate 3E **30**
Templars Way BS25: Ship 6A **132**
Temple Back BS1: Bris 3A **62** (4H **5**)
Temple Back E. BS1: Bris 3B **62** (5J **5**)
TEMPLE BRIDGE **6G 139**
Temple Church . . . . **3A 62 (5H 5)**
Temple Circ. BS1: Bris 3A **62** (5H **5**)
TEMPLE CLOUD **4G 139**

Temple Ct.—Tutton Way

Temple Ct. BA2: New L. 6B 98
BS31: Key 5C 78
Temple Ga. BS1: Bris 4A 62 (6H 5)
Temple Ga. Ho. BS1: Bris 4A 62 (6H 5)
Temple Inn La. BS39: Tem C 4G 139
Templeland Rd. BS13: Withy 5F 75
Temple Meads Station (Rail) 4B 62 (6K 5)
Temple Quay Ho. BS1: Bris 3B 62 (5J 5)
Temple Rose St. BS1: Bris 3A 62 (5H 5)
Temple St. BS1: Bris 3A 62 (4G 5)
(not continuous)
BS3: Bedm 7H 61
BS31: Key 5C 78
Temple Trad. Est. BS2: Bris 4E 62
Temple Way BS1: Bris 3A 62 (5H 5)
BS2: Bris 3B 62 (4J 5)
Templeway Ho. BS2: Bris 3A 62 (4H 5)
Ten Acre Cotts. BA2: Ing 6F 121
Tenantsfield La. BA3: Fox 2G 155
Tenby Rd. BS31: Key 6B 78
Tenby St. BS5: Bar H 2D 62
Tennessee Gro. BS6: Henl 3J 47
Tennis Ct. Av. BS39: Paul 1B 152
Tenniscourt Cotts. BS39: Paul 1B 152
Tenniscourt Rd. BS15: K'wd 7E 50
Tennis Ct. Rd. BS39: Paul 1B 152
Tennis Rd. BS4: Know 7C 62
Tennyson Av. BS21: Clev 7B 54
Tennyson Cl. BS31: Key 4D 78
Tennyson M. BS10: Bren 5H 35
Tennyson Rd. BA1: Bath 4K 99 (2A 6)
BS7: Hor 3A 48
BS23: W Mare 2H 127
Tenterk Cl. BS24: B'don 7K 127
Tenth Av. BS7: Hor 6D 36
Tereslake Grn. BS10: Bren 3K 35
Terrace Wlk. BA1: Bath 5C 100 (5G 7)
Terrell Gdns. BS5: St G 2F 63
Terrell St. BS2: Bris 1K 61 (2E 4)
Terry Ho. BS1: Bris 3D 4
Tetbury Cl. BS34: Lit S 6E 26
Tetbury Gdns. BS48: Nail 1J 71
Tetbury Rd. BS15: K'wd 1K 63
Teviot Rd. BS31: Key 6E 78
Tewkesbury Rd. BS2: Bris 6C 48
Tewther Rd. BS13: Hart 7J 75
Teyfant Rd. BS13: Hart 6A 76
Teyfant Wlk. BS13: Hart 6A 76
Thackeray Av. BS21: Clev 5D 54
Thackeray Rd. BS21: Clev 5E 54
Thackeray Wlk. BS7: Hor 7C 36
Thanet Rd. BS3: Bedm 7H 61
Thatcher Cl. BS20: P'head 4F 43
Thatchers Cl. BS5: St G 2K 63
Theatre Royal 3K 61 (4E 4)
Theatre Royal (Ustinov Studio) 4F 7
There & Back Again La.
BS8: Clif 2J 61 (3C 4)
Theresa Av. BS7: B'stn 4A 48
The St. BS40: Chew S 4D 114
Theynes Cft. BS4: L Ash 1B 74
Thicket Av. BS16: Fish 6K 49
THICKET MEAD 4D 152
Thicket Mead BA3: Mid N 4D 152
Thicket Rd. BS16: Fish 4A 50
Thicket Wlk. BS35: T'bry 3A 12
Thiery Rd. BS4: Brisl 7E 62
Thingwall Pk. BS16: Fish 5G 49
Third Av. BA2: Bath 6K 99 (7B 6)
BA3: Mid N 7H 153
BS7: Hor 6C 36
BS14: H'gro 3D 76
Third Way BS11: A'mth 5F 33
Thirlmere Ct. BS30: Old C 3H 65
Thirlmere Rd. BS23: W Mare 1J 127
BS34: Pat 6C 26
Thistle St. BS3: Bedm 6H 61
Thomas Av. BS16: Emer G 7F 39
Thomas Cl. BS29: Ban 2A 130
Thomas La. BS1: Bris 3A 62 (5G 5)
Thomas Pring Wlk. BS5: St G 7J 49
Thomas St. BA1: Bath 3C 100 (1H 7)
BS1: Bris 1A 62
BS2: Bris 7B 48
BS5: Bar H 2D 62
Thomas St. Nth. BS2: Bris 7K 47
Thomas Way BS16: Stap 1G 49
Thompson Rd. BS14: Stoc 4G 77
Thomson Rd. BS5: E'tn 1D 62
Thornbank Gdns.
BA2: Bath 6B 100 (6E 6)
Thornbank Pl. BA2: Bath 6A 100 (6D 6)
THORNBURY 3K 11
Thornbury Dr. BS23: Uph 3E 126
Thornbury Hill BS35: Alv 6J 11
Thornbury Ind. Pk. BS35: T'bry 5A 12
Thornbury Leisure Cen. 5K 11
Thornbury Mus. 4K 11
THORNBURY PARK 2K 11
Thornbury Rd. BS23: Uph 3E 126
BS35: Alv 7J 11
BS35: T'bry 6J 11
Thorn Cl. BS22: Wor 3F 107
BS37: Yate 5D 30
Thorndale BS8: Clif 1G 61
Thorndale Cl. BS22: W Mare 4B 106
Thorndale Ct. BS8: Clif 7G 47
Thorndale M. BS8: Clif 1G 61
Thorne Pk. TA8: Bur S 3D 158
Thorneycroft Cl. BS7: L'lze 1D 48
Thornhayes Cl. BS36: Fram C 6E 28
Thornhills, The BS16: Fish 2K 49
Thornleigh Rd. BS7: Hor 3A 48
Thornmead Gro. BS10: Bren 4G 35
Thorns Farm BS37: Yate 5E 30
Three Brooks La. BS32: Brad S 6G 27
Three Oaks Cl. BS16: Fish 4A 50
Three Queens' La. BS1: Bris 3A 62 (5G 5)
Three Wells Rd. BS13: Withy 6F 75
Thrissell St. BS5: E'tn 1C 62
Throgmorton Rd. BS4: Know 2B 76
Thrubwell La. BS40: Redh 7F 91
Thrush Cl. BS22: Wor 4C 106
Thunderbolt Steps BS4: Wind H 5C 62
Thurlestone BS14: H'gro 4B 76
Thurlow Rd. BS5: E'tn 6E 48
Thurston's Barton BS5: W'hall 7G 49
Tibberton BS15: K'wd 1E 64
Tibbott Rd. BS14: Stoc 5F 77
Tibbott Wlk. BS14: Stoc 5F 77
Tichborne Rd. BS5: Redf 2E 62
BS23: W Mare 3G 105
TICKENHAM 5C 56
Tickenham Drove BS21: Tic 7K 55
Tickenham Hill BS21: Tic 5F 57
Tickenham Rd. BS21: Clev 6F 55
Tide Gro. BS11: Law W 7A 34
Tidenham Way BS34: Pat 5B 26
Tiffany Ct. BS1: Bris 4A 62 (6H 5)
Tiledown Cl. BS39: Tem C 4H 139
Tilley Cl. BA2: F'boro 6E 118
BS31: Key 1E 96
Tilley La. BA2: F'boro 7D 118
Tilling Rd. BS10: Hor 1A 48
Tilling Wlk. BS10: Hor 1A 48
Tilting Rd. BS35: T'bry 2K 11
Timber Dene BS16: Stap 4F 49
Timberscombe Wlk. BS14: Whit 5D 76
Timbers, The BA3: Mid N 7F 153
Time Machine (Mus.) 4G 105
TIMSBURY 3F 141
TIMSBURY BOTTOM 4D 140
Timsbury Rd. BA2: F'boro 6E 118
BS3: Know 7A 62
BS39: High L 4B 140
Timsbury Village Workshops
BA2: Tim 2D 140
Timsbury Wlk. BS3: Know 7A 62
Timswell Batch BS40: Blag 3C 134
Tindell Ct. BS30: L Grn 5D 64
Tinker's La. BS40: Comp M 6B 136
BS48: Back 7D 72
Tintagel Cl. BS31: Key 6B 78
Tintern Av. BS5: St G 1F 63
Tintern Cl. BS30: Bar C 3D 64
Tippetts Rd. BS15: K'wd 3B 64
Tirley Way BS22: W Mare 2K 105
Titan Barrow BA1: Bathf 1A 102
Tithe Barn 7G 125
Tiverton Gdns. BS22: Wor 2E 106
Tiverton Rd. BS21: Clev 1E 68
Tiverton Wlk. BS16: Fish 6J 49
Tivoli Ho. BS23: W Mare 4G 105
Tivoli La. BS23: W Mare 4G 105
Tobacco Factory, The 5G 61
TOCKINGTON 4D 18
Tockington Grn. BS32: Toc 4D 18
Tockington La. BS32: Alm 1C 26
Tockington Pk. La. BS32: Alm 5G 19
Toddington Cl. BS37: Yate 6D 30
Toghill La. BS30: Doy 7G 53
Tolland BS24: W Mare 3J 127
Toll Bri. Rd. BA1: Bathe 7G 83
Tollgate Ho. BS2: Bris 1B 62 (1J 5)
Toll Ho. Ct. BS3: Ash G 5G 61
Toll Rd. BS23: B'don 5H 127
Tone Rd. BS21: Clev 1D 68
Top Rd. BS25: Ship 6B 132
Tor Cl. BS22: Wor 2E 106
Tormarton Cres. BS10: Hen 3F 35
Tormynton Rd. BS22: Wor 2C 106
Toronto Rd. BS7: Hor 7B 36
Torpoint Rd. BS3: Wind H 1K 75
Torrance Cl. BS30: Old C 3H 65
Torridge Rd. BS31: Key 6E 78
Torrington Av. BS4: Know 2B 76
Torrington Cres. BS22: Wor 1E 106
Tortworth Rd. BS7: Hor 3A 48
Tor Vw. BS27: Ched 7E 150
Tory BA15: Brad A 6G 125
Tory Pl. BA15: Brad A 6G 125
Totnes Cl. BS22: Wor 2E 106
Totshill Dr. BS13: Hart 7A 76
Totshill Gro. BS13: Hart 6A 76
Tottenham Pl. BS8: Clif 2H 61 (3A 4)
TOTTERDOWN 5B 62
Totterdown Bri. Trad. Est. BS2: Bris 5C 62
Totterdown La. BS24: W Mare 5J 127
Totterdown Rd. BS23: W Mare 1G 127
Touchstone Av. BS34: Stok G 2H 37
Tourist Info. Cen.
Bath 5C 100 (4G 7)
Bradford-on-Avon 6H 125
Bristol 3J 61 (5D 4)
Bristol International Airport 4E 90
Weston-super-Mare 5F 105
Tovey Cl. BS22: Kew 7C 84
Tower BS1: Bris 3A 62 (4G 5)
TOWERHEAD 1E 130
Towerhead Rd. BS25: Sandf 2C 130
BS29: Ban 2C 130
Tower Hill BS2: Bris 2A 62 (4H 5)
BS24: Lock 1H 129
Tower Ho. La. BS48: Wrax 4H 57
Tower La. BS1: Bris 2K 61 (3F 5)
(not continuous)
BS30: Warm 3E 64
Towerleaze BS9: Stok B 5D 46
Tower Rd. BS15: K'wd 7A 50
BS20: P'head 4C 42
Tower Rd. Nth. BS30: Warm 2F 65
Tower Rd. Sth. BS30: C Hth 3F 65
Tower St. BS1: Bris 3A 62 (5H 5)
Tower Wlk. BS23: W Mare 3F 105
TOWNS END
Paulton 1C 152
TOWNSEND
Chew Stoke 4E 114
East Harptree 6K 137
Townsend BS32: Alm 2B 26
Townsend Cl. BS14: Stoc 5H 77
Townsend La. BS32: Alm 2B 26
Townsend Rd. BS14: Stoc 5H 77
Townshend Rd. BS22: Wor 6E 84
TOWNWELL 2B 14
Tozer's Hill BS4: Know 7E 62
Tracy Cl. BS14: H'gro 3B 76
(not continuous)
Trafalgar Rd. BA1: W'ton 2H 99
Trafalgar Ter. BS3: Bedm 7H 61
Trafalgar Wlk. BS1: Bris 2K 61 (2F 5)
Tralee Wlk. BS4: Know 1K 75
Tramshed, The BA1: Bath 4C 100 (3G 7)
Tramway Rd. BS4: Brisl 6E 62
Tranmere Av. BS10: Bren 3G 35
Tranmere Gro. BS10: Bren 4G 35
Tratman Wlk. BS10: Hen 4F 35
Travers Cl. BS4: Know 4K 75
Travers Wlk. BS34: Stok G 2H 37
Trawden Cl. BS23: W Mare 3J 105
Treasure Ct. TA8: Bur S 6C 156
Tredegar Rd. BS16: Fish 5K 49
Treefield Pl. BS2: Bris 6C 48
Treefield Rd. BS21: Clev 7D 54
Tree Leaze BS37: Yate 4F 31
Tregarth Rd. BS3: Ash V 1F 75
Tregelles Cl. TA9: High 4E 158
Trelawn Cl. BS22: St Geo 2H 107
Trelawney Av. BS5: St G 1F 63
Trelawney Pk. BS4: Brisl 6F 63
Trelawney Rd. BS6: Cot 7J 47
Trellick Wlk. BS16: Stap 7G 37
Tremlett M. BS22: Wor 7F 85
Trenchard Rd. BS24: Lock 1H 129
BS31: Salt 7H 79
Trenchard St. BS1: Bris 2J 61 (3E 4)
Trench La. BS32: Alm 4G 27
BS36: Wint 4G 27
Trendlewood Pk. BS16: Stap 4G 49
Trendlewood Way BS48: Nail 7J 57
Trenleigh Dr. BS22: Wor 1D 106
Trent Dr. BS35: T'bry 5B 12
Trent Gro. BS31: Key 6E 78
Trentham Cl. BS2: Bris 6C 48
Tresham Cl. BS32: Brad S 4F 27
Trevelyan Rd. BS23: W Mare 5H 105
Trevelyan Wlk. BS10: Hen 4F 35
BS34: Stok G 2J 37
Trevenna Rd. BS3: Ash V 1F 75
Treverdowe Wlk. BS10: Hen 4D 34
Trevisa Gro. BS10: Bren 3J 35
Trevithin Cl. BS15: K'wd 2A 64
Trewartha Cl. BS23: W Mare 4H 105
Trewartha Pk. BS23: W Mare 4H 105
Trewint Gdns. BS4: Know 2B 76
Triangle E. BA2: Bath 6K 99 (6A 6)
Triangle Nth. BA2: Bath 5K 99 (6A 6)
Triangle Sth. BS8: Clif 2H 61 (3B 4)
Triangle, The BS20: P'head 3D 42
BS21: Clev 6D 54
BS39: Paul 7B 140
BS40: Wrin 2F 111
Triangle Vs. BA2: Bath 6K 99 (6A 6)
Triangle W. BA2: Bath 6K 99 (6A 6)
BS8: Clif 2H 61 (3B 4)
Trident Cl. BS16: Down 6E 38
Trim Bri. BA1: Bath 5B 100 (4F 7)
Trim St. BA1: Bath 5B 100 (4F 7)
Trinder Rd. BS20: E'tn G 4F 45
Trinity Cl. BA1: Bath 5B 100 (5E 6)
TA8: Bur S 6C 156
Trinity Ct. BS48: Nail 1E 70
Trinity M. BS2: Bris 3J 5
Trinity Pl. BA1: Bath 5B 100 (4E 6)
BS23: W Mare 3E 104
(not continuous)
Trinity Quay BS2: Bris 3B 62 (4J 5)
Trinity Ri. TA8: Bur S 6C 156
Trinity Rd. BA2: C Down 2D 122
BS2: Bris 2C 62 (2K 5)
BS23: W Mare 3E 104
BS48: Nail 1E 70
Trinity St. BA1: Bath 5B 100 (5F 7)
BS1: Bris 3J 61 (5D 4)
BS2: Bris 2C 62 (2K 5)
Trinity Theological College 4E 46
Trinity Wlk. BS2: Bris 2B 62 (2K 5)
Trin Mills BS1: Bris 4K 61 (6F 5)
Tripps Cnr. BS49: Yat 4K 87
Troon BS37: Yate 6E 30
Troon Dr. BS30: Warm 3F 65
Trooper's Hill Rd. BS5: St G 3H 63
Tropical Bird Garden 3B 126
Tropicana Leisure Complex 6F 105
Trossachs Dr. BA2: Bath 3F 101
Trowbridge Cl. TA9: High 4F 159
Trowbridge Rd. BA15: Brad A 6H 125
BS10: S'mead 6J 35
Trowbridge Wlk. BS10: S'mead 6J 35
Truro Cl. TA8: Bur S 1E 158
Truro Rd. BS3: Ash G 6H 61
BS48: Nail 2J 71
Trym Cross Rd. BS9: Sea M 3C 46
Trym Leaze BS9: Sea M 3C 46
Trym Rd. BS9: W Trym 7G 35
Trym Side BS9: Sea M 3C 46
Trymwood Cl. BS10: Hen 5F 35
Trymwood Pde. BS9: Stok B 2D 46
Tucker's La. BS40: Ubl 4J 135
Tucker St. BS2: Bris 2B 62 (2J 5)
Tuckett Ho. BS16: Fren 1A 50
Tuckett La. BS16: Fren 1A 50
Tuckingmill La. BS39: Comp D 6C 96
Tuckmill BS21: Clev 1B 68
Tudor Cl. BS30: Old C 6G 65
Tudor Rd. BS2: Bris 7B 48
BS5: E'tn 7E 48
BS15: Han 4A 64
BS20: P'head 4G 43
BS22: Wor 7E 84
Tuffley Rd. BS10: W Trym 7J 35
Tufton Av. BS11: Law W 7A 34
Tugela Rd. BS13: B'wth 3F 75
Tunbridge BS40: Chew M 2H 115
Tunbridge Cl. BS40: Chew M 2H 115
Tunbridge Rd. BS40: Chew M 1H 115
Tunbridge Way BS16: Emer G 7E 38
TUNLEY 2A 142
Tunley Hill BA2: Cam 3J 141
Tunley Rd. BA2: Tun 1B 142
Tunstall Cl. BS9: Stok B 4E 46
TURLEIGH 6D 124
Turley Rd. BS5: E'tn 7F 49
Turnberry BS30: Warm 3F 65
BS37: Yate 6E 30
Turnberry Wlk. BS4: Brisl 1F 77
Turnbridge Cl. BS10: Bren 4J 35
Turnbridge Rd. BS10: Bren 3J 35
Turnbury Av. BS48: Nail 1J 71
Turnbury Cl. BS22: Wor 1D 106
Turner Cl. BS31: Key 5E 78
Turner Ct. BS22: Wor 1D 106
Turner Dr. BS37: Yate 5B 30
Turner Gdns. BS7: L'lze 2D 48
Turners Ct. BS30: L Grn 5D 64
Turner's Ter. BA3: Hem 5G 155
Turner Way BS21: Clev 1B 68
Turnpike Cl. BS37: Yate 4E 30
Turnpike Ga. GL12: Wickw 6G 15
Turnpike Rd. BS25: Ship 5A 132
BS26: L Wre 7C 148
Turtlegate Av. BS13: Withy 6E 74
Turtlegate Wlk. BS13: Withy 6E 74
Turville Dr. BS7: Hor 2C 48
Tuscany Ho. BS6: Redl 5G 47
Tutton Way BS21: Clev 2D 68